ABESSIJNSE KRONIEKEN

LITERAIRE REUZEN

Moses Isegawa

ABESSIJNSE KRONIEKEN

ROMAN

VERTALING RIA LOOHUIZEN

1999
UITGEVERIJ DE BEZIGE BIJ
AMSTERDAM

Eerste druk maart 1998
Tweede druk april 1998
Derde druk april 1998
Vierde druk mei 1998
Vijfde druk juli 1998
Zesde druk augustus 1998
Zevende druk januari 1999
Achtste druk oktober 1999
Oorspronkelijke titel *Abyssinian Chronicles*
Uitgave De Bezige Bij, Postbus 75184, 1070 AD Amsterdam
Omslag Studio Paul Koeleman
Druk Hooiberg, Epe
ISBN 90 234 3910 4 CIP
NUGI 301

INHOUD.

BELANGRIJKSTE PERSONAGES

MOEGEZI	: hoofdpersoon en verteller
SERENITY	: vader van Moegezi (wordt ook 'Sere' of 'Mpanama' genoemd)
HANGSLOT	: moeder van Moegezi (heet eigenlijk Nakkazi; wordt ook 'Maagd' of 'Zuster Petrus' genoemd)
OPA	: voormalig dorpshoofd; vader van Serenity
OMA	: zuster van Opa, tante van Serenity
TIIDA	: zuster van Serenity (wordt ook 'Miss Sunlight Zeep' genoemd)
DOKTER SSALI	: echtgenoot van Tiida
NAKATOE	: zuster van Serenity
HADJI ALI	: tweede echtgenoot van Nakatoe
KAWAYIDA	: halfbroer van Serenity (van Opa met een bijslaap)
LWANDEKA	: zuster van Hangslot
KASAWO	: zuster van Hangslot
MBALE	: broer van Hangslot
KASIKO	: minnares van Serenity voor zijn huwelijk met Hangslot
NAKIBOEKA	: tante van Hangslot; minnares van Serenity
HADJI GIMBI	: buurman van Serenity en Hangslot in Kampala
LOESANANI	: jongste echtgenote van Hadji Gimbi; geliefde van Moegezi
VRIJER	: klant van Hangslot (heet eigenlijk Mbaziira; wordt ook 'Boy' genoemd)
STENGEL	: klasgenoot van Moegezi op de lagere school n Ndere

LWENDO	: studiegenoot van Moegezi op het seminarie
PATER KAANDERS	: bibliothecaris op het seminarie
PATER MINDI	: thesaurier op het seminarie
PATER LAGEAU	: opvolger van pater Mindi
DOROBO	: nachtwaker op het seminarie
JO NAKIBIRI	: geliefde van Moegezi in Kampala
KEEMA	: hospita van Moegezi in de Bijlmermeer
EVA	: vriendin van Moegezi in de Bijlmermeer
MAGDELEIN	: Amsterdamse vriendin van Moegezi

DEEL EEN

...1971: de jaren in het dorp

Terwijl hij tussen de kaken van de kolossale krokodil verdween flitsten er drie laatste beelden door Serenity's hoofd: een wegrottende buffel vol gaten waar slierten maden en zwermen vliegen uit kwamen; zijn minnares van oudsher, de tante van zijn vermiste echtgenote; en de geheimzinnige vrouw die hem als kind had genezen van zijn bezetenheid van grote vrouwen.

De paar mensen die mijn vader in zijn jeugd hadden gekend en die nog leefden toen ik klein was, konden zich herinneren dat hij tot zijn zevende op bijna elke grote vrouw die voorbijkwam af rende en met een zachte stem, die beefde van verwachting, tegen haar zei: 'Welkom thuis, mammie. Je bleef zo lang weg dat ik bang was dat je nooit meer terug zou komen.' De vrouw glimlachte dan overrompeld, aaide hem over zijn bol en keek toe hoe hij zijn handen samenkneep, alvorens hem duidelijk te maken dat hij zich opnieuw had vergist. De vrouwen op zijn vaders erf probeerden hem ermee op te laten houden; ze maakten hem bang – en dit wordt door een aantal dorpelingen bevestigd – door te zeggen dat hij zo nog eens tegen een als grote vrouw vermomd spook zou aan lopen dat hem mee zou nemen en in een diep gat onder de grond zou stoppen. Ze hadden net zo goed kunnen proberen water uit een steen te melken, en met meer resultaat. Met een starre uitdrukking op zijn gezicht bleef mijn vader gewoon naar grote vrouwen toe hollen, en keer op keer werd hij teleurgesteld.

Tot hij op een hete middag in 1940 op een vrouw af rende die niet glimlachte en hem ook niet over zijn bol aaide. Zonder hem ook maar een blik te gunnen greep ze hem bij zijn schouders en duwde hem van zich af. Deze geheimzinnige genezeres van zijn obsessie verwierf daarmee voor eeuwig een plaats in zijn leven. Nooit rende hij meer op grote vrouwen af, en hij wilde er niet over praten, zelfs niet toen Oma, zijn enige tante van vaderskant, hem snoep beloofde. Hij hulde zich in een dikke cocon, en wees alle inspanningen om hem te troosten af. Er verscheen een minzame, eenzelvige onverschilligheid op zijn gezicht die zo definitief was dat hij er de naam Serenity aan overhield, hoewel de dorpelingen hem 'Sere' noemden, ironisch genoeg ook de naam van een plantje met zwarte doornen dat zich in overwoekerde tuinen of in het struikgewas aan kleding en aan de flanken van dieren vasthaakte.

Seres moeder, de vrouw die in zijn gedachten de gedaante had aangenomen van al die vreemde vrouwen, had hem in de steek gelaten toen hij drie jaar oud was; ze ging zogenaamd naar de verre winkels aan de andere kant van Mpande Hill, waar de grotere aankopen werden gedaan. Ze was nooit teruggekomen. Ze liet ook twee meisjes achter, beiden ouder dan Sere, die zich met grote berusting in haar afwezigheid schikten en die zijn bezeten aandacht voor grote vrouwen niet konden uitstaan.

In het ideale geval had Sere als eerste geboren moeten worden, omdat iedereen hoopte op een zoon voor Opa, de indertijd toekomstige hoofdman van het district. Maar er kwamen alleen meisjes, van wie er twee vlak na de geboorte stierven onder omstandigheden die riekten naar moederlijke wanhoop. Toen Sere geboren was, had zijn moeder besloten weg te gaan omdat iedereen van haar verwachtte dat ze nog een zoon zou baren, als reserve, want een enige zoon was als een kaars in een windvlaag. De spanning steeg tot ongekende hoogte toen bekend werd dat ze weer zwanger was. Er werd veel gespeculeerd: zou het een meisje of een jongen worden, zou het levenskansen hebben of niet, was het kind van Opa of van de man op wie ze smoorverliefd was? Voor iemand erachter kon komen, was ze vertrokken. Maar ze had geen geluk: drie maanden later in haar nieuwe leven scheurde haar baarmoeder en bloedde ze op weg naar het ziekenhuis dood op de achterbank van een gammele Morris Minor.

Intussen verstopte Serenity zich steeds meer in zijn cocon, vermeed hij zijn tantes, zijn neven en nichten en zijn plaatsvervangen-

de moeders, van wie hij dacht dat ze hem haatten omdat hij erfgenaam was van het landgoed van zijn vader, waarbij enkele hectaren
vruchtbaar voorouderlijk land hoorden. De geboorte van Kawayida,
zijn halfbroer, uit een moslimvrouw die zijn vader er als bijslaap op
na hield, deed zijn vervreemding niet afnemen. Volgens het geboor-
terecht vormde Kawayida nauwelijks een bedreiging voor Sere en
zodoende bleef alles bij het oude. Om te ontsnappen aan de spoken
die door zijn hoofd en de vervuilde atmosfeer boven het erf van zijn
vader rondwaarden, doolde Sere door de omliggende dorpen. Hij
bracht veel tijd door in het huis van de Fiedelaar, een man met grote
voeten, een gulle lach en een scherpe uienlucht, die Opa altijd een
serenade kwam brengen in de weekends dat die thuis was.

Serenity kon maar niet begrijpen waarom de Fiedelaar met zijn
benen wijd liep. Het zou erg onbeleefd zijn het de man te vragen en
Serenity was bang dat, als hij het zijn kinderen vroeg, zij het aan hun
vader zouden doorvertellen, die het op zijn beurt weer aan zíjn vader
zou verklappen zodat hij straf zou krijgen. Daarom stelde hij zijn
tante de vraag: 'Waarom heeft de Fiedelaar borsten tussen zijn benen?'

'Wie zegt dat de Fiedelaar borsten tussen zijn benen heeft?'

'Is het u nooit opgevallen hoe hij loopt?'

'Hoe loopt hij dan?'

'Met zijn benen wijd, alsof hij twee broodvruchten onder zijn tuniek heeft.' Vervolgens gaf hij een demonstratie, zwaar overdreven,
van de manier waarop de man liep.

'Het is gek, maar het is me nooit opgevallen,' hield Oma zich van
de domme, zoals volwassenen altijd deden als ze in een lastig parket
zaten.

'Hoe kan het u nou niet opgevallen zijn? Hij heeft grote borsten
tussen zijn benen, tante.'

'De Fiedelaar heeft geen borsten tussen zijn benen. Hij heeft alleen een ziekte. Hij heeft *mpanama*.'

De zusjes van Serenity hadden op een of andere manier het ge-
waggel in de gaten gekregen en konden het niet laten tegen hun
vriendinnen en schoolgenootjes in het dorp te kletsen over de Fiede-

laar met zijn borsten, en over de kleine clown die hem op een gekke manier nadeed. Het gevolg was dat Serenity, als er geen grote mensen in de buurt waren, vrolijk met de bijnaam 'Mpanama' werd uitgescholden, een woord met de afschuwelijke natte bijklank van koeienstront die op de harde grond klettert uit het achterste van een halfverstopte koe. Opnieuw was hij genezen van een boeiende obsessie, ofschoon hij de arme man bleef opzoeken in zijn huis, in de vage hoop hem bij het pissen te betrappen of, nog liever, op zijn hurken in het privaat, want hij moest en zou erachter komen of de borsten van de Fiedelaar net zo groot en net zo zacht waren als die van de vrouwen op het erf van zijn vader.

Behalve deze geheime fantasie verifiëren, wilde Serenity ook leren vioolspelen. Hij was dol op het eensnarige gekreun, geklaag, gezucht en gekrijs dat de Fiedelaar uit het kleine instrument schraapte. De bezoekjes van de Fiedelaar aan Opa waren het hoogtepunt van de week, en zijn muziek was het enige waar Sere met plezier naar luisterde, niet gedwongen of beïnvloed door volwassenen of leeftijdgenoten. Hij wilde leren vioolspelen; het instrument trots tegen zijn schouder leggen, de enige snaar stemmen met behulp van een klompje was en er bovenal vreemde vrouwen mee in zijn tovercirkel lokken en ze daarin vasthouden zolang hij wilde. Op school stond hij bekend om zijn prachtige potloodtekeningen van violen. Maar zijn wens is nooit uitgekomen. Opa, die katholiek was, raakte zijn zetel kwijt en werd vervangen door een protestantse rivaal, na een door godsdienstfanatisme bedorven campagne.

Aan het eind van de jaren vijftig, toen Opa uit zijn macht was ontzet en daarmee het belangrijkste in zijn leven verloren had, slonk zijn huishouden omdat de familieleden, de vrienden en aanhangers een voor een of in groepjes vertrokken. De vrouwen verdwenen en de Fiedelaar nam zijn talent mee naar andere streken. Tegen de tijd dat ik zelf zo oud was als Serenity toen hij op grote vrouwen af rende, woonde Opa alleen, in een huis dat hij af en toe deelde met een familielid of vrouw, en een paar ratten, spinnen en een enkele slang die zijn huid afwierp achter de stapels koffiezakken.

Oma, zijn enige nog levende zuster, woonde ook alleen, op drie voetbalvelden afstand. De vrijgezellenwoning van Serenity, een bescheiden geval op een stuk land dat Opa en Oma hem hadden geschonken, stond tussen de twee erven in. Het was een levenloos, leeg huis dat van tijd tot tijd aan de sluimer van het verval werd ontrukt als het werd uitgemest ter ere van een bezoeker, of gewoon om de schade aangericht door houtworm en ander vernielzuchtig ongedierte, te beperken. Het kwam alleen volop tot leven wanneer Serenity's zusters en oom Kawayida kwamen logeren en het verlicht werd door de gouden stralen van de stormlampen; dan trilden de balken van de stemmen en het geschater en weefde de rook van het vuur waarop het badwater werd verwarmd lange spectaculaire slierten om het dak die verre herinneringen opriepen, even wazig en overtuigend als mijn eigen kinderjaren

De uittocht van de vrouwen, familieleden, vrienden en andere schimmige figuren die vaak op het erf van een belangrijk man ronghangen, had een ontstellende leegte achtergelaten waardoor het erf gehuld was in een waas van glorierijke nostalgie. Een nostalgie die de jaren vijftig en zestig overbrugde en ons voorzag van verhalen, bewaard, bijgeschaafd en verfraaid door het geheugen. Elke verdwenen ziel was nu een geestverschijning geworden, door de orakeltaal van Opa en Oma in woorden gewikkeld, tevoorschijn getoverd uit de leegte, en gebruikt om een dosis voormalig leven in ons huidige, beknotte bestaan te injecteren. De heerschappij van die nostalgische spoken in de heimweeverhalen werd alleen verbroken wanneer de personages, als wederopgestane doden, in levenden lijve de gevaarlijke hellingen van Mpande Hill en de verraderlijke papyrusmoerassen trotseerden om in hoogsteigen persoon hun zaak te komen voorleggen. De Fiedelaar is nooit teruggekomen, maar bleef van grote invloed doordat Opa hem vereeuwigde met bedroevende uitvoeringen van zijn liedjes, waarop hij zijn gevolg trakteerde tijdens het scheren, tijdens de inspectie van zijn koffie-*shamba*, tijdens zijn gemijmer in de schaduw als hij zich afvroeg hoe hij aan een jonge meid met een oude ziel moest komen die hem door zijn laatste dagen heen kon helpen.

Aan het eind van de jaren zestig werd er naar niemand met grotere verwachting uitgekeken dan naar oom Kawayida: de man was een tovenaar, een goudmijn van fascinerende en soms angstaanjagende verhalen, een geweldig verteller die gezegend was met een zeldzaam geduld en mijn vaak vervelende vragen beantwoordde met een opgewekte, aanmoedigende uitdrukking op zijn gezicht. Als hij te lang wegbleef werd ik ongedurig en begon ik uit te rekenen op welke dagen en in welke maanden de kans het grootst was dat hij zou komen. Op die dagen klom ik dan in mijn lievelingsboom, de hoogste broodboom van de drie erven, die uitzicht bood op de familiebegraafplaats, en dan richtte ik mijn blik op Mpande Hill, alias de Berg der Mannelijkheid, in de verte. Als ik geluk had zag ik hem op zijn motor, een adelaar met blauwe buik omlijst door zilveren flitsen, langs de beruchte steile helling omlaagzweven en verdwijnen in de parapluvormige gewassen van het papyrusmoeras aan de voet ervan. Met 'oom Kawayida, oom Kawayida' op mijn tong liet ik me snel uit de boom zakken waarbij de droge scherpe takken in mijn huid prikten en dan rende ik Oma's binnenplaats op om het goede nieuws te melden, met de zoetige, hypnotiserende geur van broodvruchten in mijn neus.

Oom Kawayida was meteropnemer bij het Staatsenergiebedrijf. Het was zijn taak om bij de mensen thuis de meterstand op te nemen en te berekenen hoeveel de verbruikers elke maand moesten betalen. Dankzij zijn bereisdheid en ik denk ook zijn grote fantasie, kon hij verhalen vertellen over vrouwen die hem met zoete woordjes trachtten om te kopen een lagere meterstand door te geven; en over mannen die, met de bedoeling hem in zijn taak te belemmeren, hem er ten onrechte van beschuldigden dat hij met hun vrouw flirtte en dreigden hem in elkaar te slaan. Hij verbijsterde ons met verhalen over mensen die in achterbuurten onder armoedige omstandigheden met z'n tienen in een klein huisje woonden, zonder enige privacy, waar de ouders neukten in het bijzijn van hun kinderen, die dan net deden of ze sliepen. Hij vertelde over vrouwen die in garages aborteerden door scherpe plantenstelen of wielspaken in de verdoemde geboortekanalen van overspelige echtgenotes of stiekeme dochters te steken, wat nu en dan, als ze misprikten, afgestraft werd met een fatale of bijna fatale bloeding. Hij vertelde over mannen die hun vrouw aftuigden met elektriciteitssnoeren, stokken, laarzen of vuisten, waarna ze zijn eten moest koken of met hem moest neuken; en over vrouwen die dronken en vochten als een man, die de kop van hun kerel openhaalden met stukgeslagen bierflesjes en vervolgens zijn zakken rolden. Er waren in de buitenwereld wilde kinderen die niet naar school gingen en een misdadig leven leidden: ze stalen, roofden, plunderden en moordden soms zelfs; en kinderen van rijkelui die per auto naar school werden gebracht en de leraren uitlachten en liefdesbrieven in de klas schreven. Er waren ook mensen die nauwelijks rond konden komen en één karige maaltijd aten na een lange dag zwoegen. Er waren in de buitenwereld voetbalvandalen die hun leven overhadden voor hun voetbalteam en die gevechten van heroïsche omvang leverden met de supporters van tegenpartijen, waaraan stenen, pisflessen, strontpakketten, knotsen en zelfs kogels te pas kwamen totdat het punt was bereikt waarop de politie moest ingrijpen met traangas en kogels. Er woonden mannen en vrouwen, trouwe kerkgangers, katholieken en protestanten, die de Duivel vereerden en allerlei bloedoffers brachten tijdens nachtelijke orgieën; en mensen van allerlei religieuze gezindten die geplukte en onthoofde kippen, dode hagedissen, de ingewanden van kikkers en ander ritueel afval in tuinen, in winkels of op kruispunten deponeerden. Ooit kwam hij met een verhaal over een gevild lam dat, overladen met allerlei duistere verwensingen en wolken uitgehongerde vliegen, op straat was losgelaten. Ik herinner me het verhaal van de man die het met drie zusters hield, allereerst degene met wie hij getrouwd was, vervolgens met de tweede, die op de kinderen kwam passen tijdens de moeizame zwangerschap van de eerste, en tot slot de derde, een schoolmeisje dat een logeeradres moest hebben vlak bij een gerenommeerde school. Zoals altijd het geval is met dergelijke verhalen, had het een open einde, dat ruimte liet voor verschillende interpretaties en gissingen.

Wanneer oom Kawayida kwam, zorgde ik ervoor dat ik me onmisbaar maakte in huis en niet weggestuurd werd om een boodschap. Maar als ik voelde aankomen dat hij een bijzonder smeuïg verhaal ging vertellen over een van onze familieleden of kennissen, en Opa op het punt stond me weg te sturen, ging ik uit mezelf buiten spelen, waarop ik meteen terugsloop en me achter de keuken verstopte om stiekem mee te luisteren. Maar het kwam ook vaak voor dat Opa en Oma zo geboeid waren dat ze me helemaal vergaten, of mijn bestaan en verstand gewoon negeerden en ik me verlekkerde alsof de toekomst van het hele dorp ervan afhing.

Oom Kawayida wakkerde mijn fantasie zo aan dat ik een aantal van zijn verhalen wilde verifiëren door een bezoek te brengen aan die plekken en figuren waarover hij vertelde. Wat waren het bijvoorbeeld voor ouders die wat ze dan ook in bed uitspookten deden terwijl hun kinderen ernaast op de grond zogenaamd lagen te snurken? Waren ze katholiek of niet? Zo niet, stond het protestantisme, de islam of de traditionele godsdienst dan een dergelijk heidens gedrag toe? Waren die mensen ontwikkeld en goed opgevoed, of niet? Niet in staat mijn razende nieuwsgierigheid en twijfel in te tomen smeekte ik oom Kawayida me mee te nemen, al was het maar één keertje, maar dat weigerde hij altijd. Gesteund door Opa en Oma. Hun slappe uitvluchten waren nog wel het ergerlijkst. Later ben ik achter de werkelijke reden van de weigering gekomen: de vrouw van Kawayida, iemand uit een groot polygaam gezin, lag overhoop met mijn moeder Hangslot, een vrouw uit een streng katholiek gezin, en noch oom Kawayida, noch Opa of Oma was bereid het risico te nemen Hangslot te ontstemmen door haar zoon naar het huis van een vrouw te sturen aan wie ze zo'n hekel had en die ze veroordeelde.

De spanning tussen de twee echtgenotes had een wig gedreven tussen de twee broers. Hangslot had minachting voor Kawayida's vrouw omdat ze van mening was dat er geen moraal en geen redding voort kon komen uit een huishouden met dertig meisjes en tien jongens, geboren uit evenzoveel 'hoerenmoeders' in een klimaat van eeuwige zonde. De vrouw van Kawayida verachtte Hangslot vanwege haar arme afkomst, en omdat ze al te snel naar de guavekarwats greep; een neef omschreef haar opvoedende maatregelen eens

als: ze slaat haar kinderen alsof het trommels zijn. Men betichtte
Hangslot er ook van dat ze Kawayida's succes in de weg stond door
Serenity te verbieden zijn broer te helpen met geldleningen van de
bank en van welgestelde personen. Kawayida had de ambitie een
zaak voor zichzelf te beginnen en zijn eigen geld te verdienen en te
kunnen uitgeven, maar hij beschikte niet over kapitaal en had een
betrouwbaar iemand nodig als borg, zijn broer bijvoorbeeld. De
waarheid was dat Serenity, die Kawayida zijn huidige baan had bezorgd, niets in de detailhandel zag, er om persoonlijke redenen zelfs
een afschuw van had en zijn steun weigerde aan iedereen die zich
ermee inliet. In aanmerking genomen dat hij er altijd heel laconiek
over deed, werd Seres standpunt door de vijandige partij naar wel-
gevallen uitgelegd.

In die tijd ontmoetten de twee broers elkaar op bruiloften en begrafenissen en ook als er bokswedstrijden met Muhammad Ali te
zien waren. Daarvan vertelde Kawayida ons de details, gezeten op
de vleugels van de adelaar met de blauwe buik, omsproeid door zijn
eigen speeksel, en hij doorspekte zijn verhaal met de kunstgrepen
van zijn verbeelding. Oma hoorde de nauwgezette verslagen van die
roemruchte wedstrijden aan met dezelfde vage ironie waarmee ze
Seres onthullingen over de borsten van de Fiedelaar had aange-
hoord, en met hetzelfde minzame lachje dat ze zijn beruchte wag-
gelloopje had gegund. Kawayida nam met ons Ali's patserige arsenaal van stoten, huppelpasjes en hoeken door met hetzelfde plezier
als waarmee hij zijn andere verhalen vertelde. Oma noemde hem
achter zijn rug 'Ali', een bijnaam die niet aansloeg omdat behalve
wij maar één andere familie, de Stefano's, iets af wist van de prestaties van Muhammad Ali en Kawayida als spichtige plaatsvervanger
niet aan hem kon tippen.

Tante Tiida, de oudste zuster van Serenity, was de minst populaire
van de bezoekers die we het hele jaar door ontvingen, ondanks het
feit dat ze een imposante verschijning was. Als zij kwam was iedereen gespannen, vooral in het begin. Om de arrogantie van zijn oudste kind wat in te tomen, bejegende Opa haar met een gul, halfspot-

tend enthousiasme. Oma daarentegen was van mening dat onbevangenheid het beste wapen was om ijdelheid te bestrijden, en zij ontving haar met een onverschilligheid die Tiida's arrogantie ruimschoots compenseerde. Beide strategieën schoten tekort want zodra Tiida haar tassen had uitgepakt, zorgde ze ervoor dat alles naar haar hand werd gezet. Het maakte op mij altijd de indruk dat we bezoek kregen van een inspecteur van de gezondheidsdienst in burger.

Tiida was net een exemplaar van een door uitroeiing bedreigde diersoort, dat haar leven in de waagschaal stelde door in contact te treden met ons achtergebleven dorpsmilieu. Ze kwam nooit onaangekondigd. Dagen voor de komst van 'Miss Sunlight Zeep' moest Serenity's huis gelucht en geveegd worden, en het bed bespoten met insectenverdelger. Ik moest de overvloedige spinnen te lijf gaan, hun rag onttakelen en wegruimen, hun eitjes vernietigen. Ik stopte de gangen dicht die de termieten in deuren en ramen hadden gegraven. Met een mes schraapte ik vleermuizenstront van de vloeren en raamkozijnen. Het was mijn taak om het privaat uit te roken met bosjes gedroogde bananenbladeren, iets waar ik een grote hekel aan had omdat het me herinnerde aan het eerste geduchte pak slaag dat ik van Hangslot had gekregen.

Miss Sunlight Zeep ging als ze bij ons was altijd viermaal per dag in bad en ik moest zorgen dat ze voldoende water voor haar rituele wassingen had. Dat was een hele klus op een plek waar één bad per dag volstond en sommigen zich door de week beperkten tot het poedelen van voeten, oksels en kruis. Geen wonder dat de dorpelingen haar Miss Sunlight Zeep of Miss Etiquette noemden. Tiida was niet blij met die eerste bijnaam, vanwege de toespeling op luchtjes, en ook omdat de enige andere fanatieke baadster in het dorp, een stewardess, een telg van de familie Stefano, slechts de bijnaam Miss Aeroplane had meegekregen.

In tegenstelling tot Miss Aeroplane was Tiida heel elegant, heel aantrekkelijk en welbespraakt en ondanks haar bedillerigheid voelde ik me in haar bijzijn trots. Als de Maagd Maria een negerin was geweest, had Tiida met gemak kunnen beweren dat ze zusters waren. 's Avonds zag ik Tiida gehuld in wufte wolken mousseline, haar witte nachtjapon die licht opbolde in de wind, haar lange dunne vingers ineengestrengeld op haar buik, haar lange hals gebogen in de richting waar dromen met de werkelijkheid versmolten. Mijn ontzag voor haar duurde niet lang: dat kreeg een knauw als gevolg van Opa en Oma's gesprekken na het middageten. Tiida was geen maagd meer toen ze trouwde. Ze was ontmaagd door een dorpsvriendje dat niet met haar was getrouwd omdat hij al getrouwd was. Deze man had een dochter die berucht was omdat ze altijd buiten zat met haar knieën wijd, zonder ondergoed aan, met haar gezicht naar de weg toe. Opa was kwaad op de man omdat hij de huwelijkskansen van zijn dochter in gevaar had gebracht. Ik weet nog wel dat tante Tiida me een keer vroeg of die man nog steeds met dezelfde lelijke vrouw getrouwd was. Ik zei ja, waarop ze triomfantelijk lachte. Ik wilde tegen haar zeggen dat ik van haar geheim af wist, maar dat was een aangelegenheid voor volwassenen. Ik kon niet ongestraft toespelingen maken. Terwijl ik met de damp in mijn ogen haar badwater aan de kook bracht, trachtte ik me voor te stellen hoe zij eruit had gezien in de tijd dat mannen haar afwezen omdat ze geen maagd meer was. Hoe had ze zich daartegen verweerd? Ik stelde me voor dat ze zo'n man zijn impotentie voor de voeten wierp als hij haar afwees, en hem toevoegde dat zijn voorkeur voor maagden bullshit was.

Het lag voor de hand dat Tiida trouwde met een dokter. Een dokter die, jaren later, alleen maar doktersassistent bleek te zijn. Oma joeg haar meer dan eens op stang. 'Hij is geen echte dokter, hè?' vroeg ze dan voor de zoveelste keer. 'Hij mag geen medicijnen voorschrijven voor mijn suiker.'

'U en uw suiker,' bitste Tiida dan geprikkeld terug, 'alsof iedereen het in zijn thee kan doen en opdrinken.'

'Niet boos worden, Tiida. Het is je eigen schuld. Waarom heb je ons op de mouw gespeld dat hij dokter was?'

'Een medisch assistent met zijn ervaring is net zoveel waard als een dokter. Mijn man kan alles wat een dokter ook kan. Hij draagt ook een onberispelijk witte jas. Wie ziet nou het verschil?'

'Jij ziet het verschil niet zal je bedoelen!'

'U zult moeten toegeven dat mijn man geen sukkel is. Hij grijpt elke kans aan om vooruit te komen in de wereld. Dat kun je niet van alle aangetrouwde mannen in onze familie zeggen.'

'Jajaja. Maar we zouden hem anders ook wel hebben geaccepteerd. Hij had niet zo snobistisch hoeven doen.'

'Hij is een man van extremen.'

'De volgende keer kan het best wat minder.' Oma barstte in lachen uit. 'De arme ziel. Als je met Miss Sunlight Zeep trouwt ben je inderdaad een man van extremen.'

'Nou moet u ophouden, Tante,' zei Tiida zenuwachtig.

Als de bezoekjes van tante Tiida ten einde liepen en ze in een wolk van flessengeur vertrok, had ik vreemd genoeg altijd een leeg gevoel; waarschijnlijk miste ik de onderzoekende blik van de hygiënedienst.

Deze keer ging er na haar vertrek een jaar voorbij zonder dat we iets van haar hoorden. Opa miste haar, vooral omdat ze erg op haar moeder leek. Zij was de enige dochter die vage herinneringen in hem opriep aan een liefde die geëindigd was terwijl er nog zoveel vragen onbeantwoord waren, een liefde die uitgewist was door het vruchtwater en het warme bloed dat over de achterbank van de gammele Morris Minor was gevloeid. Bijna elke dag had hij het over Tiida.

Natuurlijk was het oom Kawayida die het raadsel van Tiida's lange afwezigheid oploste: dokter Ssali, de protestantse man van Tiida, had zich tot de islam bekeerd! In de jaren zestig was dat een flinke stap terug, want op politiek gebied stonden christenen op de eerste rang: de protestanten kregen het leeuwendeel van de taart, de katholieken het hyenadeel, en de moslims het magere kliekje van de aasgieren. De spookbeelden van de nederlaag die Opa door zijn protestantse rivaal was toegebracht, werden door deze bizarre wending uit hun slaap gewekt. Verbolgen riep hij uit: 'Onmogelijk. Hoe kón hij?' Opa zag zijn dochter al net als hijzelf de afgrond in storten. Nu het de dokter was toegestaan vier vrouwen te huwen, zou Tiida drie concurrentes krijgen, met alle jaloezie en hekserij van dien. Als het in Opa's vermogen had gelegen had hij haar persoonlijk helpen scheiden.

Ook mij leek Tiida geen vrouw om haar man te delen. Ze zou ongetwijfeld binnenkort weer thuiskomen. Al die onzin over een bekering paste niet in haar wereld. Loyaliteit tegen beter weten in was geen eigenschap die ik met haar in verband bracht. Elk ogenblik verwachtte ik dat ze over Mpande Hill aan zou komen rijden, de auto volgestouwd met haar kostbare leren tassen. Maar dat is nooit gebeurd. We hadden het allemaal mis: Tiida bleef bij haar man.

Als de bekeerling al van plan was om er drie vrouwen bij te nemen, in de nabije toekomst of in het hiernamaals, dan was dat nu de minste van zijn zorgen. Waar hij het meest over inzat was de ontstoken besnijdeniswond, die zijn penis uiterst gevoelig maakte en moeilijk te hanteren. Het normale gebruik ervan, bijvoorbeeld om te plassen, was een helse beproeving geworden, waarvoor je je schrap moest zetten alvorens eraan te beginnen. Het lange, bungelende geval tussen zijn benen schuurde tegen zijn turiek of soms tegen zijn omslagdoek, er bleven draadjes en schaamharen in de wond plakken. Daardoor waren zitten, slapen en staan een eindeloze marteling geworden. Soms vormde zich aan de rand van de zwerende wond een korstje dat het vurige rozerood bedekte en dokter Ssali hoopvol deed opleven, maar dan kreeg hij, alsof de duivel ermee speelde, 's nachts een erectie en barstte het korstje weer open. Opnieuw begon het pijnlijke plassen, opnieuw hechtten zich draadjes in de wond en kreeg hij tranen in de ogen van de bijtende zalf. Hij schoor zijn schaamhaar om de dag af en de jeukende stoppels rond de wond bezorgden hem uren van moordzuchtige ellende. Hij liet zich onderzoeken op bloedvergiftiging en verschillende vormen van bloedkanker, maar de uitslag was keer op keer negatief. Hij was zo gezond als een vis. De dokter weet de hardnekkigheid van de ontsteking aan zijn leeftijd, en hij was nog maar net veertig.

Daarbovenop kwamen de vliegen. Op een goede ochtend liep Tiida naar buiten en slaakte de gil van haar leven. De twee avocadobomen achter het huis zaten vol vliegen, groene, zo groot als koffiebo-

23

nen. Ze liet de tobbe met kletsnat wasgoed uit haar handen op de grond vallen. Dokter Ssali liep naar de deur en zijn huid verstrakte alsof hij werd gevild. Dit was je reinste terreur. Het stonk alsof er aan de voet van de bomen een geit of een varken lag te rotten. Alleen al het idee van bederf deed Tiida over haar wasgoed heen kotsen. Ssali, die haar net naar de bomen wilde sturen om te kijken wat er zo lag te stinken, moest het zelf gaan doen. Met zijn benen wijd waggelde hij op de bomen af. Er lag een hoop kippendarmen.

Gewoonlijk zouden de vliegen op de darmen zijn neergestreken, en misschien op de lagere takken van de bomen, maar nu zaten ze tot hoog in het gebladerte. Met een misselijk gevoel liep hij terug naar zijn slaapkamer en ontbood een arbeider. De man spitte een gat in de grond en begroef de darmen. De vliegen bleven nog een hele dag en verdwenen tegen de schemering.

Vier dagen later zag Tiida de vliegen weer. Dit keer werd een berg hondendarmen begraven en gingen de vliegen weer weg. Een week later begroeven ze nog een berg hondendarmen. Het begon er tamelijk zorgelijk uit te zien. Iemand was honden aan het slachten om hen met rampspoed te belagen, en het was al zo'n moeilijke tijd. Geiten en schapen waren begrijpelijke offers, maar honden! Bloederige hondenkoppen, die achtergelaten werden op de darmen om niemand in het ongewisse te laten om welke dieren het hier ging! Dit was een waarschuwing. En die kon maar van één persoon afkomstig zijn: de moeder van de man die dokter Ssali het land had verkocht waarop hij zijn huis had gebouwd.

Vijf jaar eerder had hij land gekocht met de bedoeling vee te gaan fokken. In die tijd wist hij niets af van de geschillen die zich afspeelden in de familie van de landeigenaar. De verkoop was eerlijk verlopen, zonder omkoping of enige andere vorm van corruptie. Pas nadat de koop officieel was bezegeld, waren er problemen gerezen. De moeder van de man die hem het land verkocht had verscheen en beweerde dat haar zoon de aanspraak op het land had gestolen en zijn vaders testament had veranderd ten behoeve van zijn eigen hebzuchtige bedoelingen. Haar beschuldigingen werden door de rechtbank terzijde geschoven, en de vrouw dreigde zich dood te zullen

vechten voor het stuk land. Waarom ze juist dit moment had uitgekozen om de aanval in te zetten, stoorde de herstellende islamiet in
hoge mate. Dacht ze soms dat hij na zijn besnijdenis te slap was om
terug te vechten? En dat hij haar het land gewoon terug zou geven?
Hij zond een vredesdelegatie naar haar toe, maar die stuurde ze meteen terug, beledigd dat hij haar in staat achtte honden te offeren aan
de goden van het terrorisme.

Ssali nam een bewaker in dienst die moest kijken wie de koppen
en de darmen bracht, maar het mocht niet baten. De terrorist kon ongestraft zijn gang gaan. Volgens sommigen was het een vloek, een
straf die een dood familielid had uitgedeeld om Ssali's overlopen
naar Allah te wreken. De bekeerling was ten einde raad. Weken achter elkaar probeerde hij van alles, maar de koppen bleven komen, en
de korstjes van zijn wond bleven openbarsten. Alleen al de aanwezigheid van de vliegen maakte zijn medische brein ziek. Rottenis!
Terwijl hij zijn hele leven wijdde aan de uitroeiing daarvan!

Alsof het nog niet genoeg was lazen sommigen een religieuze betekenis in de hondenkoppen- en vliegenvloek. Ze beweerden dat de
koppen en de darmen en de vliegen zeven dagen, anderen zeiden zes
dagen, na zijn wedergeboorte als Saïf Amir Ssali waren opgedoken.
Onder veel volkeren was zeven een cijfer waar een vloek op rustte.
Zes was het cijfer waaruit het getal 666 bestond, van de Antichrist.
Nu was Ssali iets tussen een wandelende vloek en een demon geworden en was het geterroriseer zijn verdiende loon! Als voormalig
christen kon hij deze onheilswolken niet geheel aan zijn laars lappen, dus voor de zekerheid nodigde hij een paar sjeiks en twee beroemde imams uit om te bidden en een offer te brengen. Twee dagen
later verschenen een nieuwe kop en een berg darmen. Dit was een
georganiseerde poging om hem uit zijn huis en van het land te verdrijven.

Tegelijkertijd werd hij bezocht door een nieuwe angst: de mogelijkheid dat Tiida hem zou verlaten. Hij brak zich het hoofd of hij
haar, op een slinkse manier, moest vragen wat er in haar omging; hij
kon haar er niet rechtstreeks over benaderen omdat hij bang was dat
hij haar met zijn twijfels zou beledigen. Stel dat hij het zich allemaal

maar verbeeldde en ze helemaal niet overwoog bij hem weg te gaan,
dan zou hij haar nu misschien op het idee brengen. Hoe lang zou ze
het nog volhouden? Zou een vrouw die viermaal per dag in bad ging
in een huis blijven dat met darmen en hondenkoppen werd bezoedeld? Het leek ondenkbaar.

Het was bekend dat oudere bekeerlingen een grotere kans liepen
kanker aan de penis te krijgen en iedereen vertelde hem dat. Maar
hoe lang kon het allemaal doorgaan? Zijn kinderen werden intussen
gepest door hun schoolgenootjes, die woorden als 'vliegenman',
'zieke penis' en 'vadertje hemdjurk' bezigden.

Het beleg van de vliegen maakte grote indruk op mij. De man moet
het gevoel hebben gehad dat hij de hele dag met stront overdekt was.
Wat een ommekeer! Dokter Ssali was twee keer bij ons op bezoek geweest en hij had eruitgezien als een echte dokter. Beide keren was hij
blijven theedrinken. Ik moest eerst de kopjes drie keer afwassen, in
heet water met een wolk schuim tot aan mijn ellebogen. Hij zat naar
mij en Oma te kijken, zwijgend, met een blik in zijn ogen of we lucht
voor hem waren. Hij droeg een grijze broek, een wit overhemd en een
blauwe stropdas, en pikzwarte, glimmende schoenen. Hij had een
gouden horloge dat als een geel mes door de lucht kliefde als hij zijn
hand omhoogstak om zijn keurig gescheiden haar te betasten. Tiida
was buiten zichzelf van trots. Ze bemoeide zich overal mee en keek
hem af en toe aan alsof ze zijn zwijgende goedkeuring verlangde. Ik
heb het dienblad wel zes keer afgedroogd, de lepeltjes vier keer. Er
bleef elke keer wel een vlekje of druppeltje zitten. In een poging het
ijs te breken, zei ze: 'Dokter Ssali heeft zo'n gevoelige maag!' Ik
dacht later dat ze toen beter had kunnen zeggen: 'Hij heeft zo'n gevoelige piemel! Daar mag nooit in gesneden worden.'

Veertien maanden na zijn besnijdenis klaarde de lucht en heelde
de wond. Maar dat betekende nog niet het einde van zijn problemen.
De beloning waar hij zo verlangend naar had uitgezien, een van de
dingen waardoor hij het allemaal had kunnen volhouden, werd hem
ontzegd. De vertegenwoordiger van de Raad van Bekering liet hem
weten dat hij geen recht meer had op een splinternieuwe Peugeot

omdat hij niet aan alle eisen van het contract had voldaan. Zijn medebekeerlingen, aldus de vertegenwoordiger, hadden het afgelopen jaar in het hele land campagne gevoerd, met toespraken in moskeeën, scholen, parken en dorpshuizen, ten bate van de verspreiding van de islam. Hij had dat niet gedaan omdat hij in het ziekenhuis behandeld had moeten worden. De Raad zou zijn ziektekosten betalen en bood hem een troostprijs aan: een 125 cc scooter.

'Maar u heeft het beloofd, sjeik,' smeekte hij.

'Moet je deze stapel doktersrekeningen zien! En u heeft zich niet aan uw woord gehouden; u heeft niet deelgenomen aan de *jihad*.'

'Dat was mijn schuld niet.'

'Onze schuld was het ook niet. Wilt u soms een solotour organiseren?'

'Ik moet weer aan het werk.'

'Vergeet uw kalotje niet, dat moet u overal waar u heen gaat op hebben. Wees trots op uw nieuwe godsdienst, Saïf.'

Het verhaal dat steeds weer opnieuw werd verteld ging over Ssali toen hij zijn beloning ophaalde: een uitgesproken vrouwelijke Vespa uit Italië. Ik dacht zelf dat er nog een staartje aan het verhaal zou zitten, maar oom Kawayida heeft het er nooit meer over gehad. Ik probeerde Opa te verleiden om verder te vertellen, maar hij stuurde me weg. Toen Tiida op bezoek kwam, trok zij een muur op om zich heen en wilde geen details meer prijsgeven over hun beproeving. Toen gaf ik het maar op.

Ik zat hoog in de boom in de hoop een glimp op te vangen van de adelaar met de blauwe buik toen ik een auto naar het huis van Oma toe zag rijden. Het hart zonk me in de schoenen. Mensen die in een auto op bezoek kwamen bleven meestal veel te lang, terwijl ze een hoop plaats innamen, ons uit ons ritme haalden en mij ongeduldig maakten. Mensen met kinderen waren het ergste: die vonden het vanzelfsprekend dat ik op die kinderen paste, alsof ik niets beters te doen had, terwijl zijzelf uitgingen. De kinderen kakten en pisten in hun broek, kropen overal op en af, en dan was ik verantwoordelijk voor hun veiligheid. En de ouders bedankten me niet eens bij hun vertrek, laat staan dat ze me een zakcentje gaven.

Terwijl ik me langzaam uit de boom liet zakken vroeg ik me af hoeveel kinderen deze bezoekster had meegebracht. Ach, de weerzinwekkende gedachte aan al die luiers die in de tobbe lagen te weken of in de zon aan de lijn wapperden!

Toen ik Oma's huis had bereikt was de auto verdwenen. Op de binnenhof stonden twee grote koffers en spullen in kartonnen dozen. Mijn hart zonk nog dieper. Deze vrouw was inderdaad van plan lang te blijven en ons leven in de war te gooien, de baas over ons te spelen. Alweer! Het was tante Nakatoe, de andere zuster van Serenity. Zij was een kleine, donkere vrouw, met een uitgesproken gewelfd, gedrongen lichaam dat een grote kracht verried. Ze had een zachte, melodieuze stem, die eerder voor zingen dan voor het uitdelen van bevelen geschikt was, waarschijnlijk de reden waarom ze alles tweemaal moest herhalen voordat haar opdrachten werden uitgevoerd. Ze was de enige dochter in de familie die in de kerk was getrouwd. Op haar trouwfoto zag ze er imposanter uit; de massa's tule en de sleep van drie meter verleenden haar een gedrongen, koninklijk voorkomen. Haar man was heel groot, en ik verbeeldde me dat hij, om niet te hoeven schreeuwen, moest bukken om tegen haar te spreken. Terwijl ik oog in oog stond met dit mollige persoontje en de verplichte welkomstwoorden uitsprak, trachtte ik te doorgronden hoe alles zou verlopen tijdens haar verblijf. Gelukkig had ze geen kinderen meegebracht op wie ik zou moeten passen, om te zorgen dat ze geen rupsen, duizendpoten en wormen in hun mond staken.

Opa was ergens anders op visite. Het nieuws dat hij bij thuiskomst vernam bedroefde hem. Hij mocht Nakatoes man erg graag, een band die te maken had met de nieuwe Raleigh-fiets die zijn schoonzoon hem vóór het huwelijk gegeven had. Opa reed nog steeds op die fiets. Hij richtte zijn blik op de bomen bij het horen van het nieuws, alsof hij bang was dat zijn schoonzoon ineens tevoorschijn zou komen om de fiets terug te eisen. Nakatoe was weggelopen en niet van plan naar het huis van haar man terug te keren.

Opa stuurde me weg, maar ik sloop zoals gewoonlijk weer terug. Nakatoes huwelijk had bijna tien jaar geduurd. Het ergerde Opa dat ze weigerde terug te gaan. Als compromis bood hij aan de man uit te nodigen opdat hij beide kanten van het verhaal kon horen. Maar Nakatoe bleef op haar stuk staan en zei dat ze niet van gedachten zou veranderen, al nodigde hij de paus zelf uit. Ze beweerde maar steeds dat de bijvrouw van haar man had geprobeerd haar te vermoorden. 'Het begon met nachtmerries. Zodra ik mijn ogen sloot begon ik te dromen van leeuwen die me insloten en me in stukken scheurden. Ik begon met het licht aan te slapen omdat de nachtmerries dan enigszins afnamen. Ik heb een helderziende geraadpleegd die zei dat het een bijvrouw was die me wilde verdringen. Toen die bijvrouw zich realiseerde dat ik niet weg zou gaan, heeft ze geprobeerd me te laten overrijden.'

'Er zijn veel dronkelappen en gekken op de weg.'

'Ik kreeg maagzweren en migraine, die verdwenen zodra ik het huis uit ging en elders sliep, maar weer terugkwamen als ik thuis was. Die vrouw wil me weg hebben en nu mag ze van mij haar gang gaan.'

'Heeft hij een kind van haar?' vroeg Opa.

'Niet dat ik weet, maar hij zou mij, bij alle ziektes die mij teisteren, toch niet ook nog opzadelen met het kind van een ander?'

Opa was niet erg in zijn schik met dit vage antwoord. Het waren naar zijn ervaring meestal bijvrouwen met kinderen die terreurcampagnes begonnen om hun kinderen erkend te krijgen en gelijke rechten voor zichzelf te verwerven. De moeder van Kawayida had dezelfde foefjes toegepast. Zij had het plan opgevat om de officiële vrouw te worden na de dood van Serenity's moeder, maar Opa was niet geneigd geweest haar die status te verlenen. Haar zoon werd wèl erkend en in de familie verwelkomd. Ik vermoed dat Opa, ondanks het feit hij een zoon bij haar had verwekt, zich schaamde voor haar twee vooruitstekende tanden.

'Vind je het niet merkwaardig dat een kinderloze vrouw je van je huis en je man verdrijft?'

'Dergelijk gedrag is niet voorbehouden aan vrouwen die kinderen hebben. Misschien wil ze wel kinderen zodra ze in het huis woont,' zei Oma. Oma, die leed aan amenorroe en onvruchtbaarheid, had haar huwelijk stuk zien lopen toen een jong meisje haar verdrongen had en haar echtgenoot zes kinderen schonk. Met haar levenservaring snoerde ze Opa de mond. Hij gromde onverstaanbaar en zei later alleen: 'Al mijn dochters hebben een slecht huwelijk.'

Met andere woorden: Hangslot had gelijk. Die had gezegd dat het in Serenity's familie stikte van de mislukte huwelijken. Normaal gesproken zou Opa zich geen snars van een dergelijke opmerking hebben aangetrokken, maar zijn schoondochter was niet iemand die genegeerd kon worden. Hij had geprobeerd haar buiten het huis van zijn zoon te houden, maar was daar niet in geslaagd. Haar opmerking deed hem nu pijn, omdat ze zelf zijn zoon in een slecht huwelijk gevangen hield, en er geen enkel teken was dat daar verandering in zou komen. Opa mocht haar niet: ze was veel te eigenwijs. Daar stond tegenover dat hij haar gevoel voor betrokkenheid bewonderde, een kwaliteit die Nakatoe volgens hem niet zou misstaan.

Opa was nog lang niet van zijn zorgen af. Nakatoe bleef maar twee dagen. Zij ging haar zuster Tiida opzoeken. Ik was opgetogen over haar vertrek. Opa en Oma begrepen er niets van.

Een maand later was ze terug, met een nieuw huwelijksaanzoek op zak. Ze was Hadji Ali, een tien jaar oudere voormalige schoolvriend, tegengekomen en verliefd op hem geworden. Het was niet helemaal duidelijk of zij hem allang op het oog had of dat hij een geheel nieuw verschijnsel was. Maar aan haar stralende gezicht kon je zien dat het geen twijfel leed dat Nakatoe wilde trouwen met deze voormalige voetballer, die zijn prestatiegerichte talenten van het sportveld naar de handel had overgeheveld. Opa had inmiddels twee brieven aan Nakatoes echtgenoot geschreven zonder antwoord te ontvangen. Hij was bang dat er tussen de twee mannen een vete zou ontstaan, wat zijn eigen reputatie niet ten goede zou komen. Hij wilde elke onredelijkheid vermijden. Maar waarom kwam Nakatoes echtgenoot dan geen verklaring afleggen? Opa bleef daar niet al te lang bij stilstaan; hij had een probleem dat veel nijpender was: hij voelde zich geroepen om het om zich heen grijpende vuur van de recente mosliminvasie te doven.

'Dit gaat te ver. Hier moet een einde aan gemaakt worden,' bulderde hij. 'Kijk wat er met Tiida's man is gebeurd: zweren aan zijn pik en een berg ingewanden in zijn tuin! Waarom leren jullie vrouwen nooit iets? Jij dacht zeker: mijn zuster heeft iets bijzonders, en nou wil ik het ook!'

'U bent er zelf mee begonnen, als ik zo vrij mag zijn,' zei Nakatoe. 'Kawayida's moeder is ook onze moeder, en zij is een moslim. Ik kan u verzekeren dat Tiida en haar man erg gelukkig zijn. Gedeelde zorgen hebben hen dichter bij elkaar gebracht. De waanzinnige vrouw die hondenkoppen in hun tuin liet gooien heeft bekend en de aanspraak op hun land ingetrokken. Ssali is een beter mens geworden. Hij is niet meer de arrogante kwast die hij vroeger was.'

'Heb je daarom besloten de wonderen van de islam eens uit te proberen door een moslim voor jezelf uit te kiezen? Denk eens na: je hebt je man verlaten, zogenaamd vanwege de sinistere activiteiten van zijn bijvrouw en nu sta je op het punt te trouwen met een man die er vier vrouwen op na mag houden. Waarom doe je dat?'

'Hadji Ali trouwt niet met iemand anders. Hij heeft genoeg aan mij.'

'Domme vrouwenpraat! Ik kan me nog voorstellen dat Ssali niet een tweede keer zal trouwen, want die heeft een opleiding gehad. Maar wat houdt Hadji Ali tegen om te doen wat hij wil? Ben jij nog maagd of denk je dat je nog maagd bent?'

'Als hij op maagden uit was, was hij niet op mij gevallen. Hij heeft genoeg van meisjes die alles nog moeten leren. Bewaar uw zorgen maar voor uw andere kinderen, ik weet waar ik aan begin.'

'Dus het gaat hier om een moslim die genoeg heeft van moslimmeisjes en voor de verandering eens een christelijke vrouw wil uitproberen!'

'Ik ben verliefd. Ik ben oud genoeg om dat te weten. Ik weet ook dat er iets bijzonders gaat gebeuren. Dat voel ik.'

Er gebeurde inderdaad iets bijzonders: na acht jaar onvruchtbaarheid werd ze zwanger. Opa sprak zijn zegen over het huwelijk uit,

31

maar zonder te weten dat Nakatoe zich ook ging bekeren. Toen dat detail hem ter ore kwam had hij de moed al opgegeven.

'Ze gaan je toch niet besnijden, hè?' vroeg hij in een poging grappig te zijn.

'Wie heeft er ooit van vrouwenbesnijdenis gehoord?' zei Nakatoe schaterlachend.

'Oké. Ga je gang maar. Als je man je nodig had dan zou hij allang hierheen gekomen zijn.'

Zo werd tante Rose Mary Nakatoe tante Hadija Hamza Nakatoe. Zes maanden nadat ze het huis van haar eerste echtgenoot had verlaten werd het nieuwe huwelijk gesloten, in afwezigheid van het overgrote deel van de familie. Maar Serenity verscheen voor het eerst in jaren wel, terwijl hij tot dusver alle familiedrama's uit de weg was gegaan.

Dit was een rijpe Serenity, de 'Cocon-Serenity', zoals Nakatoe hem bij tijd en wijle noemde. Terugtrekking was altijd zijn beste vorm van aanval geweest, en na alle opwinding die aan zijn eigen huwelijk met zuster Petrus 'Hangslot' Nakaza Nakaze Nakazi Nakazo Nakazoe was voorafgegaan, had hij besloten zich koest te houden. Hij was één keer bij Tiida op bezoek geweest, aan het eind van de hondenkoppen- en zwerenperiode. Hij was het soort zwager dat zich nergens mee bemoeide en nooit bemiddelde bij echtelijke ruzies, behalve als hem dat werd gevraagd. Hij was de eerste persoon in de familie die zijn zuster Nakatoe aansprak met 'Hadija Hamza'.

Serenity had als vrijgezel zijn eigen portie moeilijkheden gehad, zoals het probleem om van Kasiko af te komen. Met haar had hij eind jaren vijftig samengeleefd en een dochter gekregen, en vervolgens had hij besloten haar weg te sturen zodat hij met een ander kon trouwen. Kasiko, ondanks haar lange benen en knappe uiterlijk een echt boerenmeisje, was van het 'mijn-man-heeft-gezegd'-soort, dat altijd bevelen en kant-en-klare opdrachten afwachtte, en volledig ingesteld was op behagen en gehoorzamen. Voor een man die zijn hele leven de verraderlijke stroomversnellingen en gevaarlijke diepten van de vrouwen rond zijn vader had moeten omzeilen, was dat be-

angstigend. Hij voelde zich door Kasiko in de gaten gehouden, geanalyseerd, gemanipuleerd, kortom overwoekerd als een rivier door
papyrusstengels. Daar werd hij zenuwachtig en prikkelbaar van. Hij
wilde zelf de manipulerende partij zijn. En wat nog erger was: ze
bleef hem maar lastigvallen met huishoudelijke zaken. De huishouding was iets waar hij boven stond, maar dat wilde niet tot Kasiko
doordringen. In plaats van raad te vragen bij anderen bleef ze hem
bestoken met vragen of ze dit moest kopen of dat, of ze zus moest
koken of zo, op deze dag of op die dag. En het ergste van alles was:
ze probeerde te raden wat hij dacht, en wat hij wel of niet prettig zou
vinden, dingen die hij liever voor zichzelf hield.

Kasiko was lief, vriendelijk, oppervlakkig, beperkt in haar opvattingen; ze was goed in bed, heel goed in de keuken, en geweldig in
de tuin. Het type vrouw dat veel mannen graag als bijvrouw of tweede echtgenote zouden hebben. Maar Serenity dacht niet aan polygamie, toen nog niet tenminste. Hij was op zoek naar een schaap met
vijf poten: een zelfstandige, gereserveerde vrouw die zelf beslissingen nam, èn die goed was in bed, in de keuken en in het huishouden.
Een vrouw die hem met rust liet als hij moest studeren en toekomstplannen maakte, hem niet afleidde met zaken die hij beneden zijn
waardigheid achtte.

Toen Serenity Opa ten slotte vertelde dat hij Kasiko wilde weg-
sturen, kreeg hij daarvoor onmiddellijk toestemming omdat Opa
veronderstelde dat zijn zoon hèm een geschikte huwelijkskandidate
zou laten zoeken. Gearrangeerde huwelijken raakten er langzamerhand uit, maar waren nog niet helemaal afgeschaft. Bovendien was
dit voor Opa een prachtige kans om zijn betrokkenheid als vader te
tonen. Het werd hoog tijd zijn zoon dichter naar zich toe te te halen
en hem een aantal nuttige tips te geven over hoe hij zich als man en
echtgenoot moest gedragen. Er moesten nog een paar gaten gevuld worden die nog openlagen uit de tijd dat hij *chief* was en weinig gelegenheid had gehad om met Serenity te praten. Als man van
de traditie zou hij zijn zoon de hand van vriendschap en kameraad-
schap toesteken door een huwelijkspartner voor te stellen. Ook wilde hij Serenity bij de clan voordragen als potentieel clanhoofd, of in

33

elk geval als een van de clanhoofden. Clans hadden vandaag de dag behoefte aan een *chief* met een opleiding. Serenity, met zijn achtergrond als schoolmeester, maakte een goede kans bij de handelaars en dergelijk soort lieden die nu aan het hoofd van de clans stonden. Als de clanoudsten en de prominente clanleden hem mochten, had Serenity een goede kans geleidelijk het beheer van het clanland over te kunnen nemen. Het zou Opa grote voldoening schenken als dat in handen van zijn eigen familie bleef.

'Goed dat je eindelijk besloten hebt officieel te trouwen. Het is een teken van volwassenheid en doelgerichtheid. Een vroegere collega van me heeft een goed opgevoede, ontwikkelde, aantrekkelijke dochter van huwbare leeftijd, die heel goed bij jouw temperament past. Ze zal ons aan bruidsschat een rib uit ons lijf kosten, maar we staan er samen voor, jongen. Ik zal aan de eisen voldoen. Nou, wat vind je ervan?'

'Eh…'

'En weet je, mijn zoon, sommige mensen hechten veel waarde aan de godsdienst. Maar voor ons is dat niet zo belangrijk, toch? Na alles wat er in onze familie is gebeurd. Het meisje heeft een protestantse achtergrond, maar haar moeder is een afvallige van de katholieke kerk. Misschien kan ze bekeerd worden, hoewel protestanten niet zo gauw naar het katholicisme overlopen. Het doet er niet toe. Je moet in een goede familie zien te trouwen en haar afkomst is voortreffelijk. De verschillen kunnen we altijd wel overbruggen.'

Serenity was volledig overdonderd door de woordenvloed van zijn vader en had het gevoel weg te zakken in modder. Zijn vaders bakstenen huis met het groene dak leek in elkaar te zakken, vloeibaar te worden en als een dikke blubber op hen af te stromen om hen te verzwelgen.

Serenity had vaak gewild dat het huis van zijn vader echt in elkaar zou zakken; hij had er nooit van gehouden. Het had onderdak geboden aan veel te veel mensen die hij niet mocht en niet begreep; mensen die hem niet hadden gemogen en hem niet hadden begrepen. Het klonk hol van het geschreeuw, het gezucht, het gejammer en het gefluister van al die vrouwen, sommige met, sommige zonder kinderen, waar het erf van had gewemeld toen gunsten en geld nog overvloedig waren. Hij was getuige geweest van de vreemdste dingen. Hij had gezien dat er een geheimzinnig poeder in koekenpannen werd gestrooid; hij had gezien dat er gedroogde bladeren op brandende houtskool werden gelegd en besprenkeld met toverformules; hij had gefluisterde complotten en tegencomplotten afgeluisterd in het donker. De muren van dat huis krioelden van de samenzweringen en wraakoefeningen, de aanvallen en verdedigingen over en weer tussen mannelijke en vrouwelijke familieleden. Die muren weergalmden van de gevechten, die nu eens verbeten waren en dan weer komisch, tussen klaplopers en vrienden, en tussen hebzuchtige familie en wedijverende schoonfamilie. Het groene dak was zwaarbelast met de verwensingen van vreemden die niet rechtvaardig behandeld waren, of voor wie dat te laat kwam omdat de grote hoofdman mensen op zijn erf had die, met of zonder opzet, anderen verhinderden een audiëntie bij hem te krijgen.

In de tijd van Opa's val, toen de geest van de jaren vijftig bijna zijn hoogtepunt had bereikt, was het huis niet meer dan een door dieven bevolkte tempel geweest, iedereen dreef er zijn handel, iedereen rivaliseerde, iedereen broedde plannen uit ten bate van het een of ander. Het was in die tijd een gekkenhuis, waar alles uit de hand was gelopen en waar iedereen de kluts kwijt was, ondanks het feit dat sommige mensen dachten dat ze de touwtjes in handen hadden. En Opa had zich in die tijd in dezelfde positie bevonden als welke andere inwonende ook, die moest vechten voor een slaapplaats, die zo min mogelijk anderen trachtte te storen, die verdachte verbintenissen aanging in de hoop dat alles uiteindelijk weer op zijn pootjes terecht zou komen.

In de tijd van Opa's val had Serenity niet meer thuis gegeten, om de intriges, de afgunst, de doorzichtige vrolijkheid en de broze stemmingen te ontlopen die als koeienstront de lucht bevuilden. Wat hij gezocht had in het huis van de Fiedelaar met zijn gebarsten borden, zijn gebluste mokken, zijn in hun blote kont rondlopende kinderen, was vrijheid van geest. Bij de Fiedelaar, omringd door kinde-

ren met druipneuzen en poepkonten, had hij zich op zijn gemak gevoeld, geaccepteerd, werd hij niet aangekeken alsof hij eropuit was
iets te stelen.

Toen zijn moeder pas verdwenen was, had Serenity haar vreselijk
gemist en had hij geloofd dat ze elk moment terug kon komen. Maar
na de zegen van die geheimzinnige vrouw, na die duw serene sferen
in, had hij niet meer aan zijn moeder gedacht en vulde hij de leegte
op met onverschilligheid, en met dromen over een schoolopleiding
en muziek. Toen zijn puberteit aanbrak, hoopte hij op iemand die
iets over zijn moeder zou zeggen, of die hem de dingen zou vertellen die een moeder aan haar zoon vertelt. Toen niemand iets zei,
zelfs zijn tantes niet die volgens de traditie de seksuele opvoeding
op zich moesten nemen, berustte hij daarin. Het maakte zijn onverschilligheid alleen maar groter. Zijn ouders werden schimmen voor
hem, en zweefden weg naar de duistere randen van een peilloze afgrond. In diezelfde tijd verloor een goede vriend van hem beide ouders bij een spectaculair busongeluk, waarbij de helft van de passagiers gedood werd en de andere helft gewond raakte, behalve de
chauffeur, die er heelhuids afkwam. Serenity vond toen dat zijn ouders hem een gunst hadden verleend door hem een dergelijke pijn te
besparen. Hij voelde zich die chauffeur, omringd door wrakstukken
en een bloedbad, maar ongedeerd; omgeven door geschreeuw en
gejammer, maar onaangeraakt.

Kijk, daar stond de ranke sinaasappelboom, met zijn dunne takken vol bladeren, grijsgroen van de meeldauw, korte doornen en
kleine groene balletjes. Naar men zei was het de lievelingsboom van
zijn overleden moeder geweest. Wat riep die boom weinig in hem
op! Hij liet hem volkomen koud, als een ontheiligde tempel of een
geplunderde grot. Duizenden malen had hij de afgevallen bladeren
opgeveegd, samen met de bladeren van de acaciaboom, de broodboom en de mangoboom, en de bergen overbodig loof verbrand
zonder er iets bij te voelen.

Er stak een storm op in het dichte bos van koffiebomen om het
huis. Hij zag ze ontworteld worden, omvallen, knakken als stro,
over het dorp heen vliegen en uiteindelijk terechtkomen in het papy-

rusmoeras aan de voet van Mpande Hill. Hoeveel zakken koffie had hij in zijn leven niet bij elkaar geplukt? Hoeveel wespen hadden hem tijdens die bezigheid niet gestoken? Hoeveel liters van zijn zweet en tranen waren weggesijpeld in de grond van deze koffie-*shamba*? Ontelbare. De opbrengst van de koffie had weliswaar zijn schoolopleiding bekostigd, tot aan de kweekschool, maar had ook nutteloze figuren als de vrouwen van zijn vader door vele overbodige financiële rampen heen geholpen. Velen waren gekomen, velen hadden zich volgevreten, en allemaal waren ze verdergetrokken naar bomen die duurzamer waren dan die van zijn vader. Velen hadden zich onder de clanparaplu geschaard, om een graantje mee te pikken van de opbrengsten van het clanland en waren gebleven tot zijn vader uit de macht werd ontzet. Serenity wilde nu dat de storm al het clanland om zou woelen, het tot pulp zou vermalen en dat die brij in één machtige, kolkende rivier het moeras in zou stromen. Hij wilde dat de storm verraderlijke, onbevaarbare kraters zou achterlaten en levensgevaarlijke ravijnen, waar de mannen in zouden vallen en hun nek breken. Hij wilde dat de overblijfselen zo onvruchtbaar zouden zijn dat niemand er meer iets mee te maken zou willen hebben. Hij wilde dat een andere familie al het clanland en al de clanlandproblemen zou overnemen.

En de godsdienst? In Serenity's ogen was het pure gerechtigheid geweest dat zijn vader de macht verloor vanwege het katholieke geloof, waarvan hij de kerkelijke plichten nooit vervulde. Tegelijkertijd zou hij er niets op tegen hebben als dezelfde storm de machtige kerk van zijn jeugd met de grond gelijkmaakte en de brokstukken tot in het omliggende woud zou verspreiden. De golfplaten kerktoren op Ndere Hill deed hem denken aan alle vruchteloze missen, alle verspilde gebeden om de terugkeer van zijn moeder, en alle energie die verpest werd aan kerkelijke zaken. De kerktoren deed hem ook denken aan de Maagd Maria: hij had haar gesmeekt om hem te bezoeken, om zijn moeder te worden. Ze had geweigerd. Ze wilde zijn tranen niet drogen, de paar bittere tranen die hij ooit had gelaten. Nu wilde hij dat die kerk en zijn toren met de grond gelijk werden gemaakt.

In het nieuwe leven waar Serenity van droomde was geen plaats voor de dochter van een *chief* die te koop liep met haar prijzenswaardige afkomst, haar uiterlijk of haar fatsoensnormen. Deze persoon, die hij nooit had ontmoet en ook nooit wenste te ontmoeten, hoeveel kwaliteiten ze ook had, kwam eenvoudigweg niet voor in zijn droom. Er wachtte al iemand op hem. Een nieuwe Ster, de nieuwe Wijn, de nieuwe Maagd, zijn sleutel tot vrijheid, succes en geluk. Met háár aan zijn zijde zou hij verlost zijn van de plichten tegenover zijn vader, de andere familieleden en de clan. Zíj zou de buffer zijn tussen hem en alles wat hij haatte in zijn familie.

'Vader,' stamelde hij, 'ik heb al iemand.'

'Ken ik die iemand?' Opa haperde, hopend dat het niet zo'n wicht uit het dorp was, waarvan hij al zijn hele leven vreesde dat zijn zoon ermee aan zou komen. Was Serenity zijn prioriteiten vergeten? Hij sloot zijn ogen even.

'Nee, vader. Ze is nieuw. Ze woont in een andere streek.'

'Heb je haar al een aanzoek gedaan?'

'Nog niet, vader.'

'Dit klinkt allemaal niet best, zoon. Je kunt toch geen huis bouwen op zand? Ken je haar goed? Haar afkomst? Haar opleiding? Haar temperament? Hoe weet je dat ze niet aan epilepsie lijdt of bezeten is van kwade geesten?'

In de ideale wereld van Serenity beloofde niemand ooit iets, men deed het gewoon. Hij kon het niet verdragen als iemand hem iets beloofde. Hij wantrouwde alle beloftes en alle mensen die iets beloofden. Over deze Maagd had hij een goed voorgevoel. Hij had er vertrouwen in dat hij zich nergens zorgen over hoefde maken. Als zij hem beloofd zou hebben met hem te trouwen, dan zou hij zich ongerust gemaakt hebben.

'Maakt u zich geen zorgen, vader.'

Opa liet zijn woede de vrije loop: 'Wat voor nageslacht haal je de familie binnen, jongen?'

Serenity wist wat Opa bedoelde. Opa viel op vrouwen die lang en elegant waren, met een wespentaille maar een stevige kont, en zonder het soort tieten 'die in het eten bungelen als het opgediend wordt'. En ook zonder vooruitstekende tanden, uiteraard. Al Opa's vrouwen zagen er hetzelfde uit en hadden hetzelfde figuur. Vandaar dat hij ook bij anderen een consistente keuze op prijs stelde. Dat getuigde van karakter. Hij geloofde dat een man verliefd werd op één vrouw die in verschillende vermommingen verscheen.

Serenity voelde zich ongemakkelijk. Zijn Maagd, zijn nieuwe ster, had een heel ander figuur: ze was tenger, het soort vrouw dat verschrompelde als ze oud werd in plaats van uit te dijen en breed te worden als een deuropening. Op een bepaalde manier leek ze op Oma, zijn tante, ofschoon ze ietsje gevoeliger was, ambitieuzer, koppiger, afstandelijker.

'Sommige dingen moet je aan het toeval of aan God overlaten,' zei Serenity, in plaats van zijn vader eenvoudig te vragen hem te vertrouwen.

'Ik probeer begrip te tonen, mijn zoon, maar al die vaagheden klinken niet erg overtuigend in mijn ervaren oren. Ik raad je sterk aan mijn voorstel te overwegen. Ik zal een ontmoeting met het meisje arrangeren; misschien zie je dan in wat ik bedoel.'

'Dat is niet nodig, vader.'

Deze schelle klaroenstoot luidde Serenity's eerste belangrijke overwinning op zijn vader in. En het risico dat hij met zijn Maagd nam, het feit dat hij volledig afging op zijn intuïtie, maakte die overwinning alleen maar heerlijker. Hij straalde. Nu ging het om hem en zijn Maagd. Hij zette alles op één kaart. Dat maakte hem duizelig en gelukkig tegelijk.

'Heb je aan ons clanland gedacht en aan je inburgering in clankringen?'

Opnieuw een triomfantelijke klaroenstoot: 'Ik wil me eerst op de bruiloft concentreren, vader.'

'Dan moet je het zelf maar weten, mijn zoon,' zei Opa en zuchtte zwaar. Hij besefte dat Serenity zich vast had voorgenomen zijn eigen weg te volgen, en zich door niets of niemand zou laten weerhouden. Hij gaf het op. Hij had zijn best gedaan. Een man werd beoordeeld op hoe hij voor zijn nageslacht zorgde, op de opvoeding die hij zijn kinderen gaf. Serenity had hem niets te verwijten. Misschien moest hij alleen nog iets over de gestorven moeder van de jongen zeggen.

'Onthoud dit goed, mijn zoon: je moeder was mijn grote liefde, maar het is allemaal anders gelopen. Zij zal wel hebben gedaan wat ze niet laten kon. Het was alleen jammer dat ze niemand in vertrouwen heeft genomen. Als ze mij had laten weten wat er in haar omging, dan zou ik beslist iets hebben ondernomen om haar leven te verlichten. Ze verzweeg haar gevoelens voor iedereen, met catastrofale gevolgen. Ik was van plan samen met haar oud te worden. Ik denk nog elke dag aan haar. Jij hebt een betere kans om de dingen voor jezelf en voor je familie op een rijtje te zetten. Grijp die kans met beide handen aan.'

Serenity had zijn vrijheid veroverd. De storm in de koffie-*shamba* ging liggen. Hij hoorde vogels tsjilpen en kwetteren. Hij zag zwarte trekvogels overvliegen die van het noordelijk halfrond kwamen. Hij had ze zijn hele leven lang al gadegeslagen en bij de overgang van de seizoenen op ze gewacht. Het waren zijn geluksvogels. Op een dag zou hij ze achternagaan, dacht hij, en dezelfde route vliegen als zij wanneer ze naar het noorden terugkeerden. Er was nu maar één persoon in het dorp die de vogels achterna zou kunnen vliegen: dat meisje van Stefano, Miss Aeroplane, de stewardess. Vanaf nu was het zijn droom om de tweede persoon in het dorp te zijn die kon vliegen.

In tegenstelling tot de meeste aanstaande bruidegoms zat Serenity er nauwelijks over in of zijn bruiloft een groot succes dan wel een verpletterende mislukking zou worden. Het vooruitzicht van zijn huwelijk had een andere, verraderlijker kant: het vrat aan de korst van zijn onverschilligheid en tastte zijn kalmte aan, waardoor een diepgewortelde haat, verachting en angst naar boven kwamen die hij koesterde voor winkeliers en voor winkels in het algemeen. Wat er nu ook zou gebeuren, hij zou niet aan de klauwen van die spoken kunnen ontsnappen.

Hij zou nieuwe kleren moeten kopen en nieuwe schoenen, nieuwe huishoudspullen en talloze andere dingen. Hij zou urenlang boodschappen moeten doen en zijn spoken van winkel tot winkel met zich meevoeren. De winkeliers zouden hem aanraken, hem betasten, hem taxeren, hem bewalmen met hun kerrie- of knoflookadem en zijn geld opstrijken en schijnheilig tegen hem grijnzen. Maar hij zou ze allemaal doorhebben. Op dezelfde krankzinnige manier gingen er evenzovele anderen evenzovele winkels binnen, om naar buiten te komen met evenzovele spullen, die ze hem zouden komen aanbieden vergezeld van gelukwensen. Die spullen zouden zijn springplank zijn naar de roerige wateren van het huwelijk, het vaderschap en volwassen verantwoordelijkheid. Hij wou dat er een betere manier was om zulke verlangens en bedoelingen uit te drukken.

Winkels en winkeliers hadden zijn leven tot een koude hel met donkere kamers gemaakt. Hoe vaak had hij als kind geen pak slaag gekregen omdat hij weigerde naar de winkels te gaan, of omdat hij te laat was gegaan en ze gesloten waren? Hoe vaak had hij geen straf gekregen omdat hij anderen in zijn plaats had gestuurd die soms het geld of de boodschappen hadden gestolen of met maar de helft waren aangekomen? Zijn grootste probleem was geweest dat hij aan niemand kon uitleggen waarom hij er bang voor was of waarom hij zo'n hekel had aan boodschappen doen. Hij schaamde zich voor zijn eigen angst.

En toch stond het als een paal boven water: hij hoorde niet in winkels thuis. Hij vertrouwde geen enkele winkelier en het was nooit bij hem opgekomen dat zij hem vertrouwden. Hij beschouwde de Aziaten en de enkele Afrikaan die een winkeltje hadden, en de onzichtbare financiers en fabrikanten, als een ras van kannibalen die klaarstonden om mensen met hun gladde praatjes aan stukken te rijten. Hij beschouwde ze als goedgeklede rovers met verborgen messen die ze gebruikten om mensen in moten te snijden om het kleine beetje dat ze bezaten en om de hoop die ze niet bezaten. Hij beschouwde ze als gehoornde duivels, die de vrede en rust en de geestelijke gezondheid van mensen eeuwig bleven ondermijnen.

En niemand begreep dat zakken met suiker, zout en bonen, en pakjes snoep, lucifers en schriften hem zo'n grote angst inboezem-

41

den. Toch was het een feit dat de aanblik van al die dingen hem onzeker en paniekerig maakte. Ze straalden een onverschilligheid uit die veel groter, veel dieper en veel heftiger was dan zijn eigen onverschilligheid; zij deden hem barsten van nietigheid. De koopwaren straalden een kostbaarheid uit, een begeerlijkheid en een onmisbaarheid die zo diep ging dat hij niet kon verdragen te zien hoe ervoor werd gezorgd en hoe ze werden beschermd.

Het was die duivelse aantrekkingskracht van de koopwaren die hem zijn moeder had ontnomen. Als ze niet zo begerenswaardig waren geweest, en als de winkeliers ze niet zo hadden opgepoetst, zo redeneerde hij, zou zijn moeder er nog steeds zijn, levend en wel. Die kostbare dingen, en de winkeliers, en de man op wie zijn moeder verliefd was geworden, hadden allemaal samengezworen om zijn moeder van hem weg te lokken, met haar stilzwijgende medewerking. De man die zijn moeder had afgepakt, had haar in de winkel ontmoet, spullen voor haar gekocht, haar nog meer dingen beloofd en daarmee *zijn* lot bezegeld. Hoe kon hij, Serenity, zich dan beheersen, onverschilligheid tonen of veinzen, wanneer hij zich tussen de grommende kaken van die bende samenzweerders bevond? Hoe kon hij alles naast zich neerleggen, terwijl hij geen enkele samenzweerder, levend of dood, met de vinger kon aanwijzen die de verscheurdheid van zijn leven had bevorderd?

Dus kreeg hij als kind, wanneer hij in de buurt van winkels was, last van sprinkhanen in zijn buik, gehoorzaamde zijn tong hem niet meer, ging hij beven en kon hij niet meer uit zijn woorden komen. Het kwam wel eens voor dat hij vergat wat hij kwam kopen, nadat hij er kilometers voor gereisd had. Soms kocht hij iets van het verkeerde merk. Door dit alles raakte hij thuis in de problemen. Hoe kwam het, vroegen ze hem, dat *hij* altijd alles in de war gooide en de meisjes niet? Had hij zijn hersens boven de plee uitgescheten? Of deed hij het expres, om iedereen te pesten?

Geboren als hij was in 1933, het jaar waarin grote delen van het land door een sprinkhanenplaag waren verwoest, de geboorteplaats van zijn Maagd inbegrepen, had Serenity er vaak van gedroomd alle winkeliers te verdrijven, ze te verbannen en ze achter te laten op een

42

onbewoond eiland in de Indische Oceaan; alle winkelpanden te verwoesten en al het puin weg te laten spoelen in het water van het Victoriameer. Om zijn overwinning te vieren zou hij op alle lege plekken mango- en broodbomen planten.

Maar met de tijd was zijn zelfverzekerdheid gegroeid, al had hij
daar veel moeite voor moeten doen. Tegenwoordig had hij zijn zenuwen beter onder controle en in geval van nood kon hij zich aan de
toonbank vastklampen, of een hand in zijn zak steken en er een keurig boodschappenlijstje uithalen en zodoende een tandeloze grijns
tevoorschijn toveren bij de man achter de toonbank.

Opa's vraag of Serenity's aanstaande niet bezeten was van kwade
geesten, had heel goed voort kunnen komen uit een voorgevoel of
een telepathisch teken. Achteraf lijkt het een wolkje uit de neusgaten van de driekoppige draak die in de familie van Maagd rond-
spookte.

De eerste kop spuwde het bijtende gif van ultraconservatief katholicisme: het soort dat alle persoonlijke inzet in de kiem smoort,
armoede en noeste arbeid verheerlijkt, lijdzaamheid bejubelt, politiek verfoeit en uitsluitend gericht is op de hemel. De tweede kop
blies een onvoorwaardelijke gehoorzaamheid uit: van het type alle-
autoriteit-stamt-af-van-God. En uit de derde kop walmde een erfe-
lijke gewelddadigheid waaraan ook Maagd leed, samen met de neiging onverdedigbare standpunten te verdedigen, zoals de katholieke
visie op abortus, voorbehoedsmiddelen en het celibaat.

Opa had zich zijn zorgen kunnen besparen: Serenity was bereid
de strijd aan te gaan met welke vorm van stenensmijtende of stront-
vretende idiotie dan ook. Vanuit zijn idealisme, dat door de onafhankelijkheid en zelfbeheersing van Maagd werd aangewakkerd, dacht
hij elk probleem met vrouwen aan te kunnen en elke familiebrand te
kunnen blussen. Er waren een paar vrouwen geweest die hem hadden doen beven; er waren een paar meisjes geweest die zijn ballen in
vuur en vlam hadden gezet en een warme, kalmerende olie door zijn
borstkas hadden laten stromen. Maar de intensiteit en de diepte van
die ervaringen haalden het niet bij wat Maagd in hem opriep. Die

43

heftige, magmatische vloed in zijn binnenste was wat hij onder liefde verstond. En hij had het gevoel dat er nu zoveel liefde in hem
aanwezig was dat hij verder durfde gaan dan met Kasiko, en zonder
terugkrabbelen, dit keer.

De partij van de bruidegom moest twee grote bezoeken afleggen aan
het huis van de bruid, althans dat meende Serenity zich te herinneren. Terwijl de twee gehuurde, blinkend witte Peugeots stampvol
mannen in witte tunieken, zwarte jassen en zwarte schoenen over
bergen en door dalen reden, had hij zijn hoofd vol sprinkhanen. Hij
zag ze in de lucht, door elkaar krioelend als bonen in blik, vliegend,
neerstrijkend, vretend, schijtend, schijtend en vretend. Terwijl de
neergestreken sprinkhanen de grond kaalvraten en onderscheten,
vlogen de sprinkhanen in de lucht verder naar ongerepte streken om
die kaal te vreten en onder te schijten.
    Het dorpje van Maagd zat tegen een bergketen aangeplakt die aan
de opgezwollen tepels van een wolf deed denken, of aan de rug van
een monsterachtige krokodil. Het werd omzoomd door een dicht
woud, was in 1933 kaalgevreten en ondergescheten, en werd nu in
tweeën gedeeld door een laterietweg bedekt met rode aarde die in de
regentijd rode modder werd. De weg die aan de loefzijde het dorp in
liep, lag tussen tarovelden en boerderijen die honderden meters van
elkaar af stonden. Tweeënveertig jaar na de sprinkhanen zou het
dorp opnieuw worden kaalgevreten en ondergescheten, maar nu
bood het nog een gewone, ietwat treurige, maar berustende aanblik
die Serenity aan de Fiedelaar en zijn 'borsten' deed denken. Moedig
trotseerden bananen- en koffiebomen de zon, de eerste zachtjes wuivend in de wind alsof ze de aandacht op zich wilden vestigen, de
laatste onbeweeglijk, alsof ze wilden tonen hoe onbuigzaam ze waren. Er waren een paar armoedige winkeltjes aan het begin van het
dorp, gespecialiseerd in de verkoop van petroleum, lucifers, zeep en
zout, met daken die roestten in de vochtige hitte. Een paar nieuwsgierige ogen keken toe terwijl de chauffeurs het rode stof van de auto's veegden en het gezelschap van Serenity de kreukels uit hun kleren streek en schoenen en kapsels controleerde. De glans van de au-

44

to's leek het sprinkhanengeknabbel in Serenity's borstkas te verhe-
vigen. Uiteindelijk was hij degene die zou worden gewogen, ge-
taxeerd, beproefd, goed bevonden of afgewezen.

In het ouderlijk huis van de Maagd heerste een formele sfeer, die
bleek uit de witte tunieken en verschillende soorten jasjes die de
mannen droegen en uit de tot de enkels reikende *boesoeti's* met korte mouwen, waarin de vrouwen zich hadden gewikkeld. De gastheren stonden op de binnenplaats opgesteld als glanzend opgewreven
aardewerk op een glanzend dienblad. De onkruidvrije koffie-*shamba* op de achtergrond zag eruit als het fris geschilderde decor voor
een oud, uitentreuren gerepeteerd toneelstuk. Maar de ogenschijnlijke weelde van de gasten met hun fonkelende auto's droeg ertoe bij
dat het ouderlijk huis van Maagd, net als het dorp, een trieste aanblik bood, met zijn verweerde muren die uit een vorige eeuw leken
te dateren en zijn roestrode, golfplaten dak.

De gasten hadden zich behaaglijk op banken genesteld waarover
witte kleden waren gedrapeerd om ze een uniform uiterlijk te geven
en het verschil in afkomst en eigenaarschap te verhullen. De vrouwen zaten op matten in alle kleuren van de regenboog, hetgeen in
combinatie met de zachte bruine, groene en rode tinten van hun *boesoeti's*, de ernst van de gelegenheid weersprak. Een halsketting hier,
een bosje armbanden daar, een parel of een namaakgouden horloge
zorgden voor een extra vrolijke noot.

De beproevingen van het leven en van het geloof stonden in grimmige lijnen in het gezicht van de ouders van Maagd gegroefd, lijnen
die aan de tribale littekens deden denken die in het noorden van het
land gebruikelijk waren. De vader was klein maar fors, en had een
uitdrukking van oprechtheid op zijn gezicht. De moeder was lang en
mager; haar uiterlijk verried grote standvastigheid en een groot
doorzettingsvermogen. Als ze al versleten schoenen aanhadden, dan
was dat niet te zien, en zelfs al was het wel te zien dan verbleekte het
belang daarvan bij de ingelijste portretten van de Heilige Familie,
waarvan de roze gezichten omkranst waren door een aureool. Het
kindeke Jezus had een uitdrukking op zijn gezicht die veel te ernstig
was voor zijn leeftijd en de Maagd Maria, die gehuld was in zware,

45

opbollende gewaden, had nogal weke gelaatstrekken. De Heilige Jozef stond achter zijn vrouw en kind in zijn eeuwige rode anarchistentuniek, met de stilzwijgende gekwelde blik van een bedrogen echtgenoot op leeftijd die te schuchter was om zijn veel jongere vrouw op haar vergrijp aan te spreken. Elke frivoliteit die hiernaast nog mogelijk was, werd definitief de kop in gedrukt door de afbeelding van een zwaargewonde en hevig bloedende Jezus aan het kruis, die op een prominente plek tegenover de deur hing.

Bij deze gelegenheid werd er niet van Serenity verwacht dat hij veel zou zeggen, en in feite zei hij ook bijna niets, omdat hij iemand had meegenomen die zijn zaak zou bepleiten bij de familie en vrienden van Maagd. En terwijl deze spreker zijn werk deed, namen de leden van Maagds familie Serenity grondig maar tactvol op. Intussen keek hij vrijmoedig om zich heen, behalve naar de binnenkant van het dak waar op sommige plekken muntgrote stukjes lucht doorheen schenen – een fatsoenlijk opgevoed mens bracht anderen niet in verlegenheid. Een groot deel van de tijd hield hij zijn ogen op het voedsel gericht en op de drankjes die hij nuttigde of veinsde te nuttigen. Hij mocht hoesten of zijn keel schrapen, maar niet zo hard dat het onnodig de aandacht op hem zou vestigen. Wat hij niet mocht was zijn nagels schoonmaken, of iets tussen zijn tanden uit pulken, zelfs al zat er een stuk vlees zo dik als een pink tussen zijn voortanden. In zo'n geval mocht hij zich verontschuldigen, opstaan, zijn tuniek bij de zoom beetpakken en naar buiten gaan. Om in zijn neus te peuteren moest hij hetzelfde doen. En ook om een wind of boer te laten, in zijn oksel of kruis te krabben moest hij naar buiten. Hij mocht zich niet verlustigen aan het vrouwvolk. Hij mocht niet rechtstreeks het woord tot hen richten. Hij mocht zijn schoonfamilie niet tegenspreken of verbeteren. Over het geheel genomen moest hij zich gedragen als een lam op weg naar de slachtbank, of op z'n minst als een wolf in schaapskleren.

Terwijl hij zo de schijn ophield werden hem een paar dingen duidelijk: a) dat hij niet onder de indruk was, en zich niet geïntimideerd voelde door zijn zwagers, b) dat hij de zusters van Maagd en haar andere familieleden zou behandelen zoals zij hem behandelden, en c) dat een van de tantes van vaderskant, als hij het zich goed herinnerde van toen hij aan haar werd voorgesteld, een schoonheid was. Zij moest ongeveer net zo oud zijn als hij. Ze had haar ogen niet neergeslagen of afgewend toen zijn borende blik haar deed opkijken. Haar gezicht was enigszins ovaal en niet rond of bol zoals de gezichten van de rest van de familie, en vanwege haar grote heldere ogen, haar hoge voorhoofd en haar niet al te strak opgebonden, met een hete kam steil gemaakte haar, zag ze er opzienbarend uit. Haar lange, subtiel geplooide hals deed hem denken aan zijn zuster Tiida. Ze leek heel in de verte ook op Maagd, misschien zat het in de vorm van haar mond, of in de afstand tussen haar neus en haar mond, dat zou hij niet kunnen zeggen. Haar glimlach, die hij tweemaal had gezien, beide keren bedoeld voor een ander familielid, brak uit met de flits van een splijtende kokosnoot, en haar hagelwitte tanden leken op te lichten in haar donkere, adembenemende gezicht. Om de spanning op te voeren, en om er zeker van te zijn dat hij háár ook opgevallen was, bleef hij lange tijd met zijn ogen bij haar uit de buurt en keek naar andere dingen, met veel aandacht voor de drankjes, waarna hij de betovering verbrak door haar plotseling over de rand van zijn glas aan te staren. Weer ving hij haar blik op. Toen hij dit voor de derde keer wilde proberen, zag hij dat haar plaats onbezet was. Pas bij zijn vertrek verscheen ze weer.

Maagd had zich maar één keer vertoond, om de gasten welkom te heten. Hij zag haar al voor zich in de tuin of tussen de koffiebomen, volledig in beslag genomen door wat er zich op dat moment in haar hoofd zou afspelen. Zij was niet aan de spanning van dit bezoek bezweken. Wat dat betreft kon je op de katholieken rekenen: die wisten wel hoe je iemand karakter bijbracht, en hoe je dat als een mes op een eeuwenoude steen moest wetten.

Het duurde een week voor Serenity's gevoel van onwerkelijkheid, teweeggebracht door zoveel persoonlijke aandacht, verdween. Maar tegen de tijd dat het tweede bezoek aan zijn bruid voor de deur stond, was hij ontspannen genoeg om ernaar uit te zien. Hij voelde zich inmiddels als een gefortuneerde, pronkzuchtige leraar die een menigte goedgemanierde, maar behoeftige leerlingen toespreekt. De sprinkhanen in zijn ingewanden en borstkas, die hem de vorige keer zo hadden geplaagd, waren verdwenen. Dit keer vertrouwde hij volledig op wat hij zijn gastheren te bieden had. In deze centrale streek van het land waren de vrouwen goedkoop, anders dan bij de volkeren in het westen en noorden die veestapels hadden en waar de bruidsschat kon oplopen tot honderd koeien. Hier werden kalebassen bier gevraagd, rollen stof, blikken petroleum, ceremoniële kippen, een klein geldbedrag, en nog wat te verwaarlozen zaken. Het overweldigende gevoel dat Serenity op deze dag van prijsbepaling en prijsbetaling beving, was dat de familie van zijn Maagd best een beetje financiële steun kon gebruiken, als hun geloof dat tenminste toestond. Die steun konden ze makkelijk krijgen: door een flinke bruidsschat te eisen.

Maar er stond Opa en Serenity een mooie verrassing te wachten: de ouders van Maagd waren er niet op uit zichzelf te verrijken middels hun dochter. Ze vroegen weinig. Zo beschamend weinig dat er voor de partij van de bruidegom, toen die zich bij hun twee als bizarre schatkisten glinsterende Peugeots terugtrok voor overleg, niets anders op zat dan te besluiten tot een duizelingwekkend vertoon van gulheid.

Opa wilde een koe met een kalf aanbieden. Maar Serenity wilde iets geven dat zichtbaar voorrang genoot: een nieuw dak. Dat was van blijvende waarde, omdat een dak niet vatbaar was voor *nagana* en andere fatale veeziektes. Vader en zoon werden het niet eens. Om de impasse te doorbreken werd de oudste broer van de bruid, Mbale, erbij geroepen. Mbale, die als lekkageslachtoffer in zijn jeugd de steeds terugkerende nachtmerrie had gehad dat ze op een kwade dag in een dakloos huis wakker zouden worden, schaarde zich aan de kant van Serenity. Vervolgens kreeg hij de taak opgedragen om zijn familie fluisterend op de hoogte te stellen van het aanbod. De ouders van Maagd waren tegen een dergelijke openlijke schennis van de tempel der huwelijkse heiligheid. Hun dochter was geen koe die in de tempel verkocht werd ter verheerlijking van de mammon. Maar de rest van de familie wierp zich met alle kracht in de strijd. Wie van hen had niet vreselijk opgezien tegen visites in de regentijd? Wie van hen had er niet al aan gedacht de familie te steunen en het dak te repareren, desnoods onder dwang? Dit was dé gelegenheid voor een nieuw dak. Naderhand, als de bruiloft achter de rug was, zou het te laat zijn.

· De meeste stemmen golden en het aanbod werd aanvaard. Het interessantste was te zien hoe Mbale en een paar anderen, die veel van daken en de prijs van golfplaten, spijkers met of zonder kop, balken, arbeidsloon en dergelijke bleken af te weten, berekenden hoeveel geld er nodig was om de klus zo snel mogelijk te kunnen klaren. Maagds ouders, wanhopig geworden omdat ze er niet in slaagden de handelaars uit de tempel te weren, konden de bedroefde blik van de gekruisigde Jezus niet meer verdragen en verlieten het huis. Ze maakten een lange, sombere wandeling en beweenden de beschamende schending van het heilige huwelijk door de mammon.

Serenity genoot van de komedie. Voor het eerst in de geschiedenis misgunde hij de winkeliers hun handel niet. Hij zag de nieuwe golfplaten al glinsteren in de zon. Alles nam een mooie wending: de geest van de golfplaten kerktoren die hij had willen verwoesten drong in dit huis binnen en stond op het punt het ultrakatholicisme van deze familie aan gruzelementen te slaan. Het ging hier niet om een toren, maar dit dak zou de kracht hebben van een toren. Het zou een teken zijn van de heidense macht van zijn mammon. Door de macht van zijn mammon zouden vreemden in zweterige overalls dit huis binnendringen, het verrotte dak slopen en roest, kromme spijkers en vergane balken door de lucht gooien. De Maagd Maria, met haar dode albasten geur en haar dode albasten beloften, zou onder het puin bedolven worden. Het nieuwe dak zou geplaatst worden als symbool van de nieuwe Maagd en haar nieuwe Wijn. Het nieuwe dak zou op het oude huis geplaatst worden zoals ook zijn oude leven door Maagd een nieuwe impuls zou krijgen, een nieuwe kracht, en de glans van zijn nieuwe droom. De stapel bankbiljetten voor de verbouwing, op zich zelf al een kleine toren, gaf hem een tevreden gevoel. Hij was niet zo'n bruidegom die van alles en nog wat beloofde en naderhand zijn beloftes niet nakwam vanwege een geveinsd geheugenverlies. Alles kon op tijd beginnen. Hij was een man van daden, niet van beloftes.

Maagd sloeg de dakbedekkers gade, hoorde hun schuine, dubbelzinnige praatjes aan en ergerde zich omdat er roest in de boterolie dwarrelde waarmee haar tante haar huid inwreef om haar in opperste conditie te brengen voor de bruiloft. Haar tante gebruikte zelfgemaakte boterolie, die vaag naar melk rook, omdat zelfgemaakte olie een betere uitwerking had dan fabrieksproducten. De huid werd er bruiner van, glanzender en strakker om het bot. Zoals de meeste boerenmeisjes die niet tussen koeien en verse melk waren opgegroeid, vond Maagd de melkgeur onaangenaam en werd ze er een beetje misselijk van. Het idee dat haar bruidskledij en echtelijke bed door een melkgeur bedorven zouden worden, stoorde haar. De eerste indruk moest volmaakt zijn. Er moest zich niet meteen een wig van onvolmaaktheid tussen haar en haar echtgenoot drijven. Ze werd overvallen door de vrees dat de kruiden in de baden de melkgeur niet zouden overstemmen. Maar ze hield zichzelf onder controle, hoewel ze voortdurend de neiging had in caleidoscopische paniekaanvallen uit te barsten. Ze wilde invloed blijven uitoefenen op alles wat zich om haar heen afspeelde. Maar hoe moest ze dat doen met al dat gehamer, al dat geschreeuw, al die wellustige blikken van de dakbedekkers? Hoe kon zij het middelpunt van de aandacht blijven met zoveel familieleden om zich heen, zoveel vrienden van familieleden, zoveel vreemden, dorpelingen en mensen die ze nauwelijks kende? Iedereen krioelde maar om haar heen, riep en schreeuwde, blafte bevelen, en deed net of hij alles wist van etiquette, traditie of geloof. Alle dorpelingen die haar ouders iets verschuldigd waren, alsmede degenen die dat niet waren, kwamen langs en boden een helpende hand, of dat nou nodig was of niet, en droegen tot de chaos bij. En het vervelendst van alles was dat het geloof op de achtergrond was geraakt. Niemand zei nog ochtend- of avondgebeden op. Iedereen gaf toe aan zijn lusten, zonder zich ook maar ergens iets van aan te trekken. Haar ouders hadden hun pogingen opgegeven om het bidden voor het eten af te dwingen. De hele dag door werd er plaatselijk gebrouwen bier in de vrolijke kelen gegoten. Kortom, de Duivel had de overhand, terwijl deze periode aan God gewijd had moeten zijn. En zij was niet in staat daar ook maar iets aan te doen.

In haar lichamelijke en geestelijke verwarring dwaalden de gedachten van de bruid af naar haar aanstaande schoonvader, en ervoer ze iets dat verwant was aan opvliegers. Ze mocht de man niet. Alle vibraties uit zijn richting waren verkeerd. Hun persoonlijkheden botsten, en toch zou ze de komende jaren zijn buurvrouw zijn. Hoe moest ze dat volhouden? En ze maakte zich zorgen over Serenity's tante, die ook op het erf van haar schoonvader woonde. Haar mocht ze ook niet. Wie mocht er nou een vrouw die aan amenorroe leed, die maar drie keer in haar leven ongesteld was geweest? Zulke vrouwen waren vaak heksen, die iedereen vrees inboezemden. Ze hadden vaak een tong met een onmetelijke invloed, en ze richtten allerlei onheil aan, zelfs als ze dat niet wilden. En dan had dat mens ook nog die droom over de buffel gehad. Wat moest ze daarvan denken? Ach, hoe kon ze ook maar iets denken als ze niks zelf in de hand had, als de hele wereld boven op haar hoofd rondwalste?

Ze had natuurlijk de bruiloft kunnen afzeggen, maar wie had er ooit gehoord van een boerenmeisje dat een bruiloft afzei? Na alles wat er gebeurd was? Wie zou er naar haar luisteren? Welke drogredenen zou ze kunnen aanvoeren? De overgevoeligheid en de zenuwen van een aanstaand bruidje? Ze wist dat niemand om haar heen dat zou slikken. En ze wilde de bruiloft helemaal niet afzeggen, al zou ze het kunnen. Het was háár feest, háár dag in de zon. Al haar onmacht en sadisme tegenover Serenity. tegenover zichzelf, tegenover de dakbedekkers, tegenover Mbale en zuster Johannes Chrysostomus, tegenover de wereld, waren slechts een manier om aan haar nieuwe positie in het leven te wennen, aan haar nieuwe macht, haar nieuwe verwachtingen, haar nieuwe dromen.

Serenity was in de zevende hemel; de familie van Maagd sidderde onder de mokerslagen van zijn macht. En na wat Maagd hem had laten doormaken, smaakte zijn succes nog zoeter.

Doordat hij altijd bemiddelaars gebruikte, anderen zijn boodschappen liet overbrengen en voor hem onderhandelen in liefdesaangelegenheden, was hij wel gewend een tijdje in spanning te zitten. Maar nu hadden het uitblijven en het geheimzinnige stilzwijgen van zijn bemiddelaars wel èrg lang geduurd. Negentig nachten had hij wakker gelegen, tijdens de helft waarvan hij gevreesd had zich kennelijk vergist te hebben. En met bezwete rug had hij zelfs overwogen zijn vader alsnog te benaderen voor een bezoek aan de hoofdmansdochter die hij op zo'n arrogante manier had afgewezen. Had Maagd hèm afgewezen en was ze er stiekem tussenuit geknepen? Op die manier werd er over het algemeen duidelijk gemaakt dat je geen hoop hoefde te koesteren. Zo probeerde men je gevoelens en je waardigheid een paar lelijke deuken te besparen. Serenity kreeg slecht nieuws altijd het liefste recht in zijn gezicht te horen: aanvankelijk deed het vreselijk pijn, maar al snel vervaagde het in de mist van het noodlot of verschroeide het in de gloed van een nieuwe kans. Serenity was geen veroveraar en, anders dan zijn vader, was hij doodsbang om afgewezen te worden. Daarom gebruikte hij altijd bemiddelaars. Hij zag zichzelf als een krokodil, die zijn krachten spaart door te wachten tot de prooi vanzelf naar hem toe komt. Die houding maakte hem ongevoelig voor het schuldgevoel dat sommige veroveraars hadden als ze een relatie verbraken. Hij ging ervan uit dat zijn prooi het had kunnen zien aankomen. Maagd had zich zelf aan hem aangeboden, en de intensiteit van het vuur dat ze in hem had ontstoken, in combinatie met het geestelijke respect dat hij voor haar had getoond, zou al haar twijfels hebben moeten wegnemen. Dus waarom kwelde ze hem zo?

Terwijl de nachten op hem drukten en de angst en de pijn tot in elke vezel van zijn lichaam doordrongen, nam Serenity zijn voorbereidende overleg met Maagd nog eens door. Hij had zich beslist niet aan haar opgedrongen. De aantrekkingskracht was wederzijds geweest. Bovendien had hij een grote eerbied voor haar getoond. Hij had niet hoog van de toren geblazen, of iets gezegd om zijn eigen ego te strelen. Al met al had hij haar de indruk gegeven dat haar mening de enige was die ertoe deed. Waarom was er dan zo'n afschuwelijke stilte in de berichtgeving ingetreden? Een zwak punt van het bemiddelingssysteem was dat vele vragen veel te lang onbeantwoord bleven. Hoe lang werd er van hem verwacht dat hij nog zou wachten? De dagen waren intussen opgelopen tot tientallen. Zijn geduld, zijn begrip en zijn hoop gingen langzamerhand over in kwaadheid en frustratie. Toen de pijn al te hevig werd overwoog hij zelfs zijn bruid op te geven. Dat zou hij wel aankunnen, omdat hij al verscheidene nederlagen had geleden in zijn leven; het zou geen nieuwe ervaring voor hem zijn. Hij zou zijn bemiddelaar kunnen terugroepen, zweren Maagd nooit weer te zullen zien en terugkruipen in de armen van zijn vader. Hij gaf haar nog drie dagen en nachten. En alsof Maagd hem bespioneerd had, zijn gedachten had gelezen en wist waar zijn grenzen lagen, ontving hij twee dagen later bericht van haar.

Maagd had het nodig gevonden om negen achtereenvolgende novenen aan Sint-Judas Thaddeüs op te dragen, en te bidden om bevestiging dat Serenity de man voor haar was, omdat het huwelijk voor altijd en een echtscheiding ondenkbaar was. Ze had kracht gevraagd om de duivelse streken van Kasikc aan te kunnen, als die zouden komen, en kracht om alle toekomstige moeilijkheden te kunnen doorstaan. Ze had om geluk en om gezondheid gebeden. Ze had gebeden om twaalf gezonde, godvrezende kinderen en om de kracht ze goed op te voeden. Door haar besef van de ernst en de heiligheid van het huwelijk, was ze de tijd volledig uit het oog verloren. Ze had nog wel tien novenen kunnen zeggen zonder het gevoel te krijgen dat er te veel tijd verstreek. Bovendien verdiende een man die in zonde geleefd had in haar ogen de hele wachttijd die de Heer nodig had om haar gebeden te verhoren. Zo'n man moest een beetje gekastijd worden voordat hij de juiste graad van zuiverheid bereikt had om het heilige huwelijk met een maagd in te kunnen gaan.

Serenity was dolblij met de positieve reactie op zijn huwelijksaanzoek. Zijn droom leefde nog. Om zijn overwinning te vieren en om zijn nieuwe leven een goede start te geven, besloot hij een blijvend spoor achter te laten op het ouderlijk huis van Maagd: het nieuwe dak. Zijn bruid zou nooit te weten komen wat die nieuwe, blinkende ijzeren platen voor hem betekenden, maar hij zou er altijd met voldoening naar blijven kijken. Zij markeerden het einde van zijn kwelling en van de machtsstrijd met zijn vader; ze glommen van toekomstbeloften.

Vrienden en familieleden, mensen uit het dorp en vreemdelingen kwamen van heinde en ver bijeen voor de bruiloft van de zoon van het voormalige streekhoofd. Opa's huis, Serenity's vrijgezellenhuis, Oma's huis en de grashutten die ter gelegenheid van het feest waren opgezet, zaten tot de nok toe vol gasten. Drie dagen lang heerste er een enorme drukte, met als hoogtepunt de zaterdag dat de bruid het huis van de bruidegom zou betreden voor de heilige vereniging. Het zag ernaar uit dat het de streekbruiloft van het decennium zou worden. Opa zorgde ervoor dat alles naar wens verliep en dat er genoeg te eten en te drinken was. Geweldige vonken zweefden omhoog uit het vuur en doorboorden de donkere nacht met hun gegloei. De nacht weergalmde van het gezang, geroffel, gedans en geruzie, van de toespraken, gevechten en nog zo wat menselijke bezigheden die hier niet vermeld kunnen worden. De geur van bier, vlees en bakbananen maakte herinneringen los die teruggingen tot de dagen toen Opa nog *chief* was en er om de week bij hem thuis een feestmaal werd aangericht. Zo was het geweest en zo zou het volgens velen nog steeds moeten zijn; en zo zou het waarschijnlijk nooit weer worden. De lauwe vingers van het heimwee streelden de harten van de ouderen, belaadden de geuren, geluiden en vuurtjes met aloude waarden die doffe onzekerheden waren geworden in de werkelijkheid van vandaag. Velen droomden over hun eigen bruiloft, langgeleden, toen ze nog mannen onder elkaar waren, toen een bruid nog maagd moest zijn om te trouwen en getrouwd te blijven.

Velen herinnerden zich de bruiloften van Tiida en Nakatoe nog. De bruiloft van een dochter was een ingetogen gebeurtenis omdat er dan een familielid vertrok, weggegeven werd, opgehaald werd om

een andere familie leven en geluk te brengen. Een dergelijke feeste-
lijkheid was eenzijdig en duurde niet de hele nacht. Wie had er iets
te vieren als de kinderen die de meisjes zouden voortbrengen een
andere clannaam zouden dragen? Maar bij deze gelegenheid, zoals
in alle gevallen wanneer een zoon een bruid thuisbracht, kwam er
iemand bij die de familie en de clan met nakomelingen zou verrijken. Hierdoor zat er aan de avond een fel seksueel tintje, een wulpse
ondertoon, een stoutmoedige vrolijkheid. Het was alsof iedereen
ging trouwen en de bruid ging ontmaagden en zijn tanden in haar
maagdelijke, onbezoedelde vlees ging zetten. Dat was de reden dat
het bier naar ieders hoofd steeg, alle tongen losmaakte en zich manifesteerde in schuine grappen, pikante liedjes en suggestief heupge-
wieg.

Voor Opa was dit bijna een herhaling van zijn eigen vrijgezellen-
nacht. Rond alle vuren werd zijn naam uitgesproken. Hier en daar
werden oude lofliederen op hem gezongen. Het lied van de Eekhoornclan werd van tijd tot tijd op een oude gehavende drum gerof-
feld. Vooraanstaande clanleden en clanleiders spraken over hem en
speculeerden over de rest van zijn ambtstermijn als bestuurder van
de clanlanderijen, wogen Serenity's kansen als mogelijke opvolger
af. Clanpolitiek was het officieuze thema van de avond en van de
volgende dag, die van de bruiloft. Morgen om deze tijd zou Maagd
al ontmaagd zijn en zouden haar karakter en haar vruchtbaarheid
centraal staan in de overige aktes van het toneelstuk over haar toe-
treding tot dit huis en deze clan.

Het huwelijk van mijn ouders werd bezegeld in een oude katholieke
kerk die door mijn grootouders van moederskant was uitgezocht.
Daar, tussen de dikke kerkmuren, in het zwakke gekleurde licht dat
door de glas-in-loodramen op een naargeestige Christus viel die de
vreugdevolle ceremonie gadesloeg vanaf zijn weerzinwekkende
kruis; daar, in wolkjes scherpe wierook die alle melkgeurtjes over-
stemden, en alle kruidenbaden en parfumering die iedereen had
moeten ondergaan; daar, begeleid door het vrolijke geglimlach en
het sissende gefluister van de getuigen van beide partijen, werden

zuster Petrus Hangslot en Serenity tot man en vrouw verklaard.

De meeste familieleden van de bruid kwamen niet opdagen in de kerk, noch in haar nieuwe huis, omdat zij erop hadden gestaan als groep te reizen en Opa's aanbod van een bus hadden afgeslagen. Ze kregen pech met het wrakkige busje dat ze zelf hadden gehuurd. En de wrakkige vrachtwagen waarmee ze het busje vervingen kreeg twee lekke banden terwijl ze maar één reserveband hadden. De jammerlijke en minder jammerlijke bestelwagens die ze vervolgens met groot vernuft wisten te ritselen, konden slechts de meest vooraanstaande leden van de familie vervoeren, die vanzelfsprekend met veel minder waren dan de tegenpartij die, behalve auto's, twee goed onderhouden Albion-bussen tot haar beschikking had.

Tegen het vallen van de avond kwam het pasgetrouwde stel in een zwarte, tien jaar oude Mercedes het woelige feestterrein oprijden. De auto werd omsingeld, de feestslingers werden eraf gerukt en gretige gezichten tuurden naar binnen om een glimp van de bruid op te vangen die gehuld was in wolken van tule. Het duurde enige tijd voordat het paar uit het binnenste van de auto kon worden bevrijd – een auto die overigens van de hoofdman was met wiens dochter Opa, Tiida, Nakatoe, Kawayida en nog enkele naaste familieleden Serenity veel liever hadden zien trouwen. Eindelijk waadde de in tule zwemmende bruid met een maanachtig kroontje op haar hoofd, orchideeën in de ene hand en de hand van Serenity in de andere, door het modderdikke gejoel, geklap, geroffel, gezang en gulzige gestaar. Van Serenity, met zijn zwarte pak en smalle revers, zijn witte overhemd, zijn donkere, tongdikke stropdas en zijn zwarte puntschoenen – van Serenity was ze zich nauwelijks bewust. Door zijn crewcut leek zijn hoofd aanzienlijk kleiner, zijn gestalte groter, magerder, en leken zijn oren op die van een eekhoorn.

Het pasgehuwde stel werd op een met witte matten bedekte houten verhoging neergezet in twee bankstellen waarover witte stof gedrapeerd was – niet zozeer om de verschillende ontwerpen of eigenaars te verhullen als wel om een effect van uniformiteit en een gevoel van echtelijke zuiverheid te bewerkstelligen. Tijdens de dreunende toejuichingen zaten zij onder een glimmende zilveren

stormlamp die, niet belaagd door nachtvlinders, fonkelde en zachtjes boven hun hoofden wiegde. Het paar werd van alle kanten nauw-
gezet bestudeerd. Hangslot voelde zich doorzichtig, gehypnotiseerd
en misselijk van zoveel aandacht. Maar vooral de dansers veroorzaakten een verstikkend gevoel in haar borstkas, waardoor ze af en
toe bang was flauw te zullen vallen. Op het donkere, opzwepende
ritme van de grote trom maakten de dansers de meest heidense, afschrikwekkende en schaamteloze bewegingen met hun onderlichaam die ze ooit had gezien. Hun heupstoten leken uitvergroot te
worden en steeds obscener en brutaler in hun toespelingen door de
sjerpen van lang colobusapenhaar die hun achtersten op grappige
wijze accentueerden. Mannen zowel als vrouwen draaiden in het
rond, duwden hun bekken naar voren en wiebelden sidderend van
seksuele dubbelzinnigheid weer achteruit, hun benen op een overdreven manier gespreid alsof ze van een te hoge fiets stapten. Met
draaiende tailles waarin geen spier ongeolied was en op voeten die
nauwelijks de grond raakten, bewogen de dansers zich naar de tent-
palen vlak voor het paar, klampten zich eraan vast en kronkelden
eromheen met de meest opgewonden duivelse neukbewegingen die
Maagd ooit had gezien. De feestgangers, die kwijlden als gemartelde honden, raakten door het dolle heen, en werden zo opgezweept
dat de hele tent ervan schudde, terwijl sommigen de dansers nade-
den, de palen beetpakten en ertegenop begonnen te rijden onder het
uitstoten van uitzinnige vreugdekreten.

Maagd had haar ogen kunnen bedekken, als ze de kroon en de
handschoenen niet had gedragen. Ze kreeg het gevoel dat de schaamte over die heupstoten haar als een paar sterke handen beetpakte. Zij
werd door de menigte geneukt, verkracht, ontmaagd, rivieren van
bloed stroomden op duivelse wijze uit haar geslachtsdelen en werden
gulzig opgelikt. Ze had wel willen sterven, maar dit was háár bruiloft, háár show, háár pad naar een nieuw leven, en naar de nieuwe le-
venstaak waar ze al zo lang van droomde. Ze haalde zich het beeld
voor de geest van Jezus aan het kruis, een en al bloed, een en al wond,
een en al pijn. Ze deed haar ogen dicht en toen ze ze weer opendeed
waren de dansers verdwenen.

Er werden toespraken gehouden. Opa, in een witte tuniek en zwarte jas, heette alle aanwezigen welkom, bedankte hen voor de eer die ze zijn familie bewezen door hun komst, en verzocht hun tot het aanbreken van de dag te blijven. Er kwamen en gingen andere sprekers, die ook niet veel te zeggen hadden. De meesten preekten meer dan dat ze een speech hielden. Ze probeerden de menigte wakker te schudden en op te jutten met woorden als trouw, loyaliteit, verdraagzaamheid, eerbied voor ouderen, maar ze vonden weinig gehoor. Al die woorden werden als losse flodders op de bruid en de andere toehoorders afgeschoten. De bruid voelde zich als een steenvis die van de oceaanbodem is opgehaald en ter bezichtiging in een laboratoriumtank is gegooid. Ze moest vechten tegen de spanning, vervreemding, irritatie en het ongeduld. Het was waar dat ze gehunkerd had naar aandacht, maar wat ze gekregen had was een zondvloed waarin ze bijna verdronk. Waar keken de mensen toch zo doordringend naar? Haar gezicht? De tule of het kroontje? Was dit iets wat alleen haar overkwam of gebeurde het op alle bruiloften? Had Sere een schandaal veroorzaakt en vroegen de mensen zich nu af hoe zij zich erdoorheen zou slaan? Of verbeeldde ze zich alles maar en zag ze dingen die er niet waren? Waarom, o waarom staarde iedereen haar zo aan? Christus…

Het volgende dat ze zag was de taart en het fonkelende zilveren mes. Haar bruidsmeisje gaf haar een harde por. Ze kwam overeind en liep achter Serenity aan. Hij probeerde haar met haar sleep te helpen, maar bracht haar alleen maar uit haar evenwicht. Met haar ogen gericht op het trapje, de taart en de bruidegom tegelijk, struikelde ze, alsof ze krachtig voorover en omlaag werd geduwd. De maan op haar hoofd raakte uit haar baan. Serenity kwam snel in actie en voorkwam dat ze viel. De maan keerde in zijn baan terug door de vakkundige vingers van het bruidsmeisje. De menigte joelde. De drummer sloeg een paar opzwepende maten. De bruid sneed in verwarde toestand de taart aan, alsof ze uit haar lichaam was getreden.

Ze werd omringd door kinderen die hun hand uitstaken, meisjes die glommen van bewondering, jongens opgewonden van nieuwsgierigheid. Plotseling begonnen ze allemaal op de dochter van Serenity's weggejaagde vrouw Kasiko te lijken en Maagd te bespotten, te honen, haar openlijk te verachten omdat ze hun moeder had verdrongen. Plotseling begon ze Kasiko er de schuld van te geven dat de bus en de vrachtwagen die haar familie hierheen hadden moeten brengen pech hadden gekregen. Plotseling voelde ze zich ingesloten, omringd door kinderen die klaarstonden om haar met stenen te bekogelen, en door volwassenen die daarvan zouden genieten. Na de schande van de neupstoten en de gemeenschappelijke ontmaagding liep het uiteindelijk hierop uit: dat Kasiko's duivelskind haar zou ombrengen! Waarom glimlachte dit duivelskind, en alle kopieën ervan, zo lief en onschuldig? Ze werd gered door haar bruidsmeisje, dat het bord uit haar handen nam en taart uitdeelde aan de juichende kinderen die, omdat hun ouders vlak in de buurt waren, zich beheerst en gehoorzaam gedroegen.

Het leek wel of zelfs de taart de feestvierders naar het hoofd steeg: koortsachtig werd er op de dansers en trommelaars gereageerd. De hele tent deinde van het gejoel en geklap en gefluit. Te midden van deze uitbarsting werd de bruid snel van het podium weggevoerd.

Serenity was zenuwachtig, onvast op zijn benen, bezorgd. Dit was voor het eerst in lange tijd dat hij zo dicht bij zijn bruid was. Hij was in de greep van een vage, maar zeer reële angst. Zijn moed, zijn mannelijkheid, zijn zelfbeheersing hadden een dieptepunt bereikt. Erecties! Het leek wel of die in een afgelegen fabriek vervaardigd werden, op het ha frond waar de zwarte raven, zijn geluksvogels, vandaan kwamen. De vonk die hij voorzichtig had aangeblazen, de explosie in zijn ballen waar hij van gedroomd had, leek als een nachtkaars te zijn uitgegaan. Hij bevond zich nu in de slaapkamer van zijn vrijgezellentijd, de kamer die getuige was geweest van zijn meest en zijn minst geslaagde seksuele ontmoetingen. Tussen deze benauwde muren had hij geweldige en teleurstellende orgasmes met Kasiko beleefd. In de benauwdheid van deze kamer was zijn dochter verwekt, moge God haar behoeden. Buiten deze kamer, in de logeerkamer, was dizelfde dochter onder Oma's toezicht ter wereld gekomen. Het gekreun van de buitenechtelijke sekspartners van zijn broer Kawayida leek zich te vermengen met het gesteun van zijn eigen vrouwen en verleende deze kamer, de kamer die hij zo goed kende, de vreemde sfeer van dreigende rampspoed. Hij wist dat het van groot belang was al die spookachtige hydra's die in deze kamer rondwaarden te onthoofden, ze in doodsstuipen te zien kronkelen en te wachten tot een nieuwe geest bezit van hem zou nemen. Zolang het nog niet zover was, kon hier alleen iets rampzaligs gebeuren. Hij wou dat hij in het huis van een vriend was getrouwd, op neutraal terrein dat onaangetast was door het verleden.

Terwijl hij wachtte tot Maagd de zorgen, stormen, angsten en het vuil van de huwelijksdag van haar lichaam had gewassen, moest hij ongelukkigerwijs denken aan de laatste hatelijke woorden van Kasiko: 'Je verstoot jouw Eva, je eigen rib. Als je aan mij niet genoeg hebt, waarom kun je ons dan niet allebei nemen? Ik zal alles op alles zetten om je te laten inzien dat je een vergissing begaat…' Was dat een dreigement of pure bluf? Wat een verwarrende vaagheid!

Serenity voelde zijn maag omdraaien: zijn bruid werd de kamer in gebracht door de vrouw met wie hij maanden geleden, tijdens de huwelijksonderhandelingen, veelbeduidende blikken had gewisseld! Zijn keel werd droog, zijn handen beefden. Was dit een list? Hij kon geen woord uitbrengen, gevangen als hij nu zat in de spelonken van de droom die talloze mannen hadden: de droom twee vrouwen tot je beschikking te hebben, de droom waarin twee wellustige vrouwen zich over je ontfermen. Dit kon niet waar zijn: wie had deze vrouw uitgezocht als begeleidster in de huwelijksnacht van zijn maagd?

In die hoedanigheid moest ze het paar bijstaan in de naakte feiten, als ze al bijstand nodig hadden. Ze had deze klus geambieerd, niet zozeer omdat ze er een stel lakens aan over zou houden als Maagd echt maagd bleek te zijn, of om de eer, maar om redenen die veel persoonlijker waren. De bruidegom was een interessante man, een man met een opleiding, wiens vriendschap of contacten haar voordelen zouden kunnen opleveren. Het was al jaren niet meer voorgekomen dat ze op iemand viel bij de eerste keer, of bij de eerste paar keren, dat ze hem ontmoette. Deze man was de reïncarnatie van een kalverliefde van haar, een leraar op wie ze uit bewondering dolverliefd was geworden en met wie ze gedweept had en die ze op alle mogelijke manieren in bed had proberen te krijgen. Goddank was het een man van de oude stempel geweest en was hij veel verstandiger dan zij. Dat soort bewondering wilde ze nu in haar nieuwe zwager investeren.

Het eerste intieme samenzijn van mijn ouders was in veel opzichten kenmerkend voor hun hele huwelijk. Serenity wilde dat Maagds tante de slaapkamer verliet: als ze weg was zouden de knagende horden sprinkhanen in zijn borst en ingewanden enigszins bedaren. Bovendien was hij zelf geen maagd meer en had hij niemands hulp nodig. De vrouw legde zich erbij neer en verliet de kamer met neergeslagen ogen. Maar ze moest al snel weer terugkomen, want elke keer wanneer Serenity Maagd aanraakte duwde ze hem van zich af.

In haar ogen was Serenity de verpersoonlijking van de menigte wellustelingen en smeerlappen, die haar het leven zuur hadden gemaakt met hun heidense heupwiegen en paalneuken. Ze was niet van plan hem als hun plaatsvervanger te accepteren. Ze moest denken aan de leer van Sint-Johannes Chrysostomus: 'Lichamelijke schoonheid is slijm...' In het klooster waar ze gezeten had, noemden ze dat wat hij van plan was in haar schoot te pompen 'heilig snot'. Het woord alleen al!

De tante van Maagd, niet besmet met de woorden van Sint-Johannes Chrysostomus of hun verlate uitwerking, herstelde de orde door bij herhaling het belang van het 'heilige' ritueel te benadrukken. Heilig snot of duivels snot, de daad moest verricht worden. Serenity rommelde maar wat met een halve erectie, onder het wakend oog van de vrouw met wie hij eens veelzeggende blikken had uitgewisseld, en haalde zich open aan de drie dagen oude stoppels op het schaambeen van zijn bruid, die net het uitklapbare scheermes had leren hanteren. In het klooster trokken ze die duivelse haren er altijd uit, een voor een, niet zozeer ten behoeve van een minder ruw stoppelveld, maar vanwege de kastijding die daarmee gepaard ging. Gewond en gefrustreerd, terwijl de piepende bedspiralen net zo op zijn zenuwen begonnen te werken als het geknaag van de sprinkhanen in zijn borst, werd Serenity langzaam kwader en kwader. De vreugde- loze vergeefsheid van al zijn geploeter werd nog eens verhevigd door de niet mis te verstane onverschilligheid van zijn bruid, en door de blikken van de begeleidster op delen van zijn lichaam die hij nooit aan vreemden blootgaf.

Zo rustig als het in de tent buiten was omdat de trommelaars za- ten te eten, zo pijnlijk en zo adembenemend onverdraaglijk werd de situatie in de kamer. De tante van Maagd zag zich genoodzaakt ver- der te gaan dan toezicht houden alleen en besloot in te grijpen. Zij was er immers verantwoordelijk voor dat de klus uiteindelijk ge- klaard zou worden. Op de meest beleefde, vriendelijke toon die Se- renity die week had gehoord, stelde zij voor kort te pauzeren. Toen Serenity uit bed stapte, raakte ze zijn schouder even aan om hem een stoel te wijzen, waar een biertje voor hem klaarstond. Die aanraking was de sleutel waar zijn geest de hele dag al naar had gezocht: de koelcel waarin zijn mannelijkheid bevroren was geweest, ging open. Het boek van zijn angsten uit het verleden ging op slot. Hij werd naar sferen van zeldzame opluchting gelanceerd en kwam in een toestand van zalige zorgeloosheid. Zijn opluchting zwol aan tot zulke proporties dat hij zich onder het drinken van zijn biertje af- vroeg of het niet meer was dan het afwerpen van zijn vroegere zor- gen. Was hij bezig te ontaarden in begeerte voor de tante van zijn bruid? Het idee dat hij gevoelens voor haar zou kunnen koesteren bedrukte hem en hij voelde een modder aan zijn voeten zuigen waar hij niet kopje-onder in durfde te gaan. Het was verleidelijk de bruid en haar tante te beschouwen als elkaar aanvullende delen van één karakter, één persoon. Als Maagd de ernstige, vastberaden, ambiti- euze, zelfzuchtige was, dan moest haar tante de speelse, vrolijke, wellustige pretgeefster zijn. Hij was nooit eerder op de hoorns van een dergelijk dilemma genomen, en hij bad dat het maar fantasie was, de hallucinaties van een overspannen, afgebeulde bruidegom.

Maagds tante fluisterde iets in zijn oor, maar Serenity hoorde het niet. Hij beefde tot in zijn botten toen hij haar hand weer op zijn schouder voelde. Er ging een schok door hem heen alsof hij een trap van een muilezel kreeg. De vrouw ging zitten en haar glimmende donkerbruine knie ving het gouden licht op en maakte hem duizelig van verwarring en ingehouden begeerte. Zijn lichaam schoot vol heerlijke sensaties toen ze zijn kuit aanraakte. Als het lot van deze drie mensen hier niet al bezegeld werd, dan was het hier dat hun levens, als drie rivieren die langs een steile berg omlaagstroomden, samenkwamen, samenvloeiden en zich een weg baanden naar de bittere zee achter de nevel.

Serenity kwam weer bij zijn positieven, verjongd, sterk, met vuur in zijn borstkas, de kriebels in zijn ballen, bronnen van wellust die opborrelden uit zijn maag. Hij haalde zich weer open, maar hij voelde het nauwelijks, het kon hem nauwelijks schelen. De witgekalkte muren en alle witte tafellakens en witte beddenlakens leken te sidderen en te beven. Hij had alle kracht in zijn onderlichaam nodig want zijn vrouw had het maagdenvlies van duizend vrouwen. Hij hijgde tot zijn adem bijna werd afgesneden, zweette over zijn hele lijf, maar was vastberaden om door het vlies heen te boren, al was het zo taai als een ongelooide huid.

Omgeven door de krakende en overhellende muren, piepende en gillende muizen en de ritselende en knisperende lakens ramde Serenity de barrière van Maagd, die één wiegende golf van glimmende spieren was. Er werden drie hele grote robijnen, twee middelmatige en één hele kleine robijn geproduceerd. De tante van de bruid feliciteerde hen met een glimlach, blij dat de bruid geen bomen had beklommen, geen fietser had bereden of met scherpe voorwerpen had gespeeld die haar vlies hadden kunnen scheuren. Het bevlekte laken werd snel ter bestudering naar een of twee familieleden van beide kanten gebracht. Serenity, die nu straalde van geluk, schonk de familie van de bruid een grote, vette geit, zoals de traditie het wilde.

De bruid, die zich had omgekleed, keerde zonder kroon met een starre, gepijnigde uitdrukking op haar gezicht terug naar het podium. De dansers voerden weer hun heupwiegende stoten uit. De trommelaars en zangers hadden zich opgesteld voor een van de langste sessies van de avond. De menigte was wild van verwachting. Aan het eind zou iedereen mee gaan dansen en zingen, dan zouden de jonge mannen gaan vloeken en joelen, op jacht naar een snel nummertje of een vechtpartij, en de overgebleven oudjes zich terugtrekken om plaats te maken voor die jeugdige buitenissigheden. De trommelaars sloegen op de trommen en de fiedelaars streken de violen met een enorme inzet, opgezweept door het eten en het bier en de aanmoedigende kreten van het publiek. De bruid wenste iedereen naar de hel, alleen al vanwege alle dubbelzinnige blikken die ze op haar wierpen. De haantje-de-voorsten hadden al gehoord dat ze nog maagd was geweest, en van de dronken voorstellingen van bloed en beklemmende seks waren ze hitsiger geworden, uitdagender.

Serenity voelde zich één met de menigte. Hij was zo zelfverzekerd en zo vrolijk dat hij het branden van de diepe sneeën in zijn eikel negeerde. Hij genoot van de aandacht en de gelukwensen: vrienden, familieleden en vreemden kwamen het podium in de tent op om hem de hand te drukken en enkele woorden in zijn oor te fluisteren. De uitzonderlijke beleefdheid waarmee zij dit deden, deed hem denken aan zijn vader op het hoogtepunt van zijn macht. Op dat ogenblik overwoog hij zelfs te gaan lobbyen voor de positie van clanland-bestuurder. Dat was een verre droom als je het vergeleek met zijn grijnzende leerlingen met gaten tussen hun tanden tijdens een optocht of op het voetbalveld. Een golf sleurde hem mee naar een verhitte politieke bijeenkomst, met schetterende luidsprekers, schreeuwende politici en een menigte bedwelmd door beloftes van een beter leven. De onafhankelijkheid stond voor de deur, en iets dat uit de denkbeeldige menigte op hem oversprong zei hem dat hij de kans van zijn leven niet moest missen. Uit al het gedrum, al het gezang, al het gedans en alle slaafse gelukwensen maakte hij één ding op: dat hij de kans moest grijpen om zich op te werken.

Twee dansers kwamen heupwiegend en buikschuddend het podium op, hun benen al wijd voor een van die spectaculaire spagaten die de spieren van elke amateur zouden doen scheuren. Serenity kwam overeind. Hij liep de dansers tegemoet en ze bestookten hem met geile grijnzen. Links en rechts duwden ze hun wiegende heupen tegen hem aan, in een gesimuleerde copulatie op zijn heftigst en schalkst. Hij danste soepel mee toen ze zijn armen beetpakten en trilden alsof de aarde uit zijn voegen barstte. Vervolgens staken zij een been omhoog alsof ze stijve reuen waren die tegen een hoge paal trachtten te pissen, en trokken ze zich huiverend terug. De bruid had ze allemaal wel neer kunnen knallen. Ze kon ook Serenity wel schieten omdat hij zijn jas uittrok, hem om zijn middel bond, de dansers achternaging en bijna op zijn gezicht viel in het stro voor de verhoging. Hij was geen goede danser, hij was te houterig, te weinig sierlijk, maar aangezien hij de bruidegom was, de man die verantwoordelijk was voor deze uitspatting, juichte de menigte hem aanmoedigend toe. Hij zweefde op een nieuwe golf, in de roes van een nieuwe, nooit eerder gevoelde, roekeloze vitaliteit. Hij wist niet zeker waar dit vuur vandaan kwam en hij wilde er niet al te diep over nadenken uit angst dat hij het kwijt zou raken of zou verjagen. Terwijl hij doorhuppelde hoopte hij dat het iets te maken had met die robijnen, en niets met die magische vingers op zijn schouder. Hij werd door de menigte opgeslokt. Ze begonnen hem met bier te overgieten, bankbiljetten n zijn zakken te steken en hem hoog de lucht in te tillen. Alle trommels leken in zijn hoofd te bonzen en te dreunen. Ook Opa was in extase. Hij wankelde als een dronken danser. En Tiida en Nakatoe waren aan het dansen en schreeuwen. Oma wuifde op de maat van de muziek met een sjaal door de lucht.

De laatste persoon van wie hij zich bewust was, was Nakiboeka, de begeleidende tante van zijn bruid, die hem uitkleedde en het bier, braaksel en vuil van hem af waste en hem uiteindelijk naar bed bracht.

Bruiloften waren berucht vanwege hun anticlimax en als je af kon gaan op de sporen rond Serenity's huis, was er op de festiviteiten een kleine catastrofe gevolgd. Er lag zoveel kots buiten de tent, op de veranda en op de weg dat, als het niet te gek voor woorden was geweest om te denken dat de een of andere grappenmaker mensen had betaald om de boel onder te kotsen, Serenity echt zou gaan geloven dat er opzet in het spel was. Alle bakbananen, al het magere vlees, alle koeienmagen en al het bier lag er, nauwelijks verteerd.

De pleeën en de onmiddellijke omgeving daarvan waren een ramp-gebied. Serenity had van zijn leven niet zulke hoeveelheden stront gezien. En de sporen van geelgroene diarree deden hem kokhalzen. Als er aan deze kwistige strontverspreiding geen kudde nijlpaarden schuldig was, dan moest er iets ernstig mis zijn geweest met het ba-nanenbier dat de menigte had geconsumeerd. Het schoot hem te bin-nen dat, zoals bij deze gelegenheden gebruikelijk was, allerlei ver-schillende mensen voor de drank hadden gezorgd, zonder dat ie-mand een lijst had bijgehouden. Waar zou een lijst van donateurs goed voor zijn geweest? dacht hij en haalde bezorgd zijn schouders op.

Het opruimen van alle vuilnis, alle grashutten, alle smeerboel, zou een aantal dagen vergen, maar er was geen gebrek aan vrijwilli-gers. Gelukkig klaagde niemand over het bier of het voedsel en wer-den er in de week erna geen doden gemeld. Het was dus toch geen complot geweest! Niemand had dus stukken hyenalever in de drank of in het eten gedaan! Wat een opluchting!

In een maatschappelijke hiërarchie waarin de familie van de man boven de echtgenote stond, moest elke vrouw die haar huis op haar eigen manier wilde bestieren, vanaf de eerste dag dat ze getrouwd was het heft stevig in eigen hand nemen. Om te beginnen moest ze haar schoonfamilie meteen ondubbelzinnig duidelijk maken dat het in het nieuwe huishouden waar zij de scepter zwaaide, volstrekt an-ders zou toegaan dan nu, in de nasleep van het huwelijksfeest. En dat was precies wat Hangslot met haar mistroostige uiterlijk en broeierige gedrag deed. Serenity's familieleden kregen al gauw door dat er weinig prijs gesteld werd op al die vroege ochtendgas-ten, die hoopten op een stuk bruiloftstaart, een drankje, een stevig ontbijt en misschien ook wel op een hapje tussen de middag – opge-diend met een stralende glimlach, uiteraard. Serenity's familieleden voelden zich al gauw uiterst ongemakkelijk tegenover de onmede-deelzame bruid in de steeds pijnlijker wordende stilte in de zitka-mer. Een paar van hen verzuchtten zelfs dat Serenity beter met Na-kiboeka had kunnen trouwen, omdat die tenminste opgewekt was, graag praatte en bovendien erg lief glimlachte. Al gauw begon iedereen in de gaten te krijgen dat ze niet langs moesten gaan als Serenity er niet was, wat nogal vaak voorkwam omdat hij, naast zijn hervatte schoolverplichtingen, een heleboel te doen had.

Serenity's zusters, Tiida en Nakatoe, beiden huwelijksveteranen met kennis van zaken, merkten al snel dat hun broer getrouwd was met een vrouw die hen uit zijn huis weg zou houden. Net als veel andere familieleden vertrokken ze naar hun eigen huis zodra de hopen stront en plassen kots opgeruimd waren, de geleende stoelen en banken teruggebracht en de tent was afgebroken. Tiida vatte haar gevoelens als volgt samen: 'Wat een vrouw. Ongenaakbaar als Mpande Hill.'

'Dat heb ik toch meteen al gezegd,' antwoordde Nakatoe. Beiden waren het er verder over eens dat de hopen stront en plassen kots een teken van vruchtbaarheid waren. Ze voelden dat Hangslot hen beiden als voortplantster zou gaan overtreffen. Niet dat ze wedijverden met hun jongere broer, maar het bleef een teken van invloed als je met een sleep kleinkinderen naar het huis van je vader kon komen voor een bruiloft, begrafenis of clanbijeenkomst. Tiida was opgehouden met voortplanten: dokter Ssali had een te gevoelige neus en maag om de aanblik van luiers nog langer aan te kunnen. Ook was hij niet meer opgewassen tegen het kindergeschreeuw als hij thuiskwam na een zware dag in het ziekenhuis. Hij had maar twee kinderen willen hebben. Tiida had hem er vier geschonken, en ze had moeten smeken om de laatste twee. Nakatoe had er maar twee, een tweeling, en ze was bang dat die bij haar iets kapotgemaakt had van binnen, want ondanks verwoede, berekende pogingen, was ze al acht jaar niet meer zwanger geworden. Met haar onvervulde kinderwens, was zij niet al te blij met de vermoedelijke vruchtbaarheid van haar nieuwe schoonzuster. Hadji Ali met zijn wonderzaad had ze toen nog niet ontmoet. Maar ook daarna mocht ze Hangslot niet erg en was ze eigenlijk blij dat het zo'n chagrijn bleek te zijn; nu hoefde ze tenminste geen smoezen te verzinnen om bij haar uit de buurt te kunnen blijven.

Hangslot zelf miste het gezelschap van haar schoonzusters niet bepaald. Ze vond Tiida nog de minst erge van de twee. Tiida leek haar een doener, iemand die zichzelf steeds trachtte te verbeteren. Het treurige was alleen dat ze zich steeds in de verkeerde richting verbeterde. Hangslot had medelijden met haar vanwege haar onvergeeflijke trots en ijdelheid. Een vrouw die vier keer per dag in bad ging, zich overal druk over maakte, en opschepte over haar doortrektoilet, haar marmeren badkamer en de hoge positie van haar man, was ziek, onuitstaanbaar en zeer beklagenswaardig. Als Tiida haar schoonzus niet geweest was, zou Hangslot met haar zijn gaan praten: om haar te waarschuwen, en haar te helpen haar slechte eigenschappen te overwinnen. En verder om haar te vertellen dat ijdelheid op gebrek aan zelfkennis duidde, en dat ze heel hard zou moeten werken om het te bestrijden. Wat zou ze graag in Tiida's trotse hoofd hebben gehamerd dat schoonheid, en in het bijzonder het soort schoonheid dat Tiida vier keer per dag oppoetste, slijm was, bloed, gal, snot... Ze zou Tiida met de neus op de geschriften van Sint-Johannes Chrysostomus hebben gedrukt, en er zo nodig zelfs de karwats bij hebben gehaald om haar te dwingen die in zich op te nemen. Maar de zusters van je man mocht je niet op hun fouten wijzen; ze waren onaantastbaar en gedoemd te stikken in hun eigen drek.

Nakatoe werd door Hangslot vanaf de troon van haar nieuwe rijkdom bekeken met een misselijkmakende minachting. Voor haar was Nakatoe een luis. Hangslot werd onpasselijk van Nakatoe's onzekerheid, die bleek uit het gezever over haar grote knappe echtgenoot en over de Raleigh-fiets die hij aan Opa had gegeven, en uit het gezeur over haar kerngezonde tweeling. Onzekerheid getuigde van een gebrek aan karakter, of van een zwak karakter, dat niet aangepakt was met een tuchtige, godvrezende opvoeding. Wat hadden de priesters en de godsdienstonderwijzers in deze streek, in deze parochie uitgespookt? Hadden ze alles maar aan de Duivel overgelaten, die het merg uit alle mensen hier had gezogen en er dit soort lege, onzekere hulzen van had gemaakt? Nakatoe was zo'n wankelmoedig type, dat Hangslot er zeker van was dat deze vrouw voor alle verleidingen zou zwichten, tot slapen en trouwen met een moslim toe, en dat ze zelfs in staat zou zijn zich tot de islam te bekeren. Hangslot was er ook van overtuigd dat Nakatoe toverdokters raadpleegde die haar kinderen in het vooruitzicht stelden, haar kippen opaten, haar geld afpikten, haar geweten susten met onzin-rituelen die de weg naar haar uiteindelijke verdoemenis plaveiden. Hangslot zag Nakatoe al naakt rond een vuur dansen of in allerlei rotzooi baden: dierenbloed en -pis, of wat die toverdokters ook voorschreven. Ze zag Nakatoe al brouwsels van salamandergal, slangeneieren en leeuwensperma drinken. Ze zag zelfs voor zich hoe Nakatoe door een besneden medicijnman geneukt werd die alleen op haar geld en haar lichaam uit was. De ziel van haar schoonzuster schreeuwde om een grondige geestuitdrijving! Wat zou ze al die demonen graag verjagen! Ze zag zichzelf al vasten en Nakatoe dagenlang opsluiten; ze zag zich al Nakatoe's met demonen gevulde kamer binnengaan, haar uitkleden, haar met een zweep afrossen, en de Duivel bevelen Nakatoe's lichaam te verlaten. Ze zag zich bij haar zitten tot alle duivels een voor een uit haar waren getreden. Ten slotte zou ze haar wijwaterklisma's toedienen, haar voor de tweede maal dopen en haar laten gaan. Maar de zusters van je man mocht je niet op hun fouten wijzen, ze waren onaantastbaar en gedoemd te stikken in hun eigen drek.

Om Opa en Oma's bemoeienis met haar zaken onmiddellijk de kop in te drukken, bereidde Hangslot een sublieme, strategische woedeuitbarsting voor. Zoals gezegd mocht ze Opa totaal niet. Hij was de enige persoon bij wie ze zich onzeker en ongemakkelijk voelde. Wat verbeeldde hij zich wel? Ze was voortdurend bang dat hij Kasiko in haar vroegere positie zou herstellen zodra hij de kans kreeg, of dat hij zijn zoon zo ver in zijn *machismo* zou opzwepen dat hij er een tweede vrouw bij zou nemen. Om dat te voorkomen zou zij meteen een zoon baren, de eerste van vele die erop zouden volgen. Ze wist dat ze onoverwinnelijk zou zijn en in een positie om alles naar haar hand te zetten, als ze minstens een dozijn nakomelingen voortbracht. Dat zou de beste manier zijn om die zelfingenomen uitdrukking van het gezicht van de oude man te wissen, die onuitstaanbare, triomfantelijke uitdrukking van iemand die een ander van melaatsheid had genezen. Zij was uiteraard de melaatse, en haar melaatsheid de armoede. Had deze man zijn zoon niet gewaarschuwd dat hij beneden zijn stand trouwde? Was dit niet de man die op een on-katholieke manier de kwaliteit van haar genen had betwijfeld? Als goed katholiek moest ze zeven maal zeventig keer vergiffenis schenken, en ze had hem al vergeven, maar vergeten zou ze het nooit.

Geleidelijk aan zou ze hem dwingen zijn eigen woorden weer op te vreten. De komende jaren zou ze de golfplaten uitbannen die ze elke keer wanneer hij haar aankeek in zijn ogen zag schitteren. Ze sloeg nog steeds haar ogen voor hem neer, ze knielde nog steeds voor hem, zoals het een goede schoondochter betaamde; en ze bleef op haar knieën liggen terwijl hij het woord tot haar richtte en haar de vraag stelde die haar razend maakte: 'Gaat het goed met je, meisje?' Dacht die oude sukkel dat ze net door een stelletje dronken chirurgen was geopereerd, een hartaandoening had, of zojuist genezen was van een akelige hernia? Of had hij door haar robijnen en de geit die zijn zoon haar familie had geschonken rare ideeën in zijn hoofd gekregen? Dacht hij soms dat zijn zoon zwaargeschapen was als een zebra en dat zij elke keer dat Serenity haar neukte met emmers koud water bij haar positieven gebracht moest worden en vervolgens gehecht? Ze wilde Opa maar al te graag inpeperen dat zijn zoon nogal middelmatig was in bed en dat hij van nu af aan te kampen zou krijgen met regelmatige perioden van drooglegging. Om te beginnen zou ze geen seks toelaten op zaterdag en zondag, op belangrijke kerkelijke feestdagen, op Sint-Pieter en Sint-Johannes Chrysostomus, tijdens de veertigdaagse vasten, tijdens de paasweek en tijdens haar zwangerschappen. Als de oude man dus geloofde dat hij een zebra had grootgebracht, of als Kasiko hem dat had laten denken door, bijvoorbeeld, leugens in Nakatoes oren te fluisteren, dan zou zij die misvatting corrigeren. Het was trouwens ook mogelijk dat Serenity zelf liep op te scheppen.

Nu knielde ze nog als een fatsoenlijke schoondochter, en glimlachte ze zelfs wanneer Opa het woord 'meisje' uitsprak. Meisje!

Aan dat woord had ze altijd al een hekel gehad. Ze had nooit waarde
gehecht aan zoiets stoms als leeftijd en ze had hoe dan ook altijd ouder willen zijn dan ze was.

Deze oude man nu, jaren geleden terecht uit zijn macht ontheven,
sprak nog steeds met de autoriteit van een despoot, en gaf zijn woorden altijd nog een zegenend zweempje of een beledigend onder-
toontje mee: je bent dan wel een boerenmeid, maar goddank heeft
het harde werk geen sloof van je gemaakt. Er klonk ook een zweem
van neerbuigendheid en twijfel in het woord 'meisje' mee. Ze wist
dat Opa, voor zichzelf en voor anderen, alleen grote vrouwen wilde,
en zij was nou eenmaal niet de grootste vrouw ter wereld. Ook had
ze niet zo'n belachelijk breed bekken, zo'n vruchtbaarheidsplateau.
En ze had ook geen olifantshuid, dus ze zou hem nog wel eens laten
zien dat er niet met haar te spotten viel. Maar voor het ogenblik
fluisterde ze bij het overeind komen en bij het zien van de twee kuil-
tjes die haar knieën in de grond hadden gedrukt slechts: 'Heer, Heer,
Heer, wat ben ik laag gezonken! Hoe lang moet ik nog afgewogen
worden tegen ordinaire vrouwen en hoeren?'

Zoals alle ogenschijnlijk hulpeloze zielen kreeg Serenity in de loop
der jaren heel wat te slikken. Dat kwam doordat veel mensen, zelfs
na zijn verhuizing naar de stad, de levensvatbaarheid van zijn huwelijk en de geschiktheid van zijn vrouw bleven betwijfelen. Tijdens
vele zwoele middagen waarop een zachte bries over het land waaide
en de bananenbomen uit hun namiddagse luiheid schudde, namen
Opa en Oma, met een goede maaltijd achter de kiezen en de koffie-
ketel sissend op het vuur, de stand van zaken onder de loep. Opa
veranderde dan plotseling van onderwerp en zei: 'Hij had nooit met
dat meisje moeten trouwen. De zoon van een stamhoofd moet zich
nooit door een boerenmeid laten inpalmen.'

'Het was zijn eigen keus.' zei Oma dan, 'en zolang ze redelijk met
elkaar kunnen opschieten... Bovendien, Seres moeder was de dochter van een *chief* en moet je zien wat er van haar terecht is gekomen.'

'Dat is een ander geval. Die vrouw had een worm in haar hoofd:

ze kon niet tot rust komen. Ze dacht dat de hele wereld om háár draaide. Ik heb haar de mooiste zijde gegeven en het beste geiten-vlees, haar zo goed behandeld als ik kon en toch heeft ze me bedrogen met een waardeloze klootzak. Ze heeft zelfs haar kinderen in de steek gelaten voor die lamlendige hufter!'

'Je hebt haar niet genoeg aandacht gegeven. Ze was de jongste van al je vrouwen, in een leeuwenkuil vol taaie wijven die alles tussen hemel en hel hadden meegemaakt.'

'Kom nou toch, zuster. Zij was mijn lievelingsvrouw. Wat kon ze nog meer verlangen? Bij nader inzien had ik de politie achter haar aan moeten sturen en haar terug moeten laten halen. Ik had nooit moeten toestaan dat ze ook maar één nacht in het huis van die klootzak bleef slapen.'

'Je bent háár kwijtgeraakt en nu ben je bang dat je je zoon ook kwijt bent?'

'Sere is niet in de clan geïnteresseerd. Hij is getrouwd met iemand die de vrouw van de paus of de aartsbisschop had moeten worden. Vind je het gek dat ik bang ben hem kwijt te zijn?'

'Je moet het zo zien,' zei Oma. 'Eerst had Sere een vrouw die bang voor hem was en hem tegelijkertijd op een voetstuk zette. Wat heeft Kasiko niet voor hem overgehad? Ze schonk hem een dochter, en zou hem nog vele zoons hebben geschonken, maar hij heeft haar weggestuurd en hij is met deze vrouw getrouwd. Over hem hoef je je geen zorgen te maken. Maak je liever zorgen over zijn dochter, onze kleindochter, die we al zo lang niet hebben gezien. Ik heb het gevoel dat die vrouw haar aan een andere man gaat geven, alleen om die man een plezier te doen, of om Sere te pesten. En bedenk eens: wanneer heeft Sere zijn dochter voor het laatst gezien?'

'Ik mocht Kasiko wel: die wist tenminste hoe ze met mensen om moest gaan. Ze was niet ontwikkeld, maar Sere is nu ook niet met een dokter of advocate getrouwd. Hoewel, hij is met een dokter in het katholicisme getrouwd.' Opa schaterde: 'Ik heb geprobeerd hem in zijn eerstgeborene te interesseren, zijn eerste bloed, maar elke keer als ik over haar begin, begint hij over iets anders. Wat kan ik er verder aan doen?'

'Als ik jou was zou ik een jong meisje of een fatsoenlijke vrouw zoeken die voor je kan zorgen. En ik zou niet al te lang nadenken over een zoon die getrouwd is met een dokter in het katholicisme.'

'Van jonge meisjes heb je alleen maar last. Na één dag in je huis gaan ze op zoek naar jongens van hun eigen leeftijd, bij wie ze gonorroe oplopen, en vervolgens verwachten ze van jou dat je de doktersrekening betaalt. En oudere vrouwen hebben te veel neuroses aan hun vorige mislukkingen overgehouden.'

'Toch zou ik me niet druk maken over iemand die getrouwd is met een vrouw die eigenlijk met de paus had moeten trouwen.' Oma lachte. 'En nu ze mij haar eerste kind heeft toevertrouwd, hoe gewelddadig ze dat ook deed, kan ik haar alleen maar het beste wensen.'

'Seres vrouw heeft een schadelijke invloed.'

'Pas jij maar op voor ongetrouwde meisjes die met hun heupen wiegen...' Oma lachte veelbetekenend.

Vijfenveertig dagen na de ontmaagding van zijn bruid begon Serenity's eerste seksuele dro:oglegging: de dokter bevestigde dat ze in verwachting was van mij. Als aanvullend bewijs gaf Hangslot wekenlang elke ochtend overvloedig over en begon ze te knabbelen aan de zoutige klei uit het moerasgebied aan de voet van Mpande Hill.

Serenity blies zijn oude droom om uit het dorp te vertrekken nieuw leven in, alsof hij daarmee zijn gefrustreerde seksuele driften kon onderdrukken, en schreef sollicitatiebrieven aan staatsinstanties om een baan in de stad te krijgen. Het land werd overspoeld door een golf van Afrikanisering; talloze bedrijven en instellingen gingen uit Aziatische of Europese handen over in inheemse. Serenity had goede hoop. Maar na elf maanden huwelijk had hij nog geen enkel vooruitzicht op een sollicitatiegesprek. En toen kwam ik ter wereld.

Het regende zo zwaar die week, en zo hard die dag, dat het moeras opzwol en zich leek te verdelen in een heleboel kleinere, kwaadaardige moerassen. Er waren overstromingen, waardoor de aqua-

ducten instortten en de blauwe Ford Zephyr, die Serenity had gehuurd om zijn vrouw naar het Ndere-ziekenhuis te kunnen vervoeren, tot zijn dak in het water kwam te staan. Terwijl Hangslot beviel,
moest de chauffeur op de imperiaal klimmen en zich eraan vastklampen in de razende wind. Het water bleef stijgen, en de
chauffeur begon zijn laatste wil in de wind te roepen, ervan overtuigd dat hij het er niet levend af zou brengen. Maar na twee uur
ging de wind liggen, hield het op met regenen en dankte de arme
man zijn goden omdat zij hem hadden gespaard.

Oma sneed mijn navelstreng door met een nieuw tweezijdig
scheermesje van het merk Wilkinson Sword. Hangslot gaf me de namen Johannes Chrysostomus Noël, de laatste ondanks het feit dat
het geen Kerstmis was. Serenity koos een paar namen uit het arsenaal van de Eekhoornclan. Voorts legde hij me de ernstige plicht op
namens Opa wraak te nemen door op een goede dag advocaat te
worden. En om duidelijk te maken dat hij die mantel had doorgegeven, gaf hij me ook nog de naam 'Moewaabi', wat 'aanklager' of
'openbare aanklager' betekent. Hij had me net zo goed 'Wraak' kunnen noemen. Opa had in zijn jeugd geen advocaat kunnen worden
omdat alleen blanken dat konden. Hij noemde me 'Moegezi' (de
briljante of intelligente) – de enige naam die ik behield toen ik de
tijd rijp achtte om alle overbodige ballast van mijn namenlijst te
schrappen. Oma gaf me geen naam, maar maakte vanaf mijn geboorte aanspraak op mij en kondigde bovendien mijn toekomstige
rol als vroedvrouw-assistent annex kraamvrouw-mascotte aan
(zwangere vrouwen gaven met hun eeuwige hoop op zonen de voorkeur aan een mannelijke mascotte).

Hangslot verafschuwde de arrogantie van die aankondiging, en
ze haatte Oma erom, maar ze kon er niets tegen doen omdat Oma
mijn navelstreng had doorgesneden. Haar gedachten dwaalden af
naar Oma's buffel- en krokodillendromen en ze begon steeds sterker
te geloven dat Oma het op haar voorzien had. Dat zat zo: een week
voordat Serenity Hangslot als zijn verloofde aan zijn familie had
voorgesteld, had Oma twee korte dromen gehad, zo ging het verhaal. In de eerste zag ze Hangslot in een zandpoel staan met achter

haar een buffel. In de tweede droom tuurde Serenity naar een reusachtige krokodil op de bodem van een ravijn. Oma weigerde beide dromen uit te leggen. Hangslot vroeg haar verloofde toen om dat te doen. Hij ging bij zijn interpretatie uit van totemsymbolen. Hangslot behoorde tot de totem van de olifanten. De buffel was ook zo'n woudreus en in feite ook een soort olifant en stond voor (totem)macht. Dat de buffel in het zand stond, was een teken van zijn ontembaarheid, merkte hij ten slotte op.

De tweede droom legde hij min of meer op dezelfde manier uit. De krokodil stond voor buitengewone macht, tact, geduld, zelfkennis, territoriumdrift en een lang leven (honderdvijftig miljoen jaar evolutie). Doordat Oma gedroomd had over een krokodil, en niet over een eekhoorn, moest Serenity wel tot de conclusie komen dat zijn huwelijk een verdrag was van gelijken. Zijn vrouw – de buffel – zou de aanvaller zijn; en hij – de krokodil – de tacticus, de stem van de behoedzaamheid, het gezonde verstand.

Hangslot, die veel achterdochtiger was, vatte de droom negatiever op. Vrouwen die dit soort dromen uitbroedden, hadden meestal niet veel goeds in de zin, net als de heksen ten tijde van de Inquisitie. Zij ging ervan uit dat Oma haar probeerde te chanteren en die dromen gebruikte om Serenity aan zich te binden. Moeders die hun zoons moeilijk konden laten gaan, deden zoiets wel vaker. Oma was natuurlijk niet Serenity's moeder, maar Hangslot geloofde dat ze zichzelf beschouwde als plaatsvervangend moeder. Waarom een buffel, en geen olifant, als het allemaal zo onschuldig was? En waarom dat zand? Op zand kwam je moeilijk vooruit: het was een slecht voorteken. Eerder was het zo, redeneerde ze, dat Oma het zand was en haar voortgang wilde bemoeilijken, haar wilde tegenwerken en haar toekomstige huwelijk tot een hel maken.

De overtuiging dat Serenity uit een verziekt nest kwam vrat zich steeds dieper in haar hart. Allereerst had je zijn hoerige moeder, die ervan verdacht werd twee van haar eigen meisjesbaby's te hebben omgebracht; die zwanger was geworden van een andere man; die aan haar eigen web van schaamte was ontsnapt door weg te lopen en die in schande was gestorven. En dan had je zijn heidense vader, die

beweerde katholiek te zijn maar overal vrouwen had zitten en onder
zondige omstandigheden een kind had verwekt: Kawayida – waarschijnlijk een van de vele kinderen die hij verwekt en onterfd had, of
een van de vele die hij kwijt was geraakt in de doolhof van buitenechtelijke verhoudingen. En dan had je die twee zusters van Serenity. De ene zat gevangen in haar eigen domheid en ijdelheid, en de
andere ging gebukt onder wispelturigheid, duivelsverering, hekserij
en geloofsverzaking. En dan had je ook nog die vreemde tante, die
haar hele leven al aan amenorroe leed, die hielp bij bevallingen,
kruiden voorschreef en esoterische dromen uitbroedde die ze zelf
niet durfde uit te leggen. Aangezien het verbranden van heksen niet
langer door de kerk werd toegestaan, was het enige dat er voor
Hangslot op zat de vrouw nauwlettend in het oog te houden en haar
buiten haar huis te houden, buiten haar leven, en buiten het leven
van haar toekomstige kinderen.

Omdat Hangslot geen roddelvriendinnen in het dorp had, tierden de
geruchten over haar welig als onkruid na een bosbrand. De mensen
begrepen haar niet, en omdat ze niet de informatie kregen waar ze
naar hunkerden, gingen ze de vele vragen over haar maar zelf beantwoorden. Dit had tot gevolg dat Hangslot een geweldige hekel aan
het dorp kreeg. Ze voelde zich tussen Opa en Oma geplet, terwijl de
stemming in Serenity's huis, vanwege de centrale ligging, zo dreigend was als een rotswand voor iemand met hoogtevrees. Ze had het
gevoel dat er toezicht op haar werd gehouden, dat onzichtbare ogen
haar in de richting van het ravijn aan weerszijden van het huis duwden. Oma maakte het er alleen maar erger op, door telkens wanneer
ze mij hoorde jengelen op het erf te verschijnen met een uitdrukking
op haar gezicht of ze iets kwam lenen maar vergeten was wat. Hangslot deed dan net of ze ergens in verdiept was en haar niet in de gaten
had. Totdat ze zich dan plotseling, ziedend van ingehouden woede,
omdraaide, Oma even strak aankeek en zei: 'Welkom tante, waar
hebben we dit onverwachte bezoek aan te danken?'

   'Het is geen onverwacht bezoek,' antwoordde Oma dan gelaten.
'Het is een beleefdheidsbezoek van een ouderwetse vrouw.'

Later, toen de hatelijkheden toenamen en openlijk werden geuit, voegde ze daar dan nog aan toe: 'Een oude vrouw die een oogje op haar echtgenoot kom houden.' Grootmoeders noemden hun kleinzoons voor de grap vaak 'echtgenoot', omdat kleinzoons van mijn kaliber traditiegetrouw hun toekomstige beschermers werden als hun echte mannen niet meer leefden. Hangslot slikte dit grove vertoon van heidendom op haar erf met veel moeite, vooral omdat ze niets kon doen om het de kop in te drukken.

Verlamd en machteloos als een sprinkhaan zonder poten, reageerde ze haar haat op, onder anderen, mij af omdat ik op die monsterlijke regendag in die monsterlijke regenweek op de wereld was gekomen en er zodoende toe had bijgedragen dat haar grootste vijandin zo'n ferme greep op haar huishouden had kunnen krijgen. Maar alle schermutselingen in het dorp waren slechts een voorproefje van de epische krachtmetingen die later zouden plaatsvinden in de geladen atmosfeer van de stad.

Hangslot had al snel door dat ze een oorlog tegen geruchtenverspreiders moeilijk kon winnen. Inmiddels werd er al beweerd dat ze haar huidige status eerder aan hekserij te danken had dan aan iets anders. Omdat ze besefte dat de roddelaars nog veel meer kwaad konden aanrichten, deed ze haar best bij ze uit de buurt te blijven, en hield ze haar mond, zelfs als ze de kans had een paar van die 'heidenen' eens geducht onder handen te nemen. Het gevolg was dat ze een gevaarlijke spanning in zich voelde groeien, en het liefst zo snel mogelijk wilde verhuizen. Zij was de nieuwe wijn die in nieuwe zakken moest worden gedaan. Maar ze was bang dat ze in de oude zakken, waarin ze op haar trouwdag was gegoten, zou bederven voor ze de kans kreeg ze kapot te scheuren.

Als ze alleen in huis was, leek het haar onder zijn oude spoken, zijn oude geheimen, zijn oude afgunsten en zijn oude haat te vermorzelen. Wanneer ze de slaapkamer in liep, werd ze overweldigd door de geur van bedorven melk vermengd met de stank van Serenity's jarenlange vrijgezellenstreken, waardoor ze zich opnieuw bewust werd van het bezoedelde bed waarop ze haar heilige maagdenvlies had geofferd. Dat bed, met zijn hels knarsende springveren, leek de zondige geuren te verspreiden, de etterende zweer die alles besmette. Dat ze had toegestaan daar ook een slachtoffer van te worden, deed haar ineenkrimpen. Dat bed deed haar beseffen dat Serenity geen maagd meer was geweest op hun trouwdag. En dat zijn zondige, gevallen staat vereeuwigd was in die dochter van hem, over wie hij nooit sprak, maar die zich ergens op het platteland bevond en met haar en haar kinderen spotte. Hangslot was blij dat het zondekind een meisje was zonder erfrechten, maar ze sidderde bij de gedachte dat dat meisje op een dag die zonde voort zou zetten door zelf kinderen te krijgen, hoogstwaarschijnlijk ook buitenechtelijk.

Hangslot dacht vaak terug aan de dagen voor de bruiloft. Ze zag weer voor zich hoe ze met boterolie werd ingesmeerd. Tante Nakiboeka smeerde haar in en beval haar stil te liggen, niet te bewegen omdat de olie moest intrekken, diep in haar huid moest doordringen in de stekende, hete zon. En terwijl zij die geur, die hitte, die uitdroging moest ondergaan, had Serenity, bezoedeld als hij was, alleen maar in bad gehoeven en naar de kapper. Ze had hem in de hete olie willen duwen en hem met warm water willen afspoelen en alle vrouwen van zijn huid en uit zijn gedachten willen losweken. Ze had gesmolten zeep willen gebruiken, zo heet als kokend lood, en alle zonden uit zijn poriën willen branden en hem vele, vele gebeden willen laten opzeggen en hem vele, vele wijwaterklisma's willen toedienen. Dan, en alleen dan pas, zou hij klaar geweest zijn om iemand te ontmaagden. Maar het was te laat. Op dit ogenblik rook ze alleen de samengebalde stank van tien jaar zonde. Ze moest dit ontaarde huis verlaten, al was het maar omwille van de kinderen. Ze had hem nu tijd genoeg gegeven om een oplossing te vinden. Nu ging ze dreigen dat ze dit bevlekte stinkende rothuis met de grond gelijk zou maken.

'Wanneer kunnen we weg?' vroeg ze vanaf haar rode mat. Ze sloeg Serenity gade terwijl hij bakbananen met vlees at, of waren het zoete aardappelen met vis?

'Ik doe m'n best,' antwoordde hij zonder haar aan te kijken. Hij was tevreden over de manier waarop ze het huishouden regelde, maar vond het vervelend als hij tijdens het eten over iets belangrijks werd lastiggevallen. Sommige vrouwen, zoals Kasiko, deden dat in bed; Hangslot deed het tijdens het middag- of avondeten. Beiden nam hij hun timing kwalijk, omdat het een zwakheid van zijn kant suggereerde. 'Ik wacht tot ik opgeroepen word voor een sollicitatie-gesprek.'

'Je wacht al zo lang. Bijna twee jaar geleden begon je al te wachten. Misschien maakt het postkantoor je brieven kwijt. Of misschien houdt iemand op school je post achter.'

'Ik zal erachterheen gaan,' zei hij mat, getroffen door de ironie van het denkbeeld dat een bedrijf waar hij graag wilde werken hem zou tegenwerken. Hoeveel sollicitatiebrieven had hij niet aan de Postunie geschreven? Talloze.

Hij keek naar mij terwijl ik vergeefs een stukje vlees naar binnen trachtte te werken. Nog twee kinderen en dan had hij er drie, dacht hij. Daarna zou hij zich op zijn werk gaan concentreren en ervoor zorgen dat hij genoeg geld verdiende om ze naar een goede school te kunnen sturen. Wat kon een vader nog meer doen?

Midden in zijn dagdroom drong opeens tot hem door dat hij al in zijn tweede seksuele drooglegging zat. Het gekots en het gesabbel aan de klei was weer begonnen! Zijn aanvankelijke plan was: elke drie jaar een kind, om de financiële druk te spreiden. Dat plan was dus al mislukt. Hij staarde naar de muur en snapte ineens waarom zijn vrouw zo bleef aandringen over zijn baan: Onafhankelijkheids-dag was voorbijgegaan zonder dat hij er erg in had gehad. 9 oktober 1962 was voorbijgedobberd op een kalme zee, met als enige rimpe-ling de ruzie die Opa met een paar onderwereldfiguren had gemaakt. Serenity vond dat de oude baas meer praatte dan goed voor hem was. Waarom joeg hij mensen op de kast die veel gevaarlijker wa-ren dan hij? Ik moet zorgen dat ik hier wegkom voor het te laat is, mompelde hij in zichzelf.

'Ben je de afgelopen week, of maand, of maanden nog opgeroepen voor een sollicitatiegesprek?' vroeg Hangslot met resten klei op haar tandvlees. De laatste keer had het moeras waar die klei van-daan kwam zich tegen haar gekeerd en de auto verdronken die haar en haar ongeboren zoon naar het ziekenhuis had vervoerd. Wat zou het deze keer in zijn schild voeren? Zou het haar afstraffen met een miskraam of een doodgeboren kind, omdat ze het klei had ontstolen?

Serenity vroeg zich af welk voorbehoedsmiddel ze zou prefereren: een condoom, een pessarium of een traditioneel middel... O, ze had hem een vraag gesteld. 'Ik ben van plan binnenkort eens in de stad te gaan informeren.'

'Híér ga ik mijn kinderen in ieder geval niet grootbrengen,' zei ze nogal streng, waarbij ze het eerste woord liet klinken als een klomp klei die in een bak water viel.

'Ik weet het,' zei hij en dacht dat het woord 'kinderen' had geklonken als een menigte, niet als drie kleine individuutjes. Hij stond op. Hij moest nodig zijn fiets gaan schoonmaken. Die zat onder de modder.

Hij gooide twee doekjes in een emmer, bevestigde die op zijn bagagedrager en fietste naar het beekje aan de andere kant van het dorp. In dezelfde richting, vijf kilometer verderop, lagen de kerk, het zendelingenziekenhuis en de school. Hij fietste langs het huis van Vingers en de huizen van nog twee anderen. Vanaf de modderige binnenplaatsen wuifden er kinderen op smerige blote voeten naar hem, met buikjes die door hun loshangende hemden heen staken. Ze deden hem denken aan zijn school, die armer was dan de katholieke school op Ndere Hill, en hard moest vechten om met de betere scholen te kunnen wedijveren. Het werd tijd om dit alles achter zich te laten. Hij had de school zes jaar van zijn leven gegeven en vond dat het genoeg was geweest. Hij vond dat hij moest vertrekken vóór hij te oud werd en het te laat zou zijn. Sommige van zijn collega's hadden hun kans voorbij laten gaan, waren oud geworden, en zaten nu vast als vrachtwagens in een modderpoel.

'Kinderen worden door God gegeven!' had zijn vrouw verbolgen uitgeroepen toen hij de kwestie van de voorbehoedsmiddelen had aangesneden. 'Hoeveel mensen willen niet dolgraag kinderen maar kunnen ze niet krijgen? Denk maar aan je tante, als ik je eigen familie even als voorbeeld mag gebruiken. Zij zal de vreugde van het ouderschap nooit kennen, hoewel ze bijna alle baby's in de wijde omtrek ter wereld helpt.'

'Genoeg, zo is het genoeg!' had hij op besliste toon gezegd. Achteraf vond hij nu dat hij een gouden kans had laten liggen. Hij had krachtiger moeten optreden en onomwonden moeten zeggen dat hij niet van plan was voor de hele onvruchtbare wereld te fokken. Nu zou hij een nieuwe gelegenheid moeten scheppen om zijn standpunt duidelijk te maken. Dat zou een stuk makkelijker zijn als ze in de stad woonden. Daar was het leven duurder, wat een goed argument was om wat langer te wachten tussen twee kinderen in, en om er niet meer te nemen dan waar je zonder problemen voor kon zorgen. Maar ook in de stad zou het nog een hele klus worden haar te overtuigen en hij vroeg zich zelfs af òf het hem zou lukken.

Serenity had steeds weer naar de trouwfoto's gekeken en zich afgevraagd wat hem toch zo tegenstond aan het gezicht van zijn vrouw. Hij stond met zijn voeten in het zuigende, troebele water van de beek, dat tussen de biezen wegsijpelde, door het stukje bos stroomde en ten slotte uitkwam in het papyrusmoeras aan de andere kant van Mpande Hill. En plotseling dacht hij de oorzaak van zijn gemijmer en gepeins te hebben gevonden. Zijn bruid lachte op geen enkele foto, slechts op een paar grijnsde ze alsof ze termieten in haar onderbroek had. De enige persoon die overal lachend op stond was Nakiboeka, de tante van de bruid, de vrouw die de huwelijksimpasse had doorbroken, de vrouw die zich toegang tot zijn leven had verschaft met dat magische klopje op zijn schouder. Zij stond zelfverzekerd en lief te glimlachen, alsof het haar eigen bruiloft was, alsof zij een overwinning had behaald op alle voormalige minnaressen van haar man, alsof ze volkomen onoverwinnelijk was. Het vuur dat hem van het podium af de dansvloer op gejaagd had, om andere dansers tegen zich op te laten rijden, en om zelf te dansen en zichzelf volledig te verliezen, kreeg opnieuw vat op hem. Hij lachte dankbaar. Tijdens de wittebroodsweken had Nakiboeka hem Hangslots levensverhaal verteld, zonder ook maar iets achter te houden. Dat was niet het leukste wat hij ooit gehoord had. En nu hij het verleden van zijn vrouw kende, begon hij steeds ernstiger te betwijfelen dat ze zich ooit zou schikken in het gebruik van voorbehoedsmiddelen.

Serenity wist wel zeker dat de norsheid in het gezicht van zijn vrouw een eeuwig protest was tegen het onrechtvaardige feit dat men het eerstgeboorterecht niet op haar van toepassing achtte. De hardheid van de plooien om haar mond was één grote aanklacht tegen dat onrecht. Meteen nadat haar jongere broertje Mbale was geboren, hadden haar ouders geen aandacht meer aan haar besteed. En het ironische was dat juist Mbale als onderhandelaar had opgetreden en haar aan haar echtgenoot had weggegeven uit naam van de hele familie. En dat Serenity zich juist tot hèm zou moeten richten als zijn vrouw iets deed dat hem niet aanstond. De geboorte van nog drie broers had vervolgens betekend dat Hangslot al het zware werk op het land moest doen, alle maaltijden moest koken, alle was moest doen en al het brandhout bij elkaar moest sprokkelen, omdat zij moest leren hoe je een huishouden bestierde. Ze had geleerd dat vrouwen als eerste opstonden en als laatste naar bed gingen. Al die jongens, al die mannen in de dop, waren kort na elkaar geboren, en zij moest ze wassen, voeden, naar school helpen, vrijhouden van zandvlooien, wandluizen en teken, en ze beschermen tegen dolle honden. Daardoor was ze geleidelijk aan gaan lijken op het moeras bij Mpande Hill, was ze langzaam volgelopen met het vunzige water van de haat, dichtgeslibd met de onwrikbare klei van de standvastigheid, en overwoekerd door de donkergroene papyrus van gehoorzaamheid en stoïcisme. Haar rug kraakte onder de balen aardappels, cassave of hout die de jongens weigerden te dragen. Haar haren en kleren stonken naar etensluchtjes en afwasmiddel. Haar ogen waren rood van de vele zorgen en de schaarse nachtrust.

De twee meisjes, Kasawo en Lwandeka, kwamen te laat voor haar en zonder reserveolie in hun lampen. Voor hen was zij de vergeten bruid: te jong om hun moeder, en te oud om hun zuster te zijn, te behekst om je geheimen mee te delen en te geheimzinnig om iets aan te hebben. Zij bleven dus bij haar uit de buurt en bemoeiden zich alleen met de jongens van hun eigen leeftijd. Haar ouders gaven haar nooit gelijk en behandelden haar altijd streng: om haar te laten wennen aan het vuile werk, en haar de zwaarste last te leren dragen. Zelfs bij de keuze van haar naam hadden ze hetzelfde principe gehanteerd. Uit het hele arsenaal clannamen, hadden ze Nakkazi genomen, wat 'sterke of robuuste vrouw' betekent. Aanvankelijk was ze trots op die naam geweest, totdat ze oud genoeg was om naar school te gaan. Daar bleek haar naam de droom van iedere kwelgeest te zijn, omdat hij iets heel anders betekende als je een paar letters veranderde. Nakaza, Nakaze, Nakazi, Nakazo, Nakazoe betekenden respectievelijk: vrouwelijk schaamhaar, droge kut, vrouwenstront, stok om vrouwen mee te slaan, en vrouwengeklets. Elke pestkop kon dus zijn hart ophalen. Maar aan het eind van elke week vond ze een guave in haar schooltas, alsof de pestkoppen iets goed wilden maken. In het begin at ze die guaves op, ongewassen, tot ze doorkreeg dat erop gespuugd was of dat een plaaggeest hem tussen zijn billen had gewreven, alvorens hem in haar tas te stoppen.

Als ze vrij had liep ze de tuin in en ging ze onder de guavebomen staan. In gedachten verzonken streelde ze hun gladde stammen en staarde naar de harde vruchten. De stammen voelden aan als haar eigen handen en ze werd erdoor gefascineerd en kon bijna niet ophouden ze te strelen. Graag zou ze al haar bijnamen hebben ingewisseld voor Nakapeela (vrouwelijke guave), maar niemand gunde haar dat genoegen. Toen ze zich vanwege de pestkoppen bij haar ouders beklaagde over haar naam, moest ze een rozenkrans opzeggen en zeven maal zeventig keer vergiffenis vragen. In die tijd begon ze te dromen dat haar armen guavestammen waren, waarmee ze haar kwelgeesten strafte.

Ten slotte had ze haar toevlucht gezocht in het klooster, waar ze Zuster Petrus was gaan heten, weer een naam die haar opgedrongen werd. Eigenlijk had ze Zuster Johannes Chrysostomus genoemd willen worden, uit afkeer van het lichaam en ter verheerlijking van de geest en de ziel. Maar de moeder-overste heette al Zuster Johannes Chrysostomus en er konden geen twee Johannes Chrysostomussen in het klooster zijn. Het werd bovendien als grote ijdelheid beschouwd dat ze zichzelf precies naar die heilige wilde noemen waarvan ze wist dat degene die boven haar stond ertoe geroepen en uitverkoren was om zijn mantel te dragen. Met excuses aan moeder-overste, stelde ze zich toen maar tevreden met Sint-Petrus, een on-bezonnen man van daden, maar wel een man die zich, ondanks zijn gebreken, omhoog had gewerkt in de kerk en de eerste paus was geworden.

Daarna was de situatie in haar voordeel veranderd: vanachter de koele muren van het klooster zag ze tevreden toe hoe haar broers, aan hun lot overgelaten, het keiharde land omploegden, door regens gestriemd werden, door plagen belaagd, door droogteperioden werden bespot en door mislukte oogsten werden verslagen. Ze wist dat ze het niet ver zouden schoppen en dat ze nooit het dorpsniveau zouden ontstijgen. Onder bescherming van het habijt keek ze ook toe hoe hun zeer jonge vrouwen hun zwangere lijven afbeulden met zwaar werk op het land, met koken, wassen en baren. Ze keek toe hoe ze, met de modder op hun gezichten, een onzekere toekomst tegemoet gingen, geteisterd door de sterk wisselende prijzen van het levensonderhoud, en door kinderen met wormen. Dat was haar wraak. Zodra ze ook maar even tijd had om het lot van haar broers te overdenken, dronk ze er met kleine, genotvolle slokjes van. Het enige wat haar broers in hun ellende restte was de afmattende, steile klim naar het klooster, waar ze háár, in de verzengende zon en met hun hoed in de hand, om hulp konden smeken. Zij had nu de macht om mensen hulp toe te wijzen of te ontzeggen. Zo vulde de rozen-struik van de nonnenstatus haar neus van tijd tot tijd met de heilige geur van de overwinning. Op zulke ogenblikken voelde ze de pijn van de rozendoornen niet.

In die dagen had Zuster Petrus één groot probleem, waar ze dage-lijks in haar gebeden mee worstelde. Het was haar enige fout, de enige zwakte die ze wilde toegeven. Op sommige momenten leek het of ze door reusachtige handen in een luchtbel gezet werd, die zonk en door verraderlijke stromen tussen gevaarlijke, dreigende koraalriffen meegevoerd werd. Ze was dan buiten bereik van wie dan ook, God en haarzelf inbegrepen. In haar wisselden panische angsten en vulkanische uitbarstingen elkaar in hoog tempo af, waar-door ze elke controle over zichzelf verloor. En dan voelde ze zich ineens een adelaar zonder vleugels die als een baksteen uit de lucht viel. Tegen de tijd dat ze zich weer bewust werd van haar onderrug, haar oksels en haar reukzin, was het meestal te laat en kon ze alleen nog maar verwonderd naar de gevolgen kijken.

Het was begonnen op een dag langgeleden, toen ze besloten had terug te vechten. Ze pakte een dikke stok en sloeg er haar jongere broer Mbale hard mee op zijn schouder. Hij viel op de grond, en ze bleef hem slaan, en slaan en slaan, en ze zou niet opgehouden zijn hem te slaan als twee mannen uit het dorp haar de stok niet hadden afgepakt en haar hadden weggetrokken. Dit was een van de redenen dat haar ouders blij waren toen ze zich tot het klooster geroepen voelde, omdat een boer – en haar aanstaande echtgenoot zou hoogstwaarschijnlijk een boer zijn – haar zou verminken en misschien zelfs doden als ze zo tegen hem tekeer zou gaan.

Tegenwoordig deden die aanvallen, of opvliegers, zoals zij ze noemde, zich nog maar een enkele keer voor. Ze werden gewoonlijk veroorzaakt door een of ander incident met een leerling dat haar woede opwekte en haar humeur verhitte. De ernst van het vergrijp speelde geen rol: kinderen die de neus van een ander kind braken, of kinderen die de regels van de kloostertuin overtraden of te laat in de kerk verschenen, konden even makkelijk zo'n uitbarsting teweegbrengen. Dan hoorde ze ineens geluiden, werd ze opgetild en werd de wereld wazig om haar heen; dan begon ze te zweten en brak er een citroengeur uit al haar poriën naar buiten.

Het was vooral de louterende werking van haar driftaanvallen die de anders zo nuchtere Zuster Petrus intrigeerde en verontrustte. De uitbarsting doorbrak alle innerlijke spanning, als een heilig vuur, waardoor ze zich een ogenblik lang gelukzalig voelde. Op zulke momenten hoorde ze geen gillende of jammerende kinderen maar een verpletterend orkest; op zulke momenten draaide de hele wereld om háár en werd ze het middelpunt van die razende, kolkende oeronderwereld.

Om de angst die op de aanvallen volgde te onderdrukken, hield ze zich voor dat wat er op zulke momenten in haar plaatsvond een openbaring was, dat God een heilige lont in haar had aangestoken voor Zijn heilige doel, waar zij, in haar eenvoud, de betekenis nog niet van inzag. Dus bad ze om opheldering van dat mystieke raadsel. Dan vastte ze. Dan droeg ze jute op haar blote huid. Dan werkte ze harder dan de rest van de nonnen, voerde de varkens, mestte hun hok uit, snoof de lucht van hun stront op. Ze maakte alle klooster-wc's schoon en desinfecteerde alle kloosterbadkamers. Dan werd ze van alle kanten geprezen en leek de lont met een sisser te doven.

Maar wanneer ze haar gebeden inperkte en het werken matigde, ontdekte ze dat niet alleen de lont nog smeulde, maar ook dat het doel ervan nog steeds een mysterie was. Ze wendde zich tot de Heilige Schrift. Elias slachtte vierhonderdvijftig profeten van Baäl af; Jezus geselde de mensen die van de tempel een dievenhol hadden gemaakt; God liet slangen op zijn volk los en liet duizenden mensen omkomen om Zijn woede tot bedaren te brengen. Maar wat was het doel van haar lont? Zij was maar een eenvoudige non.

Uiteindelijk kwam ze tot de slotsom dat de lont een middel was om de standvastigheid van haar karakter te beproeven. En de waarachtigheid van haar roeping. Ze begon naar de aanvallen uit te zien, zodat ze ertegen kon vechten. Als eerbetoon aan de luciditeit van haar nieuwe visie, schonk ze overtreders vergiffenis, nam ze er genoegen mee ze er met een mondelinge waarschuwing van af te laten komen waar hun oren van suisden. Soms deelde ze lichte straffen uit, zoals het verzamelen van stro voor bezems of het aanharken van mangobladeren op de binnenhof en het helpen van de kokkin bij het uitspoelen van de papketels. Maar al spoedig realiseerde ze zich weer dat kinderen die willen voor hun billen moesten krijgen. Daar begon ze dus weer mee en deelde slaag uit als geen ander, ofschoon ze zich deze keer enigszins trachtte in te houden. Daar slaagde ze slechts gedeeltelijk in. Wat er gebeurde was dat de kinderen die het eerst slaag kregen er het beste van afkwamen en dat degenen die het laatst aan de beurt waren – als het vallende–adelaarverschijnsel zich voordeed – het het zwaarst te verduren kregen, alsof ze haar eerdere schappelijkheid wilde compenseren. De kinderen hadden heel snel door dat het met Zuster Petrus steeds erger werd. Want als ze allemaal gestraft werden voor dezelfde overtreding, hoe kon het dan dat sommigen harder geslagen werden dan anderen?

Toen ze een keer dienst had als surveillante bij de liturgielessen, gebeurde het onvermijdelijke. Ze verwondde zeven kinderen zo ernstig dat Zuster Johannes Chrysostomus, in een poging om een rechtszaak te voorkomen en de zaak uit de vettige handen van schandalenjagers en kerkhaters te houden, de woedende ouders beloofde dat ze onmiddellijk afdoende maatregelen zou treffen. Enkele uren later ontnam ze Zuster Petrus haar habijt en stuurde haar zonder omwegen terug de wereld in die ze zo haatte en verachtte.

De onteerde non viel op haar knieën en smeekte en zwoer dat ze nooit meer een kind zou aanraken, maar tevergeefs. In haar wanhoop bracht ze nog naar voren dat ze nergens heen kon. Waarop haar voormalige moeder-overste antwoordde: 'Iedereen kan ergens heen. Onthoud dit: vossen hebben ook een hol.' Verlamd van schaamte en blind van woede, zocht Zuster Petrus haar toevlucht in het huis van Mbale, de broer die ze vroeger, toen het allemaal begonnen was, bijna had doodgeslagen.

Binnen enkele dagen kraakte het golfplaten dak van Mbales huis door de vulkanische krachten van zijn zusters depressie. Ze sloot zich in de logeerkamer op met een jerrycan water en een plastic bakje en weigerde tevoorschijn te komen. Ze weigerde ook te eten en hield zich met twee mokken water per dag in leven. Ze huilde en bad de hele dag en viel 's avonds uitgeput in slaap. In zelfkastijding ging ze op de kale vloer liggen, krabde in de aarde tot haar vingers bloedden, riep de Dood aan om haar te komen halen en rammelde aan de hemelpoort met schrijnende novenen aan Sint-Judas Thaddeüs, steun en toeverlaat van de wanhopigen. Elke ochtend krabbelde ze een boodschap op een stukje papier om te laten weten dat ze nog leefde, zodat niemand zich zorgen hoefde te maken of te proberen haar gebeden en kastijdingen te onderbreken.

Op de zevende dag klopte Mbale op haar deur. Hij wilde met haar praten. Maar ze stuurde hem weg. Hij dreigde dat hij de deur met een hamer zou openbreken en zij antwoordde dat hij dat de rest van zijn leven zou betreuren. Bevreesd dat ze zich werkelijk dood zou kastijden daarbinnen, vertrok hij haastig om zijn tante te halen, een goedmoedig mens dat hem hopelijk zou kunnen helpen met haar sociale gave. Ze kwamen op de negende dag aan en troffen zuster Petrus op de veranda, waar ze, gewassen, gevoed en gehuld in een blauwe jurk ontspannen in een rieten stoel zat. Een paar kippen pikten aan haar teennagels omdat ze die voor maïskorrels aanzagen. Hangslot stemde toe om met haar tante mee te gaan. Haar tante vond een baantje voor haar op de boekhouding van een kleine katoenonderneming, gevestigd in een naburig stadje.

Zuster Petrus, zoals ze voor zichzelf nog steeds heette, woonde haar eerste bruiloft bij omdat ze even uit het huis van haar tante weg wilde. Het enige waar ze op hoopte, was dat het gevoel van walging, opgeroepen door het heupwiegen van de dansers en de godslasterlijkheid van de mensen, haar aan het eind van de avond weer naar huis zou drijven. Ze keek niemand aan. Ze dronk niets. Ze nam geen deel aan de festiviteiten. Ze zou er de voorkeur aan hebben gegeven boven de menigte te zweven, onzichtbaar, en toe te zien hoe die dwaze mensen zichzelf te schande maakten door zich luidkeels in hun wellust te wentelen. Ze stond buiten de feesttent met haar armen gekruist voor haar borst, staarde het heelal in en liet het lawaai, het gejoel en het tromgeroffel over zich heen spoelen als water over een rots. Tot een bepaald gezicht haar blikveld doorkruiste. Het verdween, en dook weer op. Het was het gezicht van een jonge man die er net zo verloren uitzag als zij. Hij leek te beven, te huiveren, alsof hij een wonder ervoer. Als ze erover nadacht, straalde zij in zijn ogen waarschijnlijk een sublieme nostalgie en een volmaakte eenzaamheid uit, met een kracht die hij waarschijnlijk nog niet eerder ervaren had. Hij scheen betoverd door de bodemloze intensiteit die aan haar frêle boezem ontsprong. Haar overduidelijk verstandige blik op de honderd en één onbezonnenheden die om hen heen plaatsvonden sprak kennelijk, op een nogal welsprekende manier, iets in hem aan, iets dat zo diep zat dat hij zijn ogen niet van haar af kon houden. Het was dat plotselinge bewustzijn van haar krachten, krachten waarvan ze tot dan toe geloofd had dat ze ze tussen de kille muren van het klooster had achtergelaten, die haar deden sidderen en bijna in paniek raken. Bang dat het verlies van haar zelfbeheersing door een tweede jonge man, die naast de eerste jonge man ging staan, opgemerkt zou worden, draaide ze zich om en mengde zich in de opgewonden menigte.

De jonge Serenity hoorde zichzelf met klapperende tanden zweren dat hij geen steen op de andere zou laten om deze vrouw te veroveren, of door haar veroverd te worden. Hij voelde de modder aan zijn voeten zuigen en de sprinkhanen aan zijn maag knabbelen. Wat zou hem te wachten staan? Zij bezat niet het soort schoonheid dat zijn vader zou appreciëren, maar hij was vastberaden om zijn eigen weg te volgen. Overweldigd door haar eenzaamheid – of liever gezegd, door zijn eigen eenzaamheid die door de hare werd versterkt – sloot hij zich af voor het uitbundige, overmatige gezuip en gedans. Ze was plotseling verdwenen, als een geestverschijning. Hij hoorde zijn vriend hard lachen. Die kende dat meisje en haar tante wel. Hij vond haar niet veel soeps: te hevig, te zwaar op de hand naar zijn smaak. Als Serenity niet zo ernstig had gekeken, dan was hij de vreselijkste grappen gaan maken over haar stijve karakter, en misschien zelfs over haar uiterlijk.

Dagenlang slaagde Serenity er niet in het beeld van de ex-non uit zijn geheugen op te diepen. Lang probeerde hij zich haar gezicht en haar figuur weer voor de geest te halen, en de diepte van haar eenzaamheid, maar dat lukte hem niet. Hij had maar één biertje gedronken op de bruiloft, maar het leek alsof hij een hele krat had leeggezopen en alsof haar gestalte. of wat hij voor haar gestalte hield, slechts de waanvoorstelling van een dronkelap was geweest. De waarschuwingen van zijn vriend en diens klaarblijkelijke gebrek aan enthousiasme hadden hem van zijn stuk gebracht. Het enige dat hem aanmoedigde was de intuïtie dat hij op het goede spoor zat. Zijn vriend wilde hem best helpen, zei hij, met een cynische grijns op zijn gezicht.

De tante van de ex-non had de opvallende verandering in het gezicht van haar nichtje wel gezien. De ingevallen, scheve trekken waren verdwenen, verteerd door het zwakke vuur van de openbaring die zich ontrolde, en vervangen door tekenen van de nauwelijks verhulde opwinding die iemand voelt als hij op het punt staat grote

dingen mee te maken. De tante reageerde met tactische verbaasd-
heid toen zij het nieuws hoorde, omdat ze de jonge man om wie het
ging niet kende. Maar ze was blij voor haar nichtje. Die had behoefte aan een nieuwe start, een nieuw doel in haar leven.

De uitdrukking op het gezicht van de jonge man gaf voor het eerst
haar naam Petrus inhoud. Zij was de rots waarop een nieuw gezin, een
nieuwe kerk gebouwd zou worden. Ze voelde de palen al in haar bodem verzinken. Ze zag het bouwwerk al verrijzen, het firmament van
kleur veranderen door de pracht ervan. Hiervoor was ze ontslagen uit
het klooster; het einde van haar nonnenbestaan had deze wederop-
standing mogelijk gemaakt. Wat dat voor haar betekende stond op
haar gezicht te lezen.

Terwijl Serenity's bemiddelaar en haar broer wekenlang onderhandelden, voelde ze geen spoor van twijfel over haar toekomstige
rol in het leven. Alleen had ze de goedkeuring van God nodig, en
Serenity's betrokkenheid. En dan was er nog de kwestie van die
concubine van hem en zijn in zonde geboren kind: dat was iets voor
Sint-Judas. Negentig dagen later stond niets haar meer in de weg.

Serenity slaakte een zucht toen hij aan de negentig helse dagen
dacht waarin hij zich angstig had afgevraagd of Hangslot zijn huwelijksaanzoek zou afwijzen. Zijn leven verliep volgens een vast patroon. Het leek wel of hij altijd de laatste persoon was die ingelicht
werd over zaken die hemzelf betroffen. Hij hoorde alles altijd te
laat, als hij niet meer in staat was er iets aan te doen. Wat moest hij
aan met het verleden van zijn vrouw? Het feit dat hij nu alles over
haar wist, zou er alleen maar toe leiden dat hij begrip voor haar had,
zelfs wanneer het beter was dat niet te hebben. Om te beginnen had
hij al niet aangedrongen nu zij zich zo tegen voorbehoedsmiddelen
verzette.

Het was inmiddels donker geworden en het moeras begon een
stank te verspreiden, die als een natte deken boven het dal bleef hangen. Het was een mengsel van de geuren van modder, vis, rottend
gras, wilde bloemen en kikkers. Muggen en andere stekende insecten
begonnen hun luchtaanvallen op de fietswassende indringer te con-

centreren. Zonder ook maar ergens aardacht aan te schenken reed hij naar huis. De bomen en struiken langs het pad namen spookachtige vormen en groteske afmetingen aan, die in de met spinnenwebben behangen hanenbalken van zijn geest herinneringen losmaakten aan verhaaltjes uit zijn jeugd, over spoken, heksen en toverij. Het huis van zijn vader was in totale duisternis gehuld. De oude man was 's avonds nooit vroeg thuis: hij ging eropuit om vrienden te ontmoeten en vrouwelijk gezelschap te zoeken. De dagen toen het er denderde en krioelde van de mensen, waarbij het met twintig gasten rustig was, leken veel te lang geleden om door het geheugen te worden opgeroepen. Het was alsof er een storm had gewoed, die iedereen het moeras daarginds had ingespoeld, waar ze met hun hoofden onder het troebele water vast waren geraakt en *en masse* verdronken waren, zodat deze enorme lege huls was achtergebleven, waarin alleen nog flarden van Fiedelaars deuntjes naklonken.

Hij was bijna thuis. Door het raam zag hij zijn vrouw, die over de tafel gebogen naar iets stond te turen. Er was een brief gekomen uit de stad, met een stempel van de Oegandese Postunie: ze hadden een baan voor hem! De jaren zestig konden voor hem niet meer stuk: hij was getrouwd, hij had een zoon, en nu ging hij naar de stad verhuizen!

Eindelijk had de nieuwe wijn de oude dorpszakken doen scheuren. Het verhuisbare deel van onze spullen – de persoonlijke bezittingen, de foto's, de huwelijksgeschenken, alles wat nodig was voor een nieuwe start in de stad – werd tot hanteerbare pakketten en bundels gereduceerd en in dozen gedaan, die met plakband werden verzegeld of met touw dichtgesnoerd. Grote, houten kratten slikten als bij toverslag het hele huis in. Algauw stond alleen het oude bed nog op zijn plaats, en lag hier en daar nog wat schamel huisraad. Deze stormvloed van activiteiten overspoelde mij als een drenkeling en al zwaaide ik nog zo heftig met mijn armen, het lukte me niet me ergens aan vast te klampen. Een stroom mensen liep het steeds leger wordende huis in en uit om thee of bier te komen drinken en mijn ouders het beste te wensen.

Er verscheen een kotsgele vrachtwagen die alles opslokte. Het drong nu pas echt tot me door dat we weggingen. Als iemand riep, klonk er ineens een echo in het huis. Maar waarom werd ik niet voor de reis gekleed? Er had zich ondanks de regen een kleine menigte in het gras voor het huis verzameld, op veilige afstand van de dikke vrachtwagenbanden en de rondvliegende modder. Op dat ogenblik werd mij verteld dat ik niet mee mocht.

Serenity klom in de cabine. Hangslot draaide zich om en wilde ook instappen. Ik greep haar vast, waarbij ik haar jurk vies maakte. Ze deinsde terug en gaf me als in een reflex een harde klap recht in mijn gezicht. Ik viel achterover in de modder en liet me uit protest een paar keer omrollen. Ik schopte in het rond en hoorde de chauffeur met zijn zware stem zeggen dat afscheid nemen altijd verdomd pijnlijk was. De kluiten modder vlogen tegen Hangslots jurk aan. Ze tilde een voet op, ik zag de gelige zool op me af flitsen, en even dacht ik dat ze me vol in mijn gezicht zou trappen. Serenity riep iets en Hangslot leek uit een droom te ontwaken. Ze zette de voet op de stalen treeplank en met Serenity's hulp werd ze de cabine in gehesen. Die flitsende zool had me ontnuchterd. Ik zat in de modder en er werden uitlaatgassen in mijn gezicht geblazen. De vrachtwagen grauwde en gromde als een gewond dier. Tegen de tijd dat ik mijn ogen weer opendeed was hij verdwenen. Het enige dat nog op zijn aanwezigheid wees, was het dubbele bandenspoor dat langzaam vol water liep.

Ik zat onder de modder, als een big die eens lekker had liggen rollebollen. Oma kwam me ophalen. Het begon weer te regenen. Oma tilde me met modder en al op en droeg me naar haar huis. Het was niet de eerste keer dat ze me kwam redden of me had zien lijden. Zij was de enige getuige geweest van het eerste pak slaag dat Hangslot me gaf, nadat ik uit pure, vroegwijze nieuwsgierigheid mijn neus iets te nadrukkelijk in haar volwassen zaken had gestoken. Het had allemaal met baby's te maken: ik wilde weten waar die vandaan kwamen. En dat wilde zij me niet vertellen. En ik wist dat zij het wist. Daarom besloot ik op onderzoek uit te gaan. Om te beginnen volgde ik haar die dag maar eens naar het toilethuisje.

Als de deur daarvan dicht was, was er aan de onderkant een gluurspleet van ruim zestig centimeter. Ik kroop er op mijn buik naartoe en zag, met mijn kin in de kruipplanten, onder veel gerommel, gesteun en gekretter, grote bruine staven tevoorschijn komen en, beschenen door een licht vol zwevende stofdeeltjes, in het rechthoekige gat plonzen. Ergens in de harige vleespartij onder aan de buik meende ik iets rozigs te zien opflitsen, dat aan neusgaten deed denken. Dat leek me een bewijs dat ik met mijn onderzoek in de goede richting zat. Er werd een baby geboren! Ik werd overvallen door de aandrang om het hokje binnen te stormen en Hangslot te waarschuwen voor wat er te gebeuren stond, maar ik lag aan de grond genageld van nieuwsgierigheid. Stuifmeel van het gras kriebelde in mijn neus, maar ik kon een niesbui onderdrukken. Ik dacht: als de baby in dat gat valt, moet hij er meteen uitgevist worden... De gedachte aan de smeerboel die dat zou opleveren liet de rillingen over mijn rug lopen. Waarom hurkte ze niet een stukje naast dat dodelijke gat? Wilde ze soms dat de baby onder de maden kwam te zitten, die in al zijn lichaamsopeningen zouden kruipen? Hangslot kreunde heel hard nu, alsof ze erge pijn had. Ik sloot mijn ogen om niet te hoeven zien hoe een menselijk wezen in de drek zou omkomen. Dus dit was de reden waarom ze zo geheimzinnig deed over de geboorte van baby's!

Plotseling hoorde ik haar stem en voelde ik de grond onder me bewegen. 'Ik zal je leren! Iemand zo te bespioneren!' riep ze. Ik vloog half en liep half. We stoorden twee kippen in hun gevecht om een lange worm. Ik voelde me net die worm: voor mij was het spel voorbij. Ik probeerde alles nog uit te leggen, maar Hangslot was niet meer te stuiten in haar oplaaiende woede, en kon alleen nog maar met een guavekarwats om zich heen zwiepen en meppen. Waarom kwam niemand me te hulp, terwijl ik het uitgilde als een zwijn dat gecastreerd werd?

Maar plotseling stond Oma er. Aan de rand van het slagveld, met haar hoofd in haar nek, haar armen over elkaar geslagen, te wachten tot iemand haar op zou merken. Ik wilde dat ze die armen om Hangslots strot zou slaan, maar ze bleven gekruist voor haar borst. Kun je niks beters verzinnen? leek ze Hangslot te vragen. Ik kaatste die vraag terug in Oma's gezicht.

Hangslot, die voelde dat er iets bijzonders in de lucht hing, hield op met slaan, even in verlegenheid gebracht omdat ze op het hoogtepunt van haar razernij betrapt was. Ik glipte snotterend weg en verborg me achter Oma's rug. Het glas in de ogen van Hangslot werd dof, er volgden nog wat dreigementen, maar ik wist dat ik veilig was. Onder de blauwe plekken, maar veilig.

Nu, doorweekt en druipend van de modder, voelde ik me echt veilig. Ik was blij met de nieuwe situatie. De molensteen van Hangslots driftbuien was van me afgerold, haar altijd dreigende woede zou me voorlopig bespaard blijven. Dat ik me zo theatraal in de modder gewenteld had, kwam niet zozeer doordat ze me achterliet, maar doordat ik niet eerder over mijn verlossing was ingelicht.

De mooiste tijd van mijn leven begon waar die voor de meeste mensen ophoudt: tussen de baby's. Door mijn nieuwe functie belandde ik plotseling in volwassen kringen, waar ik me op mijn gemak voelde. Ineens bevond ik me tussen de vaders en moeders die druk bezig waren het geboren worden van baby's te bevorderen. Plotseling werd ik betrokken bij volwassen geheimen, zag ik volwassenen op momenten van kwetsbaarheid, iets waar mijn leeftijdgenootjes in de verste verten niet van konden dromen. Plotseling werd ik door bijgelovige vrouwen behandeld als een kleine prins, omdat ze meenden hun voorspoedige bevallingen en langverwachte zonen aan mij als mascotte te danken te hebben. Plotseling was ik betrokken bij het leven van een heleboel baby's die in ons dorp en in een paar naburige dorpen werden geboren. Plotseling besefte ik dat ik macht had over leven en dood, omdat ik een zwangere vrouw bepaalde kruiden kon geven die een miskraam zouden veroorzaken of voorkomen, of die de foetus zouden helpen groeien. Het was een even overweldigend als ondraaglijk nieuw gevoel.

Als vroedvrouw-assistent annex kraamvrouw-mascotte woonde ik consultaties bij: dat wil zeggen, vrouwen die in verwachting wa-

ren bezochten Oma en bespraken hun zwangerschap. Ze beschreven
hoe ze zich voelden, hoe lang en hoe veel ze kotsten, en hoe erg dat
stonk. Ze gaven kleurrijke beschrijvingen van hun koortsaanvallen,
rugpijnen, en van hun veelvuldige plassen, hun aambeien, constipa-
tie, opgezwollen enkels en maagzuur. Ze bespraken hun eetlust, hun
angsten, hun verwachtingen en vroegen tot hoeveel weken voor de
bevalling ze seks mochten hebben. Als dat laatste onderwerp ter
sprake kwam, werd ik altijd om een boodschap gestuurd, maar ik
bleef vaak achter de deur staan luisteren. Soms moesten de vrouwen
hun buik aan Oma laten zien. Ik verlangde ernaar die strakgespannen ballonnen aan te raken, maar wist dat mij dat nooit toegestaan
zou worden. Oma streelde ze, kneedde erin, betastte ze en gaf de
vrouwen een advies. Als het een geval was dat nader onderzoek vereiste, nam ze de vrouw mee achter het huis en dan hoorde ik ze fluisteren of lachen of kibbelen. Dan kwamen ze weer tevoorschijn en
maakte de vrouw haar ceintuur weer vast of trok ze haar rok recht.

Voor de kruiden die ze de vrouwen gaf, struinde Oma het bos, de
tuin, het struikgewas en het moeras af, en kwam daaruit tevoorschijn met allerlei soorten bladeren, boombast en wortels. Ik vergezelde haar met een mand of tas en keek nauwlettend toe hoe ze te
werk ging. Vakkundig en heel voorzichtig plukte ze de blaadjes,
verwijderde de verwelkte en liet de net uitkomende exemplaren zitten, zodat de plant er niet onder leed. Zelden trok ze een hele plant
uit, alleen als ze behalve de steel en de blaadjes ook de wortels als
medicijn nodig had. Voor de bast gebruikte ze een mes of een schra-
pertje, waarmee ze het buitenste laagje verwijderde dat weer snel
zou aangroeien. Altijd, als ze wortels of stelen had beschadigd, bond
ze er aarde of bananenblad omheen. Ik werd vaak ongeduldig en zei
dat de bomen toch wel voor zichzelf konden zorgen, maar ze hield
vol dat we baat bij die bomen hadden en dat het onze plicht was ze
goed te behandelen.

Ons dorp, Mpande Hill en het moeras deden me altijd denken aan
een reuzenoctopus: de berg was de kop, het moeras de lange kronkelende tentakels die om ons dorp heen kropen. En zoals het moeras
erbij lag als we het naderden, leek het een grote slang die we be-

95

hoedzaam van de zijkant beslopen, op veilige afstand van zijn gevaarlijke kop. Het water, soms kristalhelder, soms zwart, groen of bruin, was altijd koud en zat vol leven: libellen, dikkopjes, kleine visjes, bloedzuigers, lange slierten kikkerdril, en planten met doffe wortels die leken op lang haar waaraan getrokken werd. Terwijl we door het ondiepe water waadden, deden we ons best om de scherpe randen van het riet en de giftige planten te ontwijken. Dit was het minst prettige gedeelte van de expeditie omdat we er een geschramde huid, natte kleren, bloedzuigerbeten en allerlei andere kwetsuren aan overhielden, aangezien de planten die we nodig hadden in betrekkelijk diep water of op betrekkelijk gevaarlijke plekken groeiden.

Onder de kruiden die we plukten waren soorten die rauw ingenomen moesten worden, of die tot pulp vermalen werden en op buik, rug en gewrichten gesmeerd. Andere soorten werden in het badwater gegooid, met wortels, dikkopjes, modder en al. De overige werden in de zon gedroogd en in plastic zakjes verpakt voor toekomstig gebruik. Het belangrijkste kruid verbreedde het bekken, waardoor de bevalling vergemakkelijkt werd. Vrouwen moesten er hun hele zwangerschap twee- of driemaal per dag een bad mee nemen en er een drankje van drinken. Dit werd 'botten breken' genoemd. Oma waarschuwde streng voor de gevolgen als ze niet voldoende 'botten braken': de baby zou kunnen stikken of verminkt kunnen raken, en zelfs zouden zowel moeder als kind kunnen sterven.

Behalve kruiden, raadde Oma de vrouwen ook aan gezond te eten: veel vlees, vis, eieren, sojabonen en groenten. In die tijd begonnen vrouwen net te leren kip, ongeschubde vis en eieren te eten. Dergelijke voedingsmiddelen, veracht en gekleineerd, werden alleen door mannen gegeten. Een trotse, welopgevoede vrouw verwaardigde zich hoogstens ze klaar te maken, maar bracht ze nooit in de buurt van haar eigen mond. Oma probeerde hier verandering in te brengen.

Tiida was de eerste die aan haar tantes oproep gehoor gaf. De behoudende vrouwen zeiden dat ze kippenbotten afkloof en eierslijm slurpte als een man, en dat haar baby's vast veren zouden hebben, en kleine vleugeltjes in plaats van armen. Ze lachte hen hartelijk uit, en ze lachte ook de hebberige mannen uit die hun vrouwen en dochters deze heerlijkheden nog steeds ontzegden. In tegenstelling tot wat iedereen verwachtte, werden er geen gevederde en gevleugelde baby's uit Tiida getrokken, en bleken haar nakomelingen kerngezond. Toen waren de vrouwen min of meer overtuigd, uitgezonderd een minderheid van aartssceptici. Onder hen bevond zich tante Nakatoe: die kon het taboe om de een of andere reden niet doorbreken. Ze had een paar keer kippenvlees geproefd, maar vond dat er een luchtje aan zat.

Dit waren de aantrekkelijke kanten van de babybusiness.

De moeilijkheden begonnen als er bevallen moest worden. Die kleine mormels van baby's kozen altijd de raarste tijden uit voor hun geboorte: ze kwamen te vroeg of te laat, midden in de nacht of heel vroeg in de ochtend, in de regentijd, of met Kerstmis. En sommigen leken er lol in te hebben de spanning op te voeren: de weeën waren begonnen, het water brak, maar vervolgens weigerden ze urenlang, soms zelfs dagenlang, tevoorschijn te komen. Onder dergelijke omstandigheden gebeurde het vaak dat Oma en ik erachter kwamen dat veel van de vrouwen de dagelijkse kruidenbaden of -drankjes die het geboortekanaal hielpen verwijden, niet of onvoldoende genomen hadden. 'Hoe vaak heb je botten gebroken?' vroeg Oma streng. Meestal dropen er dan antwoorden van de gebarsten, angstig scheefgetrokken lippen die onze vermoedens bevestigden. Als je zo'n vrouw daarna in doodsangst hoorde gillen, zei je binnensmonds dat elke pijnscheut haar verdiende loon was. Maar daar putten Oma en ik niet veel troost uit, omdat de baby er hoe dan ook uit moest komen.

Op het moment van de geboorte zelf mocht ik er nooit bij zijn. Ik ging meestal weg als de vrouw op haar rug ging liggen met een kussen onder haar hoofd, haar benen met de knieën omhoog gespreid onder een laken, haar gezicht met zweetdruppels overdekt, haar ogen bol van angst, terwijl Oma hysterische paniekaanvallen trachtte te voorkomen. Op dergelijke momenten was Oma net een godin, een priesteres, wier gebaren, zuchten en zenuwtrekjes boekdelen spraken. Als ze met haar vingers knipte verliet ik het strijdperk met een scherpe lucht in mijn neus, het vertrokken gezicht van de vrouw diep in mijn hersens gegrift, het geluid van haar stem suizend in mijn oren, en probeerde haar overlevingskansen in te schatten.

De eerste keren dat ik met Oma meeging, was ik doodsbang dat de vrouw het niet zou overleven. Dan beefde en sidderde ik en schoten er scherpe pijnscheuten door mijn borst. Elke vrouw kreunde weer op een andere manier en bij sommigen had je het gevoel dat haar bloed aan je handen zou komen, en aan de handen van de kinderen van je kinderen, als ze zou sterven. De mannen, somber en stil als strak aangesnoerde bundels sprokkelhout, stelden je ook niet bepaald op je gemak. Ze leken elke verandering van toonhoogte, elke nuance in het heftige geschreeuw van hun vrouw in de gaten te houden, en klaar te staan om jou in je kladden te grijpen als de vrouw haar laatste adem zou uitblazen. Ik had mijn gedachten voor de helft bij de vrouw en probeerde me haar kwellingen en inspanningen voor te stellen; met de andere helft beraamde ik de veiligste ontsnappingsroute. Maar soms duurde alles zo lang dat de kreten van de vrouw vervaagden als rookkringels in de avondlucht en ik langzaam wegdommelde, in slaap viel en dan weer wakker schrok van het geschreeuw.

Dan ging ik even naar buiten, waar mijn adem meestal afgesneden werd door de stank van koeien- of varkensstront, of geitenpis, al naar gelang de dieren die de betreffende familie hield. Op regenachtige dagen stonken de varkenshokken, die dropen van de vloeibaar geworden stront, een uur in de wind; ze stonken zelfs nog erger dan de ondergelopen kralen en koeienstallen. Door deze stank en de vloeibare stront waar ik regelmatig doorheen moest waden, waren dieren bij mij over het algemeen niet erg geliefd.

Iedereen was erbij gebaat dat een bevalling vlot verliep. Want als alles misging en de vrouw op het laatste moment, terwijl het babyhoofdje al zichtbaar was of er al een babybeentje naar buiten stak, naar het ziekenhuis moest worden overgebracht, maakten de spanning en de zorgen iedereen overstuur. Er was maar één auto in het dorp, en die was van een telg van de familie Stefano. Dit maakte de man tot de meest geslaagde dorpeling, al was de auto meestal kapot. Hij hield er vaak ineens mee op, midden op de weg, en dan werden wij erbij geroepen om te duwen.

De permanente onbetrouwbaarheid van dit vehikel betekende dat iemand razendsnel een of ander busje moest zien te regelen om de barende vrouw naar het ziekenhuis te kunnen vervoeren. Want een barende vrouw met een al zichtbaar babyhoofdje of naar buiten stekend babybeentje was natuurlijk niet in staat om op de fiets te gaan. Meestal had een dokter in zulke gevallen overigens al van tevoren voor een thuisbevalling gewaarschuwd. Maar er waren altijd redenen genoeg om zo'n waarschuwing in de wind te slaan.

De verandering die volwassenen ondergingen tijdens hevige pijnaanvallen, fascineerde en beangstigde mij. Vrouwen die gewoonlijk als paarden werkten, die ploeterden op het land, water haalden, bergen brandhout sjouwden, stapels kleren wasten, werden opeens een jammerend wrak, zwaaiden alle kanten op met hun hoofd, sloegen met hun armen om zich heen, gingen door hun benen, verloren alle zelfbeheersing. Ze deden me denken aan een hond die door een bijenzwerm wordt aangevallen of aan een wankel papieren bootje in een door storm geteisterd moeras.

Het was even fascinerend om de vrouwen te zien als hun baby geboren was. Dan leken ze alle pijn, alle paniek ineens vergeten te zijn en zich open te stellen voor vreugde, opluchting en geluk. Ik zag ze lachen, stralen, tranen van vreugde huilen alsof alles wat ze net hadden doorgemaakt slechts een grap, een spel was geweest.

De baby, oorzaak van alle opschudding, lag daar dan te glimmen als een jong aapje dat onder het vet zat of een biggetje onder de ruwe olie, een en al rimpels, een en al paars vel, met de lelijke navelstreng die bij elke ademtocht uitpuilde. Dan zat ons karwei er weer op. Dan was alle verloren slaap snel vergeten, alle ongerustheid, alle spanning, al het door toverdokters geofferde bloed van onthoofde, gewurgde of levend begraven hanen.

De eerste bevalling die ik meemaakte was de moeilijkste en meest gedenkwaardige. Kort na middernacht werden we wakker geroepen. Het had geregend en er stond een gure wind, die de golfplaten deed klepperen en de boomtakken kreunen. Door het beestenweer buiten werd mijn bed warmer en leek slapen betoverend zoet. Toen ik de man hoorde roepen, wenste ik dat hij met boodschap en al door de wind meegesleurd en in een greppel begraven zou worden tot de dag zou aanbreken. Maar dit soort personen was onmogelijk tegen te houden. Zij handelden met de aandrang van overkokende melk.

Oma riep me een paar keer, maar ik deed net of ik sliep, zoals die kinderen in Kawayida's verhaal die meeluisterden als hun ouders neukten. Ze schudde me door elkaar en ik schrok zogenaamd op uit een diepe slaap. Ze lachte en ik lachte ook, maar daar hield de luchtigheid op. De vrouw om wie het ging had ik twee keer eerder gezien. Ze was klein en mager, en haar buik leek op een zak aardappels die aan haar tengere lichaam was vastgebonden. Waarom was ze niet naar het ziekenhuis gegaan? Ik wenste haar dood, maar trok mijn verwensing in want hoe dan ook moesten wij ons laten zien.

De boodschapper, een grote puber met dikke kuiten, was op de fiets gekomen, maar Oma weigerde achterop te gaan zitten, ondanks zijn grote stuurmanskunst (hij vervoerde regelmatig zakken koffie de onverbiddelijke Mpande Hill op naar de branderij en nam deel aan de suïcidale bergafwaartse wedstrijden waarbij je alleen je blote hielen had om te remmen). Ik legde een stuk van de weg op de bagagedrager af, maar werd zo door elkaar geschud dat ik besloot verder te lopen. We zaten onder de modder toen we aankwamen. Ik had een teen aan een rotsblok opengestoten, maar vanwege de opschudding op onze plaats van bestemming, was er geen tijd voor zelfmedelijden.

De vader van de jongen, een donkere, forse kerel, beefde en zijn tanden klapperden terwijl hij zijn tranen probeerde te verbijten. De vrouw jammerde, op een ijle manier, alsof ze haar allerlaatste krachten gebruikte. Dit was veel schrikbarender dan het vitale, krachtige geschreeuw dat ik tijdens latere missies zou horen. Dit was het gekerm van een vrouw die een dood kind in zich had, zo zwaar als een steen. Het was het gekerm van een hond die door een bende jongens doodgeslagen wordt omdat hij eieren of een kip heeft gepikt of iemand heeft gebeten. En wat er nog bij kwam was dat ze om een priester riep! Ik gluurde de kamer in, zag haar uitpuilende ogen, rook de langdurige weeën en nog iets dat ik niet thuis kon brengen, en trok me terug. Oma deed er twee uur over om het kindje ter wereld te brengen. Het had een groot, buikig pakket moeten zijn. Maar het was zo klein als een vuist. We brachten de rest van de nacht bij het gezin door. 's Ochtends wekte het nietige baby'tje ons met zo'n harde gil dat Oma glom van trots.

We hadden een melaatse in het dorp die Vingers heette. Het was een aardige, vriendelijke onschuldige man. Ik was niet bang voor hem, evenmin als ik bang was voor de meeste grote mensen, maar de littekens van zijn ziekte schokten me telkens opnieuw. De vaalroze knobbels op de plekken waar eers zijn vingers hadden gezeten, deden mijn maag omdraaien. Ik kreeg kippenvel als hij me aanraakte, of me een klopje op mijn hoofd gaf wanneer hij mij de groeten aan Opa of Oma meegaf. Dan bleef ik stilstaan, zonder me af te wenden, want ik wilde hem niet kwetsen, maar ik smeekte onderwijl dat er iets drastisch zou gebeuren waardoor er een einde aan mijn kwelling zou komen. Vingers was een gulle man. Af en toe sneed hij me de pas af op weg naar school en nodigde me bij hem thuis uit en dan gaf hij me grote gele mango's en sappige paarse suikerrietstengels. Zijn kinderen speelden ongestoord in de tuin. Ik kon zijn cadeaus niet weigeren; dat zou onbeleefd of onbeschoft zijn geweest. Ik at ze dus op, met de moed der wanhoop. als de volwassen man die ik dacht te zijn. Maar zodra ik er weg was stak ik mijn vinger in mijn keel. Alles moest er weer uit: alle melaatsheid, alle bacteriën, al het sap. Het feit dat zijn vrouw en kinderen geen tekenen van de ziekte vertoonden, stelde me niet gerust. Het was heel goed mogelijk dat melaatsheid alleen overgebracht kon worden op mensen buiten de familie.

De vrouw van Vingers was weer in verwachting, en ik was ervan overtuigd dat het dit keer raak zou zijn: hij kon niet eeuwig boffen, onze melaatse. Ik bad om een ziekenhuisbevalling, in de nabijheid van verpleegsters en vroedvrouwen die over de medicijnen beschikten om de ziekte te bestrijden. Elke keer als ik de vrouw zag, bekeek ik haar in delen: ik begon bij haar hoofd of haar voeten en liet mijn ogen langzaam omlaag of omhoog gaan, in de hoop dat ze niet meer zwanger zou zijn tegen de tijd dat ik bij haar middenrif was aangekomen. Maar haar buik werd alleen maar groter. Een enkele keer vroeg ze me om een bepaald kruid en dan gaf ik haar twee soorten die de bevalling vroegtijdig zouden kunnen opwekken. Ik had geen schijn van kans.

Op een middag werden we geroepen. Die hele dag al was ik van plan geweest om in mijn lievelingsboom te klimmen en uit te kijken naar oom Kawayida's motor, de adelaar met de blauwe buik. Ik snakte naar oom Kawayida's verhalen. Waarom had ik zo lang getalmd? Van klimmen zou nu niks meer komen. Erger nog, Oma zond de boodschapper terug met de mededeling dat we eraan kwamen.

'Ik doe niet mee aan de bevalling van een baby die geen vingers heeft.'

'Wie heeft dat tegen je gezegd?' Ze schrok ervan.

'Moet je naar de handen van zijn vader kijken.'

'Hij is genezen. Daarom woont hij weer in het dorp.'

'Bent u niet bang om besmet te worden?'

'Nee.'

'Nou, ik wel. Als zijn melaatsheid helemaal over was, dan zouden zijn vingers toch wel weer aangegroeid zijn?' zei ik, zeer ingenomen met mezelf.

'Domme jongen. Vingers en tenen groeien niet meer aan, en als jij een vinger afsnijdt als je een broodvrucht met een mes bewerkt is dat het einde van het verhaal. Dan ben je net als hij en gaan kleine jongens zich rare ideeën over je in hun hoofd halen.'

'Toch ga ik niet mee.'

'Haal snel de tas en kijk of de scheermessen erin zitten. Wil jij er met je zinloze vragen verantwoordelijk voor zijn dat er iets misgaat?'

De baby die geboren werd miste geen vingers of tenen, en had beslist geen gaten in zijn gezicht of buik. Ik dacht dat er binnen enkele maanden wel iets zou gebeuren. Ik bespioneerde het gezin. In de tussentijd kreeg ik iets waar Opa en Serenity ook vaak last van hadden: een steenpuist. Onmiddellijk ging ik vreselijk dromen. Mijn vingers en tenen verrotten zienderogen en vielen af in mijn bed. Vingers boog zich over me heen en vroeg me hoe het voelde om geen vingers en tenen te hebben. Hij lachte hard en lang, en het geluid echode door de donkere gang. Ik werd zwetend wakker met het gevoel dat ik niet meer kon ruiken en voelen. Wat een opluchting toen alles er nog aan bleek te zitten!

Van tijd tot tijd werden ons in het kader van de postnatale zorg onverkwikkelijke gevallen in de schoot geworpen. De navel van een baby kon gaan zweren en een akelig geelgroenige pus uitscheiden waar de onervaren jonge ouders zich ernstige zorgen over maakten. Oma gaf kruiden mee en drukte de ouders op het hart strenger op de hygiëne toe te zien. Vrouwen die bij de bevalling niet genoeg uitrekten van onderen, moesten wel eens opengesneden worden, hetgeen in sommige gevallen, net als bij dokter Ssali's gevoelige penis, op een lang genezingsproces uitliep. Sommigen bloedden nog weken vanwege losgeraakte hechtingen, en hadden vreselijke last bij het zitten of lopen. Sommige vrouwen, die alle pijn beu waren, vroegen Oma of ze de hechtingen eruit wilde halen en al haar genezende krachten op het helen van de wond wilde richten. Dit was natuurlijk een belachelijk idee en Oma deed haar best om uit te leggen wat er van hun seksuele leven zou overblijven als ze deed wat zij haar vroegen. Ze ging daarbij zo ver dat ze een mannenliedje citeerde over 'emmers', vrouwen die zo wijd waren van onderen, dat er wel een boomstam in kon groeien. Vaak slaagde ze erin de vrouwen ervan te overtuigen dat ze terug moesten gaan naar het ziekenhuis om zich opnieuw te laten hechten.

Tegen de tijd dat er een eind aan onze loopbaan kwam, in 1971, hadden we meer dan vijftig baby's ter wereld geholpen, waarvan er tien waren gestorven: drie bij de geboorte, zeven tijdens de peutertijd, voornamelijk aan de mazelen. Ook waren er vier vrouwen gestorven, tijdens of vlak na de bevalling, van wie er drie van de doktoren in het zendingsziekenhuis de raad hadden meegekregen dat ze met voortplanten moesten ophouden. Het vierde geval was een raar ongeluk, dat hele nare gevolgen voor ons heeft gehad.

De man van de overleden vrouw ging Oma met een *panga* te lijf tijdens een van de vreselijkste woedeuitbarstingen die ik, tot dan toe, ooit had meegemaakt. Maar Oma voerde de voorstelling van haar leven op: ze vertrok geen spier en wendde zelfs haar hoofd af, zodat haar hals aan het flitsende mes blootgesteld was. Toen het mes zo hoog geheven was als maar kon, sloot ik mijn ogen. Wat zou er afgehakt worden, het hoofd of de arm? Ik zag het hoofd van Oma al over de binnenplaats stuiteren en iedereen met bloed bespatten – als in een dramatische scène die in een lied onsterfelijk gemaakt zou worden. Op dat ogenblik deed ik het in mijn broek.

Niemand weet waardoor de man plotseling bedaarde. Misschien was het Oma's onverschrokkenheid; misschien was het een wonder; misschien was de man niet tot moorden in staat en was de *panga* slechts een teken van lafheid geweest. Hij stond bekend als ruzie-zoeker. Ik had hem ooit bezig gezien in een gevecht met een andere man. Hij was niet het type dat veel om zijn vrouw gaf en we hadden wel gehoord dat hij haar vaak sloeg. Ik vermoed dat ze aan meningitis is gestorven, of aan uitputting of zoiets, of aan iets dat teweeg was gebracht door zijn gewelddadigheid. Wat het ook geweest was, ik was veel te bang omwille van Oma dat het me nog kon schelen.

In 1967, toen ik zes jaar oud was, deed ik mijn eerste gooi naar een schoolopleiding. De noodtoestand van 1966 was voorbijgegaan zonder al te veel schade aan te richten in onze streek. De school stond hoog op Ndere Hill en was aan het geweld ontsnapt. Serenity had ook op die school gezeten, net als Tiida en Nakatoe, en nog een paar familieleden. Elke ochtend trokken er kinderen uit de dorpen naar Ndere Hill om zich aan de bron der kennis te laven. Als je boven op die heuvel stond en de honderden schepseltjes, groot en klein, zag opdoemen uit de melkachtige ochtendmist, met hun adempluimen, hun rammelende passerdozen, hun voeten knarsend op de steentjes, dan kon je denken dat het een apocalyptische sprinkhanenzwerm was die door de een of andere toornige godheid op de heuvel was afgestuurd.

Ik voegde me in de gelederen van deze wezens in groene over-hemdjes en betreurde mijn val van het statusvoetstuk de afgrond van de anonimiteit in. Als beloning voor deze vernedering moest ik elke dag vijf kilometer lopen, en het hoesten en niezen in de kou op de koop toe nemen. Om mijn leed te verzachten fantaseerde ik elke ochtend over de reusachtige kerktoren op Ndere Hill. Soms zag ik hem schitteren in de ochtendzon; soms stond hij alleen maar suf door de mistflarden heen te staren; soms leek hij gewoon verdwe-nen, alsof hij omgevallen was, waardoor ik me afvroeg hoe groot hij er op de grond uit zou zien. Maar hij stond er altijd weer, ontzag-wekkend in zijn majesteitelijkheid, doordrenkt van macht, gehuld in onschendbaarheid. Hij was vijfenvijftig jaar oud, vijf jaar jonger dan de kerk in de schaduw waarvan onze school genesteld lag.

Zowel de kerk als de toren waren gebouwd door een Franse pries-ter. Onmiddellijk nadat hij de toren met een zwart kruis had getooid, hadden sommige vrouwen, die hem tot bovennatuurlijke dingen in staat achtten, hem zien vliegen, in nabootsing van de een of andere engel, vogel, of de Here Jezus. Daarmee vervulde hij kennelijk zijn eerdere belofte van een groot wonder ter ere van de voltooiing van de kerk. Die belofte was gedaan omdat de toren tweemaal ingestort was voordat de priester op het idee was gekomen golfplaten in plaats van bakstenen te gebruiken. De mensen waren begonnen te klappen en 'Hosanna in den hoge' te zingen toen ze hem met zijn ar-men en benen gespreid door de lucht zagen zweven, zijn witte habijt als een zeil opbollend in de wind, zijn hamer gevaarlijk aan zijn ceintuur bungelend. Het was de godsdienstonderwijzer die besefte wat er echt gebeurde. Haastig greep hij de handen beet van een an-dere man om de val van zijn meester te breken. Pater Lule (een plaatselijke verbastering van Roulet) kwam zo hard neer dat hij de vier handen brak die hem trachtten te redden. Zijn rug knapte, zijn hersenen sijpelden naar buiten, en hij stierf zonder een woord. De ladder, die iedereen in de algehele opschudding vergeten was, kwam achter pater Lule aan, doodde een vrouw en brak het been van haar dochter. Twee maanden later viel een cathechist uit een van de kleinere ondergemeentes van de preekstoel en brak zijn ruggengraat, bekken en arm. Sommigen beweerden dat hij dronken was. Anderen zeiden dat hij altijd al hoogtevrees had gehad. Maar het merendeel van de mensen geloofde dat alle doden en ongelukken met elkaar in verband stonden omdat elk groot gebouw een bloedoffer eiste voordat het openging voor het grote publiek. Er waren geen stieren geslacht voor de kerk en de toren, dus, zei men, had de kerk besloten zelf stieren te slachten.

Het was gebruikelijk dat men voordat men een nieuw huis betrad een geit slachtte en de muren met het bloed besprenkelde. Als men zich geen geit kon veroorloven, kon men volstaan met een paar hanen. De eigenaar van de door permanente panne geteisterde dorpsauto had ter ere van het voertuig een haan geslacht: hij hakte het dier de kop af en wierp het onthoofde beest op het dak van de auto. Het gleed langs de voorruit onder spectaculair gefladder omlaag en bloedde dood op de motorkap.

Toen ik Opa vroeg of het waar was dat de kerk de priester, de vrouw en de catechist had gedood en de anderen had verwond, vroeg hij me slechts: 'Wat zou je denken als je: a) een fanatieke katholiek was, b) een scepticus was, c) een heiden was?'

'Er zitten vele kanten aan de waarheid,' concludeerde ik na even nadenken.

'Je zou een goede advocaat zijn,' antwoordde hij.

Op school moest ik wedijveren met andere leerlingen. Het ging me goed af. Ik kende de tafels van vermenigvuldiging al uit mijn hoofd. Ik kon redelijk lezen en schrijven, al had ik een vreselijk handschrift.

Langzame leerlingen raakten vaak in de problemen, maar intelligente leerlingen ook. Grote jongens, sommigen met een beginnend baardje, gaven briefjes aan me door die ik van een antwoord moest voorzien en terugsturen. Een enkele keer werd ik gesnapt en kreeg ik stokslagen van de meester. De grote jongens – 'grootvaders' – gaven iedereen een bijnaam. Ik werd 'Duivelzaad' gedoopt omdat, volgens Stomme A, alleen duivels op zo'n jonge leeftijd de tafels van vermenigvuldiging al uit hun hoofd kenden en zo goed konden spellen. Hij schreef 'Duifelsaat' op een papiertje en plakte het op mijn tafeltje met een kwat broodvruchtensap zo groot als een vuist. Ik kreeg straf, maar de non maakte een opmerking over de abominabele spelling van de auteur, waardoor ik enigszins getroost was.

Ik probeerde Stomme B, ook een grote jongen, zover te krijgen dat hij Stomme A voor me afstrafte, maar hij weigerde. Stomme A stond bekend om zijn represailles. Hij kon je in een kast opsluiten tot je op je knieën om genade smeekte. Hij kon op je buik gaan zitten en in je gezicht spugen. Hij kon je in een smerige papketel stoppen, of dreigen je benen te breken tijdens een spelletje voetbal. We waren allemaal bang voor hem.

Op een ochtend hoorde ik twee jonge onderwijzers tegen elkaar zeggen dat pesten pure chantage was. Ik besloot het eens uit te proberen. Ik ging naar de klas voordat de onderwijzer binnen was en zei: 'Mijn oma is een toverdokter. Als zij om middernacht een rups in het vuur gooit, hoeft ze maar één woord uit te spreken en degene die "Duifelsaat" op mijn tafeltje heeft geplakt krijgt haren over zijn hele lul, die altijd slap zal blijven.' Ik spuugde drie keer in mijn handen en wreef over mijn kruis. Er daalde een dreigende stilte over de klas. Tussen de middag nam de schuldige me achter de toiletten apart, zodat ik even het ergste vreesde, maar hij bekende. Ik liet hem een poosje zweten, en er steeg een vunzig luchtje op uit de natte plekken onder zijn oksels. We sloten een overeenkomst. Ik had mijn eerste lijfwacht verworven.

Nu was de beurt aan de meisjes. Aangezien zij geen lul hadden waar een rups van kon worden gemaakt, dachten ze dat ze onschendbaar waren. Ze riepen 'Duifelsaat', lachten en holden weg. Stomme A pakte hun boeken af, verstopte hun korfballen, bedreigde er een paar, maar alles zonder succes.

Op een ochtend werd ik omringd door zes meisjes. Ik greep naar het toverkruid. Ik spuugde op mijn handpalmen en richtte me tot de opstookster, een uit de kluiten gewassen meid met borsten zo groot als mijn hoofd. 'Je hebt een vent,' blufte ik, 'en je zult een schepsel zonder ledematen baren en de melk in je borsten zal schiften tot pus.' Tegen mijn verwachting in werd ik niet aangevallen of uitgescholden. 'Melkfles' stortte in elkaar als een brok klei onder een molensteen. Ze begon te huilen. Ik raakte in paniek. Ik rende naar de blinde muur van de kerk en werd door de bovenmeester zelf gepakt. Hij had me bij mijn pols beet en duwde me in het kringetje samenzweersters. Ik beriep me op zelfverdediging en legde uit dat ik niemand had willen kwetsen. Melkfles gedroeg zich belachelijk: ze kon niet ophouden met huilen. De bovenmeester duwde haar een stok in de hand en beval haar mij te slaan. Ze liet de stok vallen als was het een dikke, harige rups. De bovenmeester stuurde me weg met een fikse berisping, dat ik nooit meer moest dreigen met penissen of borsten, en gaf me twee stokslagen op de koop toe. Ik was razend.

Ik had gedacht dat Oma aan mijn kant zou staan en mijn plaaggeesten zou veroordelen. Ik had het mis. 'Je moet je nooit tot hun niveau verlagen, hoor je wat ik zeg?'

'Verlagen! Een griet die groot genoeg is om mij ter wereld te brengen begint mij te pesten en als ik haar dan terugpest, is dat beneden mijn waardigheid!'

'Je hebt me vast niet het hele verhaal verteld,' concludeerde ze. Daar had ze gelijk in. Ik had het toverdokter-gedeelte weggelaten.

In mijn vroege schooljaren maakte één persoon diepe indruk op me: Santo, de dorpsgek. Hij was stil, ongevaarlijk en schichtig als een schaduw. Hij droeg altijd een schoon wit hemd en een kakibroek en stonk nooit, zoals Stomme A. Soms praatte hij in zichzelf, telde de vingers van zijn hand, alsof hij een wiskundig probleem aan het oplossen was. Hij werd door niemand geplaagd, wat een wonder was, in aanmerking genomen dat er grote jongens als Stomme A rondliepen die zich dood verveelden. De leerkrachten hadden gewaarschuwd voor de rampzalige gevolgen die iedereen kon verwachten als hij gesnapt werd bij het pesten van Santo: vele stokslagen en de taak om twee dikke mangostronken uit te graven met een schoffel.

We waren jaloers op Santo's handschrift, een mooi hellend

schuinschrift, en op zijn wiskundeknobbel. Leerkrachten zeiden vaak dat we een beloning zouden krijgen als we maar half zo netjes schreven als Santo. Voordat we naar huis gingen, veegden we alle schoolborden schoon. Maar elke ochtend troffen we de spreuk 'Kyrie Elyson, Kyrie Elyson, Christe Elyson' aan op elk schoolbord. De spelling was altijd vlekkeloos, de vertoning altijd hetzelfde. Er werd gezegd dat Santo een genie was en dat hij gek was geworden vlak voordat hij naar Rome zou vertrekken om aan de Urbanus Universiteit te gaan studeren. Hij was voorbestemd om de eerste priester uit onze streek te worden. De feestelijkheden voor zijn vertrek hadden vijf dagen geduurd. Pater Mulo (een verbastering van Moreau), de opvolger van pater Lule, zou hem naar het vliegveld brengen. Die ochtend werd iedereen gewekt door een brand. Santo had kerosine over zijn bagage, over zijn bed en over zijn gordijnen uitgegoten en alles aangestoken. Sindsdien heeft hij geen woord meer gezegd. Alle pogingen om hem tot spreken te krijgen, met inbegrip van martelingen, mislukten.

Soms kwam hij op school om pap te eten. Soms gaven wanhopige jongens hem papiertjes die vol stonden met moeilijke sommen. Soms hielp hij hen. Soms kauwde hij alleen maar op de papiertjes. De slimmeriken lieten ingewikkelde vraagstukken op het schoolbord achter en als ze geluk hadden stond het antwoord de volgende ochtend naast de spreuk op het bord geschreven. Maar het gebeurde ook wel eens dat het antwoord pas dagen later kwam.

Verscheidene keren ben ik vroeg opgestaan en naar school gerend in de hoop dat ik hem bij het opschrijven van de spreuk kon betrappen of hem uit het schoolraam kon zien klimmen. Dat is nooit gelukt. Ik heb het raadsel nooit kunnen oplossen en ben ook nooit te weten gekomen of hij een reservesleutel had of gewoon door het raam kroop, zoals veel mensen geloofden.

Er was niet veel vroedvrouwenwerk in de tijd dat ik op de lagere school zat. De geboortecijfers daalden drastisch in de dorpen. De meeste jonge vrouwen en jonge mannen waren bezweken voor de twijfelachtige verleidingen van de kleine en grote steden. Dat kon ik ze niet kwalijk nemen. Ze waren enorm veranderd als ze terugkwamen: ze zagen er groter, rijker en slimmer uit en kenden een hoop schuine moppen. Ik sidderde niet meer voor deze bannelingen. Het waren slappe aftreksels van oom Kawayida en hun moppen konden niet tippen aan zijn opwindende verhalen. Ik luisterde niet meer naar hun praatjes. Met als gevolg dat ik veel tijd doorbracht met spelen in Serenity's voormalige huis, in de bomen, en overal in het dorp. Vaak klom ik in mijn lievelingsboom en tuurde de horizon af. Ik bespiedde soms mensen die papyrusriet aan het snijden waren, dat ze gebruikten voor vloerkleden en dakbedekking. Ik bespioneerde ze terwijl ze in het water stonden te snijden, snijden, snijden, de bloedzuigers en waterslangen trotserend en zich ervoor hoedend zich aan de papyrus open te halen, die zo scherp was als de tweezijdige scheermesjes van Oma. Ik vond het heerlijk om naar Mpande Hill te turen. Af en toe zag ik hoe er een fietsrace werd gehouden, zo'n suïcidale rit bergafwaarts van de stoere jongens uit de dorpen. Die werden altijd gewonnen door degenen die zakken koffie naar de branderij vervoerden, omdat zij de enigen waren die de fietsen met hun blote hielen konden afremmen. Ik heb één keer aan zo'n wedstrijd meegedaan, achterop bij een vriend: het kostte me bijna een voet. Ik mocht niet meer meedoen, omdat de jongens bang waren dat ze zich de toorn van Opa op de hals zouden halen.

Na een onverdraaglijk lange tijd zag ik eindelijk de adelaar met de blauwe buik weer langs de berg naar beneden suizen. 'Oom Kawayida, oom Kawayida, oom Kawayidaaa!' riep ik uit. Snel pakte ik de sleutel van Serenity's huis en ging naar binnen. Met een strobezem veegde ik alle kamers schoon. Terwijl ik het huis luchtte, hoorde ik buiten de motor gieren. Oom Kawayida was aangekomen, maar hij bracht slecht nieuws.

Zijn schoonvader, meneer Kavoele, was overleden. Oom Kawayida was chagrijnig en zwijgzaam, waardoor ik dacht dat hij veel van de dode man had gehouden. De volgende ochtend vertrok hij samen met Opa. Vol walging keerden ze terug.

De man was aan kanker overleden en stonk als een dode olifant,

maar hij werd niet begraven omdat hij in zijn testament een wake
van vier dagen had geëist en de laatste wens van een dode bindend
was. Het stoffelijk overschot lag in zijn woonkamer. Als er wind
stond, werd de helft van het dorp tegen de grond geslagen van de
stank. Iedereen leed honger, doordat iedereen die iets at zich vanwege de stank onmiddellijk weer leegkotste, met gal en al. De man had
een recordaantal nakomelingen: veertig – dertig meisjes en tien jongens. Opa vroeg zich hardop af waar de man al die prachtige vrouwen vandaan had bij wie hij al die prachtige meisjes had verwekt,
want twintig ervan waren mooier dan men over het algemeen voor
mogelijk hield. En zelfs de minder mooie waren mooi volgens de
opvatting van een heleboel mensen. De vrouw van Kawayida was
een schoonheid: aan de grote kant, bruinzwart, bevallig, met als enige schoonheidsfoutje haar grote oren. De algemene klacht was dat
die meisjes beter opgevoed en opgeleid hadden kunnen worden. Ze
zeiden meestal zomaar wat er in hun hoofd opkwam en sommigen
van hen waren aan de losbollige kant. Van de dertig trouwden er
maar negen. 'Kwantiteit, kwantiteit, kwantiteit,' zei Opa op een
middag en schudde spijtig zijn hoofd. 'Ze boffen dat ze mooi zijn,
maar ze hebben pech dat ze zo weinig weten.' Dat was de enige keer
dat ik Opa iets over Kawayida's vrouw hoorde zeggen.

Intussen waren we eraan gewend dat de politiek een ziekte was waar
in onze familie alleen Opa vatbaar voor was. De algehele indruk
was dat hij problemen en straffen uitlokte om een paar vergissingen
goed te maken die hij als hoofdman had begaan. Op Onafhanke-
lijksdag, 9 oktober 1962, had hij gevochten met een paar pro-rege-
ringsboeven, waar hij van afkwam met een oppervlakkige steekwond en een gebroken tand. In 1966, toen de grondwet werd opgeheven en de noodtoestand werd afgekondigd, raakte hij opnieuw in
de problemen. Dit keer gebeurde het in een afgelegen dorp waar soldaten wat mensen hadden neergeknuppeld omdat ze de spertijd hadden genegeerd. Vanwege zijn kritiek werd hij in een gierput gedompeld. Weken later werd hij door het dorp uitgenodigd om te bemid-
delen tussen de soldaten en de dorpelingen. Oma zei dat hij niet

moest gaan. Hij ging toch. Dit keer werd hij op de terugweg beschoten en had hij voor het leven een kogel in zijn been.

Zodoende leek het de omgekeerde wereld toen de politiek besloot Oma hard aan te pakken. In de nacht van 25 januari 1971 greep Generaal Idi Amin, bijgestaan door zijn Britse en Israëlische vrienden, tijdens een militaire coup de macht. Daarbij bracht hij zijn voormalige beschermheer, Milton Obote, ten val: de premier die het land onafhankelijk had gemaakt en daarna de grondwet had afgeschaft. Generaal Amin leverde achttien redenen voor zijn coup, waaronder corruptie, opsluiting zonder berechting, gebrek aan vrijheid van meningsuiting en economisch wanbeheer.

Er werd in de dorpen gedanst, gezongen en op allerlei andere manieren feestgevierd. Persoonlijk wist ik niet wat ik ervan denken moest. Om de een of andere duistere reden sliep ik bij Opa die avond. We werden gewekt door brand. De felle gloed voerde ons snel naar het erf van Oma. Haar huis was veranderd in een uitgeholde kano die was gestrand in een ziedende zee van roze, blauwe en rode vlammen. Het stond afschuwelijk heen en weer te zwaaien en te tollen in de hoog oplaaiende vuurzee. Deuren en ramen stortten vermoeid in elkaar, om door de kolkende vlammen te worden verslonden. De ijzeren platen kromden zich, alsof ze vergingen van de pijn, en krulden op tot groteske trechters. Door vlammen ondermijnde balken braken en de rest van het dak kwam omlaag. Vrouwen stonden er met open mond en geheven armen bij te kijken, en lieten flarden gegil aan hun geschroeide lippen ontsnappen. Mannen stonden machteloos, verlamd, verstomd te staren. Er borrelde een mengeling van woorden in me op, die mijn mond verstopte en me veroordeelde tot het verstikkende, stilzwijgende verdriet van een verslagen buldog. Hier werd Oma, na veertig jaar vroedvrouw te zijn geweest, verzwolgen door de kronkelende, loeiende vlammen.

Ik kon maar één persoon bedenken die dit had kunnen doen: de man die had getracht Oma's hoofd af te houwen. De coup leverde een perfect alibi. Ik voelde iets warms langs mijn benen omlaaglopen. Voor de tweede keer in mijn leven piste ik in mijn broek.

Mijn leven stond op zijn kop.

DEEL TWEE

De stad

De bruisende, niervormige kom die nu dienstdeed als taxi-standplaats, was oorspronkelijk een slapende vulkanische heuvel geweest. Tijdens de laatste werkzame periode was hij uiteengespat, waarna dit komdal was ontstaan en de oude vallei-en waren veranderd in de zeven ronde heuvels die nu de kern van de stad vormden.

Als je op de rand van de kom stond en de smerige luchtjes van de beruchte Owino-markt of de uitlaatgassen van de talloze voertuigen opsnoof, leek het net of alle verhalen van oom Kawayida er door elkaar geroerd waren tot het veelkleurige mengsel dat als een bijtend zuur door de kom spoelde. Langzaam weggevreten door talloze voeten en autobanden, en sidderend onder de eeuwige stroom reizi-gers, leeglopers, marskramers, slangenbezweerders en ander vaag gespuis, deed het asfalt denken aan vroegere, moerassige tijden, voordat het water uit de kom was afgevoerd of omgeleid, de be-groeiing was gekapt of verbrand en de dieren waren verjaagd of uit-geroeid.

De geur van oud vulkanisch vuur die uit de kom opsteeg, het waas van zonnegloed dat erboven hing, en de wirwar van voertuigen en geesten uit heden en verleden, maakten dit plein tot een smeltkroes van verstofte dromen, ondermijnde ambities, vergoten bloed en ge-havend mensenvlees, en tot een van de indrukwekkendste plekken in de stad. Elke keer als ik in die rumoerige heksenketel stond, zwol mijn borst. Ongewild stond ik te trillen op mijn benen vanwege de grote dingen die hier in de lucht hingen. Ik was me bewust van de ge-weldige, maar ook van de afschuwelijke gebeurtenissen die in dit as-falt gevangen zaten. Voor iemand die niet al te afgestompt was, sta-ken ze af en toe de kop op als satansboleten, en toonden een glimp van het verleden en zelfs van de toekomst. Ik had het gevoel dat ik grote historische gebeurtenissen hier kon voelen aankomen, ik hoefde alleen maar naar die menigte plunderaars, straatventers, besteljongens, versierders, bedelaars en andere naamloze zielen te kijken. Daardoor leek het alsof ik er elke keer voor het eerst stond. Elk ogenblik, ieder moment kon alles waar je al lang op wachtte hier plotseling plaatsvinden. Dit was de plek waar het stond te gebeuren.

In de kom zag ik voor het eerst van mijn leven een echte geboorte, in de metalige ochtendlucht, terwijl de zon opkwam om de wereld te bedelven onder een nieuwe dag van opzienbarende gekte. Ik rook de zware stank van de markt en plotseling kwam er een vrouw uit het niets tuimelen, uit een anonieme bestelwagen gesmeten. Haar jurk woei op tot boven haar middel en in een flits zag ik de gezwollen, wijdopengesperde holte waaruit de ene baby na de andere floepte. Ik had het gevoel alsof alle vijftig baby's die ik in de dorpen had achtergelaten me hiernaartoe waren gevolgd om zich in één buitensporige geboorte-explosie aan me te openbaren, en om me te komen plagen met hun gepoep en gepis en me te kwellen met de onontkoombaarheid van hun komst.

Een ogenblik lang schreeuwde de vrouw zo hartverscheurend dat er een griezelige stilte over de kom neerdaalde; haar weeën waren zo hevig dat haar gezicht de asgrijze waardigheid aannam van iemand die buiten bewustzijn dreigt te raken. De stilte werd verbroken door het geroep om een vroedvrouw of dokter, of iemand die iets kon doen. Ik verroerde me niet, omdat ik dat niet kon, maar ook niet wilde. Het abrupte einde van mijn carrière als vroedvrouwassistent drukte nog zwaar op me, evenals mijn leven nu, dat alleen maar bergafwaarts leek te gaan. Op dat moment onttrok een muur van ruggen en een woud van benen het schokkende tafereel van de openluchtgeboorte aan mijn oog. Ik zag het vruchtwater vermengd met bloed om voeten en zandhoopjes heen in de gaten van het wegdek lopen en aan banden en zolen kleven. Het duurde geruime tijd voordat de klungelige architectonische skeletten die de kom omringden, weer tot me doordrongen.

De rijzende en dalende contouren van die vervallen skyline, die rij gebarsten, verweerde relikwieën uit een voorbije eeuw, deden me denken aan een vlekkerig kaakbeen waarin flink wat tanden ontbraken. De groezelige muren, de stoffige ramen, de door roest aangevreten daken en de hele muffe atmosfeer die van de gebouwen afstraalde, ontgoochelden me elke keer als ik ze zag. Vanwege de immense saaiheid, het totale gebrek aan welke vorm van architectonische verbeeldingskracht dan ook, kon ik niet van deze pretentieuze stad houden, en dacht ik met weemoed aan de moerassen, dorpen en heuvels van mijn geboortestreek. De architecten die deze stad en dit land met zulke afzichtelijke misbaksels hadden opgescheept, moesten wel buitengewoon gedementeerd zijn geweest, en bovendien flink hebben geleden aan de ernstigste vorm van geestelijke malaria en tropische verdoving.

Het Nakivoebo Stadion, van waaruit menige voetbalwedstrijd door de radio werd verslagen, stond op enige afstand te sudderen in zijn doorzichtige opzichtigheid – zijn besmeurde achterste vol pisstrepen en graffiti naar de kom toe gekeerd. De stadionlichten, samengeklonterd als de zuignappen van een kolossale octopus, keken op hoge poten uit over de vervuilde Nakivoebo-rivier. Het door beton ingesnoerde water van deze rivier diende vooral om dode honden en katten in te gooien.

Hoog boven het stadion uit verrees de Moskee van de Hoge Raad, op Old Kampala Hill. Met zijn verblekende, beige glans had hij nog iets van zijn oude Arabische grootsheid bewaard, al was hij veroordeeld tot het uitzicht op een aftakelende achterbuurt, waar de armlastige Aziaten woonden.

Op de volgende heuvel stond de katholieke Loebaga-kathedraal, versluierd achter hoge, ranke bomen en zijn eigen bombastische historie. De tweelingtorens lonkten uitdagend naar de borstvormige koepels van de protestantse Namirembe-kerk. Hun rivaliteit dateerde van 1877 en 1879, toen de eerste protestantse en katholieke zendelingen in Oeganda arriveerden. Een rivaliteit waardoor op deze heuvels en dalen onnodig bloed vergoten was. Beide godsdiensten hadden van tijd tot tijd medestanders onder heidenen en moslims gezocht, om sterker te staan in de overduidelijk politiek getinte confrontaties. Dit stadsdeel, met zijn kerken, zijn ziekenhuizen en zijn scholen, werd de Vrome Hoek genoemd.

Nakasero Hill verhief zich uit de kom en strekte zich in noordelijke richting. Er liepen geasfalteerde wegen overheen als dikke striemen, met doosachtige bouwsels erlangs. Daar woonden de grossiers en winkeliers die moesten vechten om het hoofd boven water te houden in het verziekte commerciële klimaat. Hun hokkige winkeltjes stonden erbij als een stel scheepscontainers dat na een schipbreuk was aangespoeld: in de blakerende zon, uitgebeten door de zure regen en van binnen onderhevig aan het half-vrijwillig soort verwaarlozing waar gestrande piraten zich prettig in voelen. Op een hogergelegen terras, aan gewichtige, door bomen omzoomde lanen die neerkeken op de containers en hun bewoners, stonden het Hoge Gerechtshof, een aantal minder belangrijke gerechtsgebouwen en een politiebureau. Ook lagen hier een paar woningen van legerofficieren, die met hun jeeps door de open ramen en tegen de archiefkasten van de wetshandhavers ruftten. Vanaf deze heuvel leek een geweldige spanning de kom in te sijpelen. Als ik op de rand stond, luisterde ik wel eens of ik al gerommel van een broeiende aardbeving hoorde.

Maar het enige dat ik hoorde waren de dwaze kreten van de besteljongens, het hese gefluister van de tandeloze waarzeggers en het landerige gezang van de slangenbezweerders. Tot mijn aandacht getrokken werd door de naalddunne roep van de muezzin, het ijzeren geloei van sirenes en het geronk van legerjeeps die naar Nakasero Hill reden. Maar het onbedwingbare gekraak van de breuklijnen waarop deze zelfingenomen heuvels lagen, zou de wegstervende sirenes overstemmen. Met al mijn wilskracht probeerde ik die breuklijnen te dwingen de heuvels te verschuiven en te begraven, de dalen ondersteboven te keren, en een reusachtige paddestoelwolk omhoog te blazen waarmee alles de lucht in ging. Serenity en Hangslot met hun huidige dictatuur, waarvan ik de verstikkende atmosfeer even ontvlucht was om weer lucht te krijgen en denkbeeldig wraak te kunnen nemen – Serenity en Hangslot wenste ik eenzelfde lot toe als de dieren die ooit door deze dalen hadden gedoold.

Naar hun eigen maatstaven waren de beide despoten zeer succesvol. Ze waren uit de provinciale duisternis van Serenity's dorp naar een groot, protserig Aziatisch huis verhuisd, met openslaande vensters en een rood dak. Er zat draadgaas voor de ramen aan de voorkant, want Aziaten waren doodsbang voor inbrekers. De voordeur, waarvan zelden gebruik werd gemaakt, bevond zich boven aan twaalf brede treden, waardoor het gebouw het aanzicht bood van een naargeestige pagode.

De woonkamer was volgestouwd met bankstellen, babyspullen en allerhande voorwerpen, die de lucht deden wemelen van het stof dat onafgebroken op de dingen neerdaalde. Je kon goed zien dat het huis was gekrompen nu het gevuld werd door een streng katholiek gezin dat zich onstuitbaar dreigde uit te breiden.

De binnenplaats achter het huis maakte deel uit van een groter geheel waarin de levens, geschiedenissen en godsdiensten van de omwonenden samengeperst werden in een openbaar soort intimiteit. Ik werd er steeds overmand door het gevoel op de luchtplaats van een gevangenis te staan, een gevangenis waar een dictatoriaal bewind heerste dat gevangenschap beschouwde als de hoogste vorm van discipline en opvoeding.

Voor Serenity betekende dit leven in de stad een behoorlijke stap omhoog op de maatschappelijke ladder, want in deze buurt had vroeger apartheid geheerst. Afrikanen werkten er hoogstens als dienstmeiden of tuinmannen, maar woonden er niet. 'Mini-Bombay' werd dit gedeelte van de binnenstad van Kampala in die dagen genoemd. Serenity had zich enige tijd kunnen baden in de luxe van slechts drie nakomelingen, waardoor hij geld kon sparen voor een auto en de zekerheden genoot van een rustig bestaan. Maar hij zag zijn droom al gauw aan flarden geblazen door de driekoppige draak van het katholicisme die hij voor het eerst in het ouderlijk huis van zijn vrouw was tegengekomen. De invloed van de gekwelde Christus bij zijn schoonouders aan de muur, inmiddels veilig voor de gevaren van een lekkend dak, begon steeds voelbaarder te worden in zijn eigen leven. De drakenadem had de flinterdunne fineerlaag van zijn droom verschroeid en hij was hard op weg evenveel kinderen te krijgen als de Aziatische ambtenaar die vóór hem in deze pagode had gewoond. Zes kinderen had hij nu, dankzij de geboorte van een tweeling, en zijn hoofd liep om van de zorgen. Hij vreesde de toekomst, en wantrouwde het heden. De snelheid waarmee alles uit de hand liep verbijsterde hem.

Serenity delegeerde alle macht in huis zoveel mogelijk aan zijn tuchthandhaafster Hangslot, om zichzelf te vrijwaren van vervelende huishoudelijke beslommeringen. Hij regelde de dingen graag van een afstand, alsof hij zijn energie voor een hogere taak opspaarde. Het liefst hoorde hij zo min mogelijk over wat zijn vrouw deed om zijn gezag te handhaven. Diep in zijn hart vond hij dat alle problemen die ze daarbij had, haar verdiende loon waren. Ze had toch zelf zoveel kinderen gewild? Onafgebroken zocht hij naar uitwegen uit zijn benarde situatie, maar was te trots om het bijltje erbij neer te gooien en ervandoor te gaan. Hij was redelijk genoeg om in te zien dat de omvang van zijn gezin niet uitsluitend aan zijn vrouw te danken was. Maar hij trachtte zich te herinneren waar en wanneer hij het overwicht verloren had en zich aan Hangslot gewonnen had gegeven. Hangslot had vanaf het begin een zeer vastberaden koers gevaren, en elke vorm van compromis of discussie afgewezen. De spanningen als gevolg van het nieuwe leven in de stad hadden in haar voordeel gewerkt. En voordat hij het wist, had hij zowel de slag om de voorbehoedsmiddelen als de hele oorlog verloren. Met als resultaat de diepe fronsen in zijn voorhoofd, die hem een nors en tegelijk komisch aanzien gaven. Het aanzien van een gekwelde tiran.

Hangslot was een andere vrouw geworden. Ze had meer zelfvertrouwen en was onverbiddelijker omdat ze niet meer over haar schouder hoefde te kijken wanneer ze de wetten in haar huis handhaafde. De draconische ordehandhaafster in haar was tot volle bloei gekomen en ze had die nieuwe status opgeluisterd met een nieuw ritueel. Elke ochtend moesten al haar kinderen haar met een knieval begroeten. Elke ochtend vroeg moest ik haar slaapkamer, die ze met Serenity deelde, binnengaan, me op mijn knieën werpen en een begroeting uitspreken. Of anders moest ik haar gaan zoeken op de binnenplaats, waar ze altijd leek te zijn, mijn knieën op het gehavende beton drukken en de weerzinwekkende groet opzeggen. Het idee dat ik deze vrouw 'moeder' moest noemen maakte me misselijk. Ik had de neiging over haar voeten heen te kotsen. Doordat ik elke dag tot een leugen werd gedwongen, doordat ik haar elke dag iets moest noemen dat ze voor mij niet was, raakte ik bekend met de verbeelding en met de waanideeën van de macht. Het verergerde ook onze conflicten.

Van grote hoogte neerkijkend op de kruiperige eekhoorn aan haar in sandalen gestoken voeten, reageerde ze de ene keer wel en en de andere keer niet op mijn gedwongen begroeting. Als ze niet reageerde had ze mijn offer innerlijk afgewezen, wat betekende dat ik het nog eens moest proberen, en nog eens, net zo lang tot ik het goed deed. Intussen torende ze hoog boven mij uit in de ochtendlucht, het streng in toom gehouden haar als een theemuts op haar hoofd.

'Ik hoor je niet.' siste ze dan en keek omhoog alsof ze om een goddelijke ingreep smeekte.

Voor een man die barstte van ongeduld om uit zijn geknielde houding op te staan en zich aan de medelijdende blikken van de buren te onttrekken, was dit om razend van te worden. Niet dat er iets aan haar oren mankeerde, nee, ze had de groet wel degelijk gehoord, maar mijn toon had haar tirannieke ego niet voldoende gestreeld. De juiste toon drukte een totale onderwerping aan haar macht uit, een slaafse dankbaarheid voor elk klein dingetje dat ze ooit voor je had gedaan. Pas als je die juiste toon trof, werd je teruggegroet en mocht je opstaan. Voor mijn broertjes en zusjes die in de stad waren geboren, stelde dit alles niet veel voor. Maar voor mij, een vrijbuiter van het platteland die nooit eerder voor iemand had geknield, en die zelf menige dankbare moeder aan zijn voeten had zien liggen, was dit ritueel moeilijk te verkroppen. Het kostte Hangslot een hele bos guavekarwatsen om me in het gareel te krijgen.

Ik had er vooral een hekel aan als ik de aanbidding op de binnenplaats moest voltrekken, omdat ik niet graag had dat de derde, jongste vrouw van de buurman mij op mijn knieën zag liggen. Als ik wist dat haar ogen op mij gericht waren voelde ik me een hulpeloos vogeltje dat met zijn opgeheven open snavel en trillende tongetje wachtte tot de moedervogel een worm in zijn keel liet vallen. Meteen vanaf het begin zag ik Sauya Loesanani, de buurvrouw in kwestie, als een zuster en minnares tegelijk, en als de belichaming van de geest van de stad. Ik was ervan overtuigd dat alles goed zou komen als zij aan mijn kant stond, en dat mijn wraakzuchtige plannen dan zouden slagen. Zij was de jongste volwassene om mij heen met wie ik om zou kunnen gaan en in mijn huidige precaire toestand wilde ik haar dringend nader leren kennen. Maar ik vroeg me gekweld af of die mogelijkheid zich ooit zou voordoen. Zij was een moslim en ze zou me waarschijnlijk meteen afwijzen omdat ik katholiek was. In mijn wanhoop hield ik mezelf voor dat ik me onmiddellijk zou bekeren als dat de enige manier was om haar te krijgen. Ik zag alleen erg op tegen de besnijdenis: zou er geen manier zijn om me te bekeren zonder besneden te hoeven worden? Want hoe kon je je laten besnijden als je wist dat je er peniskanker van kon krijgen? Had ik dan niets van Dokter Ssali's beproeving geleerd? Ook wist ik zeker dat Hangslot me zou onterven en druk op Serenity zou uitoefenen om mijn schoolgeld niet meer te betalen. Hoe moest ik dan advocaat worden?

's Nachts dacht ik aan de buurman, Hadji Gimbi, met zijn drie vrouwen. Dan vroeg ik me af of hij op dat ogenblik met Loesanani in bed lag. Hoe zou ik hem kunnen verdringen? Ik wist zeker dat deze man dat mooie meisje niet verdiende. Hij was eerder een vader, of zelfs een grootvader, voor haar. Hij had een lange, dikke baard die hem een gemeen mondje gaf. Zijn zware wenkbrauwen overschaduwden zijn varkensoogjes, belachelijk klein in dat grote vlezige gezicht. Meer dan ik, verdiende deze man het om eens duchtig door Hangslot afgerost te worden, omdat hij, op zijn leeftijd, vrouwen wegstuurde zodat hij met jongere kon trouwen. Ik bleef manieren bedenken om zijn huis binnen te sluipen en hem Loesanani af te nemen. Ik realiseerde me dat het tijd en inspanning zou kosten, maar ik wilde haar per se hebben.

Hangslot had, zoals wel meer vrouwen die in korte tijd veel kinderen krijgen, een enorme hekel aan de sanitaire gevolgen die dat met zich meebracht. Behalve dat ze geen zin had om toezicht te houden op de stoelgang van haar kinderen, haatte ze ook het wassen van de bergen luiers en lakens die ze vuilmaakten. Mijn komst was een zegen voor haar en daar maakte ze dankbaar gebruik van. In één klap werd ik de strontopzichter van het gezin. Elke ochtend werd mijn reukorgaan geteisterd door een lawine van uitwerpselen en werden mijn ogen vergast op schijtrampen van de verscheidenste kleuren en substanties. In het dorp had ik me ver boven dit soort aardse verplichtingen verheven gevoeld en had ik de kinderen van logés regelmatig in hun eigen stront laten smoren. De bijgelovige moeders die Oma en ik daar als klanten hadden, piekerden er niet over mij de konten van hun kinderen te laten afvegen. Maar hier in de stad moest ik boeten voor al mijn vroegere privileges.

Alsof ik alle slapeloze nachten van Oma's dodenwake moest inhalen, sliep ik die dagen heel diep en werd ik moeizaam wakker. Hangslot kon daar niet tegen en had verscheidene manieren om me te wekken. Ze pakte me bij mijn schouders en schudde me hard door elkaar, blafte in mijn oren, gooide koud water over me heen of hanteerde haar lievelingsgereedschap: de guavekarwats. Elke dag van de week paste ze een andere methode toe. Op dagen dat ze koud water over me heen gooi en op dagen dat ze me wakker sloeg, kon ik het nauwelijks opbrengen haar op de juiste toon te begroeten. Daardoor lag ik dan soms minutenlang voor haar op mijn knieën.

Elke ochtend was het mijn voornaamste taak de schijters te wekken, ze naast elkaar op een rij te zetten, met zoveel tussenruimte dat ze tijdens het schijten geen ruzie konden maken, want ze moesten hun dampende hopen precies midden op de krant deponeren waarboven ik ze liet hurken. Om te vermijden dat de schijtlucht me in het gezicht zou slaan, ging ik altijd op een afstandje staan, vanwaar ik eenieder wiens rectum van het doelwit dreigde af te dwalen tot de orde riep. Het geruft en gekreun en geplof verschilde weinig van wat ik Hangslot had horen voortbrengen op de dag dat ik mijn onderzoek naar de herkomst van baby's had ingesteld. Tegen het einde van het schijtuurtje scheurde ik stroken krantenpapier af; degenen die klaar waren moesten roepen en dan veegde ik hun kont af, ervoor zorgend dat ik de stront niet aan hun kale klootjes of kutjes smeerde, want als dat gebeurde moest ik het er ook nog afwassen, een klus waar ik de tijd noch het geduld voor had.

Hangslot vertrouwde me niet. Altijd stond ze ergens op de loer, meestal op een strategische plek aan de rand van de binnenplaats. Haar aanwezigheid was voor de schijters een nadrukkelijke waarschuwing zich niet te misdragen en haar dreigende blik gaf mij een idee van wat me te wachten zou staan als ik de billen van haar kinderen al te ruw zou afvegen, in een vergeefse poging tot wraak. Ze bleef op een afstand ronddrentelen tot ze ervan overtuigd was dat ik me naar behoren van mijn taak kweet en dat mijn handen niet toegaven aan de verleiding gemene streken uit te halen. Daarna verdween ze geruisloos uit zicht.

Als alle konten afgeveegd waren, gingen de schijters naar binnen en lieten mij alleen met hun onwelriekende voortbrengselen. Als de kranten niet al te vochtig waren geworden, kon ik ze snel om de hopen en plassen dichtvouwen. Het weggooien van de pakketjes deed ik altijd met een zekere opgewektheid, want ik verheugde me erop naar school te kunnen gaan. Maar op slechte dagen waren de kranten doorweekt en barstten ze onderweg open. Mijn opvlammende woede werd dan al snel getemperd door de stank. Ik holde terug, vouwde er een nieuwe krant omheen, bracht de pakjes opnieuw weg en haalde opgelucht adem terwijl ik me naar mijn volgende taak haastte.

Ik waste mezelf dromerig en monterde mezelf op met de gedachte aan Miss Sunlight Zeep, tante Tiida, de vrouw die viermaal per dag in bad ging. Eerst zag ik haar profiel voor me, en tegen de tijd dat ik haar hele gestalte voor me had, was ik klaar.

Het ontbijt deed me altijd walgen. Na het zien, ruiken en opruimen van al die uitwerpselen, was het net of ze zich omgevormd hadden tot het eten dat voor me lag. Na een tijdje at ik geen roerei en avocado meer, om redenen die duidelijk zullen zijn, en gebruikte ik mijn porties om er de gunsten van schijters mee te kopen, die er dol op waren. Tactvol streden ze er met elkaar om, met smekende, veelbetekenende blikken. Als een van hen mij de vorige dag betrapt had bij iets verbodens, deed hij net of hij niks gezien had, in de overtuiging dat ik voor de verstandigste oplossing zou kiezen. Dan gaf ik geen gehoor aan de smeekbeden van de anderen en betaalde ik het zwijggeld aan de desbetreffende schijter. Een of twee slimmeriken boden vrijwillig aan klusjes voor me op te knappen. Ze bespiedden de anderen voor me en brachten verslag uit. Ik deed mijn best ze allemaal te vriend te houden, omdat mijn leven van ze afhing, zoals het leven van een bergbeklimmer van de sterkte van zijn touwen.

School was mijn paradijs: daar wedijverde ik met mijn gelijken en spande ik me tot het uiterste in om de beste te zijn. Het was de enige plek waar k complimentjes van volwassenen kreeg en verzoeken om hulp van klasgenoten, die tegen de proefwerken opzagen als ik tegen de stronthopen die ik elke ochtend moest opruimen. Met een minzame glimlach bekeek ik die grote jongens met zweetdruppels op hun neus en natte plekken onder hun oksels. Maar ik was pas echt in mijn schik als ik de bollebozen te slim af was. Dan vulde mijn hart zich met ijver en mijn neus zich met de zoete geur van de overwinning.

De tijd vloog op school en als de laatste bel ging voelde ik me altijd beklemd vanwege de nare taken die me thuis weer te wachten stonden. In mijn verbeelding zag ik de huiveringwekkende poepluiers al weer voor me, als verzadigde krokodillen ronddrijvend tussen de drollen in het smerige grijsbruine water. Wat had die heks de hele dag uitgevoerd? vroeg ik me af. Dan gaf ik een schop tegen de teil, maar niet zo hard dat ik mijn voet bezeerde of de teil aan het wankelen bracht zodat het water en de luiers over de grond zouden gaan.

Nadat ik op school de wet van Archimedes had proberen te begrijpen, de tyfonen in Azië over me heen had voelen razen, over de pampa's van Zuid-Amerika had gegaloppeerd, de wolkenkrabbers van New York had beklommen, de wijngaarden van Frankrijk had bewonderd en de besneeuwde toppen van Afrika had beklommen, was deze verachtelijke, vunzige taak ondraaglijk voor me. In die tijd bestond er niets waar ik een grotere afkeer van had dan die demonische uitvinding: de luier.

Een voor een viste ik ze met afgewend gezicht uit het drekwater. Ik hield ze tussen duim en wijsvinger vast en schudde de poepresten uit de binnenste plooien van de stof. Aan het spoelen leek nooit een einde te komen, want te lang gebruikte stof die vol met vlekken zat werd nooit meer helder, al bleef je spoelen tot je een ons woog. Ze brachten me bijna tot vertwijfeling. Hangslot droeg daar ook toe bij, omdat ze me niet zelden al opgedroogde en gesteven luiers opnieuw in de week liet zetten, en nog een keer liet wassen als ze naar haar zin niet schoon genoeg waren. 'Je gaat door met wassen tot ik zeg dat je ermee op kunt houden,' zei ze dan, en zette koers naar haar commandopost. Dat was de kamer die aan de woonkamer grensde en waar de Singer-naaimachine stond. Hangslot bracht er al trappend de dag door en ontving er haar klanten.

Als ik vanachter de tobbe het gebrom van de trapper en het gesnor van de naald hoorde tot die geluiden niet meer van elkaar te onderscheiden waren, stelde ik me vaak voor hoe haar voet bekneld zou raken en haar vinger gepakt zou worden door de razende prikprikkende naald. Alle hulpkreten werden door het lawaai overstelpt en hoe meer ik walgde van mijn karwei, des te erger leed ze. Dan ging ik kijken of Vrijer in de buurt was, een arrogante, twintigjarige puistenkop, die zijn roem dankte aan het feit dat hij de enige in de stad was om wie Hangslot spontaan kon lachen. Hij kwam 's middags geregeld langs, snoevend als een triomfantelijke zeeheld, stak zijn neus naar binnen en betrad de commandopost om Hangslot bij haar werk gade te slaan. Soms bracht hij kleren mee die versteld moesten worden, soms kwam hij alleen iets ophalen of even een praatje maken. Als hij in de buurt was sloop ik naar de deur en probeerde ik af te luisteren wat ze zeiden. Ze hadden het voornamelijk over vroeger: Hangslot vertelde over haar ouderlijk huis, haar kloostertijd, haar bruiloft en dergelijke.

Vrijer hoorde deze brokstukken van haar verleden met een ironische glimlach aan, prikte minachtende naalden van kritiek in wat hem niet aanstond en beloonde wat hij leuk vond met een schaterlach en bevestigende opmerkingen. In het algemeen waadde hij door haar leven als een beminnelijke, maar onbeschaamde stroper. Het merkwaardige was dat Hangslot zo'n schik met hem had. Ik hoorde ze samen lachen, Vrijer uitgelaten, Hangslot voorzichtig alsof ze een kostbare v oeistof zeefde met een katoenen doek. Aanvankelijk wist ik niet goed wat ik met deze puistenkop aan moest die Hangslot behandelde met de nonchalance waarmee je tweedehandskleding bekijkt. Ik sloeg hem gade wanneer hij de binnenplaats op kwam lopen, met grote passen, zijn armen wijd, zijn borstkas vooruitgestoken, zijn adem als de roffel van een kalkoen die een wijfje op zijn pad treft, en dan was ik verbaasd en voelde ik me ook verlamd. Hij zag eruit als een fantastisch, reusachtig wapen dat ik nog moest leren hanteren en waar ik buitengewoon voorzichtig mee moest zijn.

Eerst negeerde ik hem, wendde mijn hoofd af als hij eraan kwam en sprak ik alleen als hij me iets vroeg. Maar na verloop van tijd keek ik hem aan en groette ik hem beleefd. Hooghartig en brutaal als een haan groette hij mij dan terug, haalde zijn neus op vanwege de stinkende troep in de teil, of in mijn handen, en stuiterde met atletische sprongen het huis in. Eenmaal binnen bleef hij geruime tijd met Hangslot praten. Loesanani, die mij benaderd had met de vraag of Hangslot mijn echte moeder was, kwam wel eens aan de rand van de binnenplaats staan, de plek waar Hangslot zich opstelde om de schijtpartijen te inspecteren, en dan kletsten we samen. 'Zij is niet je echte moeder, hè?' zei ze dan, met haar hoofd schuin.

In het begin irriteerde me dat, tot ik een tegenvraag had bedacht: 'Is Hadji jouw echte man?' Daar moest ze om grinniken. We lachten als maatjes, als mensen die in hetzelfde schuitje zaten, als mensen die elkaars problemen herkenden. Als ik naar haar keek trachtte ik me voor te stellen hoe haar eerste zwangerschap was verlopen en hoe de baby ter wereld was gekomen. Ze had een jong, soepel en stevig lichaam. Af en toe voelde ik plotseling de neiging om op te springen en mijn hand onder haar jurk te steken en haar lichaam te betasten. Aan de andere kant besefte ik dat ik daar te jong voor was en dat ze zou weigeren zich voor me uit te kleden, als ik haar dat zou vragen. In mijn gedachten zag ik Hadji Gimbi boven op haar liggen, hijgend, piepend en zwetend. Dan haatte ik haar, en hem ook. Dan begon ik te wensen dat hij op weg naar huis een klapband zou krijgen, van zijn motorfiets zou vallen en op het asfalt zou kwakken, bij voorkeur precies voor een aandenderende vrachtwagen, zodat zijn kleine mondje voorgoed zou zwijgen. Een andere keer zag ik hem met zijn dikke buik vooruit over de reling van een hoog gebouw tuimelen en net als frater Lule te pletter slaan. Als hij dood was zou Loesanani de mijne worden en zou ik die kloteluiers niet meer hoeven wassen of andere dingen hoeven doen waar ik een pesthekel aan had.

Intussen kletsten we over de stad en de taxistandplaats en over de Aziaten in hun winkeltjes en over de soldaten in hun jeeps en over de kinderen bij haar thuis. We begonnen altijd enthousiast, struikelend over onze woorden, tot we wat rustiger werden en uiteindelijk in herhalingen begonnen te vervallen als een stel ouden van dagen. Vaak kreeg ze Hangslot te laat in de gaten. Als Loesanani uit zicht was, had Hangslot me al te pakken met haar guavekarwats die over mijn kuiten of billen striemde. Ik keek haar dan aan met wijdopengesperde ogen, teleurgesteld dat haar voet niet vast was komen te zitten onder de naaimachinetrapper, haar vinger niet aan de naald was vastgeregen, en ze zich niet hees had gegild in martelende eenzaamheid.

Hangslot interpreteerde mijn blik anders. Ze las er onbeschaamdheid in en de open ogen waarmee ik de pijn onderging vatte ze op als het weerstaan van haar autoriteit. 'Plattelandsgespuis! Die oude toverkol heeft je danig verwend, maar ik zal je wel leren hoe je je moet gedragen.' En de zwiepende karwats deed mijn huid sidderen als die van een buffel die zilverreigers van zijn rugwonden jaagt.

Ik betreurde het ontslag van Nantongo, ons dienstmeisje, Hangslots eerste en laatste knieval voor de duizelingwekkende wereld van statussymbolen. Geen huishouden was compleet zonder een dienstmeisje. Toen Nantongo er nog was had ik minder zorgen: ze veegde, ze kookte, ze deed de was, ze deed alles. In de korte tijd tussen mijn komst en haar vertrek runde zij het hele huishouden. Ze waste Hangslots lakens die de afmeting hadden van een voetbalveld. Ze schrobde en wrong die witte katoenen lappen tot ik vreesde dat ze Vingers de Tweede zou worden. Stoïcijns als een machine waste ze de luiers en babykleertjes. Haar tere vingers waren altijd in beweging, kromden en strekten zich als een doorgedraaide duizendpoot, en waren elk ogenblik ergens mee bezig. Haar rug was altijd gebogen onder de een of andere last. Toch bleef haar gezicht open, vriendelijk, niet getekend door bitterheid, alsof al dat gezwoeg maar van voorbijgaande aard was. 'Je moeder is haar eigen grootste vijand,' zei ze een keer tegen me, alsof dat alles verklaarde. Ik wachtte op nadere uitleg, maar die kwam niet, en om geen stommeling te lijken hield ik op voor te wenden alsof ik niet wist waar ze het over had.

Het enig merkbare voordeel van Nantongo's vertrek was dat Hangslots scheldkanonnades afnamen. Toen het meisje er nog was bekritiseerde Hangslot haar aan één stuk door en stak ze preekachtige schimpredes af op een kille, irriterende en ontzielde toon die je net geen jeremiëren kon noemen. Het leek wel of het meisje het bloed onder haar nagels vandaan haalde. 'Je wast de vlekken nooit uit mijn lakens.' 'Je drinkt de melk van de baby op.' 'Je draagt mijn kleren voordat je ze wast.' 'Je kwijlt in de jus als je van de keuken naar de eetkamer loopt.' 'Je mishandelt mijn kinderen, je verwaarloost ze, je knijpt ze, je bedreigt ze.'

'Mag ik niks terugzeggen als ze me uitschelden?'

'Spreek me niet tegen. Moet je horen! Ze spreekt haar werkgeefster tegen! Ondankbaar schepsel! Denk je soms dat er iemand belangstelling heeft voor de binnenkant van je mond of je kiezen wil tellen? Je brengt mijn kinderen slechte manieren bij. Hoe kan ik je onder mijn dak velen? Je kijkt iedereen aan alsof je van plan bent hun kop af te bijten. Heb je niet geleerd eerbied te tonen voor je meerderen, daar waar je vandaan komt?'

'Uhhm, mevrouw...'

'Nu laat je alweer je tanden zien! Je laat je gehemelte zien! Luister toch eens naar wat je meerdere te zeggen heeft. Welke man wil er nou met een meisje trouwen dat geen manieren heeft en dat vreet als een maaimachine?'

Ik, ik, ik! had ik willen roepen. En anderen ook! Ik had mannen zien flirten met vrouwen die maar één been hadden of een horrelvoet. Ik had mannen gezien die verliefd waren op vrouwen met één oog. De moeder van oom Kawayida had bokkentanden. En dat was nog maar het topje van de ijsberg.

Maar het was al snel duidelijk dat Hangslot niet zozeer haar mannenkennis wilde tonen, maar eropuit was het meisje haar huis uit te pesten.

'Weet je nog toen je hier de eerste keer kwam? Je huilde. Je was tot alles bereid om werk en een dak boven je hoofd te hebben. Ik heb je alles gegeven en je kunt niet eens een behoorlijke maaltijd voor me koken.'

Het drama bereikte zijn hoogtepunt toen Nantongo een kopje van het dienblad liet vallen toen ze het in de kast wilde zetten. Ik heb nooit iemand zo zien treuren als Hangslot om dat stomme porseleinen kopje met zijn geschilderde rand, zijn vlekkerige, gekraste bodem en zijn vale maagdenpalmbloempjes. Het was een goedkoop kopje dat nooit antiek en waardevol zou zijn geworden, maar er werd heel wat heisa over gemaakt.

'Ik wist het wel! Ik wist wel dat je hiertoe in staat was. En wat is je volgende stap, Nantongo? Ons botulisme bezorgen of nog iets ergers? Je kunt zo rattengif in de winkels krijgen hoor! Het is hier zelfs in huis!'

Hangslots gezicht verkrampte in een aanstellerige woede. Het meisje draaide zich om, keek haar uitdagend aan en liet glimlachend alle andere kopjes op het beton in gruzelementen vallen.

'O, o, o!' jammerde Hangslot. Ze sloeg met haar handpalm op haar dijen terwijl ze naar de scherven op de vloer staarde. En toen verscheen er een uitdrukking op haar gezicht die op het voornemen duidde ernstig lichamelijk letsel toe te gaan brengen. Nantongo sprong lenig als een antilope opzij en siste: 'Ik heb u alles laten zeggen wat u over me te zeggen had. Maar ik zal u nooit toestaan me aan te raken.'

Hangslot stond versteld van de ingehouden heftigheid van de woorden van het meisje. Een ogenblik aarzelde ze of ze nog een treurzang over haar spullen zou afsteken, of dat ze het meisje de nek zou omdraaien. Om het laatste restje van haar gezag te redden gooide ze eruit: 'Je bent ontslagen!'

De volgende ochtend was Nantongo vertrokken. Al het overgebleven porselein werd in dozen gestopt en iedereen kreeg een plastic mok.

Serenity had zich in die tijd het gedrag aangemeten van een goedgunstige dictator. Hij trachtte zijn doelen niet zozeer te bereiken met daadwerkelijk geweld, maar veeleer met de dreiging daarvan. Hij toonde nooit openlijk zijn woede, en hield van onuitgesproken machtsvertoon en halve, gemompelde waarschuwingen. Naar berichten over het wangedrag van een van zijn kinderen luisterde hij als een sluimerende krokodil naar de vliegen boven zijn hoofd. Indirect liet hij blijken dat hij achter het optreden van zijn tuchthandhaafster stond, behalve als het echt te gek werd. Toen hij merkte dat Nantongo verdwenen was, sprak hij daar met geen woord over. In zijn opvatting was Nantongo slechts een rimpeling aan het oppervlak van een poel die er nog heel lang zou zijn. Hij liet die rimpeling naar de rand van de poel lopen, waar hij ongemerkt zou vervagen. Na Nantongo's vertrek was ik het volgende slachtoffer van Hangslot. Maar Serenity deed net of hem nooit iets over mij ter ore kwam.

Kaarsrecht in zijn gesteven broek en overhemd van dezelfde kleur liep hij de omheining binnen met een leren tas in zijn ene hand; met zijn andere hand wuifde hij naar de buren als een vriendelijke generaal op vakantie. Als de binnenplaats schoon was, zonder rommel of uitwerpselen, knikte hij en betrad het huis. Als je op school je best had gedaan en er geen schoolnota's of klachten van de leerkrachten waren binnengekomen, dan liet hij je met rust. Meestal trok hij zich terug met zijn boeken, of kleedde zich om en ging naar het tankstation om een praatje te maken met Hadji Gimbi en twee andere vrienden, het verkeer gade te slaan, de algehele toestand in de wereld door te nemen of te kaarten.

De vier vrienden bespraken de situatie na de onafhankelijkheid, de afschaffing van de oorspronkelijke grondwet, de noodtoestand van 1966, de coup van 1971, de toekomst van het land, van Amin, van de moslims, katholieken, protestanten en van de vreemdelingen. Als ze zich begonnen te vervelen haalden ze herinneringen op aan hun jeugd, hun loopbaan, hun dromen, of wat er ook in hun hoofd opkwam.

Op weg naar de waterput kwam ik langs het Total-tankstation met zijn drie benzinepompen als onthoofde standbeelden; de winkel achter de pompen straalde van het neonlicht en de glanzende deksels van olieblikken; het rechthoekige gat, waarin vettige monteurs op hun rug lagen om de onderkant van de auto's na te kijken, gaapte als een massagraf. De vier vrienden, die alle mannelijke voorrechten belichaamden, lieten zich rustig bedwelmen door de uitlaatgassen, door het opwaaiende stof en het knarsend verstrijken van de tijd. Soms zag ik ze verloren in hun kaartspel, of hoorde ik ze vertellen over hoe een bepaalde vrouw aanvoelde, of hoe een kind voor het eerst geglimlacht had. En soms hoorde ik ze schateren om een schunnige grotemensenmop.

De stemming in de Afrikaanse winkels vlakbij wisselde voortdurend. De lucht zinderde van de muziek uit de luidsprekers op de veranda's. Op de voorgrond hoorde je heftige discussies, bulderend gelach, en de schouderklappen waarmee een goeie grap of een geestige uitspraak beloond werd. Soms hoorde je het gejoel van een uit de hand lopende ruzie, waarbij scherpe woorden in het rond vlogen, waarover de lummelende omstanders zich verkneukelden, zo gemeen of bitter waren ze. Soms trad er een acrobaat op, een slangenmens of een muzikant die op de waardeloze snaren van een waardeloze gitaar tokkelde. Soms suisde de lucht van een vechtpartij waarbij de gespierde lichamen glommen van inspanning, er met het geluid van scheurend metaal naar adem gesnakt werd en er een hartelijk gejuich opklonk van de genietende toeschouwers. Soms stond er iemand een tovermedicijn aan te prijzen, dat je na één enkele dosis van haaruitval, slechte adem, onvruchtbaarheid, tegenspoed en voortijdige zaadlozingen zou verlossen.

Ik bleef er nooit lang staan; ik moest snel naar de put om mijn jerrycans in de rij te zetten en mijn beurt af te wachten. Het was een ouderwetse, Britse pomp, zwaar, onhandelbaar, met een dikke handgreep en een brede opening; onmogelijk op je lege maag te bedienen
en voorbestemd om nog een eeuw mee te gaan. De houten greep
rook altijd naar het vet waarmee hij werd ingesmeerd om de alomtegenwoordige houtworm te ontmoedigen.

Als er een goedgevormd meisje als Loesanani aan de pomp stond
en jij je een paar passen achter haar opstelde, zag je haar armen omhoog gaan, haar lichaam vooroverbuigen en zich welven en haar gezicht omlaagduiken onder de handgreep. Dan wenste je dat ze eeuwig door zou pompen, omdat haar open mond en opengesperde
ogen, samen met haar zwoegende lichaam je geest aanwakkerde tot
fantasieën van extatische geilheid. Haar slanke taille, haar ondergoed dat onder haar jurk uitkwam, haar dijen, haar kuiten en haar
benen, gespannen door de heftige pompende beweging, waren
brandstof voor mijn levendige geest. Terwijl ik naar Loesanani's
billen stond te kijken die zich samenknepen en weer ontspanden en
naar haar onderbroek die strak trok wanneer ze zich over de handgreep boog, wist ik dat er een volwassen deel van me was dat haar
begeerde en dat haar zou krijgen en haar geest zou vangen en over
zou brengen naar de volgende etappe van mijn levensreis. Ik proef-
de het noodlot.

Op de terugweg naar huis, terwijl er auto's voorbijraasden en af
en toe bij het tankstation stopten, bracht de figuur van Hadji Gimbi
met zijn witte kalotje en kenmerkende baard me van mijn stuk. Het
leek of hij me nauwkeurig opnam, mijn gedachten las. Dat gevoel
werd versterkt door het feit dat veel toekomstvoorspellers moslims
waren. Het was algemeen bekend dat de koran een machtig boek-
werk was, vol tovenarij, zegeningen en verwensingen. Het leek of
Hadji Gimbi wist hoe ik over zijn vrouw dacht en hoe ik wenste dat
hij zou verdwijnen en haar aan mij na zou laten. Het leek of hij erop
wachtte mij met haar op heterdaad te betrappen. Ik meende dat hij
afwachtte, omdat mijn vader een vriend van hem was en hij niet
overhaast wilde handelen zonder concreet bewijs. Als wij elkaar te-

genkwamen, of als ik naar zijn huis werd gestuurd om een boodschap over te brengen, dan beefde ik, verwachtte ik dat hij me zou
confronteren met mijn zondige gedachten. Maar dat is nooit gebeurd. Hij leek merkwaardig blij te zijn me te zien, en dat maakte
me in de war, hoewel het mijn gevoelens voor en gedachten aan
Loesanani niet veranderde.

Door de dictatuur en vooral door de onmogelijkheid te zeggen wat
ik wilde, dacht ik dat ik de enige was die in stilte leed, maar het
voorval met de rode inkt bewees dat dat niet het geval was. Ik had
me zo goed en zo kwaad als dat ging aangepast aan de doodlopende
weg die mijn ouderlijk huis voor me was. Ik had geleerd mijn mond
te houden, niets te zeggen, zelfs als er een snottebel aan Serenity's
of Hangslots kin bungelde die op het punt stond in hun theekopje of
soepkom te plonzen. Het kwam neer op een nieuw gevoel van zelfbescherming, wat ik in het dorp niet nodig had gehad, van het soort
dat je een kriebel in je keel bezorgt als je op het punt staat een gevaarlijke uitspraak te doen. Ik ontwikkelde de gewoonte mijn ogen
af te wenden. Dat was beter dan de soep of de thee die ik had willen
behoeden voor snotverontreiniging over me heen te krijgen. Het
was me absoluut niet duidelijk waarom de despoten overgevoelig
waren voor zulke triviale dingen.
    Op een ochtend, toen ik in het kader van de eredienst op de bin-
nenplaats mijn knieval maakte, viel het me op dat er iets uitstak bij
Hangslots achterwerk, alsof ze onder haar kleren een fles Quink-
inkt in haar reet had gestoken. Ik wist dat dit geen geintje kon zijn,
want als Hangslot al een gevoel voor humor had, dan was dat niet
van dit soort. Wat was het dan? De bobbel was veel te opzichtig om
over het hoofd te kunnen worden gezien. Wat was er aan de hand?
Aangenaam verrast door deze zeldzame klucht, werd ik ineens een
stuk minder knorrig en lukte het me in één keer de juiste toon aan te
slaan. Hangslot, die de gebruikelijke weerstand had verwacht,
schrok van mijn nederigheid. Snel verrichtte ik mijn dagelijkse verplichtingen, waste me en maakte me klaar om naar school te gaan.
    Hangslot was de thuisbankier en aangezien ik Serenity een paar

dagen tevoren geld had gevraagd om schriften te kopen, moest ik
het bij haar gaan ophalen. Dat was de normale gang van zaken omdat Serenity ons had gevraagd vooruit te plannen. 'Het geld groeit
me niet op de rug,' placht hij vaak te zeggen, als waarschuwing dat
hij tijd nodig had om het geld bijeen te krijgen.

Ik trof Hangslot in de zitkamer aan. Toen ik zei wat ik wilde antwoordde ze niet, maar keerde zich om en liep naar de slaapkamer
waar ze haar portemonnee had liggen. En toen zag ik het: een vlek
zo groot als een babymondje en zo rood als een robijn! Ik kon mijn
ogen haast niet van haar achterste afhouden. Niet dat ik nooit eerder
bloed had gezien, nee, dat had ik vaak genoeg gezien, en ik wist ook
hoe het rook. Ik kwam tot de slotsom dat iemand die zo zorgvuldig
was in groot gevaar moest verkeren als ze zo hevig bloedde. Ik deed
mijn mond open om haar attent te maken op de vlek, maar kuchte
ten slotte alleen maar. Ik moest die woorden inslikken. Het was onverstandig om een dictator ergens op te attenderen voordat ze je had
gegeven wat je nodig had: ze zou uit schaamte kunnen weigeren me
het geld te overhandigen. Ik kon het me niet veroorloven in de problemen te raken en een schooldag te verpesten door iets te doen
waarvan ik de consequenties niet kon overzien. Ik had tante Tiida's
geheim toch ook altijd voor me gehouden? Ik wist toch maar al te
goed dat zwijgen goud was? Woog dit nieuwe geheim te zwaar om
te bewaren? Ik dacht van niet.

Ik was zeer uitgelaten: nu had ik iets om mijn vijand mee te chanteren. In de toekomst kon ik het geheim tegen haar gebruiken. Het
zou me zeker nog van pas komen om haar ervan te weerhouden mij
af te beulen. Maar hoe moest ik dat aanpakken? Het was echt bloed
dat er vloeide, haar eigen despotische bloed. Ze moest er nog maar
wat langer in zitten, terwijl ik een meesterplan bedacht om een einde
aan mijn ellende te maken. Voor mijn part besmeurde ze het hele
huis ermee. Voor mijn part werkte ze er de rode data op de kalender
mee bij. Dat zou iedereen er tenminste op attenderen dat ook despoten maar mensen waren die bloedden als er in ze gesneden werd.

De volgende keer zou het Serenity's beurt zijn. Die zou vast van
voren bloeden: in de buurt van zijn gulp. Voor mijn part besproeide

hij de binnenplaats, het toilet en de hele buurt met zijn bloed. Voor mijn part spoot hij zelfs Hadji Gimbi's limoengroene motor onder, en het tankstation en misschien nog een aantal passerende auto's.

Toen ik het geld in ontvangst nam, deed ik mijn best me niet te verraden door terug te deinzen toen ze me aanraakte. Ik vermoedde dat haar vingers naar bloed roken en dat er een misselijkmakende geur aan het geld zat. Haar vingers waren vochtig en koud, wat me enigszins verontrustte omdat Oma me had verteld dat je koude handen en voeten kreeg van bloedarmoede. Maar hoe bloedarmoedig was deze vrouw? Duidelijk niet zo erg dat ze zou sterven voordat ik uit school thuiskwam, geloofde ik. Ik snoof aan het geld: dat rook prima.

Onderweg naar school probeerde ik me voor te stellen wat er in Hangslots onderbroek aan de hand was. Bloedde ze als een onthoofde haan? Zo ja, wat een onkraakbare noot was ze dan, als ze een bloeding had en net deed alsof alles onder controle was! Dit keer had ze met recht kunnen jammeren, zoals ze deed toen Nantongo er nog was, maar ze gaf geen kik. Zwangere vrouwen raakten in paniek als er een bloeding optrad en riepen hulp in, maar deze vrouw gedroeg zich alsof ze ongevoelig was voor pijn. Ik dacht aan hanen die schopten en lagen te stuiptrekken terwijl ze doodbloedden; veinsde deze vrouw onverschilligheid? Hangslot was ongevoelig voor pijn, was mijn conclusie. Dat was de reden dat ze zo snel naar de guavekarwats greep. Vervolgens werd ik razend nieuwsgierig. Ik wilde erachter komen of Hangslot inderdaad geen pijn kón voelen. Wat zou Vrijer ervan vinden? Misschien vond hij haar daarom wel zo aardig.

Ik had die dag het gevoel dat het geluk maar niet op kon. Ik maakte een goede beurt in de klas en in de pauze vond ik een briefje van tien shilling in het gras achter het lokaal dat het dichtst bij de speelplaats lag. Dat was een zeldzame bof want ik vond haast nooit iets.

Ik bestudeerde het briefje zorgvuldig om er zeker van te zijn dat het daar niet met opzet was neergelegd door een steenpuistenlijder of iemand met een andere besmettelijke ziekte die je door dit offer zou opdoen, want tien shilling was een boel geld in het begin van de jaren zeventig. Hangslot zou het vel van je rug geselen als je tien shilling verloor; Serenity waarschijnlijk ook.

Om het te vieren riep ik er twee vriendjes bij en trakteerde ik op broodjes en frisdrank. Terwijl we daarvan smulden probeerde ik te bedenken waar ik de rest van mijn buit zou kunnen verstoppen. Ik zou mijn geluk hebben gedeeld met de twee meest loyale schijters, maar ik was bang dat ze zo opgewonden zouden raken dat ze me zouden verraden. Onder een dictatuur was overbodige gulheid niet verstandig.

De schooldag ging voorbij met de snelheid van regenwolken in een orkaan. In mijn uitgelatenheid was ik vergeten na te denken over hoe ik mijn nieuwe kennis tegen Hangslot zou kunnen gebruiken. En op de terugweg naar huis lukte dat niet. Niettemin voelde ik me uitstekend toen ik thuiskwam. Het duizelde in mijn hoofd. Ik voelde me verankerd in de triomf van mijn academische vermogens en mijn fortuin.

De Hangslot die tegenover me stond toen ik de binnenplaats op liep vermorzelde mijn uitgelatenheid als een verdord blad: ze zag eruit als een kasteel, haar slotgracht wemelend van de piranha's en haar ophaalbrug omhoog. Dus ze was niet doodgebloed! Dus ze had niet overal vlekken achtergelaten, zelfs niet in haar benauwdste ogenblikken! Maar ze zag er zo verzeruwd uit, dat haar façade elk ogenblik in leek te gaan storten.

Op dat ogenblik arriveerde er een klant, als gesommeerd door bezorgde goden, opgezadeld met de moeilijke taak de ijzige sfeer die in het huis hing te ontdooien. Ze tilde Hangslot uit de kille diepten van haar eenzaam lijden. Hangslot vroeg hoe het met haar ging, en hoe het met haar kinderen ging, en of de bestelwagen van haar man het weer deed, en of... Ik voelde me geheel overbodig.

Stadsvrouwen, zoals deze, bewogen zich in hun eigen wereld, zelfs degenen die zwanger of lelijk waren. Deze vrouw, wier buik, dijen en billen geleden hadden onder veel te veel bevallingen, was van het type dat Oma en mij in het dorp aan ons hoofd zou hebben gezeurd om liefdesdrankjes en de dubieuze amuletten, waar onzekere vrouwen een beroep op deden om het vuur van vroegere dagen terug te winnen. Maar hier keurde ze de in korte broek gehulde schrik van zijn klas, wiens in oude kranten gekafte schriften versierd waren met rode onderstrepingen wegens uitmuntend werk, geen blik waardig.

Hangslot bleef de vrouw met vriendelijkheden overstelpen. Ze kwam overeind en toonde voor de eerste keer die middag haar achterkant. Ze was op weg naar de commandopost om de maten van de vrouw op te nemen. Ik zag de vlek. Was het een nieuwe of dezelfde van vanmorgen? Hij leek groter, gevaarlijker, en vergde onmiddellijke aandacht.

Plotseling verloor ik de controle over de woorden die ik in mijn hoofd had opgesloten en gebarricadeerd. Plotseling hadden die woorden genoeg van alle laffe stiltes die ik in de loop van de tijd had laten vallen, en kwamen ze naar buiten als misvormde baby's in stuitligging. Plotseling hoorde ik mezelf zeggen: 'U gaat dood. Weet u dan niet dat u al de hele dag aan het bloeden bent... ma?'

Er dreigden meer woorden te komen, maar ik hield ze tegen door mijn handen voor mijn mond te slaan. Hangslot bleef verstijfd staan, stak haar hoofd vooruit en toen omhoog alsof er door een reusachtige hand aan getrokken werd. Met de lenigheid en gratie van de dansers op haar bruiloft maakte ze een pirouet. Haar gezicht vertrok in duizend rimpels. De klant, wier ogen bijna uit hun kassen waren gerold toen ik had gesproken, keek opgelucht alsof er een doodvonnis was uitgesteld, en haar ogen glinsterden ondeugend toen ze de opgedroogde vlek met eigen ogen aanschouwde. Hangslot had in de gaten dat haar klant naar haar achterste keek. En alsof alle schaamte die ze als kind en non ooit gevoeld had, haar nu beving, verloor ze ineens al haar zelfbeheersing. Iets dat leek op een door bliksem in tweeën splijtende boomstam raakte me met zo'n kracht dat ik het gevoel had dat het licht uitging.

Uren later kwam ik bij, met zware hoofdpijn en een opgezwollen oog. Er werd geen woord meer aan het voorval vuilgemaakt. Ik leerde daarvan dat je in een dictatuur, omwille van de openbare orde en de huiselijke harmonie, maar beter niet kon beginnen over pijnlijke kwesties die achter je lagen. In een dictatuur zijn heden en verleden een Siamese tweeling, die je maar beter niet kunt scheiden. Iedereen die in een dictatuur behoefte aan historisch besef heeft, moet dat maar voor zichzelf opwekken in een onderaardse grot, waar de afzichtelijkheid ervan geen weerzin kan opwekken bij het gepeupel.

Voor het moment reageerde ik mezelf af op de aardappels. De zoete aardappels die ik voor het avondeten moest klaarmaken, waren die dag zo hard als steen. Serenity hield zijn mond. Hangslot wierp me een waarschuwende blik toe, waarmee ze wilde zeggen dat zij me niet vergeven had en wat ik gedaan had niet vergeten zou.

Maar de weken daarna spande ik me in om de beste maaltijden te bereiden die ik op mijn repertoire had, want elke ochtend zag ik in gedachten Hangslots bebloede kleren voor me. Omdat ik bang was dat haar bloed in het eten terecht zou komen als zij zou koken, verrichtte ik al het keukenwerk met het fanatisme van een late bekeerling. Omdat ze me een poosje met rust liet, vermoedde ik dat ze mijn enthousiasme aanzag voor een verandering van instelling, voor wroeging over mijn woorden.

Maar 's nachts werd ik overvallen door een reeks enge dromen waardoor ik begon te vermoeden dat Hangslot de lichamelijke kwellingen had omgezet in geestelijke marteling. Ik werd bezocht door de houten beeltenis van de gekruisigde Jezus. In de kerk, in gebedenboekjes en aan rozenkransen had ik talloze gekruisigde Jezussen gezien, maar deze was al gauw onderhevig aan de wonderbaarlijke veranderlijkheid van droombeelden. Het was ineens niet meer Jezus maar Hangslot die aan het kruis hing. Haar hele huid lag open en het bloed druppelde op de stenen die het weerzinwekkende kruis overeind hielden. Ik was de enige die haar beproeving gadesloeg. De lugubere uitdrukking op haar gezicht was bedoeld om een eeuwig schuldgevoel in mij op te roepen: ik was haar vermeende moordenaar. Andere nachten verscheen ze vermomd als de Maagd Maria, in een wit gewaad met een blauw lint om haar middel, met in haar handen een aardbol, haar voeten verstopt achter wolken. Dan werd ze met gewaad en al gegeseld en gekruisigd en begon ze hevig te bloeden.

Hoewel ik de dromen rationeel probeerde te verklaren, en de mogelijkheid niet uitsloot dat mijn verbeelding met me aan de haal was gegaan, kon ik het gevoel niet uitbannen dat Hangslot die nachtmerries veroorzaakte.

's Ochtends tijdens de knievalbegroeting zocht ik naar aanwijzingen op haar gezicht waaruit zou blijken dat ze zich verkleed had als de Maagd Maria of vermomd als Jezus. Maar ze verried geen enkele emotie, gaf geen enkel blijk iets af te weten van mijn nachtelijke verschrikkingen. Iedere nacht opnieuw opgezadeld met een bloedig visioen, vroeg ik me af wat ik kon doen om de cyclus te doorbreken. Ik wilde haar duidelijk maken dat al die onzin over schuld niet aan mij besteed was – daarvoor was het te laat. Ook wilde ik haar duidelijk maken dat we beter konden samenwerken, als volwassen partners, dan ons beider inspanningen te ontkrachten met schijngeweld.

Ik begon haar ervan te verdenken dat ze een van die mensen was die, bezeten door voorouderlijke geesten, in het vuur gingen zitten, naakt rondrenden, in hoge bomen klommen, en kort en klein sloegen wat hun in hun duivelse woede voorhanden kwam. En als de geesten dan weer uit hen geweken waren, ontkenden ze alles. Oma zou mij hebben geholpen bij het verifiëren van mijn verdenking, of die minstens hebben verworpen. Ik besloot Loesanani alles te vertellen. Maar toen begonnen de nachtmerries minder vaak voor te komen en uiteindelijk hielden ze helemaal op.

De dromen hadden tot gevolg dat ik voorgoed af was van de molensteen van de diepe slaap. Ik sliep nu licht en werd wakker voordat Hangslot in mijn oren kon schreeuwen of koud water over me heen kon plenzen of me met haar guavekarwats kon bewerken. Ik keerde terug naar mijn dorpsritme, waarin periodieke rust werd afgewisseld door de plotselinge komst van een baby. Ik vond het heerlijk 's nachts wakker te liggen en te bedenken dat de hele wereld om me heen diep in slaap was. Het gaf me het gevoel dat ik in een andere tijdzone leefde, in een andere wereld, op een ander halfrond, op een plek waar de mensen wakker werden als iedereen hier naar bed ging, en een plek waar ze hun pyjama aantrokken als iedereen hier zich in zijn schooluniform hees.

Soms had ik de neiging uit bed te gaan en door de straten te dolen.

donkere lanen in te slaan en door donkere, naar pis stinkende stegen te sluipen. Een enkele keer had ik de neiging om in het donker mijn weg naar de taxistandplaats te zoeken en de middernachtelijke leegte ervan in me op te nemen. Ik wilde de werkelijke afmetingen ervan schatten en het hele plein oversteken en het vullen met mijn eigen verbeelding. De duisternis wemelde van de rovers. De geheimzinnige nacht verborg allerhande loerend gebroefte. De stad stond stijf van de patrouillerende soldaten, soldaten op zoek naar nachtelijk vertier en verboden avontuurtjes. De hemel barstte van de zielen van mensen die tijdens de coup waren gesneuveld, voor de coup waren vermoord, waren gevallen tijdens de noodtoestand, waren gestorven aan de vooravond van de Onafhankelijkheid, terwijl de politiek de afgrijselijkste maskers had gedragen en steeds bloediger was geworden. De nacht was vol geesten die nog naar aarde roken, geesten op zoek naar de volgende wereld, geesten die eindeloos anoniem afscheid namen, geesten die rondzweefden om nog één laatste glimp van hun geliefde op te vangen en geesten die hun geliefde toetakelden met vleermuisachtige klauwen. Oma was een van die geesten. Het was beter als ik de nacht steeds op dezelfde plek doorbracht, voor het geval ze me zocht, zodat ze me kon ruiken; voor het geval dat ze zich toevallig deze nacht aan mij wilde openbaren.

Op mijn rug in bed dacht ik eerst aan haar en dan aan de despoten met hun broeierige eendracht en hun gebrek aan vreugde en opwinding. Gewend als ik was aan de verhitte en gepassioneerde middagdiscussies van Opa en Oma, die me de indruk hadden gegeven dat elke manier van redeneren en elk woord ertoe deden, vond ik de saaie eensgezindheid van de dictators walgelijk primitief. Zij leken telepathisch toegang tot elkaars gedachten te hebben en er de nodige informatie uit te zuigen zodat ze geen woorden nodig hadden. Dat ze iedereen in het ongewisse lieten over hun meningen en gedachten, leek een slimme truc om de macht aan zichzelf te houden. Konden twee despoten wel zo volkomen eensgezind zijn? Het was mogelijk, maar het kon ook zijn dat er iets was wat ik niet wist, iets wat zich vlak onder mijn neus afspeelde, maar voor mij onzichtbaar was vanwege mijn onervarenheid of blindheid.

Die laatste mogelijkheid werd een koortsachtige obsessie voor me. Mijn nachtelijke bespiegelingen erover bereikten zulke hoogten dat ik dacht dat ik droomde toen ik op een goede nacht schrille, ruziënde stemmen hoorde. Even leek ik getuige te zijn van een vecht-partij bij de Afrikaanse winkels. Of stond ik op de zandvlakte achter het schoolplein, waar verspringers oefenden en waar vechtersbazen dramatische knokpartijen hielden om hun oppermacht te bewijzen?

Maar terwijl de woorden door de lucht floten, die sidderde van een lang onderdrukte en gefrustreerde vijandigheid, drong het tot me door dat ik bij toeval van iets heel anders getuige was. Haastig stapte ik uit bed. De schijters, ondergedompeld in een kinderlijke, bijna hemelse slaap, lieten doffe scheten en maakten zachte snurk-geluidjes en kreunden onschuldig, alsof ze het betreurden dat mijn ontdekking aan hen voorbijging. Ik sloop de zitkamer binnen, die nog naar de tilapia-vis rook die we die avond gegeten hadden. Ik waagde me verder langs de dikke groene fauteuils, voorbij de rood-houten eethoek waar Serenity altijd in zijn eentje at en een oogje op ons hield, en algauw stond ik aan de tussendeur die naar het brand-punt van de salvo's voerde. Meestal stond die deur op een kier, om de nachtelijke kreten van de schijters toe te laten tot het heiligdom van Hangslots slaapvertrek. Nu stond hij een beetje verder open en hoorde ik mijn ouders elkaar naar de keel vliegen terwijl ze meen-den dat iedereen sliep. Dit was een nachtelijke gewoonte die ze in het dorp al hadden gehad, en die nu volledig overgeplant bleek naar de huidige hof van hun huwelijksproblemen.

Terwijl ik aan de rand van de ziedende krater stond, flitsten er verschillende mogelijkheden door mijn hoofd. Had een van beiden een wapen uit de woonkamer of uit de keuken gehaald en in zijn moordzuchtige haast vergeten de deur achter zich te sluiten? En zo ja, hoe stond het er dan nu voor met de andere partij? Hoe lang wa-ren ze al bezig? Had Serenity eindelijk besloten zijn tuchthandhaaf-ster tot de orde te roepen? Of was het Hangslot die de rake klappen uitdeelde? Ik stond te trillen op mijn benen. Door het geluid van bre-kend glas kwam ik bij mijn positieven. Er klonk nog meer gesmijt, gehijg en gezucht. Een gordijn van duisternis scheidde mij van de gebeurtenissen in de kamer van mijn ouders. Maar de gedachte alleen al dat de despoten elkaar aftuigden, krabden en wurgden maakte me duizelig van opwinding. Toen het lawaai ophield, merkte ik tot mijn verbijstering dat de ruzie over Vrijer ging.

Ik herinnerde me ineens hoe ik Vrijer op een kruk had zien zitten, met één arm op het tafelblad waar rijen viooltjes overheen joegen terwijl Hangslot twee lappen die een jurk moesten worden aan elkaar naaide. Er kwam een zweem van een glimlach over zijn gezicht en Hangslots ogen glansden op een manier die ik nooit eerder gezien had. Het leek of ze in de zevende hemel was. Behalve Vrijer had geen levende of dode dat ooit bij haar weten te bereiken.

Op grond hiervan begreep ik wel dat Serenity jaloers en gekwetst was door de bezoekjes van Vrijer. Ik zag de smerige geruchten al in trage wolken om zijn hoofd cirkelen. Stadsmensen verschilden daarin niet van dorpelingen. Ze hielden ook van roddels, behalve dat de dorpelingen er bekers van achteroversloegen en de stedelingen vingerhoedjes.

Vanwege zijn mislukte proefhuwelijk met Kasiko, had Serenity het gevoel dat zijn vrouw deed waar ze zin in had met Boy, zoals hij Vrijer noemde, om hem te laten voelen hoe het was als de bordjes waren verhangen. Vermoedelijke wraak en misplaatste jaloezie hadden de krokodil en de buffel in een verraderlijke zandkuil samengedreven.

'Je houdt van die jongen, hè?' gaf Serenity zijn kwetsbare krokodillenbuik bloot aan de vernietigende buffelhoorns. Hij klonk bibberig, alsof er een ijzige wind door zijn keelgat woei.

'Niet op de manier die jij bedoelt,' antwoordde Hangslot kil. 'Ik vind het gewoon prettig als hij er is.' Haar stem werd warmer terwijl ze de laatste woorden uitsprak.

'Waarom kun je me niet de waarheid vertellen over die Boy van je? Ik ben heus niet gek.'

'Ik zeg de waarheid. Hij is gewoon een klant van me die toevallig dingen zegt waar ik om moet lachen.'

Serenity voelde zijn oude vooroordelen over winkels en winkeliers als een spitse punt in zijn ziel prikken, en vroeg zich even af

waarom hij zijn vrouw in godsnaam een naaimachine had gegeven,
nu hij daarmee de duivelse commercie en die vervloekte klanten in
huis had gehaald.

'Wat-wat-wat voor dingen?' Hij begon te stotteren, zoals vroeger
als hij naar de winkel werd gestuurd en hij niemand kon vinden die
in zijn plaats wilde gaan.

'Complimenten. Hij bewondert de manier waarop ik met stoffen
omga en hoe ik uit gewone lappen katoen prachtige jurken maak.'

Ik leunde tegen de deurpost. Ik ging bijna door mijn knieën.
Hangslot, een vrouw uit wier vocabulaire het woord 'compliment'
in haar vroege jeugd was gebannen en vervangen door het woord
'bedreiging', Hangslot had behoefte aan complimenten! En ze had
er zo'n behoefte aan dat ze ze slikte uit dat etterende eetgat van Vrijer! Vrijer, het enige schepsel onder de twee- of viervoetigen dat het
in zijn vermogen had zich tegen Hangslot en haar opvattingen te
verzetten, haar af te wijzen of haar te complimenteren! Ik stond er
versteld van hoe ik me in Hangslot vergist had, maar ik voelde mijn
borstkas opzwellen van tevredenheid: ondanks haar onverschilligheid tegenover bloedingen en de snelheid waarmee ze naar de guavekarwats greep, bleek ze niet geheel ongevoelig voor pijn. Ik zou
haar kunnen kwetsen!

'O! Dus om míj hoef je niet te lachen, ík heb géén waardering
voor je werk, ondanks alle vrijheid die ik je geef?'

'Dat is iets anders,' gaf ze ten antwoord, een tikje minzaam, met
een stem aangedikt door ongeduld. Wat ze niet in woorden uitdrukte
was wat ze voelde als ze met Vrijer samen was: een puurheid, een
onschuld, vrij van de gebruikelijke spanning tussen mannen en
vrouwen. Wat Vrijer van haar wilde was slechts de helende kracht
van hun gesprekken. Zijn vleierij kwam voort uit iets wat nog het
meest op platonische kalverliefde leek. Ze voelde zich als Maagd
door hem aanbeden, wat haar een vreugde gaf die zij nooit eerder
had ervaren.

'Wat bedoel je daarmee?' zei Serenity met ingehouden woede.

'Als er vrouwen bestaan die jou aan het lachen kunnen maken,
dan bestaan er ook jongemannen die een getrouwde vrouw aan het

lachen kunnen maken. Ik weet wel dat er een heleboel vrouwen op zitten te hopen dat mij iets overkomt zodat ze hierheen kunnen rennen om mijn plaats in te nemen. Maar laat ik je dit zeggen: ga je gang met het fokken van bastaards, als je maar weet dat ze in dit huis nooit een plaats zullen krijgen.'

Serenity vond het vervelend dat Kasiko's dochter in het gesprek werd betrokken. Hij vond het vervelend zich altijd te moeten verdedigen. Een poos geleden had hij duidelijk gemaakt dat hij veel te veel geldzorgen had om achter andere vrouwen aan te zitten. Waarom rakelde ze dit onderwerp weer op?

Wat ze hem niet had verteld was dat ze steeds nachtmerries had over haar bruiloft, waarin ze Kasiko's duivelskinderen naar een stuk bruiloftstaart zag reken. De stukken taart werden stenen waarmee de kinderen haar bekogelden omdat ze hun moeder had verstoten. Ze begon er nu aan te twijfelen of Kasiko's kind wel echt een dochter was. In haar droom werd Hangslot altijd door jongens omringd die zwoeren dat ze Serenity's erfgenamen waren, als werkelijke eerstgeborenen in zijn huis. Ze verlangde ernaar gerustgesteld te worden dat Kasiko's kind een meisje was, maar ze wist niet hoe ze het ter sprake moest brengen zonder zichzelf te verraden.

'Waarom begin je hierover?' zei Serenity.

Ten overstaan van deze ontwikkelde man van wie ze wist dat hij haar uit zou lachen om het idee van dromen waarin een meisje in een horde stenengooiende jongens veranderde, voelde zij zich in verlegenheid gebracht. Dus nam ze haar toevlucht tot wat haar goed afging: stoere praatjes en dreigementen. 'Hadji Gimbi zal je wel leren hoe je een polygamist kunt worden. Maar die ziekte zal dit huis nooit besmetten.'

'Laat Hadji erbuiten. Hij is een vriend van mij, niet van jou.'

'Ik zal nooit een huis delen met een andere vrouw.'

'Al deze onzin begint me de keel uit te hangen. Als dit de manier is waarop je je schuldgevoel uit over wat je met die jongen uitspookt, zeg het dan en hou verder je mond. Ik heb geen zin om de hele nacht naar deze nonsens te luisteren. Ik moet vroeg op voor mijn werk.'

'Hoe kun je die moslims vertrouwen? Proberen ze je te bekeren tot de islam of tot het bewind van Amin?'

'Hou op met die onzin zei ik toch? Hadji is een vriend van me. Neem je paranoia maar ergens anders mee naartoe. Scheep Boy ermee op en zeg maar dat hij het in de put moet gooien. Er wordt over jou en mij gekletst en ik word uitgescholden voor hoorndrager. Ze denken dat hij je helemaal in zijn macht heeft, als de pokken.'

'Dat wil ik nooit meer uit jouw mond horen. Nooit,' blafte ze. De bedspiralen kraakten terwijl zij zich kwaad omdraaide.

'En ik wil niet dat mensen negatief over mij of jou praten. We zijn een voorbeeldig gezin. Je moet een reputatie die in jaren is opgebouwd niet in minuten afbreken.'

'Hij flirt alleen maar; waarom zou ik me druk maken over de smerige gedachten van andere mensen?'

'Flirten! In mijn huis! Over mijn naaimachine heen! Wat doet hij dan, zingt hij liedjes voor je? Zeg tegen hem dat hij ermee op moet houden. Dat hij een andere kleermaakster moet zoeken. Ik wil hem hier niet meer zien!'

Dit was allemaal ruwe informatie; ik moest het nog verwerken en erachter komen of ik er mijn voordeel mee kon doen. Ik begon me te vervelen. Ik overwoog zelfs om terug naar bed te gaan omdat ik meer dan genoeg had gehad voor één nacht.

'Je hebt zelf boter op je hoofd. Ik was volgens jou toch ook jaloers toen ik het dienstmeisje wegstuurde?'

'Dat heb ik nooit beweerd,' zei hij slaperig.

'Ze staarde je altijd aan.'

'Ze wilde alleen maar dat jij zou ophouden haar uit te kafferen. Ik heb haar nauwelijks aangekeken.'

'En ik kon haar niet meer vertrouwen met Moegezi,' zei Hangslot ineens.

'Wat is er aan de hand tussen jullie tweeën?'

'Kinderen moeten gehoorzaam zijn; dat is hij niet. Hij denkt dat hij de man in huis is. Jij laat hem aan zijn lot over. Maar maak je geen zorgen: ik krijg hem wel klein. Ik wil absoluut niet dat hij een van die mannen wordt die mensen bestelen, martelen en vermoor-

146

den. Jouw tante heeft hem volkomen verpest, maar hoe dan ook, ik zal ervoor zorgen dat de schade ongedaan wordt gemaakt. Ik heb die vrouw nooit vertrouwd.'

Mijn knieën knikten en ik viel bijna tegen de deur.

'Nu ga je te ver. Hou daarmee op.' In Serenity's stem klonk het gejank door van een bronstige hond die gekweld wordt door de onbereikbare geur van seks.

Stelen! Moorden! Martelen! Wie bestal en martelde en vermoordde mij dagelijks? Wie kwelde mij dagelijks met scheldwoorden, met de stank van stront en met de brandende striemen van de guavekarwats? Wie vergreep zich dagelijks aan mijn geestelijke eigendommen om me bij te schaven tot de gedweeheid van een tand aan een rad? Er was zojuist een oorlog uitgebroken. Ik maakte me geen illusies dat ik deze loopgravenoorlog zou kunnen winnen, maar ik was vastbesloten om mijn huid duur, zéér duur te verkopen. De buitensporige zelfbeheersing die nodig was om deze nieuwverworven kennis uit te spelen met een maximum aan effect, deed me beven en het koude zweet brak me uit. Hoe moest ik mijn ouders in de ogen zien en groeten en gehoorzamen alsof ik van niets wist?

'Je moet me beloven de zware taak deze jongen te breken niet geheel aan mij over te laten. We moeten hem redden van het kwaad van de wereld.'

'Ik help toch al? Wie betaalt er zijn schoolgeld?'

'Ik bedoel lichamelijk helpen, met disciplinaire maatregelen.'

'Ik zal je helpen, en ik zal er ook voor zorgen dat Boy hier niet meer komt.'

'Ik heb toch gezegd dat er niets tussen ons is.' Hangslot was nijdig dat Serenity twee totaal verschillende zaken met elkaar in verband bracht.

'Flirten in mijn huis betekent niets?'

'Die jongen loopt mijlenver om klanten voor me te zoeken, voor niks. Zonder hem zou ik bijna niets te doen hebben. Wat moet ik zonder zijn hulp en zijn contacten? Niemand is erbij gebaat als je hem wegstuurt.'

'Als jij hem niet tegenhoudt dan doe ik het wel.'

'Ik heb het begrepen.'

'Het is een bevel.'

Ik kon geen informatie meer in mijn hoofd opnemen. De stemmen leken inmiddels uit een verre grot te komen, met een echo. Ze klonken als het eenzame gezoem van stervende bijen. Het kon me niet meer schelen wat er gebeurde. Het kon me niet meer schelen of hij een van haar armen of benen brak of dat zij zijn knieschijven verbrijzelde of streelde.

Mijn verblijf in de stad was tot dan toe één berekende poging geweest om mij klein te krijgen, om het idee dat ik van mezelf had te snoeien en alle loten van mijn persoonlijkheid in de vijzel van de conventie fijn te stampen. Ik kreeg opdrachten zonder uitleg. Ik werd op een vernederende manier toegesproken. De minachting van de despoten werd me ingepeperd, ik werd geslagen. Ik was alleen goed genoeg om luiers te wassen, te koken, water te halen en alle dingen te doen waar Hangslot zelf geen zin in had. Met andere woorden: de folterbank knarste en draaide, en verrichtte langzaam zijn murwmakende werk.

Mijn nachtelijke ontdekking had me één ding geleerd: ik moest net zo stiekem te werk gaan als de despoten in hun samenzwering tegen mij. Ik moest toeslaan met het fluweelpotige venijn van een luipaard en zowel mijn sporen wissen als mijn klauwen verborgen houden. Ik moest hun vuur bestrijden door mijn eigen vuur zorgvuldig op te bouwen, zodanig dat zij elkaar zouden verkolen zonder dat het huis in vlammen opging. Ik moest handelen met de koppige sluwheid van een varken.

Als je in het dorp een varkentje had gekocht en het niet wilde laten ontsnappen onderweg naar huis, deed je het in een jutezak en bond die dicht. Sommige biggen probeerden daarna alsnog te ontsnappen als de staldeur op een kier stond of als het touw aan hun poot niet goed vastzat. Ze ontsnapten niet zozeer om terug te gaan naar waar ze vandaan kwamen als wel om zich te wreken omdat ze door iemand tot de verveling van gevangenschap waren veroordeeld. Biggen die ontsnapten namen wraak door de oogst van de buren op te vreten. Sommige zeugjes wachtten wat langer: als ze door de stamvarkens gedekt moesten worden, knepen ze ertussenuit en moesten door het hele dorp achternagezeten worden. Als ze dan gevangen waren en weer bij de mannetjes gebracht, wrikten ze zo met hun kont dat het eersteklas sperma verspild werd. Ik was van plan een paar van die varkenslesjes toe te passen.

Dagenlang was ik onrustig. Ik kon niet slapen en durfde ook niet weer te gaan spioneren. Een verlammende spanning in mijn borstkas en buik ontnam me mijn eetlust. Onderweg van school naar huis liep ik langs de taxistandplaats en keek naar de bestelwagens, de reizigers, de uitvreters, de slangenbezweerders, de waarzeggers, de zangers en de doelloos rondzwervende zielen. Ik werd lastiggevallen door jongens van mijn eigen leeftijd die leurden met radiobatterijen, ondergoed, schriften, tandenborstels en dergelijk soort handelswaar. Ik werd achtervolgd door zakkenrollers die dachten dat ik zakgeld of boodschappengeld bij me had. Ik werd benaderd door een nepwaarzegger die beloofde mijn toekomst te voorspellen en zijn zegen over me uit te spreken als ik geld had om van zijn diensten gebruik te maken. Ik zag zwendelaars analfabetische boeren naar de verkeerde bussen voeren, naar de verkeerde kooplieden of naar de verkeerde plekken. Ik zag de verdekt opgestelde kameraden van die zwendelaars zich voor chauffeur uitgeven, voor besteljongen of detective. Ik zag hoe die boeren zich nietsvermoedend lieten oplichten. Ik zag uitdagend geklede vrouwen rondlopen, met hun kont draaien, knipogen en alles op alles zetten om de blik van een man te vangen. Ik zag vrouwen die verdwaald leken te zijn en zich er niet toe konden brengen de weg te vragen.

Ik concludeerde dat er steeds meer ratten kwamen in dit land ondanks de grote verscheidenheid aan rattengif en vallen. In het dorp braken we altijd oude batterijen open en vermengden de koolstof die erin zat met vis om de stank te verminderen en stopten het dan in een muizenhol of achter de koffiezakken zodat de ratten het op zouden vreten en doodgaan. Hier had je vloeistoffen, korrels en poeders om ratten mee te doden. Ik had genoeg geld om het gif te kopen

waarmee ik die reusachtige rat genaamd Hangslot zou kunnen doden. Alleen de overlevingsdrang van ratten baarde me zorgen. Het
kwam vaak voor dat een rat het gif negeerde. Stel dat Hangslot, in
plaats van het gif zelf op te eten, het aan een van de schijters zou geven? Dat zou ik niet kunnen verdragen. En misschien zou mijn geweten Hangslots dood ook niet kunnen accepteren. Bovendien was
er nog de politie om rekening mee te houden. Hangslot ging nooit de
deur uit, behalve om naar de mis te gaan, en het zou niet zo moeilijk
zijn om erachter te komen dat ze door iemand uit haar huiselijke
kring vergiftigd was.

Ik keek naar de slangen, vooral naar de dof glanzende cobra's die
dansten en draaiden en hun nek opzetten wanneer de tandeloze be-
zweerders met hun mond of op hun instrument floten. De fonkelende pracht van hun schubben en zwarte ogen deed me trillen van de
verleiding er een te kopen en in Hangslots bed te deponeren. De
slangen hadden geen tanden meer en waren ongevaarlijk, maar ze
konden iemand wel een hartaanval van schrik bezorgen. Maar op de
een of andere manier zag ik niet hoe ik daardoor meer vrijheid zou
krijgen of meer rechten. Dus liep ik maar weer door.

Het verbaasde me dat het in de stad altijd leek te gloeien: een harde, verzengende zonneschijn, zo dik als magma, die traag over je lichaam kroop. Ik rook regen in de lucht. De hemel werd donker. Er
hingen zware wolken, die op hongerige aasgieren en verlekkerde
maraboes leken, boven het rottende gebit van de skyline. Ze ont-
trokken de zon, de minaret en de kathedralen op de heuvels in de
verte aan het zicht. Een kille wind liet de rillingen over je huid lopen. De hemel stortte een muur van regen uit. Alles werd grijs en de
mensen holden door elkaar.

Vanaf de top van Nakasero Hill stroomde een stortvloed de kom
in, waarin de woede van de onmachtige gerechtshoven kolkte, en de
vernietigingskracht van een moordlustig leger. De rivier Nakivoebo
trad buiten haar oevers, spuwde al haar rotzooi over haar oevers,
over de wegen en over de naburige winkels. Er werden slangen met
het water meegesleurd en ook een schildpad, een paar honden en
een versufte dronkelap. Het gebrul van het water voegde zich bij het

gedreun van legertanks, raketwerpers, en de troepen die waren ingezet bij de coup van 21 januari 1971. Generaal Idi Amin liet zich op
de golven meedrijven.

Met de generaal aan mijn kant kon ik de despoten vermorzelen
als noten in een vijzel. Ik zag zijn doorweekte soldaten tegen de golven vechten terwijl ze een hoge officier escorteerden. Op hun statu-
eske gezichten stond een volmaakt fatalisme te lezen, een totale gelatenheid en een totale overgave aan de oorlogsgod. Als het erop
aankwam was het jouw hoofd of het hunne. De lucht trilde van de
grootsheid van hun dodelijke macht, zoals hij eens getrild had van
de openluchtgeboorte op het asfalt.

Als ik zelf een dergelijke overgave zou bereiken, en de moed van
Oma op het ogenblik dat de *panga* blikkerde, had ik geen gif nodig.
Dan zou ik gewoon op een wachtsoldaat af kunnen stappen en hem
mededelen dat Hangslot en Serenity Obote-sympathisanten waren.
Dan zouden ze opgepakt, in een jeep gegooid en naar de barakken
afgevoerd worden. Daar zouden hun tanden uitgeslagen worden en
hun ruggen bewerkt met geweerkolven of zwepen van neushoorn-
leer. Daar zouden ze dingen beleven die in geen enkel verhaal van
oom Kawayida voorkwamen. Maar als ik de soldaten erbij riep, zou
ik niet handelen met de onopvallendheid van een luipaard.

Als ik wilde zou ik me kunnen aansluiten bij de Staatsveiligheidsdienst, de organisatie wier taak het was overal een oogje op te
houden en alle vijanden van de staat, echte of potentiële, aan te geven. Als Staatsveiligheidsbeambte zou ik de Rode Kaart krijgen en
dan zou niemand me meer iets durven doen. Ik zou de kaart aan mijn
leerkrachten kunnen laten zien of aan Serenity of aan Hangslot, of
aan iedereen die me dwarszat. Gewapend met die kaart zou ik Hangslot bang kunnen maken en haar laten voelen hoe het is om getiran-
niseerd te worden. Ook zou ik Loesanani op kunnen eisen, en er met
haar vandoor gaan, zonder dat Hadji Gimbi, of wie dan ook, het kon
verhinderen. Het enige wat me weerhield, was het feit dat de macht
me kapot zou maken, nu er geen Oma was om over me te waken. De
macht zou me verleiden met geweren en messen en withete dreigementen en op den duur een levensgevaarlijke gek van me maken.

Ook op die manier zou ik niet met de fluwelen poten van een luipaard toeslaan. Dus ook deze mogelijkheid hield ik in reserve.

Nee, het veiligste wat ik kon doen was Amin als mijn beschermer te kiezen. Hij was een realist. Hij keerde niemand ooit de andere wang toe. Hij beantwoordde liefde met liefde, haat met haat, oorlog met oorlog. Hij was trots, op het arrogante af. Maar als je hem op zijn daden beoordeelde – hoe ver hij het had geschopt en hoeveel hij onderweg had meegemaakt door toedoen van de Britten en van zijn landgenoten – als je hem op zijn daden beoordeelde, had hij die trots verdiend, was die arrogantie gepast. Dit was een man die, in tegenstelling tot vele Afrikanen, niet bang was om zijn mening te uiten omdat hij, net als ik, niet bang was voor represailles. Hij was de represaille zelf.

Op Onafhankelijkheidsdag had hij een demonstratie gegeven van zijn macht. De lucht was verscheurd door cimbalen, tuba's, piccolo's en klarinetten. Door de weelde van zijn aanwezigheid was de zee van bloed, zweet en tranen uiteengeweken, waren bevreesde harten getroost en twijfelende geesten gerustgesteld. Hij had woorden van wijsheid gesproken en zaadjes van gezag geplant. De walvissen van de overheersing hadden binnen in hem gegromd. Als hij bulderde huiverden zijn vijanden. Als hij lachte was hij een onweerslucht die gekliefd werd door de scheermessen van de bliksem. Als hij zijn handlangers beloonde, overtrof hij de vermenigvuldiger van broden en vissen, en vermenigvuldigde auto's, buitenhuizen, topbanen en geld. Ja, ik wist het: *hij* was de baby die ik in een flits geboren had zien worden op het asfalt. Hij was de baby die geboren was om als een berg op te rijzen, om te stromen als duizend rivieren, en duizenden doden te sterven. Mijn tweede beschermengel had zich geïncarneerd.

In een pittig tempo haastte ik me huiswaarts.

DEEL DRIE

Amin, de Peetvader

Op mijn zevende was ik Opa's voornaamste toehoorder geworden. Ik luisterde naar zijn politieke verhandelingen en onthield de belangrijkste punten, zonder die te begrijpen. Tot slot moest ik de Britse, de Aziatische en de Afrikaanse kant van bepaalde nationale vraagstukken verdedigen in een vraag-en-antwoordspel. Ik zou de toekomstige advocaat zijn die hij had willen worden en wellicht ook een toekomstig politicus, aangezien veel advocaten in de politiek verzeilden – ik was zijn ideale mini-plaatsvervanger. Na jaren van politieke overwegingen was Opa inmiddels tot de conclusie gekomen dat de moderne staat een kruithuis was dat op punt stond de lucht in te gaan met een reeks zware explosies. Het was een huis gebouwd op zand; het verraderlijke zand van ongelijkheid, strijd en uitbuiting. Heimelijk keek Opa uit naar de dag dat alles in vlammen op zou gaan, want hij geloofde dat er dan pas werkelijk een nieuwe orde uit de as zou verrijzen.

In Opa's politieke beschouwingen speelde de stad een belangrijke rol. Toen hij een jonge man was, was de hoofdstad Kampala verdeeld tussen de Europeanen en de Aziaten. De Afrikanen uit de dorpen gingen naar de stad om er te werken, meestal in minderwaardige baantjes, waarna ze 's avonds weer naar hun dorpen terugkeerden. Het leven werd dankzij het Britse bewind bepaald door de rassenscheiding. Eerst hadden de Britten Aziatische soldaten ingezet om het centrale deel van het land aan hun gezag te onderwerpen. Protestantse *chiefs* uit die streken voerden vervolgens de legers aan die de rest van het land voor de Britten veroverden. Voor het bestuur van het gebied dat de Aziatische soldaten hadden helpen inlijven, waren Aziatische bureaucraten en handelaars geïmporteerd; de plaatselijke protestantse *chiefs* hadden op hun beurt een machtspositie gekregen in de door hen veroverde gebieden. Op die manier waren de zaden geplant voor de moderne stammenstrijd.

Toen Opa in aanraking kwam met de raciale onrechtvaardigheid van het koloniale systeem doordat hij niet toegelaten werd tot de School voor Rechtswetenschappen, besloot hij terug te vechten. Hij ging campagne voeren en werd in de jaren veertig onderhoofdman van het district en in de jaren vijftig hoofdman. Vanuit deze positie kon hij beter overzien hoe het systeem werkte en hoe hij het van binnenuit kon bestrijden. De Britten stonden veilig aan de top, van de Afrikanen gescheiden door de Aziaten, en de Aziaten genoten van hun rol als tussenfiguren die hun handen schoon konden houden. Intussen was Opa verantwoordelijk voor twee dingen die hij verafschuwde: hij moest het belastinggeld innen waarop de hele bestuursmachinerie draaide, en hij moest dienstplichtigen voor de Tweede Wereldoorlog bijeenbrengen, jonge mannen die eropuit gestuurd werden om te sterven op slagvelden waarvan ze de namen nauwelijks konden uitspreken. Zijn enige broer uit dezelfde moeder meldde zich als vrijwilliger. Hij verheugde zich erop blanken af te gaan maken, het liefst Britse soldaten, omdat de blanke politie hem wegens rondhangen bij de Britse Club had uitgekleed en met een zweep bewerkt. Opa trachtte hem nog tegen te houden en vroeg hem thuis te blijven om daar de noodzakelijke veranderingen te bevechten, maar tevergeefs.

Tijdens de oorlog stond Opa aan de kant van Duitsland. Eigenlijk vond hij de oorlog een Europese aangelegenheid waar hij geen belang bij had. Hij beschouwde het als een bizarre voetbalwedstrijd. De Britse en Duitse teams gingen verder waar ze in 1918 waren opgehouden. En omdat hij tegen de Britten was, was hij voor hun grootste tegenstander. Het duurde tergend lang voordat het nieuws van het front ons bereikte, en als het kwam dan was het voornamelijk kort, slecht en onvolledig. Duizenden jonge mannen keerden 'in een envelop' terug, wat inhield dat hun familie per post op de hoogte werd gesteld van hun dood aan het front. Veel van de jonge mannen die Opa had opgeroepen, kwamen 'in een envelop' terug. Hij wachtte op de envelop van zijn broer, maar die bleef uit. De oorlog kwam ten einde, de veteranen kwamen naar huis, zonder enig

nieuws over zijn broer. Intussen steunde Opa de economische boycotacties tegen de Aziaten die overal waren uitgebroken. Dat was
zijn manier om het verlies van zijn broer te verwerken. Hij vond ook
dat hij het aan de soldaten verplicht was die 'in een envelop' waren
teruggekomen. Maar tijdens de boycotacties dook zijn broer plotseling op. Hij was in Birma op een landmijn gestapt en had een been
verloren. Over zijn oorlogservaringen vertelde hij niets, doordat hij
zijn spraak verloren had. De rest van zijn dagen bracht hij door in de
miasma's van zijn eigen geest.

Het grootste succes van de boycotacties was het verslappen van
de Aziatische wurggreep op de handel doordat er enkele koffiebran-
derijen en katoenfabrieken in Afrikaanse handen kwamen.

Maar de ondergang zat het succes op de hielen: iemand betichtte
Opa van anti-regeringsactiviteiten, waaronder sabotage van de oor-
logsinspanningen. Hij werd in staat van beschuldiging gesteld. Zijn
pogingen om herbenoemd te worden als *chief* eindigden in de verpletterende nederlaag tegen een protestantse hoofdman. En zijn
neergang was niet te stuiten; zijn hele leven verkruimelde onder zijn
handen. Dat was eind jaren dertig al begonnen toen zijn lievelingsvrouw door een andere man was afgepikt en kort daarna gestorven.
Serenity, Tiida en Nakatoe waren wezen geworden. En nu, terwijl
de boycotacties de jaren vijftig op hun kop zetten, viel zijn huishouden nog verder uit elkaar: familieleden, vrouwen en vrienden gingen weg en als Oma er niet was geweest, dan zou hij helemaal ten
onder zijn gegaan.

De jaren zestig galoppeerden binnen. De politieke druk steeg. Het
Britse Rijk begon van binnenuit uiteen te vallen en er heerste onrust
in alle geledingen. De Britten waren bezig hun biezen te pakken. Zo
zouden ze ontsnappen aan de vlammen in het huis dat ze zelf in
brand hadden gestoken: dat beviel Opa niet. Hij had ze liever zien
boeten voor de manier waarop ze het volk hadden verdeeld, de
stammen tegen elkaar hadden opgehitst, de economie hadden
geëxploiteerd en alle rampspoed die het land nog te wachten stond
in gang hadden gezet. In de nationale politiek voerden de protestanten de boventoon, en beheersten de noordelijke volken het leger, de

politie en de gevangenissen. De centrale en zuidelijke volken bestonden voornamelijk uit boeren en bureaucraten. Zo waren er veel te veel breuklijnen waarlangs seismische activiteiten konden uitbreken.

Opa was tegen die tijd meer een toeschouwer geworden dan een deelnemer aan zowel de nationale als de regionale politiek. Hij sprak hier en daar nog op een kleine bijeenkomst waarbij hij zijn voorkeur voor partijloosheid uiteenzette, iets wat de politieke beginnelingen aan wie de halve wereld beloofd was als ze voor de een of andere partij zouden stemmen, vreemd in de oren klonk. De plaatselijke elite begaf zich in de politieke arena. De Aziaten hielden zich erbuiten, tevreden met negentig procent van de handel en met hun vorstelijke rol als kip met de gouden eieren. Na achtenzestig jaar Brits bewind waarin het merendeel van de Afrikanen aan de zijlijn van het politiek-economische leven had gestaan, zag Opa niet veel reden tot optimisme. Hij zag alleen rokende kruitvaten die op het punt stonden te ontploffen.

Voorafgaand aan de onafhankelijkheid manifesteerde het partijpolitieke geweld zich in het omhakken van zowel de bananen- als de koffiebomen van de aanhangers van rivaliserende partijen. Dit bevestigde Opa in zijn overtuiging dat een huis gebouwd op ongelijkheid, strijd en uitbuiting, onherroepelijk in zou storten, en waarschijnlijk al eerder dan men dacht. En toen hij daadwerkelijk werd aangevallen door een stelletje fanatiekelingen die zich kwaad maakten om zijn kritiek op de triomferende protestantse, door noorderlingen geleide Oegandese Volkspartij, beschouwde hij zijn steekwond als een bewijs van de juistheid van zijn theorieën. Zijn overtuigdheid van eigen gelijk bevorderde zijn snelle herstel, en sterkte hem in zijn onbuigzaamheid en zijn stoïcisme. De explosie was nabij, maar ook de bouw van een nieuw huis waar iedereen een aandeel in zou hebben. Het oude huis, gebouwd op Britse overheersing, Aziatische collaboratie en Afrikaanse stammenstrijd, behoorde niemand toe. Niemand voelde zich er veilig in. Het was een huis dat gebruikt en misbruikt was voor kleingeestig eigenbelang. Het was een huis dat afgebroken moest worden, vanwege de roofzuchtige verrotting die het had aangetast. In de tijd dat hij me deze dingen vertelde dacht ik dat hij het meeste ervan uit zijn duim zoog. Dat was niet zo.

Opa sprak uit ervaring. Toen hij zijn macht had verloren, toen zijn vrouwen hem hadden verlaten, en de meute familieleden en klaplopers uiteen was gestoven als veren op de wind, waren zijn ogen opengegaan. Hij had geen politieke invloed meer, maar hij voelde zich opgelucht, bevrijd van de spoken van het gezag, en van de parasieten die op zijn huishouding teerden. Zijn huis was een klein eiland geweest, belaagd door rovers, verziekt door tegenstrijdige belangen, aanhoudende verdeeldheid en jaloezie. Het was een vreugdeloos onderkomen geweest. Hij had nauwelijks geweten wat er zich binnen zijn eigen muren afspeelde. Het stond er stijf van de intriges, de schijnheiligheid en de winzucht. Zodra hij zijn erf op liep, had hij de spanning gevoeld: in de takken van de bomen en in de geur van de aarde in zijn koffie-*shamba*. De opbrengst van zijn koffieoogst had hem geobsedeerd, alleen maar omdat die onmiddellijk aan stukken werd gescheurd door de klauwen van inhalige klaplopers.

Op het hoogtepunt van zijn macht, terwijl hij overspoeld werd door aanbidders, kon hij er bijna niemand toe brengen hem de waarheid te vertellen. Hij voelde hoe iedereen een masker voordeed zodra hij thuiskwam. Elk woord dat gesproken werd was als een kostbare pijl of kogel die niet verspild mocht worden, maar zorgvuldig werd gericht, in een individuele of collectieve strijd om zijn gunsten, zijn geld, zijn status. Opa dacht niet dat het land op dezelfde, plotselinge manier ten onder zou gaan als waarop zijn huishouden was gedesintegreerd. Hij wist dat het tijd zou kosten.

1966. Vier jaar na de Onafhankelijkheid. Grondwet tijdelijk ingetrokken. In Centraal-Oeganda de noodtoestand afgekondigd. Voor de eerste keer in de geschiedenis van het land werd het dorp bezocht door gewapende soldaten. Opa geloofde dat nu de tijd was aangebroken waarop het nationale gebouw in vlammen zou opgaan. Hij wakkerde het vuur aan met de olie van zijn welbespraaktheid. Hij wees de politieke domkoppen met bijtende gelijkenissen op hun hopeloze situatie. Hij handelde met de moed van een man die wist dat het noodlot aan zijn kant stond.

Toen de hufters hem in een gierkuil smeten, dacht hij dat zijn einde nabij was, en dat zijn dood het vuur tot hoog in de balken zou doen oplaaien. Toen de hufters hem lieten gaan, had hij het gevoel dat hij een historische kans gemist had. En toen de dorpelingen hem weer uitnodigden om hen te helpen tegen het militaire geweld, zag hij dat als een gouden gelegenheid om zijn missie te vervullen. Op weg naar huis na een stormachtige bijeenkomst, werd hij beschoten en bad hij dat de dood hem zou halen. Maar hij kreeg slechts één kogel in zijn been. Hij wachtte op het salvo dat een nationale martelaar van hem zou maken, maar tevergeefs. Toen hij zijn ogen opende bevond hij zich in een ziekenhuisbed van Ndere Hospital, niet bewaakt door soldaten, en voelde hij zich treurig. De dag van nationale afrekening lag kennelijk nog een paar jaar verder in de toekomst. Hij vreesde dat die dag misschien aan zijn neus voorbij zou gaan.

De staatsgreep van generaal Idi Amin overrompelde Opa. Of hij had het bij het verkeerde eind gehad, óf er had zich een gril van het lot voorgedaan. Opa had verwacht dat de toenmalige president, Milton Obote, het land naar het communisme of socialisme zou leiden. Hij had verwacht dat de Aziatische ondernemingen genationaliseerd zouden worden. En hij had verwacht dat het Britse leger dan in zou grijpen om de belangen van het Britse kapitaal te verdedigen. Met steun van de Russen of Chinezen zou Obote daartegenin gaan. En hij zou in naam van het anticommunisme afgezet worden. Maar vóór het zover was, had Amin de macht al overgenomen, en was Oma onder verdachte omstandigheden bij een brand omgekomen.

Verdoofd door verdriet en onzekerheid, en op zichzelf teruggeworpen zonder zijn favoriete adviseur, antagonist en zuster, schortte Opa zijn politieke overpeinzingen en monologen op. Ergens in zijn achterhoofd begon steeds regelmatiger de gedachte te kriebelen dat Amin wel eens de man zou kunnen zijn op wie iedereen had gewacht, de man die de volgende explosie, of serie explosies zou veroorzaken. De Britse plunderaars hadden het politieke toernooiveld vrijgemaakt voor de plaatselijke bandieten en trachtten met steun van hun Aziatische stromannen de economie op afstand te beïnvloeden. Was Amin de man die dat hele gecorrumpeerde bouwwerk aan diggelen zou slaan?

Opa werd uit de diepten van zijn verdriet getrokken door het nieuws dat alle Aziaten binnen negentig dagen het land moesten verlaten. 'Nu zul je het krijgen,' zei hij bij zichzelf. 'Nog een paar explosies en het huis ligt in puin. Dan kan de wederopbouw beginnen.' Deze keer liet hij zich bijten door het ongedierte van het optimisme. Hij geloofde dat Amin zijn beloftes zou nakomen en werkelijk naar de barakken terug zou keren als hij orde op zaken had gesteld. Opa begon naar de kroeg te gaan. De atmosfeer was veel te geladen om thuis te blijven zitten zeuren over het verleden, terwijl de toekomst aan de horizon gloorde. De mensen zongen Amins lof. Opa zag de zware hangsloten van de Aziatische ondernemingen vallen, zodat voor de Afrikanen de weg vrijkwam naar de bolwerken van economische macht. Angstige stemmen werden overstemd door het feestgedruis. Niemand wilde de algehele euforie met zijn twijfel bederven. Hier was zo lang op gewacht dat iedereen het in zijn puurste vorm tot zich wilde nemen. Opa negeerde gesprekken over de economische mishandeling van Aziatische ondernemers. Zijn geest was al een tree hoger, een explosie verder, want wat begonnen was moest doorgezet worden tot het logische (of onlogische) einde. Amin had kloten, dat was duidelijk. Nu was de vraag hoe hij ze de volgende keer ging gebruiken.

November 1972. De Aziaten begonnen te vertrekken. Opa zou ze niet missen omdat hij geen Aziatische vrienden had. De grote aankopen deed hij bij één en dezelfde winkel, waar hij beleefd werd bediend. Maar daar hield de relatie op, bezegeld met het gerinkel van geld. Hij had Aziatische winkels zien beginnen, uitbreiden en floreren. Hij had er ook een paar verdrongen zien worden, maar het was een Aziatische aangelegenheid gebleven.

Nu bleven de Aziatische tempels troosteloos en zonder gelovigen achter. Nu zouden de Aziatische scholen opengegooid worden en iedereen toelaten. Nu zouden nieuwe gezichten de Aziatische clubs en sportfaciliteiten binnendringen en overnemen. Als groep waren de Aziaten te invloedrijk om mee te sympathiseren, maar hij kon het niet helpen dat hij aan de ouderen moest denken. Wat moesten die bejaarde mannen en vrouwen met hun krakende botten en driedubbele kinnen nu doen? Wat zou híj in hemelsnaam gedaan hebben als hij in hun schoenen had gestaan? Wat zou Oma hebben gedaan? Wat zou ze gevoeld en gezegd hebben? Hij kon zich er geen voorstelling van maken hoe die ouden van dagen het in Engeland moesten rooien, een land waar hij nooit naartoe had gewild want, zo redeneerde hij, als de Britten zijn toekomst hier al verziekten, wat zou hem dan niet te wachten staan in hun eigen land, waar ze nóg meer macht, nóg meer gezag en nóg meer speelruimte hadden?

Opa zag de Aziatische gemeenschap uit elkaar spatten als een broodvrucht die op beton viel. Je had de rijken en de armen, de geschoolden en de ongeschoolden, de blauwbloedigen en de onaanraakbaren, de Indiërs en de Goanen. Hoe zou het de onaanraakbaren, die door hun eigen volk werden veracht en gediscrimineerd, in Engeland vergaan, waar velen van hen er zwarter uitzagen dan Afrikanen? Als Opa in Amins positie was geweest, zou hij de oudere mensen hebben laten kiezen of ze weg wilden gaan of wilden blijven. Dat zou redelijk zijn. Dat was wel eerder gebeurd in het land. Toen de hoofdmannen uit Midden-Oeganda verbannen werden uit de streken waar ze heen gegaan waren om de Britse regering te helpen vestigen, gingen de mensen die wilden met hen mee en bleven de anderen achter.

Maar nu vertrokken alle Aziaten. Er gingen al geruchten over zelfmoorden: mensen die zichzelf in brand staken, gif innamen, zich verdronken. Opa was blij dat de Britten dit keer niet konden ontsnappen. Amin stuurde duizenden Aziaten op hen af, onder wie velen die zij eerder succesvol uit Engeland hadden geweerd door middel van hun immigratie-quota-systeem. De ironie van het hele geval was dat Britse officieren Amin gesteund hadden en dat Engeland de handen had vuilgemaakt aan zijn coup, en dat hij ze nu terugbetaalde. De Britten hadden beslist een aantal verdienstelijke Afrikaanse officieren links laten liggen toen ze deze draak aan het opjutten waren, en nu was het te laat om zijn veelsoortige koppen af te hakken. Wat was komen aanwaaien op de vleugels van racisme en inhaligheid vloog nu als een boemerang weer terug.

Uit angst voor de toekomst maakte Opa gretig gebruik van de uitverkoop in de winkels achter Mpande Hill. Hij schafte een zak van vijftig kilo suiker aan, een tienliterblik slaolie, een twaalfliterblik petroleum en cement om de gebarsten graven op de familiebegraafplaats vlak bij mijn lievelingsboom mee te repareren. Opa zag wel dat Amin een roversbaron was, een maffiabaas, een man die onder andere omstandigheden een financieel imperium voor zichzelf zou hebben opgebouwd zo groot als Barclay's Bank, omdat hij het lef, het geluk en de meedogenloze inzet had van een succesvolle schurk. Wat Opa echter dwarszat was dat Amin veel te veel macht had en te onberekenbaar was. Niemand leek te kunnen inschatten waar hij toe in staat was. Daardoor zag de toekomst er bewolkt uit.

Opa herinnerde zich dat Serenity geschrokken was van de situatie in de stad toen hij er na de Onafhankelijkheid heen verhuisd was. De rassenscheiding was op zijn hoogtepunt en de krottenwijken groeiden onrustbarend. Het leven speelde zich af in strikt gescheiden ruimtes, met glazen wanden tussen alle rassen, alle klassen en alle stammen. De voormalige dorpsonderwijzer stond versteld van de agressieve sfeer die er heerste in de stad van na de Onafhankelijkheid.

De blanken hadden zich teruggetrokken in hun marmeren vestingen, hun voorrechten en hun elitaire collectieve macht. In hun eigen land genoten zij de bescherming van kernraketten in silo's en hier die van oorlogsschepen in de Indische Oceaan. Zij waren goudvissen in verplaatsbare aquaria, en werden aangegaapt als ze door de stad reden op weg naar hun scholen, clubs, of topbanen. Serenity voelde de afgunst in zijn lijf kriebelen.

De Aziaten in 'Mini-Bombay' zaten in hun eigen herenhuizen, scholen, ziekenhuizen, en bleven een mysterie voor de Afrikanen, en beslist een raadsel voor de voormalige onderwijzer die met klei aan zijn schoenen door de stad sjokte. De Aziaat die hij nog het beste kende was zijn afdelingschef, een man die bevelen, geboden en opdrachten uitdeelde op schrille, hoge toon. Het enige wat hij van diens privé-leven af wist was dat de man tien kinderen had en dat zijn ouders uit Goejarat kwamen, waar hij zelf nooit geweest was.

Serenity was geschokt door de afzichtelijkheid van de stammenscheiding. Alle soldaten die hij zag waren grote, donkere zonen van Noord-Oeganda. De politie bestond uit een mengelmoes van noorderlingen en oosterlingen. Er was een voelbare vijandigheid tegenover de mensen uit de centrale streken, waar hij vandaan kwam, en wanneer hij gewapende soldaten tegenkwam, voelde hij zijn voeten in de modder wegzakken en de sprinkhanen in zijn borstkas en maag knagen. Ze bekeken hem met afgunst omdat hij een ambtenaar was, een betere baan had, een beter salaris en meer zekerheid. Dan voelde hij zich een potentieel slachtoffer van gewapende frustratie, geldzucht en stammenhaat. Opgegroeid in dorpsfatsoen, kon Serenity moeilijk wennen aan de grootschalige haatgevoelens. De wanhopige arrogantie waarmee zijn stamgenoten zich tegen beschuldigingen van koloniale collaboratie trachtten te weren maakte hem angstig: Serenity kende geen arrogantie. Hij had alles altijd overleefd door niet op te vallen. Hij vermeed conflicten, matigde zijn meningen en ontweek de schijnwerpers. Nu leek het of hij zich voortdurend op het toneel bevond, gadegeslagen werd door een vijandig publiek, en rollen moest spelen waarvoor hij nooit belangstelling had gehad. Het leek wel of iederéén op het toneel stond, en rollen speelde die hun door het lot of door vreemden waren toegewezen. Hij had het gevoel dat er gevaar dreigde.

De Afrikanen stonden onderaan, losjes verenigd door hun gezamenlijke afkeer van de Aziaten en de Europeanen, en door hun verleden waarin ze kastelen hadden gebouwd en van de bouwsteigers van herenhuizen waren gevallen die ze zelf nooit hadden bewoond. Ras betekende klasse en klasse werd nog steeds bepaald door ras. Afrikanen wilden uit de blubber op de bodem van de plas omhoogkomen, de gezonde lucht in. De meerderheid geloofde dat ze de tijd mee hadden, wat in zekere zin waar was. Maar Serenity wilde niet wachten terwijl intussen de rekeningen zich opstapelden. Wat hij

wilde was een onbezorgde toekomst, een betere baan, en een pelgrimstocht naar het land waarheen jaarlijks de zwarte vogels trokken. In de maalstroom van wedijver, haat en onzekerheid wankelde
en weifelde hij. Hoe kon hij genoeg geld verdienen om zijn kinderen
de beste schoolopleiding te geven en ook nog iets voor zichzelf
overhouden?

De politieke elite van na de Onafhankelijkheid bezat wat hij wilde bezitten, maar de spanningen waaraan ze blootstonden beang-
stigden hem, het bloed en het slijk waar ze doorheen hadden moeten
waden om te bereiken wat ze nu hadden. Zo pakten door de wol geverfde schurken het aan. Zijn buurman en vriend Hadji Gimbi beweerde vaak dat er verandering op til was, maar hoe kon hij daar beter van worden? Veranderingen ten goede waren voor degenen die
over lijken gingen, en hij was niet bereid zo ver te gaan.

Serenity had altijd achterdochtig en angstig tegenover autoriteit
gestaan en Amin joeg hem op een speciale manier schrik aan. Een
man die door middel van een coup aan de macht was gekomen, die
de leiding had over duizenden soldaten, en die niet bang was voor
de dood, zo'n man moest je wel vrezen. Hij verscherpte het contrast
tussen de wet als boek, de wet als sociaal verschijnsel en de wet als
wapen. Zoals het er nu voor stond, was de wet een wapen, waren
willekeurige arrestaties en opsluitingen aan de orde van de dag, en
dat alles beangstigde hem. Zijn voornaamste troost was dat Hadji
Gimbi connecties had doordat hij moslim was, en bevriend was met
mensen die invloedrijke figuren kenden. Hadji Gimbi had hem beloofd dat hij hem zou helpen, als hij problemen kreeg met het leger
of met de politie.

Serenity was sprakeloos toen alle Aziaten het land uitgezet werden.
Iets als euforie steeg in hem op. Hij rook hoop in de lucht terwijl de
horizon trilde van de veranderingen en de nieuwe mogelijkheden.
Het besef dat zijn kinderdroom waarheid geworden was schokte
hem. De handelaars die zijn jeugd vernietigd hadden met hun complot, en zijn hele leven hadden vergald, die handelaars moesten
weg! Hun droom was voorbij, onherstelbaar beschadigd! Hij wist

dat de Aziaten niet zonder tegenstribbelen zouden vertrekken: kippen met gouden eieren bijten van zich af, slaan met hun vleugels, en maken de eieren stuk. Maar plotseling zag alles er anders uit. Plotseling dreven alle misstanden, alle verdachtmakingen, alle haat, alle angst, alle machts- en monopolieposities als loze gifwolken door de lucht. Plotseling konden goed noch kwaad de Aziaten nog redden.

Serenity vond het vreemd dat de Britten de Aziaten niet terug wilden hebben na alles wat die Aziaten voor hen hadden gedaan, na al het geld dat ze voor hen hadden verdiend, na al die honderden jaren dat Engeland van India had kunnen profiteren. Voor de eerste keer in zijn leven besefte Serenity hoe kostbaar een eigen natie is, hoe belangrijk het is een vaderland te hebben, een plek om naartoe te kunnen gaan. Hij moest even denken aan hoe Hangslot uit het klooster verbannen was, behalve dat dit een veel zwaardere beproeving was voor degenen die het betrof. Als hij naar de tranen keek, de angst en de pijn, besefte hij dat hij de aard en het bereik van de Aziatische macht sterk overschat had.

Er gingen veel geruchten: over Aziaten die zich van het leven beroofden, die alles wat ze bezaten verkochten, die zout in automotoren gooiden, die alles weggaven. Overal werden er rommelmarkten gehouden en er stond een lange rij zenuwachtige Aziaten voor de Britse ambassade die hoopten reisdocumenten te krijgen. Die eindeloze rijen hulpeloze en verwarde Aziaten in de blakerende zon maakten Serenity nog wantrouwiger tegenover het begrip macht.

Op een avond kwam Serenity thuis met een beige plastic Toshiba zwart-wittelevisie, die de eigenaardige gewoonte bleek te hebben om na twee uur te gaan stinken naar geschroeid leer en rotte vis. Als het toestel uitgezet werd verminderde de stank, maar als je het dan weer aanzette, was het na een kwartier weer net zo erg. Deze stank maakte mij altijd nieuwgierig, omdat ik geen televisie mocht kijken. Hangslot en Serenity waren van mening dat televisie onherstelbare schade kon aanrichten in een geest die toch al tot zonde geneigd was, en dat de rebellie erdoor gestimuleerd kon worden. De schijters kregen opdracht mij te verklikken als ik in afwezigheid van de despoten toch keek.

Als gevolg van het tv-verbod hoorde ik het nieuws over alles wat er gaande was uit de tweede hand. De schijters vatten kort samen wat de tekenfilmhelden, de boksers, de filmsterren en de Koreaanse trapeze-artiesten deden, en ik verzon de details er zelf bij. Terwijl ik het geschater van de schijters en hun ellebooggevechten om een plaatsje vlak bij het toestel aanhoorde, probeerde ik me een voorstelling te maken van wat er zich op het scherm afspeelde. Soms ontsnapte er een stiekeme stinkscheet uit een anoniem achterwerk, wat beschuldigingen over en weer uitlokte. Ik glimlachte in mezelf als ik Hangslot dan hoorde brullen en dreigen en hel en verdoemenis afroepen over de schuldige.

Wat me het meest ergerde was dat ik moest missen hoe er in ons land geschiedenis geschreven werd. Ik kon geen decreten van Amins lippen zien rollen, zoals ik aanvankelijk gehoopt had toen ik vernam dat de technologie onze pagode was binnengedrongen. Ik verlangde ernaar om Amins gezicht te zien, zijn houding, zijn stemming terwijl de afkondigingen die het leven van miljoenen beïnvloedden als magische toverspreuken zijn lichaam verlieten. Ik had visioenen van een zenuwachtige Mozes die met zijn stok op de wateren sloeg om een weg te banen voor de kinderen van Israël. Waarin verschilde Amin van die bijbelse figuur?

Af en toe liep ik de zitkamer in om zogenaamd iets te pakken en wierp ik een heimelijke blik op het scherm. Amins gezicht vulde het hele beeld, en als hij ook maar enige angst voelde, ook maar enige notie had van het gewicht van zijn beslissingen, dan toonde hij dat niet. Hij zag eruit als een heerser, een tovenaar die volledig op zijn oppermachtige toverstaf vertrouwde.

Na het televisietoestel besloot Serenity een luchtkasteel voor zichzelf te kopen: hij schafte zich de complete bibliotheek aan van een wanhopige Aziaat die afgewezen was door de Britten, de Canadezen en de Amerikanen en die zich nu dan maar klaarmaakte om naar Pakistan te gaan. Het luchtkasteel had zijn eigen gewelddadige geschiedenis: de helft van de verzameling was van een man geweest die, weken tevoren, rattengif had ingenomen, zijn polsen had doorgesneden en tussen zijn boeken was doodgebloed, zodat er nogal wat besmeurde exemplaren bij waren die verbrand moesten worden. Serenity's nieuwe aankopen arriveerden in de kotsgele bestelwagen van de posterijen waarmee hij ook naar de stad was verhuisd. De chauffeur had nog steeds Elvis-bakkebaarden en toen hij klaagde dat de kisten te zwaar waren, dreunde zijn stem dof, alsof hij door een dikke kleipot heen schreeuwde.

Serenity maakte kennis met Oliver Twist, Madame Defarge, de slimme ontwijker, en meer figuren uit de Dickens-jungle. Maar zijn hart ging uit naar de Amerikaanse jungle. Amerikaanse schrijvers, met hun fascinatie voor landverhuizers, en hun obsessie voor geld, succes en macht, sleepten hem mee in een droomwereld waarin innemende schurken alles voor elkaar kregen. Verscholen in hun penthouse sloten ze deals, slurpten ze champagne, namen ze deel aan orgieën met welgeschapen nymfomanes en gingen zich op het krankzinnige af te buiten. Ze gokten, scheurden in sportauto's, vlogen in privé-vliegtuigen rond en zeilden met cruiseschepen waar de wellust van afdroop door de Caribische Zee. Serenity dronk het allemaal in, liet het door zijn hoofd spoelen en was kwaad dat het voor hem allemaal niet weggelegd was.

Het schokte Serenity dat karakter geen onwrikbaar rotsblok was dat stil kwam te liggen als iemand achter in de twintig was, vrouw en kinderen kreeg en in de gaten gehouden werd door vrienden, familieleden, collega's, kennissen en vreemden. Hij voelde zich juist in een stroomversnelling en werd zich bewust van de onbevredigde seksuele spanningen in zijn lichaam. Bevrijd door het tumult van de recente gebeurtenissen, spookte de verleiding door zijn lichaam als malaria die op het punt staat uit te breken in een zware koortsaanval. Hij kon zich niet heugen wanneer hij voor het laatst in bed had gelegen met een vrouw die hem opwond door haar kracht en haar elegantie; hij kon zich geen lichaam herinneren dat mooi was, lekker rook en dat je duizelig maakte van zinnelijke bevrediging als je het aanraakte.

En wat moest hij van Vrijer denken? Was Vrijer de reïncarnatie van de man die zijn moeder had verleid en haar de dood in gevoerd

had? Zo niet, wat vertegenwoordigde die jongen dan? Jeugd, vrijheid, onschuldige flirt? Of liefde zonder verplichtingen? Serenity
dacht even terug aan zijn eigen vrijgezellendagen toen hij ettelijke
huishoudens had afgestroopt op seksueel onbevredigde vrouwen.
Hij was vrij geweest om te komen en te gaan, hij had nog geen verantwoordelijkheden, hij kon geven en nemen wat hij wilde, en hoefde geen ogenblik aan de toekomst te denken. Hij nam zich voor Boy
goed in de gaten te houden. Tegelijkertijd moest hij denken aan de
tante van zijn vrouw op de bruiloft: met de verwaande gratie van een
verveelde godin rees ze uit de tombes van onbenutte mogelijkheden
voor hem op.

Het aanstaande vertrek van de Aziaten veroorzaakte op veel kantoren de heftigste discussies. Serenity werd in die tijd door een van
zijn pesterige collega s in de val gelokt.
    'Geloof jij dat alle Aziaten zullen vertrekken?' sarde hij.
    'Ja.'
    'Volgens mij durf jij als katholiek je geld niet op het spel te zetten
voor je mening. Sommigen van ons vinden dat jij mooi weer speelt.
Als het erop aankomt maak je je stilletjes uit de voeten.'
    'De Aziaten moeten gewoon weg. Amin meent het.'
    'Amin kan dit niet maken. De economie stort in. Engeland zal hem
vanuit de lucht bombarderen. Hij kan het risico van een embargo niet
lopen. Bovendien is hij bang voor Amerika: er liggen Amerikaanse
oorlogsschepen hier vlakbij in de Indische Oceaan. Ik wil wedden dat
hij zijn bevel binnen een maand intrekt. Amin jaagt deze mensen alleen maar de stuipen op het lijf om ze te laten zien wie de baas is.
Waarschijnlijk probeert hij meer geld van Engeland en Amerika los te
krijgen.'
    Waarom zouden Engeland en de Verenigde Staten er niet in sla-
gen Amin tegen te houden? Waarom zou Amin het niet opgeven?
Daar had Serenity geen sluitend antwoord op. Hij kon alleen op zijn
voorgevoel afgaan. De Koude Oorlog en de strijd tegen het communisme woedden in alle hevigheid; zou hij op zijn voorgevoel kunnen
vertrouwen? Hij besloot zijn nek uit te steken.

'Engeland en Amerika gaan zich er heus niet in mengen,' zei hij moedig.

'Ze zullen over Amin heen kakken tot hij stikt en zich laat vermurwen.'

'Ik denk van niet.'

'Amin zal zo hard aangevallen worden dat hij zelfs de paar Aziaten die al vertrokken zijn terug zal roepen.'

'Ik denk van niet,' zei Serenity met klem.

'Je krijgt vijfhonderd dollar van me als jij gelijk krijgt, en ik vijfhonderd dollar van jou als je verliest.' De man likte aan zijn wijsvinger, haalde hem langs zijn keel in een onthoofdingsgebaar en stak hem bezwerend in de lucht.

Alle aandacht was nu op Serenity gevestigd. Vijfhonderd dollar was een hoop geld voor een ambtenaar: als hij verloor zou hij maandenlang in de problemen zitten. Dan zou hij zijn boeken en de televisie weer weg moeten doen. Waarom ging hij voor die wijsneus door de knieën? Uit zelfrespect? Om de sensatie die het lopen langs de rand van de afgrond hem bezorgde? Om te doen wat mensen in boeken deden zonder dat ze gestraft werden? Zijn hoofd schommelde als dat van een kalf dat vastzit in het moeras. Hij sloeg op de tafel: éénmaal voor het aannemen van de uitdaging, tweemaal om zijn walging te uiten, driemaal om Vrouwe Fortuna het hof te maken. Tot zijn ontzetting haalde de wijsneus een op geel papier getypte overeenkomst uit zijn zak. Het was afgesproken werk. Serenity ondertekende het papier en een neutrale partij borg het op.

Uit angst dat hij de weddenschap zou verliezen en dat Amin van gedachten zou veranderen, begon Serenity tegen Hangslot te oreren over de internationale politiek, de mondiale verhoudingen, de wereldeconomie, de kracht en zwakheden van het westerse kapitalisme – onderwerpen die haar bijna deden kokhalzen. Hangslot hoorde de woordenvloed alleen maar aan omdat ze hadden afgesproken nooit de heilige code van despotische harmonie te verbreken waar de kinderen bij waren. Het leek wel of Serenity hoopte dat het noodlot tijdens zijn troebele politieke geredekavel de trillingen in zijn stem, de angst in zijn borstkas en het brandende gevoel in zijn darmen zou opvangen en partij voor hem zou kiezen.

Hangslot daarentegen had haar mans irritante gekakel het liefst met een flinke tik van haar guavekarwats beantwoord. Maar hij praatte maar door en ontkrachtte de despotische stilte. Hij beging zelfs de onvergeeflijke zonde de nieuwslezer in de rede te vallen en de avondgebeden en heilige rozenkransen op te houden, waarmee hij haar gemoedsrust verstoorde, net als de dansers op haar bruiloft hadden gedaan met hun duivelse bekkenbewegingen.

Serenity's nietsontziende, geobsedeerde aanval op haar geestelijk welzijn, deed haar denken aan een andere kwestie van vitaal belang: haar heilige plicht om mij eronder te krijgen. Ze was al een decor aan het bouwen voor haar eerste belangrijke overwinning. Ze hield een lijst bij van mijn misdrijven, die ze telkens volledig opsomde als mijn gedrag haar niet aanstond. Daarbij nam haar stem de strijdlustige jammertoon aan die hoorde bij oplopende rampspoed. Toch bleven in die tijd veel van mijn zonden ongestraft. Ze bracht weliswaar regelmatig verslag uit van mijn misdrijven aan Serenity, maar die was, jammer genoeg voor haar, zo afgeleid door zijn weddenschap dat hij zich niet aan de afspraak hield onmiddellijk lijfelijke straffen uit te delen. En hoe meer hij haar teleurstelde, des te vastberadener werd zij om mijn dag van ondergang te bespoedigen. Ze begon elke avond verslag uit te brengen, op dezelfde tijd, vlak voor het belangrijke nieuws van acht uur, wanneer de stinkende capriolen op de buis Serenity's politieke monologen even onderbraken.

Op een middag, toen de meeste Aziaten vertrokken waren en de wijsneus op kantoor Serenity honderd dollar had betaald – meer heeft hij nooit gekregen – reed de kotsgele bestelwagen van de Oegandese Posterijen weer voor. Dit keer kwamen er een ijskast, een oven, een enorm bedspiraal uit tevoorschijn, een doos zwarte theemutsen die prachtige ouderwetse afro-pruiken bleken te zijn en nog een aantal spullen, plus iets dat mij enorm fascineerde. Het had twee poten, als een reclamebord, een rechthoekig oppervlak en was zo glanzend en glad dat je je gezicht erin kon zien. Nauwkeurig volgde ik de harige handen van de chauffeur om te zien of zijn palmen nat werden als hij het glimmende oppervlak aanraakte. Met ingehouden adem wachtte ik tot hij zijn handen aan zijn kaki overall zou afvegen, maar dat deed hij niet. Ik ging vlak bij Serenity staan in de hoop het voorwerp aan te kunnen raken om mijn nieuwsgierigheid te bevredigen. Maar Serenity gromde alleen maar een van zijn gebruikelijke halfafgemaakte dreigementen: 'Als je er met je poten aankomt...'

Uit de eerbied waarmee de nieuwe aanschaf werd behandeld begreep ik dat het om kostbare spullen ging, kostbaarder dan de stinkende Toshiba of Serenity's nieuwe suède schoenen. Ik kon mijn belangstelling voor het glanzende voorwerp dat in de grote ruimte van de despotische slaapkamer werd geïnstalleerd nauwelijks verbergen.

Nadat de lorrie en Serenity vertrokken waren kroop er een uur voorbij. Ik staarde naar de wolken, vage schuimende paarden die hun hoofden in elkaars achterwerk staken terwijl ze door de lucht joegen. Zou het gaan regenen?

Hangslot was niet op haar commandopost en ook niet op de wc, zodat ik tot de conclusie kwam dat ze naar de winkels was gegaan om katoen, chiffon en andere stoffen te kopen voor haar naaiwerk. Vrijer was niet gekomen en het was te laat om hem nog te verwachten. De schijters hadden het druk met kleine klusjes of gingen in hun spel op. Dit was het ogenblik om de muren van mijn vernedering te bestormen en voet te zetten op de grond waarop ik bijna dagelijks moest knielen. Dit was het ogenblik om de tempel van despotensluimer te betreden, als een piraat die zich een eiland toe-eigent, om als een veroveraar de schatten te grijpen die ik begeerde. Dit keer was er niemand om mijn voeten, mijn gedrag, mijn toon, mijn houding te berispen. Ik zou die kamer van despotische verordeningen, dromen, liefde, verwekking, nachtelijk debat en verborgen conflicten aan mij onderwerpen. Dit was míjn staatsgreep, mijn antwoord aan mijn folteraars. Ik ging hun laden openen, hun dozen, hun kleren en sieraden onderzoeken en kijken of ze kleine, smerige boekjes hadden vol schunnige geheimen. De magneet in het hart van deze putsch was het geheimzinnige, glanzende voorwerp. Dat deed me mijn angst overwinnen en gaf me de moed deze coup te plegen. Even voelde ik me weer net zo machtig als toen ik nog kraamvrouwmascotte was

Ik stormde langs de Toshiba, waarvan de vale kast beleefd lonkte. Mijn voetzolen veerden op de haren van het tapijt, dat stijf stond van het vuil, zodat het schoonborstelen ervan meer op het verplaatsen van rotsblokken leek. 'Je gaat door met borstelen tot ik zeg dat je kunt ophouden,' hoorde ik de schim van Hangslot grommen. Zij had Oma nooit vergeven dat ze gestorven was voordat Serenity een stofzuiger had gekocht, omdat het spaargeld ervoor nu was opgegaan aan de begrafeniskosten. Daarna had Serenity steeds geweigerd een stofzuiger te kopen.

Ik duwde tegen de deur waar ik bevend tegenaan had geleund toen ik Hangslots plan om me klein te krijgen had afgeluisterd. Haar slaapkamer lag half in het donker, alsof de muren barstten van de verzwegen geheimen. Het oude bed was afgehaald en volledig onttakeld: de springveren wezen als lege kegels naar het plafond. Ik ging op de veren zitten en er klonk een metaalachtig gekraak. Het bed leek op Serenity's oude veroveraarsbed. De veren en de ombouw sneden in mijn achterste. Ik kwam overeind en bestudeerde het nieuwe bed. De dikke, kriebelige deken leek op een slangenhuid door zijn rode en bruine vlekken. Met mijn gezicht strak van de spanning betastte ik de deken, die knetterde van de statische elektriciteit. Het bolle, zijdeachtig aanvoelende kussen deed me denken aan de huid van een zeug in de paartijd, vlak voor het verkeerd gerichte zaad eroverheen spoot. Op dit kussen hadden hoofden vol geile fantasieën gelegen: van de despoten als die het met elkaar deden, of daarvoor van de Aziaten die het aan de despoten verkocht hadden. Er hing een muffe, houtachtige geur in de lucht die samen met die wellustige fantasieën mijn opwinding verhoogde.

Hangslot had een opmerkelijke leeslamp: de kap was een geel met zwart gestipte kegel, de standaard een beroemde blanke vrouw met een brutale glimlach om haar volle lippen, wier geplooide jurk tot aan haar middel opwaaide alsof een ventilator hem omhoog blies. Daar stond ze, deze veterane van het witte doek, afgedankt door de vertrekkende Aziaten, overgenomen door de despoten. Ik betastte en streelde haar achterwerk, verbaasd over de ongerijmde obsceniteit van haar aanwezigheid in deze kamer. Voordat ik mijn ontdekkingstocht voortzette kneep ik snel nog een keer in haar kont.

Ik hield mijn neus zo dicht mogelijk bij het glimmende voorwerp, dat aan het hoofdeinde van het nieuwe bed was opgesteld. Ik was teleurgesteld dat het naar schoenpoets rook; een scherpe, olieachtige geur. Toen kon ik de verleiding niet langer weerstaan. Ik strekte mijn hand uit en raakte het glanzende oppervlak aan. Het was droog en glad, zoals ik me verbeeldde dat de rug van Loesanani was. Ik sloot mijn ogen en verkende het koele, gladde oppervlak, mijn vingers steeds dieper in denkbeeldige openingen, mijn ogen in gedachten gericht op glanzende, iets openstaande lippen. Ik strekte me ruggelings over het dikke kussen heen en mijn hand raakte het uiteinde van het voorwerp, vlak bij de muur. De sensatie in een donkere poel te zwemmen, warm en lobbig van zwijnensperma, was bedwelmend. Ik had het gevoel alsof de Lampvrouw, Nantongo en Loesanani allemaal op mijn buik zaten en een dikke vloeistof uit mijn lendenen persten. Toen ik op mijn buik rolde zag ik de doos met pruiken. Er lag er een bovenop als een hen op haar eieren. De haren deden me denken aan de schaamharen van tante Tiida. Maar van dichtbij leek de pruik meer op een monstrueuze duizendpoot die uit ontelbare zwarte rupsen aan elkaar genaaid was. Ik keerde me weer naar de glimmende plank, en genoot van de opwinding in mijn schaamstreek. Wat zat er onder die glimmende pracht, dat gladde, droge oppervlak?

Met mijn nagel begon ik aan de rand van de plank te krabben. Ik werkte langzaam, ritmisch, maar het gladde oppervak liet zich niet verwijderen. Ik had gereedschap nodig. Ik kon een spijker of een mes pakken, maar ik wilde geen krassen maken. Ik moest mijn nagels gebruiken, maar op een andere manier. Ik duwde ze in de lijmlaag tussen het fineer en de omlijsting. Er brak een stukje fineer af zo groot als een duimnagel. Onder het fineer zat alleen maar hout! Dof bruin, met lange nerven! Het zweet liep over mijn rug: wat moest ik met het afgebroken stukje? Tevens voelde ik een hevige teleurstelling, die mijn paniek voor een ogenblik terugdrong.

Ik likte aan de lijmkant van de splinter en trachtte hem weer op zijn plaats te plakken. Hadden we geen behoorlijke lijm in huis? Er was een tube solutie die we gebruikten om fietsbanden mee te plakken. Een steek van opluchting schoot door me heen: daarmee zou ik de beschadiging en mijn ontdekking dat er slechts een banale dofheid onder het glimmende oppervlak zat, ongedaan kunnen maken. Ik beefde zoals ik gebeefd had toen ik dacht dat Hangslots baby in het gat van het privaat zou vallen. Weer was ik haar te slim af.

Een zweverige, suizende sensatie tilde me op. Ik vloog door warme luchtlagen zo dik als ochtendmist de veiligheid tegemoet. Maar op dat moment sloeg een ziedende handpalm ziedende lucht in mijn gezicht. Twee nagels verzonken in mijn onderlip, buiten bereik van mijn vervaarlijke tanden. Dit was iets nieuws, want Hangslot was een befaamd orentrekker. Misschien was ze dermate buiten zinnen dat ze niet meer in staat was haar normale foltermethodes toe te passen.

'Besef je wel wat je gedaan hebt?'

Deze vrouw wist precies hoe ze me razend kon krijgen: met dat zielige, meisjesachtige country-and-western-jengeltje in haar stem, dat ze van een blanke non uit haar kloosterdagen had overgenomen – dezelfde non van wie ze ook de trillertjes had die ze elke avond vroom door de laatste psalm strooide. Als iemand me dan toch ging martelen, gaf ik de voorkeur aan een stevige, mannelijke, of voor mijn part vrouwelijke aanpak, en niet aan die kinderachtige meisjesmanieren, die me het gevoel gaven dat er een snotaap van vijf naar me spuugde.

'Me-me-m'n liiiip,' piepte ik en trachtte mijn angst de kop in te drukken.

'Denk je dat je nog steeds in het dorp bent waar ze alles doen zonder erbij na te denken?'

'Nee-ee-ee,' antwoordde ik omdat ik niks beters wist, boos omdat ik mezelf had laten kennen. In het dorp deden ze helemaal niks zonder erbij na te denken. Integendeel, ze pasten zich aan de normen aan. Mensen deden in de stad juist een heleboel dingen zonder erbij na te denken, maar waren te verwaand om dat toe te geven, en wellicht schaamden ze zich te zeer om het onder ogen te zien. In het dorp zouden Opa en Oma me gewoon verteld hebben dat het glimmende ding een plank was voor aan het hoofdeinde van een bed, van hout dat gefineerd was, punt uit. Hier, in die jungle van pretentie en despotisme, gedroegen volwassenen zich belachelijk, gaven ze geen enkele uitleg, en tegelijkertijd geloofden ze zelf dat ze het prima aanpakten. Intussen draaide Hangslot weer aan mijn lip en gaf me een opdonder.

'Weet je wat dat bed gekost heeft?'

Ik zweeg. Mijn lip lag in een knoop. Gekleurd kwijl, vermengd met tranen druppelde langs mijn kin omlaag.

'Knoop dit in je oren: ik ben je grootmoeder niet, en ik ga je niet verwennen zoals zij heeft gedaan. Ik zal je wat fatsoen bijbrengen. Ik zal het er inhameren tot je erbij neervalt.'

'Ja, ja, Oma, ma.'

'Ik heb genoeg van jouw hufterige gedrag. Ik heb genoeg van jouw schoftenmanieren. Ik heb er genoeg van me altijd voor je te moeten schamen, hoor je?' Na elke zin draaide ze mijn lip verder, haar ogen spuwden zwart, geel en rood vuur.

'En je moet eens ophouden als een os te eten. Je moet ophouden te eten alsof je morgen niets krijgt, hoor je me? Hou op, hou op, hou op.'

Dit was moeilijk te verdragen: verlaagd te worden tot een vraatzuchtige os was wel de ultieme belediging. Ik keek neer op de eetgewoontes van stadsmensen, vooral als ze hun gebrek aan voedsel verhulden achter een korzelig fatsoen. In het dorp at je tot je genoeg had en soms moest je dan nog meer eten, afgezien van de suikerrietstengels, de broodvruchten en de papaja's die je tussen de maaltijden door at. Maar hier werd er van je verwacht dat je werkte als een paard en honger leed of zo min mogelijk at, en daar dan nog trots op was ook! En als je trek had in een suikerrietstengel of een papaja, dan moest je er zelf een kopen. Uit geldgebrek konden veel mensen zich niet veroorloven om fruit te kopen, maar ze deden net of het deftig was geen fruit te kopen. Als de stedelingen wilden zwelgen in hun masochistisch schrale maaltijden, moesten zij dat weten. Maar als ze verwachtten dat ik die schrale maaltijden zalig zou vinden als een sacrament en ernaar zou snakken als naar de Heilige Hostie, dan konden ze de pot op, want ik was wel beter gewend. Als de despoten moeite hadden hun kroost te voeden, was dat hun probleem. Misschien hadden ze niet naar de stad moeten verhuizen. Of misschien hadden ze wat aan geboortebeperking moeten doen. Maar te verwachten dat ik het tekort aan voedsel braaf zou toejuichen, was een belediging voor mijn intelligentie, vooral omdat ik hard werkte om ze van hun stront af te helpen. Het gevolg was dat ik Hangslot haar vlijmscherpe tong, de venijnige overdrijving van haar beeldspraak en de despotische kortzichtigheid waarmee ze alles alleen vanuit haar eigen standpunt bekeek, nooit heb kunnen vergeven.

Terwijl er steeds meer draden bloederig kwijl tussen haar vingers door op de voorkant van mijn overhemd druppelden, druppelden de woorden van Amin door de filters van mijn brein naar mijn bewustzijn. Amin had alle burgers aangespoord het hoofd hoog te houden, trots te zijn, en niet toe te laten dat hun rechten, hun waardigheid of hun eigenwaarde werden geschaad. Amin had iedereen gevraagd sterk te zijn en uit te blinken op zijn eigen terrein. Hij had gezegd dat hij een bokswedstrijd altijd in een knock-out liet eindigen, zodat partijdigheid van de scheidsrechter of twijfel over de winnaar uitgesloten waren. Hij riep iedereen op alle obstakels uit de weg te ruimen, op wat voor manier dan ook, en te triomferen en bovenaan te blijven staan. Hij herinnerde ons eraan dat de spil van de macht steeds verschoof, en dat uiteindelijk niets hetzelfde bleef, in het bijzonder voor degenen die hard werkten om hun ambities te verwezenlijken. Hij zei dat de voornaamste reden waarom sommigen mensen niet waren geworden wat ze wilden worden, was dat ze te schuchter waren, te snel bereid waren anderen te volgen, te weinig initiatief toonden en te weinig risico's durfden te nemen. Hij zei dat zijn regering geen regering van woorden maar van daden was, een revolutionaire regering die slapende honden wakker zou maken en iedereen met zich mee zou sleuren. Hij vroeg iedereen zich daarvoor in te zetten. Hij vroeg leerlingen om slechte leraren weg te pesten en arbeiders om tirannieke werkgevers af te zetten, hij vroeg vrouwen om van slechte echtgenoten te scheiden, kinderen om slechte ouders het leven zuur te maken en hij vroeg slachtoffers om in opstand te komen en de macht over te nemen, en arme mensen om hun kansen te grijpen, geld te verdienen en van de vruchten die dit land afwierp te genieten. Hij herhaalde dat Oeganda een vrij land was, voor vrije mensen, waarin iedereen kon doen wat hij wilde.

Ik was geketend en wat deed ik daaraan? Ik bloedde, huilde, smeekte om genade en liet de onrechtvaardigheid voor wat ze was.

Als ik wilde kon ik Hangslot een kopstoot tegen haar kin verkopen en haar kaak breken. Als ik durfde kon ik haar een oog uitsteken, haar neus breken of met een zijdelingse schop haar knieschijf verbrijzelen. Als ik het lef had waren er een heleboel dingen die ik kon doen om een einde te maken aan mijn lijdensweg. Maar net als de slappelingen waar Amin het over had, kwam ik niet in actie. In dit geval was ik bang voor Serenity. Hij zou me waarschijnlijk vermoorden als ik zijn vrouw verwondde. Hoe moest ik Amins machtige aansporing tot moed, vrijheid en kracht verenigen met het onmiddellijke gevaar van Serenity's mogelijke represailles? Sint-Amin help me. Sint-Amin bid voor me. Sint-Amin, reken mij mijn lafheid niet aan. Sint-Amin, verlos me van mijn angsten.

Met al mijn aandacht bij Amin, zakte mijn pijn weg. Ik begon me trots te voelen dat ik het niet uitgilde en dat ik niet in mijn broek piste. Ik hield mezelf op mijn eigen manier overeind.

Amin had gezegd: als je onterecht verliest, moet je naar huis gaan, jezelf bij elkaar rapen, nog harder gaan trainen dan je ooit hebt getraind, en terugkeren in de ring om de hardste knock-out uit te delen die ooit is uitgedeeld. Hij zei dat sommige mensen het drie of vier keer moesten proberen voordat het ze lukte, maar dat je nooit moest opgeven en je nooit ergens bij neer moest leggen. Ik hield me heel stil, ogenschijnlijk onvatbaar voor straf. Ik had besloten mijn kans af te wachten.

Inmiddels begon Hangslot zich te ergeren aan mijn gebrek aan aandacht voor haar woorden en martelingen en met een laatste duw liet ze me gaan. Ik zat onder het bloed, zoals haar rok nog niet zo lang daarvoor, maar voelde me taai en trots. Mijn lip was gezwollen en gevoelloos, hij hing erbij als de tepel van een zeug, maar ik droeg hem als een vlag van moed. Amin kon trots op me zijn.

Ik was slim genoeg om te weten dat ik mijn echte straf nog zou krijgen. Ik veegde het bloed van de vloer en verliet het paradijs van de Lampvrouw met haar opwaaiende rokken, terwijl de angst in mijn hoofd tikte als een klein ontstekingsmechanisme.

Serenity kwam zoals gewoonlijk met zijn tas in de hand thuis uit zijn werk. Zijn gesteven broek kraakte en hij had een afwezige uitdrukking op zijn gezicht. Hij verkleedde zich en vertrok naar het tankstation, terwijl er een gong van angst in mijn borst klonk. Met een tevreden uitdrukking in zijn ogen keerde hij terug, installeerde zich voor de buis en begon een van zijn politieke monologen af te steken. Hangslot zat druk te haken, friemelde met haar haaknaald en de dikke draad om de bobbelige slierten te produceren die ze gebruikte om tafelkleden van te maken.

Had hij het nieuws al vernomen? Speelde hij een spelletje met me, spon hij zijn web en wachtte hij op het juiste moment om me te grijpen? Er was niets uit zijn gezicht op te maken. Met het krakerige loopje van een sprinkhaan zwalkte ik de woonkamer in en uit, mijn oren suizend van Amins verdraaide stem die uit de luidspreker van het televisietoestel schalde. Het huis stonk naar dreigende rampspoed. Ik beschikte niet over de telepathische vermogens om in de ondoorzichtigheid van de despotische samenzwering door te dringen, nam mijn toevlucht tot de keuken en probeerde me gerust te stellen met de gorgelende geluidjes van het pruttelende eten op het vuur. Tevergeefs. Zelfs Amin kon me nu niet helpen. Ik wenste dat er diep onder de pagode een aardbeving zou losbarsten die ons allemaal zou verzwelgen. Maar ik kwam er algauw achter dat aardbevingen, net als alle andere rampen, alleen plekken troffen waar ze niet welkom waren, en zich nooit door wens of bevel lieten oproepen.

Het tweemanstribunaal vond altijd plaats na het avondgebed, als de echo van Hangslots nonnentrillertjes nog in de balken hing en we op het punt stonden te gaan eten. Dit hield in dat de meeste veroordeelden dubbel gestraft werden: ze hadden de striemen van de guavekarwats op hun rug staan en stapten in bed met een maag die gromde van de honger. Soms werd die laatste straf kwijtgescholden en mocht je wel eten, maar als je zojuist gillend als een hitsige teef alle hoeken van de kamer had gezien, smaakte het eten meestal niet zo.

Terwijl het tribunaal alle tijd nam om mij te vragen of ik wel besefte hoeveel een echt bed kostte, om vervolgens de emotionele waarde van pas aangeschafte goederen tot grote hoogten op te jagen en zich ten slotte beraadde over mijn vonnis, overviel mij het gevoel dat ik het uitverkoren slachtoffer was geworden van alle verwensingen die de Aziaten aan hun uit nood afgestane spullen hadden meegegeven. Zou dit bed met zijn magische hoofdplank achtergelaten zijn door een gezin dat zich uit pure wanhoop in het Victoriameer had verdronken, of vergif had ingenomen, of zich voor een vrachtwagen had geworpen? Het zou ook kunnen dat de rode vlekken die ik op een van de poten van het bed had gezien, bloedspatten waren van een vervloekingen spuwende Aziatische vrouw die door gefrustreerde soldaten was verkracht. Ik wist zeker dat Serenity, met zijn aangeleerde arrogantie, geen grote haan of geit geofferd had om het bloed en de verwensingen van vorige eigenaars ongedaan te maken. Dergelijke voorzorgsmaatregelen om de geest van de vorige eigenaars tot bedaren te brengen had hij ongetwijfeld afgedaan als bijgelovige hocus-pocus. Misschien was ik nu wel het toevallige beest dat als offer moest dienen. Dat zou in ieder geval mijn morbide fascinatie voor die banale, gefineerde beddenplank verklaren.

Aan de andere kant realiseerde ik me dat een despoot geen vervloekingen van onteigende Aziaten nodig had om zich aan buitensporig geweld over te geven. Een despoot deed wat hij deed omdat hij de tijd daarvoor rijp achtte en hij zich uit zijn loom sudderende toorn had laten lokken.

Serenity sloeg met de geklauwde felheid van een luipaard na een lange antilopen-achtervolging. Het scheen dat ik niet de enige was die het had voelen aankomen. De schijters zaten gretig toe te kijken of de confrontatie aan hun hooggespannen verwachtingen zou voldoen. Serenity bewerkte me met een van zijn suède schoenen. Een ogenblik lang was ik te verbluft om me tegen de brandende slagen te kunnen verweren. Van onder en van boven werd ik geraakt, links en rechts, terwijl Serenity met verbeten mond 'je hebt het ernaar gemaakt' gromde.

Even dacht ik zelfs dat ik doodging. Ik was niet bang om dood te gaan omdat Oma aan de andere kant was en op me wachtte. Eigenlijk was ik banger dat ik níet dood zou gaan en kreupel zou worden, met een onherstelbaar gebroken arm, of met iets dat loszat in mijn hoofd zoals bij die goeie ouwe Santo, of met een beschadigde rug zoals de catechist die uit de preekstoel was gevallen. Er was een man in het dorp die niet kon zitten of lopen. Hij was door een stier op de hoorns genomen en toen was er iets misgegaan. Ik werd nu ook de lucht in gegooid, maar ik voelde er niets voor de rest van mijn leven als een invalide te slijten en in een ondersteek te moeten pissen en poepen. Dan ging ik net zo lief dood.

Maar onwillekeurig begon ik mezelf te verdedigen. Ik bonkte met mijn hoofd tegen Serenity's schenen en knieschijven, en deed een poging zijn kruis te raken. Hij ging steeds harder slaan en het publiek hield op met giechelen. Serenity verloor zijn zelfbeheersing en begon me zo verschrikkelijk af te tuigen dat zijn tuchthandhaafster niet meer hoefde te twijfelen aan zijn kwaliteiten als despoot. Dit was een demonstratie-aframmeling. Ik wilde dat hij bleef doorgaan. Met elke klap maakte hij mij zuiverder, alsof hij het kaf van me af sloeg. Dit was een mijlpaal, een historisch moment in mijn leven en ik wilde dat de littekens ervan de kachel van mijn wraak nog lang zouden stoken. Ik viel en viel en viel, als water dat door een zeefdoek in een glas druppelde, terwijl het gruis op de doek achterbleef. Het gebeuk verplaatste me naar de hellingen van Mpande Hill waar ik ooit bijna een voet kwijt was geraakt tussen de spaken van een op hol geslagen fiets. Dit keer zat ik niet achterop, maar moest ik zelf de fiets op koers houden, bij het ravijn vandaan. En ineens was ik weer beneden, in het moeras dat wemelde van mijn leeftijdgenoten: ik ging nog op en neer, op en neer, en slikte het groene water in terwijl ik naar adem hapte. Mijn vriendjes riepen me. Ik stapte aan wal. Het was voorbij.

Onder de blauwe plekken werd ik wakker in mijn bed, en toen ik knarsetandend mijn opgezwollen ledematen bewoog, schoot de pijn door me heen. De morele steun van generaal Amin was de zalf die mijn nederlaag verzachtte en ervoor zorgde dat het geen gangreneuze wanhoopszweren werden. Ik had verloren en nu moest ik mezelf weer bijeenrapen, hard trainen en opnieuw de strijd aanbinden met de despoten, op een tijdstip dat ík bepaalde, op een plek die ík uitkoos. De oorlog was nu officieel verklaard en de mogelijkheden van een ophanden zijnde strijd wonden me uitermate op. Hangslot had haar wapens nooit verborgen gehouden. Serenity had ook de zijne laten zien. Nu was het mijn beurt om de mijne te tonen.

Drie hele dagen was ik te ziek om naar school te gaan en kon ik de golven van walging over mijn eigen zwakte nauwelijks onderdrukken. Mijn botten waren in orde, ik had alleen pijn over mijn hele lichaam. Dus waarom was ik niet op school? Waarom zat ik thuis naar Hangslots irritante zeurstemmetje te luisteren? Waarom liet ik me ergeren door de triomfantelijke klank in haar stem? Dit was haar glorie, een bevestiging van haar macht, en ik was die aan het bekrachtigen. Ze liep neuriënd rond en vulde het huis met haar goede humeur, blafte bevelen of zat aan haar naaimachine te werken.

Serenity was bang voor me, maar hij was te geremd, te vastgeroest in zijn despotisme om naar me toe te komen en absolutie te vragen. Ik was bereid hem die te verlenen, goedkoop, voor de prijs van een miezerig gebaar, want ik wist hoe moeilijk het was voor een despoot om zich te verontschuldigen of zelfs maar ogenschijnlijk zijn excuses aan te bieden. Maar ik was niet van plan hem er met zijn neus in te duwen. Hij zou zelf moeten komen en als een man vergeving vragen, aan de man die het despotisch machtsvertoon met bloed, tranen en blauwe plekken had bekocht. Als boksliefhebber had hij moeten weten dat boksers elkaar aan het eind van een wedstrijd omhelzen, hoe fel of bloedig de wedstrijd ook geweest is, niet zozeer omdat ze elkaar mogen, als wel om de ander te erkennen in

zijn rol van overwinnaar of verliezer. Ik was bereid hem als overwinnaar te erkennen en hem te vergeven dat hij zijn zelfbeheersing
verloren had, zich niet aan de regels had gehouden en zo tekeer was
gegaan. Maar hij liet zich niet aan mijn bed zien. Hij begon laat
thuis te komen uit zijn werk. Hij keek me niet in de ogen. Hij at zijn
maaltijden buiten mijn gezichtsveld, en buiten dat van zijn tuchthandhaafster en de schijters, verscholen achter een verschoten, rood
gebonden boek van Beckett. Hij verstopte zich en wachtte op Godot. Hij was vergeten dat ik me de rol van Godot had toegeëigend.

Serenity had een voorkeur voor schrijvers als Beckett en Dic-
kens, die problemen met hun moeder hadden gehad, ofschoon het
me niet duidelijk was wat hij in zijn huidige hachelijke positie van
hen verwachtte. Vanachter zijn papieren fort, verkrampt van despotische stijfheid, zag hij er net zo gegroefd uit als Beckett zelf op latere leeftijd. Hij leek zich te beschermen tegen de vloek van Hangslots
tong, dezelfde tong die het idee van moord in dit huis had geïntroduceerd tijdens hun nachtelijke confrontaties. Hij leek te wankelen onder het besef dat hij zich nog net niet aan moord schuldig had gemaakt. Hij leek zich af te vragen hoe en wanneer hij weer bij zinnen
was gekomen want niemand, met inbegrip van Hangslot, had tijdens
zijn uitzinnigheid ook maar één kreet van protest laten horen.

Tijdens mijn huisarrest overwoog ik naar het dorp terug te gaan om
Opa te helpen, die worstelde met zijn leeftijd en met zijn hernia,
maar ik wist dat hij dat niet zou goedkeuren en me terug zou sturen. Had ik dan niets geleerd van zijn beproevingen en zijn preken?
Was hij dan voor niets afgetuigd en in de koeienstront gegooid?
Wat Opa wilde was een advocaat in de familie, en aangezien Serenity hem had teleurgesteld, was dat mijn verantwoordelijkheid
geworden. Had ik dan niet geleerd dat je het nooit moest opgeven
en dat je je wonden moest likken om vervolgens in stijl te herrijzen? Ik schaamde me voor mezelf. Ik besefte ook dat er geen dorp
meer bestond om naar terug te keren. Ik droeg het dorp bij me en
zou het de rest van mijn leven bij me dragen om de eenvoudige reden dat de jaren met Oma voorgoed verleden tijd waren.

Met mijn pak slaag nog vers in hun geheugen volgden de schijters alle bevelen op met de precisie en de gedweeheid van overlevenden die maar al goed beseften wat hun had kunnen overkomen. Ze pasten wel op het lot te tarten of de toorn van de slapende goden te wekken. Een paar keer betrapte ik ze toen ze over mij praatten, maar ik negeerde hen. Ze bleven bij mij uit de buurt, alsof ik besmet was met een vreemde ziekte die op melaatsheid leek, een ziekte die hen steeds aan de despoten deed denken. Ik kon het ze niet kwalijk nemen dat ze het moeilijk vonden om hun weg te vinden in het verraderlijke moeras van despotische onberekenbaarheid.

Van haar kant deed Hangslot net of er niets gebeurd was. Naar haar idee had ze met mij afgerekend. Ooit had ik haar ter dood veroordeeld en zij, op haar beurt, had mij een glimp laten zien van de gapende afgronden waar de dood verondersteld werd te zetelen. Het enige waar ze belangstelling voor had was te zien of ik tot inkeer was gekomen. Toen ik op haar schuldgevoel probeerde te werken door net te doen of ik te ziek was om mijn strontplichten na te komen, zei ze: 'Laat die spelletjes maar achterwege, jochie. Je moet één ding in je oren knopen: je bent hier niet bij je grootmoeder.' Vanaf die tijd voerde ik mijn taken uit met de kille doeltreffendheid van een waakzaam soldaat.

Loesanani vermeed ik als de pest. Het briefje dat ze onderweg naar de put in mijn zak stopte, droop van medeleven, precies wat ik nou net niet nodig had. Het ergerde me evenzeer als haar tepels die door haar natte bloes heen schemerden. Ze had me moeten feliciteren dat ik de proef had doorstaan en het er levend af had gebracht.

Ik enterde Serenity's bibliotheek en overwoog hem te smeren met Beckett. Uiteindelijk besloot ik *Treasure Island* mee te pikken, het populairste boek in huis. Ik hield het dagenlang verstopt in de hoop dat het vergeten zou worden. Ik was van plan het aan een meisje te geven voor wie ik een ontluikende belangstelling had. Ze was jonger dan ik en zat een klas lager, en ik wist helemaal niet of ze piraten, schepen of avonturen wel leuk vond. Serenity deed net of hij niet gemerkt had dat het boek verdwenen was, maar Hangslot zette een verwoede jacht in. Ze kalmeerde pas toen ze besefte dat geen enkele idioot zich aan zou geven en de 'diefstal' bekennen. Van tijd tot tijd zei ze: 'Ik weet wel wie de dief is. Een dezer dagen zal God hem te schande zetten. Wat men in het diepste duister uitvoert zal van de daken geschreeuwd worden.'

Uit ervaring wist ik dat Hangslot niet uit vroomheid haar toevlucht tot Goddelijke Tussenkomst en de Heilige Schrift nam, maar uit een gevoel van dreigende nederlaag. Ik hield het boek rustig bij me en wachtte mijn kans om het cadeau te doen af. In de tussentijd toonde een vriend er belangstelling voor. Mijn beslissing om het aan hem uit te lenen was rampzalig. Een leeszuchtig vriendinnetje van hem pakte het af en mijn vriend, die al lang op een kans wachtte haar te neuken, vroeg het niet terug.

Op school verdiende ik zakgeld met het schrijven van liefdesbrieven voor grote jongens aan hun vermeende geliefden. Het was mijn lievelingshobby want het bood me alle gelegenheid te bestuderen hoe de hormonen op konden spelen en hoe ver jongens gingen om ze te kalmeren. Daarnaast waagde ik me op het gebied van chantage, bedrog en corruptie, met als hoogtepunt: een liefdesbrief aan Hangslot.

De gebruikelijke gang van zaken was dat een van de oudere jongens me benaderde, meestal op aanbeveling van een derde partij. Hij sneed dan het onderwerp aan, vaak met een omweg, vooral als hij geïntimideerd was door mijn intellectuele vermogens. Ik hoorde hem aan en hij vroeg dan of ik het betreffende meisje kende. We gingen achter het meisje aan. Hij zong haar lof, zelfs als ze die niet verdiende, en ik onthield wat hij zo leuk aan haar vond. Aan mijn schrijftafel schreef ik vervolgens een brief waarin ik de sterke kanten van het meisje benadrukte. Als ze niet opvallend mooi was dan improviseerde ik en dichtte ik haar kwaliteiten toe waar ze duizelig van zou worden, maar zorgde ervoor dat ik niet overdreef. Vaak werkte het. Als het een intelligent meisje betrof, raadpleegde ik Serenity's poëziebundels, haalde er een paar treffende regels uit en streelde haar hart met de woorden van een dode dichter. Maar mijn grootste inspiratiebron was het Oude Testament, dat de meeste leerlingen niet hadden gelezen, zodat mijn citaten des te indrukwekkender overkwamen.

Sommige jongens waren zo in de war dat ze bedrukte zakdoeken,
ondergoed, petticoats, poeder, parfum en snoep kochten voor meisjes die niets om hen gaven. Soms staken die meisjes zelfs hun minachting voor ze niet onder stoelen of banken, terwijl ze tegelijkertijd
de aantrekkingskracht van de cadeautjes niet konden weerstaan.
Toen ik dat zag kon ik niet anders concluderen dan dat liefde een
ziekte was die je moest negeren of lijdzaam dragen, of die je moest
genezen door de idiootste dingen te doen.

Als we de brieven hadden bezorgd en de meisjes er even over deden om te reageren, vroegen de jongens me vaak waarom het zo
lang duurde, alsof ik dat kon weten en gewoon weigerde mee te
werken.

'Ga eens met haar praten, smeek haar als dat nodig is. Zeg tegen
haar dat ik niet slapen kan en niets kan doen zonder aan haar te denken. Zeg tegen haar dat ze alles van me kan krijgen wat ze wil...'

Dan knoeide ik met de smeekbeden en met de antwoorden, omdat
ik mijn klanten te vriend wilde houden. Als een meisje zei dat een
jongen uit zijn bek stonk of smerig rook of dat hij zich beter kon verdrinken om het vrouwelijk geslacht de straf van zijn gezelschap te
besparen, dan vertelde ik die jongen dat de ouders van het meisje
haar met een pak slaag hadden gedreigd als ze in haar schooltijd met
verkering begon en dat ze haar lieten bespioneren om er zeker van te
zijn dat ze bij de jongens uit de buurt bleef. Een andere favoriete
smoes was dat de ouders van het meisje hadden gezworen haar smalt
te laten slikken als ze zwanger werd, om een abortus op te wekken,
en dat ze de jongens met een *panga* achterna zouden gaan. Ik eindigde met te zeggen dat het meisje verliefd was, maar geen uitweg zag,
tenminste niet op dat moment. De meeste klanten trapten in die
leugens, in elk geval voor even.

Als twee jongens om één meisje vochten, stak ik het geld van beiden in mijn zak en koos zelf wie ik aanbeval. Als twee jongens
vochten om een meisje dat ik niet mocht, deed ik mijn best voor de

één, zorgde voor een afspraakje, en verklapte het rendez-vous aan de andere kandidaat.

Voor pestkoppen had ik mijn eigen straf: ik ontvreemdde het geld of de cadeautjes die voor hun meisjes bedoeld waren en gaf ze aan Loesanani, waarna ik de jongen op de mouw speldde dat het meisje nog niet helemaal overtuigd was, of dat hij op een antwoord moest wachten. Als de pestkop dreigde actie te ondernemen, vroeg ik Loesanani hem een brief te schrijven waarin het meisje hem beledigde en hem verzocht haar met rust te laten.

Al deze manipulatietechnieken zouden me later, toen ik de zakenwereld betrad, nog goed van pas komen. Maar nu maakten ze school de opwindendste plek op aarde, met uitzondering van de taxistandplaats in de kom. Naast de liefdesbrieven, het bedrog, de beloften, de successen en de chantage was er de sport: voetbal voor jongens, korfbal voor meisjes en atletiek voor beide geslachten. Wanneer het voetbalseizoen aanbrak, begonnen de weddenschappen en barstten de vechtpartijen los tussen verliezers die weigerden te betalen en woedende winnaars. De grotere jongens werd vaak gevraagd tussenbeide te komen en de verliezers zover te krijgen dat ze wèl betaalden. Als de vijandigheden onverdraaglijk hoog waren opgelopen, dan werd er voorgesteld het geschil met een handgemeen of een worstelpartij te beslechten, op de zandvlakte waar de verspringers hun lenige sprongen maakten. Er werd een datum afgesproken en na schooltijd slopen de geestdriftige toeschouwers achter de schoolgebouwen langs om het spektakel bij te wonen.

Op een dag, toen ik zat te zwoegen op een brief aan een hospitante, uit naam van een van onze hormonaal instabiele jongens, kreeg ik een schitterend idee. Ik zou de despoten aan kunnen pakken door Hangslot een liefdesbrief te schrijven die schijnbaar van Vrijer afkomstig was. Het was zo'n gewaagd plan dat ik er dagenlang rusteloos van was. Als ik 's nachts niet kon slapen, ging ik bij de tussendeur luisteren om te horen of ze nog steeds over Vrijer kibbelden. Ik wilde niet verstrikt raken in de strop van mijn eigen leugens. Ik wilde op het juiste moment toeslaan, in de hoop dat de harmonie tussen de despoten en hun huwelijk een flinke knauw zouden krijgen. Ik kon er niet achter komen hoe het ervoor stond met de despotische vete: het was alsof ze aanvoelden dat ik meeluisterde en hun gekibbel veel vroeger, of veel later afhandelden. De enige constante factor in het drama was dat Vrijer bleef komen, ofschoon minder vaak dan vroeger. Ik vermoedde dat Hangslot tegen hem had gezegd dat hij zich koest moest houden om Serenity een vals gevoel van veiligheid te geven; waarna ze als vanouds door konden gaan. Waarschijnlijk was Serenity niet al te blij met de onbuigzaamheid van zijn vrouw. Maar omdat ze toch iets aan de situatie had gedaan, had hij waarschijnlijk de druk wat verlicht en Vrijers onregelmatige bezoekjes genegeerd, in afwachting van de gelegenheid om opnieuw krachtig op te treden.

Ik raadpleegde *Het Brievenboek* en *Hoe brieven niet geschreven moeten worden*. Aan het laatstgenoemde had ik het meest, omdat het voorbeelden bevatte van het soort grammaticale fouten en verkeerde woordkeuzen die iemand van Vrijers kaliber, met zijn voortijdig afgesloten schoolopleiding, zou maken. Ik deed twee maanden over het schrijven en herschrijven van de brief, waarbij ik er zorg voor droeg zoveel mogelijk afstand te krijgen van mijn eerste literaire epistel. Het kostte me nog een paar dagen om mijn *Treasure Island*-vriend te overreden om zijn zuster, die kon typen, te vragen mijn brief uit te tikken en voor me op de post te doen.

Serenity had maar één blik op de lichtbruine, aan zijn vrouw geadresseerde envelop nodig om te weten dat er iets mis was. In de eerste plaats had zijn vrouw zolang zij elkaar kenden nooit eerder een getypte brief ontvangen, en zij had hem er bovendien niet over ingelicht dat zij er een verwachtte. Ten tweede stond er geen stempel op van de 'Staatsdienst van Oeganda' of van het 'Aartsbisdom van Kampala'. Ten derde maakte het rampzalige typewerk hem achterdochtig: half rood, half zwart, in plaats van regelmatige zwarte drukletters. Welke stumper was te beroerd om een nieuw lint voor zijn schrijfmachine te kopen? Hij besloot de brief onmiddellijk open te maken.

Serenity's achterdocht werd bewaarheid zodra hij de eerste regel had gelezen. Die wandelende puspuist was in de aanval gegaan! Serenity vermoedde de hele tijd al dat Boy het geflirt met zijn vrouw gewoon had voortgezet. Het feit dat zijn kuise vrouw de afro-pruiken die hij haar had gegeven nogal geestdriftig had geaccepteerd, duidde erop dat ze aan wellust ten prooi was gevallen. Haar passieve aanvaarding van de Monroe-lamp kwam ineens in een ander daglicht te staan. Met trillende handen, gesmoorde keel, smeltende oksels en jeukende kont, las hij de brief steeds weer opnieuw.

Lieve Miss Singer,

Hoe ruikt U de cosmos tijdens deze statische dagen? Ik ben zeer vereerd U dit prachtigmooie epistel te doen toekomen. Ik smeek U zich het heerlijke geluk te herinneren dat wij deelden voordat die hogelijk hinderlijke kink in de kabel zich in onze cosmos huisvestte en de zalige toediening ervan verhinderde.

Staat U mij toe te gissen dat U middels het onderdrukken van Uw zeer vulkanische liefde de werking van de cosmos in de war gooit. Ik vind het vreselijk U in deze toestand te zien, moet U weten. Het door U niet meer erkennen van onze liefde en de sterke verticale stoot die daarbij hoort, kan slechts in ons hart negatieve klanken doen luiden. Ik bid U te denken aan ons Lied der Liederen:

Uw weldadige nek is als een betoverende toren van goud
Uw fantastische neus is als een phonetisch monument
Uw honingzoete ogen zijn als grammaticale plassen van zilver
Uw geweldige borsten zijn als liefdesballonnen
Uw dwepende lichaam is een vulkaan van hete sappen

Miss Singer, ik smeek U zich te herinneren dat ik Uw beste vriend ben. Een wijze man heeft eens gezegd, zorg dat je veel vrienden hebt, maar vertrouw er slechts een paar. De wijze man heeft ook gezegd dat velen getrouwd zijn, maar weinigen gelukkig, onthoud dat.

Miss Singer, U bent de Koningin van mijn Hart, en ik wil dat U me uitroept tot Uw President en Opperbevelhebber.

Voordat ik smekend afscheid van U neem, weet dat ik liefdevol, wonderbaarlijk, gevaarlijk en denderend, de Uwe ben.

Mbaziira de Grote

Serenity kende het gevoel. Van mijlenver rook hij de post-puberale breedsprakigheid met al haar winderigheid, botte holheid en onvolwassenheid. In zijn tijd zou de brief versierd zijn geweest met rode en roze hartjes, en zou er poeder in de envelop hebben gezeten.

De naam 'Miss Singer' vond hij weerzinwekkend. Als dat duidde op een kinderlijk trekje in zijn anderszins volwassen vrouw, had hij daar liever op een andere manier mee kennisgemaakt. Hij wist van oudere mannen en oudere vrouwen die met jongere partners vreeën en hoe zij zich verlaagden en compromitteerden in hun persoonlijkheid en gehuwde status, alleen maar om op hetzelfde niveau te staan als de jongere geliefde. Vaak hadden de jongeren in kwestie lak aan de status en de leeftijd van hun partner, en gaven ze die kinderachtige of belachelijke koosnaampjes om een zekere graad van macht over hen te krijgen. Maar nu was het virus zijn eigen huis binnengeslopen. Had hij zijn vrouw niet geboden om bij die knaap uit de buurt te blijven? Wie had zich laten betalen om deze onzin voor Boy op te schrijven?

Serenity werd verteerd door de razernij van een verongelijkte echtgenoot. Zijn woede duurde niet lang, maar maakte plaats voor verdriet: het pijnlijke gevoel dat het zijn eigen schuld was dat hij bedrogen was. Waarom had hij Boy niet rechtstreeks aangepakt? Waarom had hij zo nodig de *gentleman* moeten uithangen?

Hij werd steeds verdrietiger als hij dacht aan de 'liefdesballonnen', de 'vulkaan van hete sappen' en het 'dwepende lichaam'.

In het geval van iemand die zo preuts was als zijn vrouw, vermoedde Serenity dat dergelijke uitdrukkingen alleen maar gebezigd konden worden door haar opzettelijke aanmoediging. Hoogstwaarschijnlijk trachtte ze flarden van haar vervaagde jeugd vast te houden, of de vodden van een puberteit die verduisterd was geweest door ouderlijke straf en kloosterreglementen.

Wat het allemaal zo pathetisch maakte was dat zijn vrouw de echtelijke passie door de talloze dagen van seksuele onthouding zo had beknot dat hun liefdesleven even zorgvuldig gepland leek als haar bezoekjes aan de schoonheidsspecialiste.

Hij betreurde de rol die hij in het drama had gespeeld. Hij had verslag uit kunnen brengen van haar gedrag aan Mbale, hun huwelijksbemiddelaar. Vele malen had hij het overwogen, maar de juiste woorden niet kunnen vinden, geen toepasselijk begin: 'Uhm, *moeko*, luister eens… mijn seksleven is… of mijn vrouw weigert op die en die dagen mijn behoeften te bevredigen… of ik krijg mijn vrouw niet zover…' Mbale zou al zijn ontzag verliezen voor een man wie het niet lukte zijn echtelijke rechten af te dwingen bij een vrouw met wie hij eervol was getrouwd. Serenity wist ook dat een man met Mbales plattelandsachtergrond nooit zou begrijpen dat een man zulke lange perioden in vuur en vlam kon staan en toch zo fatsoenlijk was om zijn rechten niet op te eisen. Op het platteland bepaalde de man de wet, niet de vrouw, dat wist iedereen. Serenity had ook zijn hart niet bij Hadji Gimbi kunnen uitstorten, omdat hij bang was dat het zijn vriendschap zou verpesten.

Nu voelde hij zich dubbel verdrietig en boos omdat zijn vrouw in de val was gelopen die ze zelf had gezet, omdat het duidelijk was dat ze meer seks wilde, maar niet precies wist hoe ze haar eigen hindernissen moest afbreken zonder voor gek te staan en op andere gebieden de macht te verliezen. Serenity was nu van mening dat haar recente geobsedeerdheid met Hadji Gimbi's polygamie en zijn eigen vermeende affaires slechts een rookgordijn was geweest om haar eigen smerige geheimen te verhullen.

Centraal in zijn verdriet stond het feit dat zijn moeder ervandoor was gegaan en de daaruit voortvloeiende gevoelens in de steek gelaten te zijn. Hij herinnerde zich alle grote vrouwen op wie hij was afgerend om ze welkom thuis te heten. En de angst in zijn achterhoofd dat het inderdaad misschien spoken waren die zich als grote vrouw hadden vermomd. Hij herinnerde zich de neerbuigende manier waarop ze hem over zijn bol hadden geaaid voordat ze hem teleurstelden, of hem lieten weten dat zijn verbeelding hem opnieuw gefopt had. Waar kwam zijn idee vandaan dat zijn moeder een grote vrouw was geweest? Op driejarige leeftijd moesten de meeste vrouwen hem groot zijn voorgekomen. Hij herinnerde zich de grote vrouw die een einde aan zijn obsessie had gemaakt toen hij zeven was. Plotseling werd hij ontzettend kwaad. Waarom had zijn vader er niets aan gedaan? Hij was op de hoogte van de activiteiten van zijn rivaal, maar had besloten alles te negeren. Was zelfingenomenheid een familietrek? vroeg hij zich af. Plotseling wilde hij een heleboel dingen tegelijk doen. Hij wilde bewijzen dat hij wel degelijk kon optreden en een einde kon maken aan de hele situatie. Hij wilde zijn vrouw er niet door verliezen, met al die kinderen om in zijn eentje op te voeden. Ook wilde hij niet dat zijn kinderen door een andere vrouw opgevoed zouden worden. Ten slotte realiseerde hij zich dat een getrouwde hoorndrager met kinderen zich niet kon veroorloven op een gezinsvernietigende manier wraak te nemen: elke vorm van wraak zou van korte duur moeten zijn.

Serenity overwoog om een week te verdwijnen. Hij kon in een goed hotel gaan logeren om zich te ontspannen en over zijn woede en verdriet heen te komen. Hij kon een bezoek brengen aan zijn familie: hij had zijn zusters al een hele tijd niet gezien en dit zou een goede kans zijn om te kijken hoe het met hen ging.

Hij werd getroffen als een boom die door het weerlicht in tweeën wordt gespleten: Nakiboeka, de tante van zijn vrouw! Had de vrouw niet haar best gedaan hem bij haar leven te betrekken? Begeerde hij haar niet, in het diepst van zijn hart? Had hij ooit haar zonnige aard, haar gevoel voor humor, haar zelfverzekerde weelderige vrouwelijkheid kunnen vergeten? De onvaste wortels van het traditionele decorum hielden hem tegen met de waarschuwing dat het onfatsoenlijk was om een familielid van zijn vrouw te begeren. Maar de paddestoelen van zijn opgekropte verlangens hadden een zwakke plek gevonden in de lagen schijnheilig fatsoen. Zijn onderdrukte geilheid en zijn beknotte seksdrift bloeiden weer op bij de gedachte aan de boezem van de vrouw die, door hem aan te raken, zijn viriliteit in ere had hersteld tijdens zijn huwelijksnacht. Het zweet liep over zijn rug, zijn hart klopte in zijn keel en hij voelde een vuur ontbranden in zijn liezen.

De middag ging verhit over in de avond. Het was tijd om naar de afdelingsvergadering te gaan, voor het wekelijkse overzicht van de stand van zaken. Hij was de eerste die in de directiekamer aankwam. Hij dronk een glas water, en nog een, en keek uit het raam. Waar bleef iedereen? Hij wilde die klotevergadering achter de rug hebben, om ervandoor te kunnen gaan. Hij wist niet zeker waar Nakiboeka woonde, en dat stoorde hem. Ongeduldig, eenzaam en kwaad verliet hij het vertrek en rende naar zijn kantoor om in zijn agenda te kijken. Hij hoopte dat hij haar adres had. En als ze nou eens verhuisd was? Op een perverse manier verbeeldde hij zich dat Boy hetzelfde aan het doen was, plannen smeedde, overwoog, weifelde. En als Boy nu al op de Commandopost was en Hangslot aan het lachen maakte door haar liefdesballonnen en haar grammaticale zilverplassen te prijzen? Aanvallen van woede streden met aanvallen van treurigheid. Hij dacht erover toch naar huis te gaan om Boy in de Commandopost te verrassen en hem een lesje te leren. Maar hij besloot dat niet te doen, niet in staat te beslissen wat hij hem zou aandoen in het geval hij hem daadwerkelijk zou aantreffen. Hij was bang dat hij zich te buiten zou gaan, zoals hij had gedaan toen hij zijn zoon had gestraft. Uit naam van de discipline had hij zich bijna schuldig gemaakt aan doodslag en dat had hij geen prettige ervaring gevonden. Hij had bij zichzelf gezworen dat hij nooit weer zo ver zou gaan.

Dus zou hij naar Nakiboeka gaan: al was ze verhuisd, al was haar man thuis, al zou hij de nacht niet bij haar kunnen doorbrengen. Hij vond haar adres en lachte half kwaad, half treurig. De polygamie van Hadji Gimbi vond hij nu erg onpraktisch: wat had het voor nut om al je vrouwen in één huis te stoppen? Elke vrouw verdiende haar eigen huis, want dat gaf je veel meer mogelijkheden om je te ontspannen en te ontsnappen aan je zorgen en aan de stemmingen en eigenaardigheden van de andere vrouwen.

Serenity keerde terug naar de directiekamer. De vergadering was al begonnen, maar het spoelde allemaal over hem heen als water over een rotsblok. Niets kon hem meer interesseren of irriteren.

Ik werd heen en weer geslingerd tussen verrukking en mismoedigheid: verrukking omdat ik zo schrander en beheerst was geweest om tegenstanders te verslaan die groter en gemener waren dan ik; mismoedigheid vanwege de irrationele angst dat Serenity ontdekt had dat ik achter de brief zat en iets heel verschrikkelijks met me zou doen.

Terwijl ik aardnoten hakte in een houten vijzel die door de jaren heen een rode glans had gekregen, probeerde ik me voor te stellen hoe het was om in Serenity's schoenen te staan. Wat zou ik gedaan hebben? Je kon vuur met vuur bestrijden, door bijvoorbeeld het ondergoed van een vrouw in je zak te stoppen of een minnares te nemen of een poosje te weigeren de rekeningen te betalen.

Hangslot leek me geen vrouw die snel weg zou lopen; foksters als zij deden dat zelden. Ze zou alles op alles zetten om erachter te komen wat er aan de hand was. En ondanks mijn aandeel in het drama en mijn afkeer van die vrouw, wilde ik niet echt dat ze weg zou gaan. Op een hele ruwe manier vertegenwoordigde ze stabiliteit en verschafte ze me een doelwit voor mijn aanvallen en een wetsteen om mijn vernuft aan te scherpen.

Als oudste kind wist ik dat mijn positie niet veel zou veranderen, zelfs als Hangslot wegging en een andere vrouw het overnam. Het was bijna zeker dat ik nog steeds de strontkarweitjes zou moeten opknappen en zou moeten wassen, schoonmaken, koken en water halen. Maar ik zou absoluut niet toelaten dat een andere vrouw me sloeg, of me dwong voor haar te knielen. Zou Hangslot weggaan? Dacht ze daar ooit over na? Of verbeeldde ik het me allemaal?

In haar onwetendheid leek Hangslot op een deur die nog maar aan één scharnier hangt. Haar gedrag was even ongedurig en krabbig als dat van een buffel die een bij in zijn oor heeft. Ze dacht dat Serenity voor een keer van zijn routine afweek en meteen naar zijn vrienden door was gegaan, zonder zich eerst thuis te melden. Maar hij was niet bij het tankstation.

Ik deed net of ik niets merkte en ik genoot van de paniek in haar ogen toen ik haar vertelde dat Serenity nog niet thuis was. Die paniek was gemakkelijk te begrijpen: als een fatsoenlijke, betrouwbare man wegbleef of laat uit zijn werk kwam, dan was er iets mis: of een vooraanstaand lid van zijn familie was gestorven, met alle financiële rampspoed van dien, of er was een ongeluk gebeurd, of hij was onterecht gearresteerd. Serenity hield zijn vrouw altijd op de hoogte van zijn plannen en hij zou nooit zomaar wegblijven zonder haar eerst een boodschap te sturen.

Tegen de avond zag Hangslot eruit als een opvliegende, treurige neushoorn. Ik vocht hard tegen de ongelukkige neiging om medelijden met deze vrouw te krijgen, want waar het om draaide was dat ik haar wilde zien lijden, kronkelen en kreunen als een loopse teef.

De tweede avond was Hangslot totaal verslagen. Het opalen korstje op haar gezicht had plaatsgemaakt voor een gebarsten, chagrijnige uitdrukking. als van een puber duizelig van onbeantwoorde liefde. Ze wierp me heimelijke. quasi-samenzweerderige blikken toe alsof ze moed verzamelde om een akelig geheim te verklappen. Opgeprikt en wriemelend als een kakkerlak tijdens de biologieles in een stoffig klaslokaal, wekte ze een onwillig soort medelijden. Verbaasd over het succes dat ze hadden gehad hoorde ik uitdrukkingen als 'vulkanische liefde' en 'honingzoete ogen' in mijn oren weergalmen: op school vermurwden ze de harten van pubers en verdiende ik er mijn zakgeld mee; nu zetten ze een despotisch systeem op zijn kop en danste er een beruchte alleenheerseres op hete kolen. Ik merkte dat ik Hangslot taxeerde om te zien of ik niet te erg had overdreven. Maar ze ging veel te veel op in de schroeiende zandstorm van haar nachtmerrie om de moeite van het taxeren waard te zijn. Bij het schrijven van die brief had ik alleen maar gedacht aan Loesanani en aan het meisje dat ik *Treasure Island* wilde geven.

Toen ik Serenity met zijn tas in de hand het erf op zag lopen, liepen de koude rillingen over mijn rug. Hij zag er kalm uit, alsof hij zich nergens zorgen over maakte. Ik wist niet of hij zijn conclusies had

getrokken of alles onvoorwaardelijk had aangenomen. Hij reageerde neutraal op mijn begroeting en betrad zijn bibliotheek. Ik wachtte met ingehouden adem af. Intussen merkte ik op dat Hangslots
hangende schouders ineens rechtgetrokken waren, dat het venijn op
haar gezicht was teruggekeerd en dat ze een kwaaiig loopje had. Ik
vond dat ik het goed had aangepakt: deze vrouw zou nooit veranderen. Misschien was dit juist pas het begin van mijn gevecht met
haar.

Er hing duidelijk onheil in de lucht. De tussendeur zat op slot en er
staken proppen onderuit, zoiets als een petticoat. De hele avond had
Serenity niets laten merken en zich onder het eten tevreden achter
Godot verscholen. Hangslot had de hele avond geflakkerd van nauwelijks verhulde razernij waardoor haar avondlijke trillertjes vals
klonken. Voor de eerste keer sinds ze getrouwd was liet ze Serenity's soepbord vallen bij het opdienen en slikte ze een verbasterde
vloek in. Vanachter de papieren muur van *Godot* vertrok Serenity
geen spier. Hij had het te druk met mijmeren over de gebeurtenissen
van de afgelopen drie dagen en twee nachten om nog aandacht te
schenken aan de verkramptheid van zijn vrouw.

Om één uur stapte ik uit bed en legde mijn oor tegen het sleutelgat. Ik hoorde alleen maar gefluister. Ik sloop naar buiten en stelde
me bij het slaapkamerraam op. De muggen zoemden venijnig; de
nachtvlinders fladderden tegen gloeilampen aan; een meute honden
jankte wellustig. Ik schonk nergens aandacht aan, ook niet aan de
dieven, spoken en soldaten op jacht. Er klonken stemmen, en eindelijk werd ik beloond.

'Ik ben voor jou weggebleven.'

'Voor mij? Hoe kun je dat nou zeggen?'

'Ik had eerst de neiging om je kop in te trappen.'

'Wat?'

'Je hebt die brief gezien. Je hoeft mijn verstand niet te beledigen
met dat onschuldige-meisjesgedoe.'

'Ik heb er niks mee te maken.'

'Een jongen die je Miss Singer noemt, en daar heb je niks mee te maken? Dat je je verlaagt tot het niveau van die stommeling heeft niks te betekenen? Mij in mijn eigen huis bedriegen heeft niks te betekenen? Niks, niks, niks?'

Serenity's stem was vervaarlijk scherp geworden, als een ijspegel. Hangslot zag in hoe dun het ijs was waarop ze stond, paste haar despotische immuniteit toe en zei, nogal klagerig: 'Waarom geloof je me niet?'

'Ik kan weglopen, dat weet je ook wel. Jij bent niet de enige vrouw op de wereld.' Hier hield hij op, omdat hij het heerlijke geheim van zijn escapade niet wilde onthullen. Hangslots tante had hem de zalige attenties van een ervaren minnares geschonken in haar kraakheldere huisje. De opluchting dat hij haar geen uitleg hoefde geven, omdat zij altijd had geweten dat hij ooit bij haar zou komen! Serenity hoorde zichzelf bijna dank betuigen aan Nakiboeka's echtgenoot omdat hij haar geslagen had en zodoende haar ogen geopend had voor een zachtaardiger vorm van liefde, Serenity's eigen specialiteit. De man had Nakiboeka gedwongen om te gaan liggen, waarna hij de heuvels van haar billen en de zuilen van haar dijen met een bamboestok bewerkte.

Serenity en Nakiboeka hadden hun eerste nacht pratend doorgebracht. Hun impromptu-gesprekken verliepen kronkelend, en kwamen steeds terug op henzelf en hun beider levens. Hun samenzijn was niet verpest door haastige bekentenissen of gekunstelde intimiteiten. Serenity bestormde geen kasteel, maar bevoer een kalme stroom. Hij en Nakiboeka begrepen elkaar. De brief van Vrijer was pas na geruime tijd ter sprake gekomen en had tot veel geschater geleid. Serenity's kwaadheid en verdriet waren opgelost in het begrip van de aangetrouwde tante. Hij projecteerde de mythische, honingzoete oogopslag en het dwepende lichaam uit het rood-zwarte typewerk op de sprankelende Nakiboeka. Tegen de tijd dat ze de vulkanische krater van heilige sappen gingen verkennen, waren ze allebei duizelig van hartstocht.

'Er is iemand op uit om me kapot te maken,' zei Hangslot, die Serenity's zoete mijmeringen verbrak.

'Heb je dan zoveel mensen tegen je in het harnas gejaagd? Of is het een vroeger vriendinnetje van Mbaziira de Grote die een rivale van haar erf verjaagt?'

'Ik hoor niet graag zulke krasse taal.'

'Er is ook niets verfijnds aan een oude vrouw die snakt naar jong bloed.'

Er klonk een schurend geluid en een loom gepiep uit de overbelaste beddenspiralen.

'Wat doe je?' zei Serenity ongerust. 'Geef die brief meteen terug. Je moet het bewijs niet opeten!'

Hangslot bofte dat Serenity een hekel had aan geweld, anders zou ze er een gebroken kaak aan hebben overgehouden. Serenity slikte zijn woede in en concentreerde zijn gedachten op Nakiboeka. Het vreugdeloze kruis van een monogame seksuele verhouding had hij afgelegd; zijn dorst zou niet langer gelest worden door de azijnzure spons van het vrijen met zijn vrouw. Met de keus tussen vruchtbaarheid en schoonheid, had zijn vrouw voor het eerste gekozen, haar tante voor het laatste. Na twee kinderen was Nakiboeka's lichaam nog steeds stevig, soepel en niet mismaakt door uitzakking. Hij verlangde nu meer dan ooit naar haar. Ze was het beste wat hem in lange tijd was overkomen.

Terwijl ik in mijn stille wacht geterroriseerd werd door muggen zodat ik overwoog me terug te trekken, riep Hangslot schril: 'Waar ben je de afgelopen twee nachten geweest?'

Stilte.

'Vertel eens waar je de afgelopen dagen hebt doorgebracht.'

Stilte.

'Ik wil weten waar je de afgelopen twee nachten bent geweest.'

Het hartstochtelijke gejank van parende honden kwam naderbij. Twee huizen verderop klonk het geschuifel van hondenpoten, vergezeld van heftig gehijg en gekreun. Ergens in het donker bevonden zich zo'n twintig honden die zich overgaven aan de genade van hun hormonen. Het waren gevaarlijke honden. Slechts een paar dagen geleden was een dronkelap, te wankel op zijn benen om te ontsnappen, aangevallen door zo'n stelletje gefrustreerde viervoeters. Ik wachtte geen verdere waarschuwingen af. Ik ging weer naar binnen. Vele lange minuten later, terwijl ik de slaap probeerde te vatten, klonken er schoten. Uit de orgie klonk een gedementeerd gejammer op, bijna alsof er iemand klaarkwam, en toen werd het stil.

Hangslot, dat moest ik toegeven, had een intuïtief verstand, maar het ontbrak haar aan stijl. Een paar dagen later riep ze me bij zich op haar Commandopost en vroeg me zonder me aan te kijken of ik iemand kende die een schrijfmachine had. Naar het scheen wilde een vriendin van haar wat belangrijke documenten laten typen. Ik veinsde verbazing dat ik in dergelijke volwassen zaken gemengd werd, en antwoordde dat ik niemand kende die zo rijk was dat hij een schrijfmachine had. Ik zinspeelde erop dat Serenity misschien wel een typiste of een typemachine wist. Verslagen graaide ze naar strootjes om het dak van haar verwarring mee te bedekken, en toen kwam er een klant binnen. Ik smeerde hem.

Dagen later viel het me op dat iemand steeds mijn passerdoos, mijn schriften en mijn kleren overhoophaalde. Tegelijkertijd bedacht ik dat Vrijer al geruime tijd niet op ons erf verschenen was.

Veertien dagen later ontdekte ik dat het speurwerk zich tot in mijn bed had uitgebreid en dat mijn matras van zijn plaats was gesjord. Ik begon lijm- en kauwgomresten op mijn passerdoos, bed en in de hoeken van mijn koffer achter te laten.

Er zijn twee valkuilen waar despoten van nature in vallen: ze delen mensen in stereotypen in en zoeken overal een zondebok voor. Hangslot was geen uitzondering. Toen haar kinderen geld en spullen begonnen te pikken in plaats van in hun bed te plassen, begon ze meteen te suggereren dat ze heus wel wist wie de misdadiger was, met andere woorden dat ik de dader was.

Als ik iets had leren verafschuwen dan was het wel stelen, speciaal van ouders en andere familieleden. Maar dat wist Hangslot niet en ze bleef me verdenken en me de schuld te geven. Natuurlijk had ik *Treasure Island* gestolen, maar niet om er rijker van te worden. Het interessante was dat er steeds meer boeken begonnen te verdwijnen en hoe vaker het gebeurde, des te grondiger werden mijn spullen doorzocht. Een aantal schijters klaagde er voortdurend over dat hun pennen, potloden en schriften verdwenen. De waarheid was dat sommige van de schijters hun spullen op school verloren, zoals zoveel kinderen, maar omdat ze bang waren voor de strenge straf die gewoonlijk volgde op dergelijk verlies van bezittingen, gebruikten ze mij als zondebok.

Opgevoed met bloedoffers, besloot ik mezelf op te offeren uit dank aan de goden die mijn naam buiten het Miss Singer-schandaal hadden gehouden. In mijn achterhoofd had ik het gevoel dat Serenity mij wel verdacht, maar besloten had me te negeren omdat ik hem in staat had gesteld achter de vrouw aan te gaan die hij begeerde. Met mijn zelfopoffering wilde ik ook Hangslots goden danken voor hun rol in mijn overwinning. Maar boven alles wilde ik mijn voormalige achterban, de schijters, heroveren, die me nog steeds beschouwden als een kruising tussen een misdadiger en een soort verstotene. Ik wilde hun held worden en zo Hangslots greep op hen verzwakken.

Dus suggereerde ik tweemaal dat ik een pen gestolen had. Verheugd dat de misdadiger door Gods genade bekend was geworden, diende Hangslot me twintig slagen met de guavekarwats toe. In elke klap kwamen alle razernij, frustratie en verdenkingen uit het verleden mee, en als ik me niet gesterkt had gevoeld door mijn missie, zou ik ernstige schade hebben opgelopen. Maar beide keren hield ik me spijkerhard. Ik schreeuwde het niet uit en liet geen traan. Ze probeerde mijn gevoelige plekken te raken en om mijn gedachten af te leiden concentreerde ik me op mijn heldenrol, zodat de tranen veilig in hun buizen bleven. Ik zag bewondering op het gezicht van de schijters en mijn eigen gezicht werd zo kil als een steen, verhard door de zorgeloze arrogantie van een held. Ik was hun held. Dat was een prettig gevoel. Ik had de leiding weer. In de overtuiging dat ik geen traan zou laten, al stak ze me een oog uit, liet Hangslot me gaan. Ik waggelde als een politieagent die zojuist een lastige misdadiger heeft ingerekend. Ik waggelde als Amin na een geweldige knock-out-overwinning. Hangslot kon het niet verkroppen. Ze riep me terug en gaf me nog drie snijdende slagen op mijn rechterkuit. Ik ging er alleen maar een beetje erger van waggelen. Uiteindelijk gaf ze het op.

Gedekt door een heroïsche misdadiger, kon de dief zich beter handhaven. Ik begon schik te krijgen in het spel en mijn aandeel erin. Een aantal malen werd Hangslots portemonnee geplunderd. Het gevoel voor timing van de dief begon spectaculair te worden. Wanneer Hangslot een duidelijke val zette, vernederde hij haar door die te negeren. Hij moest jagen op zijn prooi, werken voor zijn buit. Hij moest beslist weten dat alleen goden offers verwachtten en aanvaardden. Toen Hangslot zich onder het bed verstopte om hem op heterdaad te betrappen, kwam hij niet opdagen. En alsof hij zijn achtervolgster nog erger wilde tarten, breidde hij zijn werkterrein uit tot het 'tanden- of rattengeld'.

Als je na de bijbehorende bedreigingen en hardhandige wroetpartijen van Hangslots vingers een ontwortelde melktand had, dan legde je het bloederige geval achter de kast voor de 'rat', die er een muntstuk voor in de plaats legde. Dat was het geld waar de dief op uit was. Hangslot vond dit extra vervelend omdat ze, tot tweemaal toe, een zijden draad had gebruikt om de losse tand uit te trekken, zo hardhandig dat het slachtoffer hevig bloedde en iedereen vreesde dat ze de kaak had beschadigd. Met bloedschuld in gedachten raakte ze door het dolle heen toen ze ontdekte dat het 'rattengeld' gestolen was. Uit eerbied voor de traditie moest ze beide keren het ontvreemde geld vervangen. Daar kwam nog bij dat ze had gemerkt dat het beide keren was gebeurd toen ik er niet was. Iemand was bezig haar intelligentie te beledigen! Dus werden onmiddellijk de spullen van de schijters doorzocht.

Op de dag des oordeels werden zoals gewoonlijk de avondgebeden opgezegd, en raakte het dak bevuild door Hangslots psalmtrillers. Over enkele minuten zou er gegeten worden. Maar deze keer kregen twee van de schijters hun pindasoep niet, die heerlijk vol zat met stokvis. Het aroma hing door het hele huis en wakkerde ieders eetlust aan. Door de wol geverfde sadist die Hangslot was, had ze ervoor gezorgd dat ze eerste kwaliteit vis had gekocht, en eerste kwaliteit aardnoten en het eten had gesmoord in eerste kwaliteit bananenbladeren, om de smaak te intensiveren. We aten ons bord leeg op een handbreedte afstand van de veroordeelde schijters wier voorhoofd parelde van het schuldige zweet en wier ogen rood aangelopen waren van de angst. We wasten onze vuile vingers in water dat door de twee misdadigers werd uitgeschonken in kleine, bidet-achtige bassins die ik, jaren later, in een buitenlands bordeel zou tegenkomen, en die ik voor altijd zou associëren met vuil, zeep, vis en verpeste maaltijden. Serenity, rechtop in zijn stoel als Pontius Pilatus, waste zijn vingers afwezig en keek niet naar het stuk blauwe zeep dat hem aangeboden werd en ook niet naar de bevende schijter die het hem aanbood. Godot, in zijn haveloze rode band, was de enige die voor hem bestond. En, ach, die altijd zonnige tante van de vrouw die dit gebroed hoedde.

Vastbesloten om protest aan te tekenen, en Hangslots idee en systeem van rechtvaardigheid te saboteren, stond ik beheerst van tafel op. Er vloeide een onderstroom van walging door me heen die me het berekende sadisme van het officiële gerechtshof deed verafschuwen. Misschien had ik te veel medelijden met de misdadigers. In ieder geval had ik bijgedragen aan dit drama en had ik genoten van de streken van het tweetal. Ik werd alleen gekweld door de zeurende vraag of ik niet voor ze in de bres moest springen. Hangslot riep me tot de orde.

Ze stak haar hand onder het groene bankstel en haalde er drie vingerdikke guavekarwatsen onder uit, en verklaarde, nogal pompeus, dat ze de dieven had betrapt die het huishouden hadden geterroriseerd. Het tweetal moest vlak naast elkaar op de grond gaan liggen. Serenity, die tot dan toe niets had gezegd en die in de geest van despotische harmonie niets kon zeggen, verschool zich achter zijn rode *Godot.* Hangslot gaf de schijters ervan langs als een hongerige adelaar die een stelletje kippen aanvalt. In een flauwe poging een beroep te doen op hun Grote Broer die hen eerder had gered, richtte het tweetal de glazige ogen op mij, met krankzinnig snuivende neusgaten. Maar mijn rol was te heroïsch voor hen om te herhalen en op hun leeftijd zou ik er ook niet in zijn geslaagd mijn stoere wonderen te verrichten. De orgie van jankende, kwijlende en huppelende honden doorbrak de grenzen van het nachtelijke paringstoneel en drong het huis binnen. Het lawaai van de tierende viervoeters werd onderstreept door menselijke smeekbeden om genade, beloften nooit meer te zullen zondigen en gebeden aan de beruchte Sint-Judas Thaddeüs, beschermheer van de wanhopigen. Een van de schijters ging zelfs zover dat hij de hulp inriep van de machtige Serenity, waarschijnlijk in naam van Godot, maar hij werd nog harder geslagen door Hangslot, die duidelijk maakte dat er geen despotische of non-despotische tussenkomst aan te pas zou komen.

Generaal Idi Amin had ons aangespoord om hard te vechten en elke keer als we geveld waren terug te slaan. En zijn machtstoename duidde erop dat de meerderheid van het volk behoefte had aan een verlosser, iemand die hen tegen henzelf en hun angsten in bescherming nam, voordat ze in conditie waren om zelf te vechten. Er moesten reuzen, helden zijn zoals ik, om de hulpelozen te redden. Het viel me op hoe gemakkelijk het was om achterover te leunen en toe te kijken en hulpeloos je handen in de lucht te gooien. Iedereen had zijn handen in de lucht gegooid op de dag dat ik door Serenity afgetuigd werd, wellicht omdat ze niet op dezelfde manier naar Amin luisterden als ik. Wellicht omdat ze nooit van de bron van heldendom en zelfopoffering hadden gedronken die Opa me had laten zien. Wellicht omdat ze nooit midden in de nacht wakker waren gemaakt om samen met Oma vijf kilometer verderop een baby ter wereld te helpen. Ik wilde boven hen uitrijzen en de slagen incasseren. Ik vroeg me af wat Amin onder deze omstandigheden zou hebben gedaan. Hij zou tussenbeide gekomen zijn om de schijters te verlossen, of in elk geval Hangslot hebben afgeleid om de slachtoffers op adem te laten komen.

Nog liever zelfs stuurde generaal Amin boodschappen en waarschuwingen aan zijn vijanden. Hij waarschuwde imperialisten, kolonialisten, racisten, zionisten en hun aanhangers dat hun tijd voorbij was. Het werd hoog tijd dat iemand Hangslot een boodschap stuurde dat *overkill* geen synoniem was voor lijfstraf. Bovenal reali-

seerde ik me ineens, voor de eerste keer sinds ik in de stad was aangekomen, dat ik net zo goed een ouder voor de schijters was. Eigenlijk wist ik meer van deze kinderen dan de despoten zelf. Door ze te
wassen en ze te helpen met hun huiswerk, ze af te persen en ze te
chanteren, stond ik op intieme voet met hen. Ik was dol op ze geworden.

Maar was het dan niet bekend dat ik mede-ouder was? Was het
niet bekend dat ik de derde krijgsmacht in deze dictatuur vormde?
Was het niet bekend dat ik Serenity beschouwde als oudere broer, en
Hangslot als zijn valse vrouw die je moest pesten, verbeteren en verdoemen omdat ze te achterbaks was om te veranderen?

'Ik heb ze het geld gegeven,' zei ik plotseling.

'Wat?' hijgde Serenity, opgejaagd.

'Ik heb ze het geld gegeven.'

'Ze hebben de misdaad bekend,' zei Hangslot kil nadat ze het
tweetal nog een paar harde klappen had gegeven.

Daar was ik door overrompeld. Ik was even vergeten waar elke
despoot goed in is: het afdwingen van bekentenissen.

'Wil je beweren dat jij het geld hebt gestolen en het aan hen hebt
gegeven?' vroeg Hangslot woedend.

De held was over zijn eigen jaspanden gestruikeld.

'Nee.'

De schijter met het kleinste hartje keek ontsteld. Hangslot rook
sabotage en wilde demonstreren dat heldendom synoniem was met
littekens en een gedeukt ego. Ze gaf een haal over mijn rug en een
van de onschuldige schijters kwam ten val toen Hangslot zich onhandig omdraaide, als een buffel met een speer in zijn kont.

Ik maakte een sprongetje en ging weer zitten. Ik werd nog vier
keer geslagen. Het deed pijn, maar ik mocht niet schreeuwen: ik
moest mijn imago instandhouden. Nog eens vier zweepslagen in
mijn richting, dit keer tegen mijn benen. Ik verbeet een hondenge-
jank, met de schijters in gedachten. Ik was even bang dat ik het in
mijn broek had gedaan, maar gelukkig was dat niet het geval. Ik
glimlachte. Opnieuw had ik ervoor gezorgd dat ze niet triomfeerde.
Razend geworden van het onbevredigende gezwiep van de zweep,

hief Hangslot haar arm op om mijn rug er geducht van langs te geven, maar er klonk een knal en er kwam glas uit de lucht vallen. Ze had de lamp geraakt. Serenity was woedend: hij had er een hekel aan in zijn lectuur gestoord te worden.

'Nu is het wel genoeg geweest,' blafte hij zonder op te kijken. 'Genoeg, Nakiboeka, genoeg.'

'Wie zeg je?' Hangslot wendde zich tot Serenity met de karwats nog geheven.

'Wat?' mompelde Serenity. Hij had zichzelf verraden. Ik had het gehoord, en zijn vrouw ook.

Hangslot liet de karwats uit haar handen vallen. De schijters konden getuigen dat ze een Sint-Judas Thaddeüswonder hadden meegemaakt. Er daalde een wolk van stilte over het huis neer. Hangslot stuurde iedereen naar bed en, wonder boven wonder, vroeg ze de schijters niet eens haar te bedanken voor de maatregelen die ze had getroffen.

Die nacht sliep ik als een roos. Ik had nu twee trouwe volgelingen.

Ik miste oom Kawayida vreselijk. Hij kwam nooit bij ons op bezoek. Soms ontmoette hij Serenity op kantoor, waarna hij weer terug naar huis ging, in Masaka, honderd kilometer bij ons vandaan. Hij had een bestelwagen met open laadbak gekocht tijdens de Aziatische exodus en fokte kalkoenen. Ik wist dat hij alleen voor een bokswedstrijd met Muhammad Ali naar ons huis gelokt kon worden. Maar Ali had al een hele tijd niet meer tegen iemand van naam gevochten en hij was nog nooit op de stinkende Toshiba te zien geweest. Ik was geen fan van Ali omdat hij veel arroganter was dan ik wilde zijn en openlijk opschepte over zijn overwinningen. Ik had liever dat anderen mij prezen. Maar ik zou hem alles hebben vergeven als hij er via een wedstrijd voor zorgde dat oom Kawayida bij ons kwam. Het feit dat oom Kawayida niet bij ons thuis kwam was het bewijs dat de rivaliteit tussen zijn vrouw en Hangslot nog steeds in volle gang was. Ik maakte me zorgen om hem en zijn gezin. De kleine stad waar hij woonde lag op de route naar Tanzania. En in het

Tanzaniaanse grensgebied met Oeganda waren anti-Amin guerrilla's actief onder leiding van de voormalige dictator Obote. Amin was erin geslaagd een aanval van die guerrilla's af te slaan, met een groot aantal gesneuvelde aanvallers tot gevolg, maar je wist nooit wat er nog zou komen. Als de guerrilla's nou eens de grens overstaken en met geweld ooms streek binnenvielen?

Als ik erbij stilstond was ik wel onder de indruk van het idee van guerrillastrijd. Wat me aantrok waren de risico's, het lef om spelden in de dikke kont van een despoot te prikken. Ik was me ervan bewust dat wat ik met Hangslot uithaalde niets meer of minder was dan een guerrillaoorlog. Het was geen terrorisme, zoals ik het eens had genoemd. Sinds mijn dorpstijd associeerde ik dat woord met dode honden en tot de islam bekeerde mannen die bang waren dat ze een ongeneeslijke ziekte aan hun pik hadden opgelopen. Guerrillisme klonk beter.

Ik besloot Hangslots Commandopost binnen te vallen en haar naaimachine uit te schakelen. Om te beginnen had ik nog nooit enig voordeel van die machine gehad: mijn kleren kwamen altijd het laatst aan de beurt, zelfs als ik het eerst om reparatie vroeg. Ik wilde Serenity ook treffen: hij kwam er te gemakkelijk af naar mijn zin. Als mijn sabotage lukte, dan zou hij nieuwe onderdelen voor de Singer moeten kopen. Ik wist ook dat de Singer-vertegenwoordiger terug was naar Nairobi, Bombay of Londen, wat betekende dat de onderdelen geïmporteerd moesten worden. Zo zou ik wraak kunnen nemen plus er nog wat geld aan overhouden door de onderdelen te verkopen, maar waar het mij om ging was Hangslot duidelijk te maken dat bruut geweld zijn grenzen had. En bovendien kon ik niet verdragen dat de despoten zich voortdurend over Amin beklaagden: over zijn bewind, de vuurpelotons, de stijgende prijzen, de instabiele economie en de wreedheid van de soldaten.

Elders vonden er gebeurtenissen plaats die mij met een vrouw verbonden wier huis ik in een latere periode zou bewonen, door wier sleutelgat ik zou loeren, wie ik zou smeken om mijn op hol geslagen sekshormonen tot bedaren te brengen en wier vaderloze kinderen ik zou proberen op te voeden. Terwijl ik de Commandopost binnendrong, drongen generaal Amins manschappen het huis van die vrouw binnen en namen haar mee naar een onbekende bestemming.

In het duister schopte ik een blikje omver, hield mijn adem in en ging verder. De Commandopost rook naar katoen, Singer-smeerolie, hout en gevangen nachtelijke warmte. In het donker leek de naaimachine op een middeleeuws martelwerktuig waarop zondaars door sadistische geestelijken werden gestraft met een heilig doel. Een perverse vreugde welde in mijn borst op, die de angst in mijn botten compenseerde. 'Zij is je echte moeder niet,' fluisterde Loesanani in het donker, haar adem kietelend in mijn oor. Wat zou zij nu aan het doen zijn? Zou ik ooit samen met haar in het donker zijn? Het zou zalig zijn het geheim van haar petticoat hier ter plekke te ontrafelen, in Hangslots heilige der heiligen.

Ik liep door. Ik betastte de kleren in de mand, voornamelijk vrouwenkleren: jurken, bloeses en bh's die Hangslot had gemaakt. De cilindrische rieten mand met zijn deksel die op een kroonkurk leek, stond onder de kniptafel, centimeters van de onderbuik van de Singer vandaan. Ik stak mijn vinger in een kleine holte die glibberig was van de smeerolie. Het gepolijste staal voelde onnatuurlijk glad aan in het donker. Ik haalde de spoel eruit. Hij voelde aan als een stalen citroentje en ik liet hem in mijn handpalm heen en weer rollen.

Die ochtend, terwijl Hangslot zich opmaakte om haar Commandopost te betreden, bereikte ons het nieuws dat Lwandeka, haar jongere zuster, problemen had met de Binnenlandse Veiligheidsdienst. Het was niet bekend waar ze was. Hangslot, die het ergste vreesde, vertrok onmiddellijk. Vier dagen lang hing er een plezierige lichte atmosfeer in huis en zongen de vogels in de bomen vlakbij.

Plotseling ademde iedereen zuivere lucht in, alsof een verfrissende bries zojuist een lijklucht had weggeblazen. De schijters zaten elkaar door het hele huis achterna, bekogelden elkaar met speelgoed, besmeurden hun kleren, schreeuwden, scholden elkaar uit en waren zo speels als muizen nu de kat van huis was. Ik genoot van mijn rol als toegeeflijke oppas of inval-ouder en liet ze hun gang gaan, onder voorwaarde dat ze mij niet lastigvielen of moeilijkheden bezorgden. Een uur voordat Serenity thuis werd verwacht had het spel zijn hoogtepunt bereikt. Tegen die tijd begonnen de schijters om de beurt met opruimen zodat alles op orde was als de eenzelvige despoot arriveerde. Serenity was veel ontspannener dan anders, alsof hij zojuist afscheid had genomen van een geliefde. Het netwerk van zorgenrimpels in zijn gezicht was ondieper dan gewoonlijk en hij leek iedereen op zijn gemak te willen stellen. Hij deelde ons mee dat, als de orde gehandhaafd werd en het huishouden verzorgd werd en iedereen naar school ging, iedereen verder zijn gang kon gaan.

Ik was onderbevelhebber. Ik genoot van mijn machtspositie en van de kans om mijn zin door te drijven. Ik leidde mijn eigen revolutie. Door de schijters te laten zien hoe het anders kon, met woorden en niet met de karwats, stookte ik ze op tegen Hangslot en de manier van leven die ze gewend waren. De schijterige schijter, die mij nu als een jong hondje achternaliep, voerde vrijwillige spionage uit, bracht verslag uit van overtredingen, en ik deed net alsof ik die noteerde om zijn initiatief niet te fnuiken. Hij was degene die over de pannen moest waken, moest luisteren naar de suddergeluidjes en ervoor moest zorgen dat er precies genoeg water in zat, niet te veel waardoor het een soepje zou worden en niet te weinig waardoor het eten zou aanbranden. In geval van nood moest hij mij erbij roepen.

Ik nam vrij om lange gesprekken met Loesanani te voeren. Ze kwam een paar minuten binnen, maar ging weer weg voordat ik haar een rondleiding in de Commandopost kon geven. Ik was teleurgesteld. Ik had gedacht dat de toverkracht van mijn dromen haar wel een poosje in Hangslots heilige der heiligen zou houden en haar er misschien wel vrijwillig toe zou brengen een paar van de geheimpjes van haar ruisende petticoat prijs te geven. Terwijl ik haar nakeek vroeg ik me af of het Opa intussen gelukt was zo'n meisje te krijgen dat voor hem kon zorgen. Er was een officieel verbod op de nieuwsvoorziening dat ik niet kon omzeilen om erachter te komen hoe het met hem ging.

De vier dagen buiten haar koninkrijk leken Hangslot een eeuwigheid toe. Vier dagen onder andermans dak, vier dagen rekening houden met andermans dagindeling, andermans voedsel eten, slapen onder geïmproviseerde omstandigheden – het voelde aan als vier eeuwigheden verkwist in de hel. De gesprekken van haar familieleden shockeerden haar vanwege hun luchtigheid en willekeur. Het leek of ze er plezier in hadden kippenveertjes in de lucht te blazen om ze vervolgens op te vangen. Hangslot zat geïsoleerd op haar eiland van ernst, en probeerde de tragedie humorloos te analyseren, terwijl allen om haar heen onbezorgd tegenover de rampspoed leken te staan. Haar broers en zusters gingen op rooftocht in de zandvlakten en moerassen van hun jeugd, een verleden dat zij liever liet voor wat het was. Na de tandeloze oude vrouwen en mannen, de oude kleren, de zondagse missen, de zware kerstmaaltijden en de jeugdovertredingen, gingen ze eindelijk over op het enige onderwerp dat haar interesseerde: 'Eerste kinderen groeien keurig op, latere kinderen niet, is het de schuld van de ouders?'

'Lwandeka was een typisch laat kind,' zei Mbale ten slotte. 'Zij heeft haar voordeel gedaan met de toenemende aftakeling van mama en papa, en heeft altijd gedacht dat de wereld om háár draaide.'

'Er is ons verteld dat ze gearresteerd is vanwege correspondentie met Duitse saboteurs. Waarom deed ze dat? Wist ze niet dat het menens is met Amin? Wist ze niet dat het gevaarlijk is om brieven aan Duitsers te schrijven?' vroeg iemand.

'Degenen onder ons die een goede opvoeding hebben genoten, doen het goed,' voegde Hangslot eraar toe. 'Degenen die het gemakkelijk hebben gehad moeten nu de prijs betalen voor de vrijheid die ze vroeger hadden.' Ze keek naar haar tweede zuster, Kasawo.

In Hangslots ogen waren haar zusters allebei hoeren. Om te beginnen was Lwandeka er niet in geslaagd iemand te vinden die met haar wilde trouwen, en had ze de familie te schande gezet door onechte kinderen te krijgen. Kasawo, de oudere en vetste van het stel, was niet veel beter. Ze had een wilde puberteit gehad, tegen haar ouders gerebelleerd en was ervandoor gegaan met een schurk die zoop en haar sloeg en haar eens bijna had vermoord. Ook aan haar was de eer van het heilig huwelijk voorbij gegaan en nu stond ze op de markt, en was iets tussen witte-boordenhoer en eeuwige maîtresse in.

Hangslot verweet haar ouders dat ze hun plichten hadden verzaakt, vooral dat ze de meisjes niet aan straf hadden onderworpen en ze vond dat alle vernederingen die ze in het leven hadden ondergaan hun zuur verdiende loon waren. Op het hoogtepunt van hun rebelse periode waren beide meisjes tegen de wil van hun ouders in gegaan, kwamen thuis wanneer ze wilden en hadden geweigerd om in het huishouden mee te helpen. Nu wentelden ze zich in zonde, als varkens in de stront, en maakten ze dezelfde fouten als honden die hun eigen kots opvreten. Hangslot was van mening dat opsluiting in een gevangenis misschien wel het beste was dat haar jongere zuster Lwandeka kon overkomen, als ze maar niet verkracht werd. Gevangenschap zou haar genezen van de neiging te corresponderen met verwende Duitse vrouwen, hoeren waarschijnlijk, die niet godvrezend waren en opstandigheid aanspoorden.

Hangslot liet haar jeugd weer de revue passeren. Wat had ze zich uitgesloofd voor deze mensen; ze had voor ze gewassen, gekookt en op het land gewerkt! Wat had haar rug zeer gedaan na de karweitjes die zij weigerden uit te voeren! Wat was haar huid geschramd als ze naar het bos was geweest om haardhout voor het gezin te sprokkelen! Wat had ze een pijn in haar nek gehad na het dragen van al die potten en pannen met water op haar hoofd! En haar ouders stonden altijd aan de kant van de jongere kinderen en gaven haar de schuld voor de fouten die anderen begingen! Wat was ze afgetuigd voor kleine vergissingen! En haar ouders hadden haar aan haar lot overgelaten als ze op school gepest werd, onder het mom dat ze daar sterk van zou worden! En daar kwam nog bij dat haar ouders teerhartig geweest waren tegenover de jongere kinderen!

Hangslot zag nu in dat haar rol die van financier zou zijn en dat een groot deel van haar spaargeld betaald zou moeten worden als losgeld voor Lwandeka. Twee mensen met goede connecties, waarschijnlijk gestuurd door degenen die Lwandeka hadden opgepakt, waren al naar haar aan het zoeken. Ze deden net alsof ze er hard achterheen zaten, in afwachting van hun percentage van het losgeld en de dankbaarheid van de bijeengekomen familieleden. Gestreeld door haar financiële macht uitte Hangslot haar radicaalste opvattingen over de ineenstorting van de autoriteit van haar ouders niet openlijk. Het was de reden waarom ze niet hapte toen Kasawo terugsloeg en zei: 'We hebben het geen van allen makkelijk gehad. Alleen hadden wij wel het lef om te rebelleren en te blijven rebelleren. Daarin hebben we jou verslagen: jij hield je angstvallig aan de regels van papa en mama. Het mooie is dat we nu zelf allemaal kinderen hebben.'

'Jij hebt je eerste kind onterfd omdat zijn vader je bijna vermoord heeft, dus jij hebt geen recht van spreken,' wierp Mbale, de op twee na oudste, tegen.

'Is jouw vrouw je nooit te lijf gegaan? Wacht maar tot zij eens met een *panga* naar je uithaalt, dan piep je wel anders,' antwoordde Kasawo tamelijk kalm, en Mbale hield zijn mond.

'We zijn allemaal nogal van de kaart,' zei Hangslot tactvol, 'kunnen we het niet beter hebben over de betrouwbaarheid van de mannen aan wie we het losgeld moeten geven?'

Dat dempte de spanning enigszins. Hangslot had het hoogste woord, maar luisterde niet naar het geklets van haar familieleden: over vrouwen, haar nichtjes, neven, tantes, ooms... In haar gedachten was ze alweer thuis, en vroeg ze zich af of het dak nog niet was ingestort. Ze moest verder met haar leven, jurken naaien en kinderen opvoeden.

Maar de gesprekken kwamen telkens terug op haar jeugd. Kasawo, gepikeerd over Mbales opmerkingen van daarnet, schaarde zich aan de kant van haar jongste broer en beschuldigde Hangslot en Mbale ervan dat ze hen mishandeld hadden. Ze repte over knijpen, uitschelden, opzettelijke wegloperij als ze 's avonds naar de bron moesten of naar het bos om hout te sprokkelen. Hangslots handen jeukten om haar een mep te verkopen en die twee een rozenkrans op te laten zeggen. Zij en Mbale hielden zich gedeisd tijdens de aanval en de woede van het tweetal zakte algauw en er werd opnieuw een lichter onderwerp van gesprek voorgesteld. Er werd gelachen en het hele huis schudde onder het gewicht van de familiegeschiedenis, die opgedolven werd uit de dichtgeslibde moerassen van hun geheugens.

Hangslot ergerde zich er voortdurend aan hoe het verleden als een klomp natte klei werd opgegraven, in allerlei vormen werd gekneed, een valse glans kreeg en opgehemeld werd als een soort Gouden Eeuw van de familie. Voor deze mensen smaakte het voedsel van vroeger beter, was het water van vroeger frisser, was de romantiek van vroeger ruiger. De kneedbaarheid van het verleden en de manier waarop deze mensen er vorm aan gaven tijdens hun gesprekken, vervulden haar met weerzin. Maar uit naam van de harmonie ging ze niet tegen hun opvattingen en versies van het verleden in. Wat ze betreurde was dat je het oneens kon zijn met mensen, maar dat je ze hun fantasieën niet kon afpakken. Het verbaasde haar hoe vluchtig de woede van deze mensen was, want zelfs als ze het hadden over slechte herinneringen, leken ze ermee verzoend omdat het allemaal achter hen lag. Ze zagen het nut er niet van in om nu nog ruzie te maken over zandstormen die allang waren gaan liggen, en hun huidige verhouding daarvoor in de waagschaal te stellen.

Op de derde dag had Hangslot een soort compromis gesloten met haar familie: ze tolereerde hun gekeuvel zolang ze niet van haar verwachtten dat zij er van harte aan deelnam. Het gaf haar een gevoel van superioriteit om deze stervelingen te zien wentelen in de modder van hun geheugen. Het wachten was op nieuws over de arrestante, dat steeds maar niet kwam. Het pantser van haar geduld begon langzaamaan te barsten. Vervolgens viel het als stof van haar af, vanwege het verschijnen van de enige persoon die ze liever niet zag: tante Nakiboeka. Een heftige woede, haat en onmachtige walging beten zich diep in haar vast en ze moest hard vechten om het gewelddadige oproer in haar binnenste te onderdrukken. Op de een of andere manier lukte het haar een vernislaagje beleefdheid over haar emoties te leggen.

Normaal gesproken konden nichtjes goed opschieten met de tante die hen in de huwelijksnacht had begeleid bij de eerste openbare viering van hun seksualiteit. Meestal werden deze tantes door hun nichtjes gekoesterd omdat ze het symbool waren van hun vrouw-zijn en hun moederschap en omdat ze tips gaven hoe je een man in toom moest houden en hem moest manipuleren zonder dat hij het zelf in de gaten had. Deze tantes speelden voor hen de rol van advocaat, raadgever, samenzweerder en rechter. Nichtjes zeiden bijvoorbeeld vaak: '*Onze* man heeft dit of dat gedaan', of '*onze* man dreigt van ons te gaan scheiden', of '*onze* man gaat vreemd...' Het huwelijk van een nichtje was ook het huwelijk van de uitverkoren tante, omdat ze beiden hoopten dat het zou slagen.

Maar Hangslot was niet de eerste de beste nicht: de non in haar zou nooit sterven. Af en toe ontsnapte die uit haar ondiepe graf om haar getrouwde evenbeeld te terroriseren. De non in haar walgde van de gebeurtenissen tijdens de huwelijksnacht en kwam in opstand tegen de fallus. De ex-non fluisterde haar in dat het één ding was om door je tante ingesmeerd te worden met boterolie, maar iets heel anders om haar getuige te laten zijn van je ontmaagding.

De ex-non voelde zich niet op haar gemak bij Nakiboeka. Die vrouw had haar naakt gezien, wat in haar kloosterdagen uit den boze was geweest. In die tijd keek je nooit naar jezelf, zelfs niet als je je waste of je duivelsharen uittrok. Het lichaam behoorde toe aan Christus en aan Christus alleen. De ex-non wees erop dat deze vrouw ook te veel af wist van Serenity: was zij niet degene geweest die hem een erectie had bezorgd? Had zij hem niet meegemaakt toen hij impotent was, bang, verslagen? Had zij hem niet gewassen toen hij zich zo had aangesteld op zijn bruiloft, en was gaan hossen met al die verachtelijke dronkelappen en zondaars die hem met kots hadden besmeurd?

Het ergste van alles was dat deze vrouw familiegeheimen aan Serenity had onthuld. Dat zou Hangslot haar tante nooit kunnen vergeven. Had ze Serenity niet alles over háár jeugd verteld, háár

bijnamen, háár kloosterdagen, háár wanhoop nadat ze uit het klooster verbannen was, en over hoe ze Mbale had geslagen, allemaal
dingen die niemand mocht weten? Hoe durfde ze de familie zo te
verraden. Mensen met een losse tong kregen hun verdiende loon
wel, en Hangslot was er zeker van dat Nakiboeka dat ook te wachten stond. Hangslot geloofde ook dat Nakiboeka een pact met de
duivel had gesloten en dat ze haar huwelijk en haar gezin kapot
wou maken.

Het had lang geduurd voordat Nakiboeka zich realiseerde dat het
tussen haar en haar nichtje niet zo goed ging. Naar haar eigen oordeel had ze goed werk verricht bij het voorbereiden van een zeer gefrustreerde ex-non op een (naar de maatstaven van hun familie) belangrijk huwelijk. Het had haar een hoop geduld en vleierij gekost
en ze verwachtte er dan ook enige dankbaarheid en hartelijkheid
voor terug. Maar dat was kennelijk te veel gevraagd. Uitnodigingen
aan Hangslot om bij haar op bezoek te komen waren onbeantwoord
gebleven. Bij de gelegenheden dat ze Hangslot had opgezocht, toen
die nog in het dorp woonde, was ze elke keer koeler ontvangen.
Haar pogingen om een gesprek op gang te krijgen waren op een onzichtbare muur gestuit. Haar keuze Hangslot aan te wijzen als peet-
moeder van haar dochter, bleek een catastrofe te zijn. Pas toen had
Nakiboeka beseft dat er iets mis was en had ze zich teruggetrokken.
Ze troostte zich met de gedachte dat het huwelijk van haar nichtje
een degelijke ondergrond had en dat haar raad en steun overbodig
waren.

Er gingen jaren voorbij zonder dat de twee vrouwen elkaar op-
zochten. Nakiboeka's huwelijk begon stormachtig te worden: haar
man wilde meer kinderen, zij niet; zij zag het nut er niet van in een
slechte verhouding in stand te houden met zes kinderen. Hij begon
haar ervan langs te geven. Ze zei nadrukkelijk dat ze, als hij haar
dan zo nodig moest slaan, de voorkeur gaf aan 'staatsvlees', zoals
billen op school werden genoemd. Het was de enige plek waar
leerkrachten de kinderen mochten slaan, en al was Echtgenoot
geen leraar en zij geen leerling, ze had het toch liever zo. Ze moest
er niet aan denken om met een blauw oog, een gescheurde lip of

een gebroken neus te moeten rondlopen.

De klappen op haar 'staatsvlees', met hun schoolassociatie, hadden het sluimerende spook van haar kalverliefde weer tot leven gewekt, en de vage gedachte aan de platonische afloop ervan. Van het een kwam het ander: uit de as van de platonische verliefdheid rees de gestalte op van de man van haar nicht: Serenity. Iets dat begonnen was met vleesetende blikken in het ouderlijk huis van haar nicht, en dat zijn hoogtepunt had bereikt met het aanraken van een schouder op die huwelijksnacht, had bij Serenity een vrolijkheid en aandachtigheid opgewekt als zij op bezoek was of als ze elkaar bij familiebijeenkomsten tegenkwamen. Bij een van die gelegenheden, een begrafenis, waar Hangslot nooit naartoe ging, hadden ze bijna een uur lang met elkaar gepraat, koortsachtig en spontaan. Ze had hem toen uitgenodigd op visite te komen bij haar en haar man, in de hoop dat haar man aangestoken zou worden door zijn goede manieren. Serenity was nooit gekomen.

In tegenstelling tot in haar schooltijd, toen ze de leraar op wie ze verliefd was in een aanval van puberachtige uitgelatenheid om de dag had geschreven en zelfs gedreigd had met zelfmoord, bleef ze deze keer kalm. Tot de gebeurtenissen tijdens de huwelijksnacht door haar dromen gingen spoken. Tot de gedachte aan dat glimmende mannelijke lid in de hitte van die echtelijke slaapkamer haar deed huiveren. Tot haar hart in haar keel klopte als ze iemand op straat zag die op Serenity leek en haar spieren tijdelijk verlamd raakten. Tot Serenity's bezwete gestalte voor haar verscheen als ze ging liggen om stokslagen te krijgen op haar 'staatsvlees'. Dan gilde ze en smeekte ze en zwol het ego van haar man op door haar valse, in pijn gesmoorde liefdeskreten. Een zich verspreidende geheime natheid werd in alle valsheid weerspiegeld door de nattigheid op haar gezicht. Maar toch trapte haar man erin, met zijn van zelfmisleiding zinderende hoofd. De maanden vlogen om terwijl zij wachtte tot Serenity iets zou ondernemen. Ze woonde elke familiebijeenkomst bij, elke bruiloft, begrafenis en clanvergadering, in de hoop haar zinnen weer met zijn stem, zijn aanblik en zijn geur te kunnen bevredigen. Maar hij ontliep haar.

De dag waarop hij bij haar op de stoep verscheen, zijn kleding vol met buitenlucht, zijn schoenen onder het stof, jankende honden op de achtergrond, kon ze haar opwinding nauwelijks verbergen: zijn timing leek te goed om toevallig te zijn. Ze verstopte zich een hele tijd in haar slaapkamer om te kalmeren en zich voor te bereiden op een afwijzing en op lamlendige verslagen over Hangslot en smeekbeden hem te helpen zijn huwelijk te redden. Ze zou een afwijzing waardig dragen, daar was ze op voorbereid. Maar toen ze zich weer bij Serenity voegde kwamen de gesprekken volstrekt natuurlijk op gang en sloegen bijna op hol toen ze doorkreeg dat hij helemaal niet gekomen was om haar hulp in te roepen, maar juist om haar strelingen, haar zegening. Zij was niet op zoek naar een echtgenoot; en hij was evenmin op zoek naar een nieuwe echtgenote. Ze was op zoek naar een minnaar, en hij naar een minnares. Aangezien haar man er niet was, waren ze alleen, de honden op de achtergrond een voorbode van wat er komen ging. Ze konden niet meer terug. Ze zou Serenity niet opgeven en hij haar ook niet.

De onverwachte onderstroom van zoet schuldgevoel deed Nakiboeka's stem een beetje beven, maar ze slaagde erin haar nichtje in de ogen te kijken; uiteindelijk was het geen taboe om een man te delen. De spanning en weerstand die ze in de blik van haar nicht las, waren te verwachten. Een oom die door zijn neef van zijn vrouw was beroofd zou zich tot dezelfde intense graad van frustratie hebben opgewerkt en het ook jammer vinden dat het van oudsher geen taboe was. Nakiboeka was ervan overtuigd dat ze haar nichtjes rivale was, dat ze er beter uitzag en meer zelfvertrouwen had, zodat ze zich kon veroorloven vriendelijk en hartelijk tegenover haar te zijn. De jongere vrouw die er zo haveloos uitzag als een oude schoen, werd belaagd door pre-echtelijke, post-kloosterlijke stormen die haar het aanzicht gaven of ze alle tragedies van de wereld op haar schouders droeg. Als ze niet oppaste, dacht Nakiboeka, zouden er spoedig vogels in haar haren gaan nestelen, babynijlpaarden in haar buik snuiven en hyena's hun snuit in haar oksels duwen.

Nakiboeka kwam tot de slotsom dat Hangslot zich veel te veel zorgen maakte, dat ze gedijde onder druk en ellende en dat het te laat was om haar te veranderen. Ze had haar lesjes slecht geleerd en las haar man te openlijk de les; geen wonder dat hij haar de rug had toegekeerd. Nakiboeka was blij dat het allemaal binnen de familie bleef. Als Hangslot Serenity niet wilde delen, dan kon ze naar de hel lopen.

Hangslot zei niet veel; ze gaf er de voorkeur aan haar gevoelens te verbergen en Nakiboeka ernaar te laten raden. Serenity had haar bedrogen, en deze vrouw had haar ook bedrogen. Ze had Serenity niet onder handen genomen en ze zag er het nut niet van in om met deze vrouw te bekvechten. De daaropvolgende twintig uur waren zo verschrikkelijk dat ze haar deden denken aan het zwevende, kokhalzende gevoel dat ze had gehad nadat zuster Johannes Chrysostomus haar uit het klooster had gezet. Ze had de neiging de nek van die hoer om te draaien, maar zo erg kon ze zichzelf niet vernederen. Ze legde haar beproevingen aan Jezus' voeten neer, denkend aan Judas Iskariot. Door de nabijheid van haar hoererende tante gingen de uren voorbij in wanhoop en eenzaamheid te midden van deze groep lachende, romantiserende, herinneringen ophalende familieleden. Elke minuut verwondde haar als de klauw van een adelaar. Ze vocht tegen de tijd met het enige wapen dat haar ter beschikking stond: de gedachte aan thuis, haar eigen huis waar ze opperheerseres was. De rest: haar familie, hun stemmen, het eten, de geluiden in de verte, vervaagden in een eindeloze mist.

's Avonds bleef Hangslot talmen in het donker en keek naar de sterren. Plotseling moest ze aan Mbaziira denken en de Miss Singerbrief. Zou het kunnen dat Nakiboeka haar die poets had gebakken? Maar hoe kon die iets weten van Mbaziira? Onmogelijk.

In de bus terug naar huis lette Hangslot op niemand. Ze had op niemand gelet toen haar familie afscheid van haar had genomen in een woud van wuivende handen, een flits van glimlachende gebitten en een kakofonie van vrolijk gekakel. Onderweg werd ze door kooplui lastiggevallen die handelswaar in haar gezicht duwden, maar ze zag niets.

Tegen de tijd dat ze haar pagode binnentrad beefde Hangslot van opwinding, alsof ze zojuist aan een stelletje kwijlende duivels was ontsnapt. Het huis rook vaag naar vis en zeep, maar dat deed er niets toe: geuren konden, zoals plagen, altijd tenietgedaan worden. Ze controleerde de kamers om zich ervan te vergewissen dat er niets verdwenen was. Alles was op z'n plaats: dat viel haar mee. Ze had niet verwacht dat Serenity het zo keurig zou hebben achtergelaten; hij zat altijd met zijn neus in een boek en met zijn gedachten bij zijn makkers op het tankstation. Dit was pas macht, mijmerde ze; een systeem dat zelfs werkte als de baas van huis was. Ze vluchtte de badkamer uit vanwege de luierstank; haar neus verlangde naar de verfijndere lucht van naaimachineolie. In haar hoofd hoorde ze het prettige snorren van de machine al. Het geluid deed haar aan de trein denken, solide in de rails, niet tegen te houden, standvastig in zijn inspanning om zijn bestemming te bereiken. Ze voelde zichzelf een trein. Ze daagde Nakiboeka uit om het spoor te blokkeren. In haar gedachten zag ze haar al kapotgereden, zoals elke hoer verdiende die zo suïcidaal was om haar voor de voeten te lopen.

Nu haar zenuwen geheel tot rust waren gekomen door de vertrouwde geluiden en geuren van haar eigen huis, bezon ze zich opgeruimd op de volgende taak: ze moest een jurk maken voor een meisje dat over twee dagen gedoopt zou worden. Als ze er tijd voor had kon ze ook nog de jurk maken voor de vrouw die over een week naar een bruiloft moest. En er lag allerlei verstelwerk te wachten. Haar leven spoorde weer. Het meisje ging voor: zij zou waarschijnlijk non worden, dacht ze weemoedig. Het kloosterzusterschap en de plechtige geloften zouden voor de rest van haar leven tot haar verbeelding spreken. Als je non wordt, zei ze tegen de muren, dan word je een vrouw der vrouwen, een priesteres, een godin, een koningin van de hemel.

Als Hangslot zich onderscheiden had van andere dictators en niet zo had geleden aan de gebruikelijke dictatoriale ziekten zoals het geloof in eigen onfeilbaarheid en het geloof dat alles zich aan haar wil zou onderwerpen, dan zou ze zich niet zo afgrijselijk hebben gevoeld toen ze merkte dat het spoeltje weg was. De Singer deed niet wat zij wilde en bleef onverschillig onder haar vleierijen. Ze was verbijsterd toen ze zich realiseerde dat ze niks kon beginnen zonder dat kleine ding dat een spoeltje heette, ontvreemd door God mocht weten welke duivel.

Hoe was het in hemelsnaam mogelijk dat haar spoeltje weg was? Het was maar het spoeltje, en niet de kostbare grijze naaldhouder, of de kleren, of de schaar! Wat een kille, berekende diefstal! En wat een duivelse timing! Hoe vernederend in zijn eenvoud! Haar hoofd duizelde van verbazing en gebrek aan bevattingsvermogen. Ze stak haar vinger wel duizend keer in het lege spoelgat, dat gaapte als een geplunderde grot. Een paar keer verminkte ze haar wijsvinger bijna omdat ze afwezig met haar voet op de trapper duwde. Maar het gat bleef leeg.

Ze haalde elke doos, elke bak overhoop, schudde alle lappen stof uit en verschoof elk meubelstuk. Maar de ultieme belediging, het ultieme anti-wonder, bleef haar ijskoud in het gezicht staren.

Als er een leger dronken soldaten of gewapende dieven was binnengemarcheerd, die haar bevolen hadden van haar troon te komen, haar geld hadden afgepakt en haar hadden gedwongen de grijze naaldhouder te verwijderen, hem in een zak te doen en te overhandigen met een onderdanig 'bedankt-voor-het-stelen, heren', zou ze dat hebben begrepen. Ze begreep bruut geweld en grove macht heel goed en snapte de uitwerking ervan, maar stiekeme sluwheid niet, vooral niet omdat haar Commandopost nog steeds onschendbaarheid uitstraalde. Het verwijderen van het hart van haar machine en de bijbehorende harteloze belediging, deden haar hoofd gevaarlijk zwellen van moordzucht.

Als Hangslot een verbale vrouw was geweest zou ze gaten in het dak hebben gescholden en de kamer in het speeksel van haar krachttermen hebben gedrenkt, maar zo was ze niet. Ze ging zitten op haar ontwijde troon en liet alle woede, al het verdriet en alle frustratie door zich heen kolken, zonder de moeite te nemen de wanhoop, die vrijelijk met haar tranen over haar gezicht stroomde, af te vegen. Ze wilde iets vreselijks doen, iets vreselijk bevrijdends om het verlammende gevoel van zwakheid weg te spoelen.

Wat voor beest, menselijk of duivels, had dit kunnen doen, een week nadat ze de pis, de stront en het bloed uit twee dieven had gemept? Wat voor soort maden zaten er in de verrotte kop van deze dief? Zat hier onverschilligheid tegenover pijn of een verlangen naar pijn achter? Ze huiverde van de mogelijkheid dat dit monster op deze planeet was gekomen uit haar eigen buik, na negen maanden door haar te zijn gedragen, en gevoed was aan haar eigen borsten.

Alsof die lijn van onderzoek te pijnlijk was om te volgen, ging ze er vooralsnog vanuit dat de misdadiger van buiten de familie was gekomen en misbruik had gemaakt van haar afwezigheid.

Urenlang onderwierp Hangslot ons aan een verhoor. De voornaamste vraag was: 'Wie zijn er langs geweest toen ik weg was?' Ze bleef ons met dezelfde vraag bestoken, elke keer op een andere manier geformuleerd en tot alle mogelijke vormen verdraaid.

Hangslot wist niet wat ze moest geloven toen de antwoorden kwamen. Voor het eerst in haar huwelijk merkte ze dat ze een nieuw type kind voor zich had: na honderden karwatsslagen was er een laf en schuchter soort schijter ontstaan, die uit angst maar riep wat zij wilde horen. Hierdoor werd haar onderzoek ernstig belemmerd.

Op het hoogtepunt van de hele zaak, toen haar hoofd duizelde van de tegenstrijdige verhalen, dacht ze dat Mbaziira alias Vrijer misschien de schuldige was. Had ze hem niet kortaf geboden bij haar weg te blijven? Had hij niet heftig ontkend dat hij iets te maken had met de fatale liefdesbrief, zoals elke schuldige jongen zou hebben gedaan? Had hij haar beschuldigingen niet ongegrond genoemd en getwijfeld aan haar geestelijke gezondheid? En ofschoon hij niet had gedreigd actie te ondernemen, hij was uiteindelijk toch heel stilletjes weggeslopen. Hij had een motief en wist hoe hij binnen moest komen. Als geen ander kende hij het reilen en zeilen van de Commandopost. Toch beweerden de kinderen dat hij niet langs was geweest. Had hij toegeslagen toen iedereen weg was?

In alle verwarring rees Loesanani als een leviathan uit de troebele wateren van Hangslots geest. Een getrouwde vrouw die met jonge jongens omging moest wel een perverse geest hebben, vooral een vrouw die getrouwd was met een man die oud genoeg was om haar vader, of zelfs haar grootvader te zijn. In Hangslots opvatting was die buitensporigheid al aanleiding genoeg voor een misdadige, labiele inslag. Had Loesanani onlangs niet met haar hoorns verstrengeld gezeten in die van een andere vrouw, die haar had aangevallen omdat ze een schuld van twee jaar weigerde af te betalen? Er was die dag heel wat venijn vrijgekomen, dat onschuldige zielen had bezoedeld. Uiteindelijk had de vrouw Loesanani ervan beschuldigd dat ze met haar man naar bed was geweest.

Het was duidelijk dat Loesanani een koelbloedige dievegge was die met voorbedachten rade haar zoon had ingepalmd om toegang te krijgen tot haar spoeltje, haar zoons maagdelijkheid en God mocht weten wat nog meer. En haar man had haar carte blanche gegeven om te zondigen door te verklaren: 'Mijn vrouwen lenen nooit geld of wat dan ook. Dat heb ik verboden.'

Hangslot had haar oren niet kunnen geloven; Hadji's woorden hadden als een enorm rookgordijn de sinistere activiteiten van deze jonge dievegge verhuld. Ze had een nog grotere hekel aan die baardige figuur gekregen; ze vertrouwde hem nog minder. Ze geloofde dat hij vast en zeker iets te maken had met Serenity's geflikflooi met Nakiboeka, want het was toch zeker waar dat je werd besmet door degene met wie je omging. Iedereen die aan tafel zat met deze verstokte polygamist kreeg diens polygamistische maniertjes aan zijn vork. Ze verwenste deze man met zijn vier vrouwen naar de een of andere zandkuil of achterbuurt, bij voorkeur naar een troosteloze grot, ver van iedereen en alles verwijderd, waar ze aan zichzelf en hun heidense manier van leven ten onder zouden gaan.

Halverwege het onderzoek begon er hoop in mij op te laaien: ja, Hangslot was veranderd, of was aan het veranderen. Ze had grote zelfbeheersing getoond: ze had niemand aangeraakt en leek voor de eerste keer sinds mensenheugenis respect te hebben voor ons lichaam, ondanks de vreselijke smart die ze ondervond. Ze had ons op een rijtje kunnen zetten en erop los kunnen slaan tot de vellen erbij hingen, maar dit keer leek er in haar hoofd een ander lampje te zijn gaan branden. Bestond er niet een manier waarop ik stiekem het spoeltje in de holte kon terugstoppen zodat ze niet meer hoefde te lijden? Ik nam aan dat ik in de eerstvolgende dagen wel een manier zou vinden om het terug te geven, bijvoorbeeld door het ergens neer te leggen waar een van de schijters het zou vinden.

Het onderzoek werd onderbroken door het goede nieuws dat Lwandeka na een kort tribunaal vrijgelaten was. Maar in plaats van dat het Hangslot uit haar ellende omhoogtrok, leek ze nog dieper weg te zinken. Het was alsof haar zuster er, nogmaals, gemakkelijk van afgekomen was en er niets van had geleerd. In plaats van een vreugdevolle stemming omdat iemand ontsnapt was aan een lijdensweg, hing er een verongelijkte lijkenlucht in huis.

Hangslot hervatte haar onderzoek in een gemenere gemoedstoestand. De zelfbeheersing van de afgelopen dagen was verdwenen. In haar hoofd klonken de metaalachtige geluiden van een trein die ontspoorde en zich te pletter reed.

'Is Loesanani langs geweest?'

'Ja,' antwoordde ik.

'Wat? Waarvoor?'

'Om te praten,' zei ik zachtjes.

'Hoe vaak heb ik je niet gezegd dat je bij die vrouw uit de buurt moet blijven? Waar hebben jullie het over gehad: dat ze mijn spoeltje moest stelen?'

Haar stem klonk vervaarlijk ingetogen, bijna koud en onverschillig.

'Ze heeft het niet gestolen.'

'Heb jij het dan gedaan? Wie anders? Jij was tenslotte de baas in huis, hè? Of heb je die smerige klus aan haar overgelaten?' Ze viel bijna van haar stoel, haar spieren gespannen als van een paard dat op het punt staat over een hoge hindernis te springen. 'Wie was er verantwoordelijk voor het huishouden, geef antwoord!'

'Papa,' zei ik schuchter, om haar iets af te remmen en om de schuld in wat handzamere stukken te verdelen, het grootste stuk voor haar mede-despoot.

Plotseling torende ze hoog boven me uit en blokkeerde mijn uitzicht met haar geplooide, fladderende grijze kleren. 'Jij, jij, jij, jij,' hijgde ze met haar hete adem op mijn voorhoofd. 'Jij, jij, jij, jij, en ik zei Jij.' Als accent sloeg ze me hard bovenop mijn hoofd met haar knokkels. Het was net of er een hoornvogel op mijn hoofd zat te pikken. Bijna gilde ik het uit. Dit gooide al mijn plannen weer om. Ik ging het spoeltje niet terugleggen. Ze zou me nooit zo klein krijgen als de schijters. Ze kon razen en tieren of op hol slaan en mijn neus of mijn arm breken, maar de kostbare spoel, die nog kostbaarder was geworden door de schaarste die mijn peetvader, Idi Amin, had gecreëerd, zou verborgen blijven. Die was nu van mij. Ik had hem verdiend. Als ik er niet in zou slagen er een koper voor te vinden, dan zou het mij een kick geven het opgeslokt te zien worden door de stront en de maden in het privaat.

'Ja, ik moest voor het huishouden zorgen,' zei ik om haar wat te kalmeren.

Ik was blij dat de Aziaten weg waren, en met hen de laatste Singer-vertegenwoordiger. Ik hoopte dat er geen enkele Singer-eigenaar in de buurt woonde die een reservespoeltje had. Ik hoopte dat haar Singer onder het stof zou komen te zitten en een broedplaats zou worden voor spinnen.

Ik was blij dat Serenity erbij betrokken werd: hij zou nu naar een nieuwe spoel moeten zoeken of Hadji Gimbi vragen of hij iemand kende die spoeltjes uit Londen of een andere stad kon importeren. Dat zou tijd kosten. Ik was in mijn schik.

Hangslot zou voor mijn ogen uit elkaar spatten van ongeduld. Ze moest maar een minder plaatsgebonden zaakje beginnen, zoals het verkopen van vis op de smerige Owino-markt, waar ze de stank van verrotte ingewanden, rotte vis, rotte kool en rottende vuilnis zou moeten inhaleren, en bovendien de vernedering zou moeten ondergaan te concurreren met de andere marktvrouwen die de duivel aanbaden en andere marktkooplui die de mammon dienden. In de regentijd, wanneer de markt overstroomde en de stankluchtjes van de

rottende waren opstegen als stikkende watermonsters die naar adem
snakten, mocht ze voor mijn part omvallen en in de verraderlijke
modderplassen aan de voeten van de afvallige kooplui rollen.

Serenity speelde zijn gebruikelijke slappe spelletje, en vroeg zich af
waarom iemand van alles wat er te stelen viel, alleen maar een
spoeltje zou stelen. Hij beloofde de hulp van Hadji Gimbi in te zullen roepen bij de zoektocht naar een nieuw spoeltje. Hadji, Hadji,
Hadji… snoof Hangslot, haar neusgaten wijd open en zweetparels
op haar gezicht.

Het vergif van de onzekerheid drong steeds dieper in haar door:
wie had die Miss Singer-brief geschreven? Wie had de kostbare
spoel gepikt? Was Serenity echt met haar tante naar bed geweest?
Was er echt iemand op uit om haar leven te laten ontsporen en haar
kapot te maken?

Hangslot tobde en vulde het hele huis met haar venijn, zodat iedereen er zenuwachtig van werd. Ze zat op haar troon, met haakwol
op de Singer-tafel, haar voeten half op de trapper, half op de grond,
en stak de dikke metalen naald in het haakwerk met de ijzige woede
van iemand die een sinister plan smeedt. De Commandopost was tot
berstens toe gevuld met de gespannen stilte van een spookachtige
begraafplaats. Ze werd gevaarlijk: elke dag werden mijn spullen
meedogenloos doorzocht. Ze loerde op Loesanani's gestalte aan de
rand van de binnenplaats. Maar ik had Loesanani gewaarschuwd
om zich gedeisd te houden; we ontmoetten elkaar alleen onderweg
naar de put.

Op een middag, toen ik het vervloekte tapijt aan het schrobben
was, stak ik mijn hand onder het groene bankstel en wat trof ik daar
aan? Een keurig bosje van vijf halfdroge guavekarwatsen, vers afgesneden aan beide einden! Wee de dief! Wee het onherbergzame
landschap van Hangslots geest! Wee degene die te pletter zou vallen
op de ruwe rotsen van dat landschap! Wat een geluk dat ik de echte
dief was! Dergelijke voorspelbare wraakplannen maakten geen enkele indruk meer op me.

Het was duidelijk dat ze dit keer niet zou wachten tot het avond was; ze zou de handeling vroeg in de ochtend uitvoeren, als Serenity naar zijn werk was. De dief zou thuis moeten blijven van school. De deur zou op slot gedaan worden en de sleutel zou ze in haar zak steken. Wee de dief, die vervolgens zou moeten zien, als hij dan nog kon zien, hoe de karwats geheven werd in helse woede en orgastische drift. Ik glimlachte brutaal, aaide het bundeltje zoals ik een trouwe hond zou aaien en ging door met mijn schoonmaakplicht. Het enige waar ik me zorgen over maakte was dat Hangslot in haar frustratie een excuus aan zou voeren, zeg maar een slechte beurt op school, om een van de weerloze schijters ervan langs te geven. Duidde dit bundeltje karwatsen op Hangslots voorspelbaarheid, ouderlijke hardnekkigheid of despotische feilbaarheid? Of op alledrie?

Hangslot las nu elke avond, na het bidden, uit het Oude Testament voor. Ze begon met God aan te roepen om de dief bekend te maken. Toen Hij weigerde, riep ze Hem aan om Zijn enorme macht, die Hij gebruikt had om Israël van Egypte te bevrijden, in te zetten om haar spoeltje terug te vinden. Ik merkte dat ze onder de bedwelmende invloed van haar geloof elke ochtend, elke middag en elke avond op de vreemdste plekken begon te zoeken, alsof de Almachtige vanwege haar ernst het spoeltje uit de hemel zou laten vallen als metalen manna, om haar honger naar een wonder te stillen.

Hoe intensiever de zoektochten werden, des te meer ik versteld stond van haar blinde doorzettingsvermogen. Op een bepaald punt raakte ik haast in paniek. Had ze een droom gehad, zoals mijn bijbelse helden, waarin de ruwe omgeving en ligging van de plek waar ik het spoeltje had verstopt aan haar geopenbaard waren? Ik moest denken aan het blinde geloof dat sommige vrouwen nog niet zo lang geleden in mij als mascotte hadden gehad en hoe sommigen van hen beloond waren met een zoon. En als Hangslots geloof nu eens beloond zou worden?

Ik begon nachtmerries te krijgen waarin Hangslot over me heen boog, met het spoeltje in de ene hand en een hamer in de andere.

Hangslot verscherpte haar terreurcampagne door ons angstaanjagende passages uit het Oude Testament voor te lezen, en te bidden dat de dief lepra of een dergelijke ziekte zou krijgen. Ik had gezien wat lepra Vingers had aangedaan: zijn handen waren aangevreten en er zaten walgelijke roze littekens op de stompjes. Als de suikerriet- stengels die ik van Vingers had gekregen nou eens bacteriën hadden afgescheiden, die alleen maar door Hangslots verwensingen en ge- beden geactiveerd hoefden worden?

Hangslot bekogelde ons met Exodus 32, legde de nadruk op de Israëlieten die de zonde begingen het Gouden Kalf te maken en stond stil bij de drieduizend mensen die stierven op die dag toen God Zijn woede tot bedaren bracht, en bij de ziekte waarmee Hij de overlevenden op de koop toe had besmet.

Toen ik net aan het spervuur gewend raakte, sloeg ze me met Jo- zua 7 om de oren, dat ging over Achans hebzucht. De verzen 19 tot 22 las ze heel langzaam voor: 'Mijn zoon, geef toch eer aan den Here, den God van Israël, en doe voor Hem belijdenis; vertel mij toch wat gij gedaan hebt, verberg het niet voor mij. Daarop ant- woordde Achan Jozua: Waarlijk, ik ben het, die gezondigd heeft te- gen den Here... ik zag bij den buit een mantel van Sinear, een mooi stuk, en tweehonderd sikkelen zilver en een staaf goud van vijftig sikkelen gewicht, en uit begeerte er naar heb ik ze weggenomen; zie, ze zijn in mijn tent in den grond verborgen.' Misschien moet ik maar bekennen, zei een stem van binnen. Maar wat gebeurde er met die arme Achan? Hij werd gepakt en samen met zijn zoons en doch- ters, zijn runderen, ezels en kleinvee en zijn tent en al wat hem toe- behoorde, inclusief de gestolen voorwerpen naar het dal Achor (Kommer) gevoerd. Daar werd hij gestenigd en met vuur verbrand! Toen was de Here niet meer vertoornd! In hedendaagse termen ver- taald, zouden er het vel van je rug, benen, billen en armen, en vijf kapotgeslagen guavekarwatsen voor nodig zijn om Hangslots toorn tot bedaren te brengen. Ik was niet op mijn achterhoofd gevallen. Eigenlijk schoot Hangslot zich alleen maar in haar eigen voet door dergelijke gruwelijke teksten voor te lezen omdat de dief er des te onverzettelijker van werd. Generaal Idi Amin, mijn peetvader, had het nooit over martelaars. Hij predikte alleen zelfbehoud. Ik zou de generaal nooit weer teleurstellen door me voor niets of voor iets wat ik geheim kon houden door deze vrouw te laten aftuigen. Dit was duidelijk psychologische oorlogsvoering en ik was slimmer dan mijn aartsvijandin Hangslot.

Serenity voerde zijn eigen psychologische oorlog. Toen zijn vrouw het gezin begon te bestoken met afschuwwekkende voorstellingen van plagen, kreeg zijn eigen plaag van heimelijke liefde meer houvast in hem. Toen Hangslot over Achan met zijn hebzucht begon, werd Serenity zelf Achan, bekeek de schatten die God had bevolen te vernietigen en, er niet in slagend zijn aandrang te onderdrukken, nam hij er wat af voor zichzelf. Serenity genoot van verhalen over persoonlijke gevechten omdat hij zich erin herkende en ze zijn moeilijke situatie verduidelijkten. Als hij naar Nakiboeka ging, bespraken ze die afschrikwekkende bijbelpassages, lachten tot diep in de nacht en verzeilden uiteindelijk altijd in een heftige vrijpartij. Zondigen had nog nooit zo zoet gesmaakt, noch had het ooit zulke zoete bevrediging losgemaakt. Serenity liet zich helemaal gaan, met gekreun dat diep uit zijn keel en uit het onderste eindje van zijn ruggengraat leek te komen. Na een opvoeding waarin hij macht had leren vrezen, overschatten en wantrouwen, voelde hij zich bevrijd van de ketenen van zijn jeugd en de gapende afgronden van zijn puberteit. Nakiboeka had hem niet nodig, steunde niet op hem, zette hem niet onder druk: zij verlangde alleen wat hij kon missen en hoe minder zij vroeg, des te koortsachtiger werd zijn wil om te geven.

Hangslot had geen bord voor haar kop: ze besefte maar al te goed dat je aan de vreselijkste wreedheden went als je er maar lang genoeg aan wordt blootgesteld. Abrupt hield ze op met de gruwelverhalen en dompelde zich in de glibberige wateren van de psalmist. Ze haalde regels boven die haar portretteerden als het goede, lijdende individu. Ze hoopte erop dat subtiliteit, zelfmedelijden en een dosis ouderwetse sentimentaliteit zouden slagen waar botbrekende wreedheid had gefaald. Met de gedachte dat het aanzicht van een machtige despoot op zijn knieën genoeg was om harten te doen smelten en bergen te verzetten, ging ze onder in de zalvige psalmen, een teer, meisjesachtig masker op haar nonnengezicht.

Ik vond de pathetische botheid van dit alles belachelijk. Na het genadeloze bombardement nu de slijmerige kussen! En allemaal om een suïcidale bekentenis los te krijgen die beloond zou worden met een genadeloze straf! Haar doortrapte dubbelheid maakte me misselijk en ik wenste dat ik tien spoeltjes had ontvreemd.

Tot U roep ik, Here, mijn rots;
wend U niet zwijgend van mij af,
opdat ik niet, als Gij tegen mij blijft zwijgen,
worde als zij die in de groeve nederdalen.
Hoor naar mijn luide smekingen,
als ik tot U roep om hulp,
en mijn handen ophef
naar Uw binnenste heiligdom.
Ruk mij niet weg met de goddelozen,
noch met de bedrijvers van ongerechtigheid,
die met hun naasten vriendelijk spreken,
terwijl boosheid in hun hart is.
Geef hun naar hun handeling
en naar hun schandelijk gedrag.

Die bedrieglijke teef!

Om de dief eraan te herinneren dat haar slijmerige smeekbeden om Gods hulp haar houding tegenover de misdaad niet hadden veranderd, kwam Hangslot aanzetten met de befaamde speurneus Sint-Judas Thaddeüs, beschermheer en redder van desperado's. Deze man had de naam zowel dode als levende detectives van dienst te zijn. Onder vrome katholieken werd hij liefdevol 'het automatische geweer' genoemd. Het enige wat je nodig had was vertrouwen en een noveen, en de tovenaar lijmde slechte huwelijken, vond drijvende lijken in rivieren, zorgde dat armen rijk werden, genas frigiditeit, impotentie, druipers en syfilis, en schonk wanhopig steriele vrouwen de rimpelige aapjes en vettige varkentjes waar ze van droomden.

De truc greep me aan: ik beefde van de spanning. Ik had met eigen ogen gezien hoe goochelaars muntstukken in hun handpalm wegmaakten en vervolgens uit iemands nek plukten. Als deze vent nou eens een veel machtiger versie was van onze goochelaars op de taxistandplaats? Ik herinnerde me heel goed dat Mozes veel te verduren had gehad van de Egyptische goochelaars die alle trucjes uitvoerden die hij ook kende. Het enige wat deze snuiter hoefde te doen was Hangslot een vage droom of hint bezorgen dat ze de tuin moest omspitten en het spoeltje zou weer van haar zijn. En haar wraak zoet. Ik besloot onmiddellijk het spoeltje op te graven en het ergens anders te verstoppen. 's Morgens werd ik wakker, badend in het koude zweet. Als ik 's nachts jeuk kreeg werd ik met een schok wakker en rende naar het licht om te zien of de heilige detective me geen lepra had bezorgd. Als ik me gesneden had met een scheermesje, bij het nagels knippen of potlood slijpen, was ik bang dat ik niet zou ophouden met bloeden tot er een hele rivier was ontstaan en mij een bekentenis was ontfutseld.

Het was mijn *Treasure Island*-vriend die me kwam redden. Hij was ook katholiek. Hij had een tante die ooit een fanatieke aanhangster van Sint-Judas was geweest. Ze had eindeloze pelgrimstochten naar zijn altaar gemaakt. Ze had elke dag koortsachtig tot hem gebeden. Ze gaf massa's weg aan de armen. Ze nodigde kreupelen bij haar thuis uit. Ze bad op haar knieën tot er eelt op kwam. Maar ze was nu in haar tiende jaar van onvruchtbaarheid en bitter teleurgesteld. Ze was verschrikkelijk kwaad op de befaamde speurneus. Ze had het gevoel dat hij haar misbruikt had. Ik kon daar wel inkomen.

De eerste noveen ging voorbij zonder dat er iets gebeurde. Hangslots psalmische sentimentaliteit verergerde en ze voerde nog eens negen dagen van gebeden aan Sint-Judas in. Ze hield ermee op 's morgens, 's middags en 's avonds te zoeken op de raarste plekken. De stalen manna waarvan ze verwachtte dat die uit de hemel zou vallen, lag veilig in de tuin begraven, op een plek waar ze dagelijks overheen liep. De derde noveen was om je dood te schamen. De psalmen waren opgedroogd. Hangslot zag er ingezakt uit. Serenity had schik in het drama. Aan het begin van de dagelijkse gebeden wierp hij een onverschillige blik op zijn vrouw, alsof hij zeggen wilde: waar maak je je toch druk om, en dan keek hij weer opzij.

In de volle overtuiging dat zelfs de Almachtige God het spoeltje niet terug zou brengen, kocht Serenity dollars op de zwarte markt en vroeg een vriend of hij voor hem een spoeltje uit het naburige Kenia kon importeren. Negentig dagen na het verdwijnen van het oude spoeltje, arriveerde het nieuwe. Hangslot was dol van vreugde, ondanks de verlegenheid waarin ze was geraakt door haar vruchteloze, bezeten gebeden.

Een paar vrouwen wier opdrachten niet op tijd af waren gekomen, gaven haar ervan langs en betichtten haar van tegenwerking. Ze hadden gezworen dat ze nooit weer bij haar zouden komen, maar een paar deden dat toch en Hangslot nam hun opdrachten aan zonder ze te herinneren aan hun krasse woorden. Het eentonige gezoem van de machine masseerde alle gekte uit haar hoofd en bracht haar weer tot bedaren. Haar trein zat weer op het goede spoor en ze zag er vrolijk uit, haar ontzagwekkende aanvallen van neerslachtigheid hielden op. Maar ik wist dat ze nog steeds gevaarlijk was: ze wachtte af tot de dief zich zou verraden en in haar dodelijke handen zou vallen. Mij niet gezien. Het spoeltje bleef waar het was, als een buit van onbewerkt goud die wachtte op de komst van een piratenschip.

De tijd naderde dat ik naar een andere school moest. Ik wilde niet naar een katholieke school. Ik wilde erachter zien te komen wat voor plannen Serenity, de despoot die over het onderwijs besliste, voor me had. Dat kon ik hem niet rechtstreeks vragen, omdat despotische geheimen niet rechtstreeks onthuld werden. Het enige wat ik kon doen was hem bespieden. Ik gaf mijn getrouwe schijters opdracht hem te schaduwen, te luisteren naar wat hij zei onder het televisiekijken en alles in het werk te stellen om de informatie die ik nodig had los te krijgen. Ik wachtte wekenlang en vroeg om de dag wat ze allemaal hadden afgeluisterd. Er was weinig nieuws te melden, zeiden ze. Tot Serenity op een dag over scholen begon vlak voordat het nieuws werd uitgezonden. De nieuwslezer viel hem in de rede. Weer ging er een aantal weken voorbij. Ten slotte had een van de loyaalste schijters beet. Op een middag had hij de despoten op de Commandopost horen praten.

'Het zal hem op het rechte spoor zetten,' zei Hangslot.

'Ze bieden goed onderwijs. En je hebt geen idee hoe slecht de staatsscholen geworden zijn. Er zijn leerlingen die een mes meenemen naar school, sommigen zelfs een pistool, daar dreigen ze de leraren en rectoren mee. De kinderen van de soldaten hebben onze scholen verpest. Moegezi heeft een rustiger omgeving nodig.'

'Mijn ouders zouden het geweldig vinden om een kleinzoon te hebben die priester werd. Hij zou parochiepriester kunnen worden, of hoofd van een seminarie of misschien wel bisschop,' zei Hangslot.

'De kerk is ontzettend rijk,' erkende Serenity, 'een slimme priester kan aardig wat verdienen.'

'Jij denkt alleen maar aan geld,' zei Hangslot bestraffend.

'Ik wil niet dat mijn kinderen het later moeilijk krijgen. Ze zouden in grote auto's moeten kunnen rondrijden, in grote huizen wonen en krijgen wat ik ze niet kan geven.'

'Eerst moeten ze deze tijden zien te overleven.'

Dagenlang was ik rusteloos. Een week lang ging ik elke dag naar de kom, om mezelf, mijn *blues* en mijn machteloze woede in de onstuimige golven van de drukte te verliezen. Ik droomde van een aardbeving die aan alles een einde zou maken. Ik luisterde om te horen of de grond al beefde, als voorbereiding op de volgende apocalyptische uitbarsting. Maar helaas vulde mijn hoofd zich alleen maar met het gestage gebrom van voertuigen, het eeuwige geschreeuw van de venters, slangenbezweerders en standwerkers, als een helse hoofdpijn.

Wat had een priester nou voor nut? En die afzichtelijke gewaden! Het celibaat was beslist niets voor mij. Ik had allang besloten drie vrouwen te nemen in de toekomst. En ik wist zeker dat ik mijn vrouwen een gerieflijk bestaan kon bieden met het salaris van een advo-

caat. Zoals ik het zag, had de kerk behoefte aan mensen zonder kloten, zoals de schijters, en niet aan mij, die bereid was generaal
Amins oproep tot zelfverdediging op te volgen. Amin was geen
voorstander van de kerk en betichtte de geestelijkheid ervan dat ze
zich in de politiek mengde, zoals uit het verleden bleek, terwijl ze
niets deed aan de corruptie binnen de kerk.

Ik was niet van plan de ene dictatuur voor de andere in te wisselen. Als advocaat zou ik ongetwijfeld ook dictators tegenkomen,
maar dan zou ik de macht hebben om tegen ze te vechten, ze harde
klappen toe te dienen en mijn eigen wraak te nemen. Als ik iets geleerd had van mijn jaren bij de despoten, dan was het dat het goed
was je huid duur te verkopen als slachtoffer, wat ik beslist had gedaan, maar dat het nog beter was om zelf rechter en beul te zijn.

De despotische beslissing me naar een seminarie te sturen werd gesteund door het bericht dat koning Feisal van Saoedi-Arabië binnenkort een staatsbezoek aan Oeganda zou brengen. Ineens begon
Hangslot te praten over haar angst dat Oeganda islamitisch zou worden en alle kerken dicht zouden gaan, de priesters en nonnen opgesloten, of vermoord of gedwongen zouden worden zich tot de islam
te bekeren, en polygamie aan de orde van de dag zou zijn. Dit isla-
miseringsgerucht was even sinister als het in de jaren vijftig door de
kerk verspreide anticommunisme, toen men vreesde dat de communisten de macht zouden overnemen, de kerken zouden sluiten, de
clerus zouden vermoorden, met de nonnen zouden trouwen en part-
nerruil en gemeenschappelijk bezit zouden instellen.

'Eerst heeft hij de missionarissen eruit gegooid, toen de Britten,
de Israëli's, de Aziaten en nu staat hij op het punt om de Arabieren
binnen te halen, die ouwe slavenhandelaars die ons afvalligen noemen. Ghadaffi zal zijn weekeinden hier komen doorbrengen en erop
toezien dat de gedwongen bekeringen doorgezet worden. Wat die
Feisal komt doen is zich ervan verzekeren dat Amin er vaart achter
zet.'

In de ogen van Hangslot waren alle Arabieren slavendrijvers en
behoorden alle Israëli's tot het volk waarvan ze de lotgevallen in de

bijbel had gevolgd. De blanke volkeren die door het Boek waren gezegend, stonden op hetzelfde niveau als de Israëli's. In haar ogen
konden de blanken geen kwaad doen zolang ze deden wat God hun
had opgedragen: de wereld te veroveren en te redden van het islamitische gevaar. Het enige wat de donkere rassen hoefden te doen was
hun inzet en hulpbronnen aan te bieden. Om diezelfde reden vond ze
dat er niets mis was met de oude missionarissentactiek van de gesui-
kerde invasie, godsdiensttoorlogen en politieke interventie.

Serenity had een intelligentere benadering van de situatie. Om te
beginnen haalde hij de huidige Arabieren en de Oost-Afrikaanse
slavenhandelaars niet door elkaar, noch verwarde hij de Israëli's
met het bijbelse volk, waar hij toch al geen hoge pet van ophad. Wat
de blanke rassen betrof, hij had bewondering voor hun technologie
en wenste dat hij ook zoveel macht had, maar hij vereerde ze niet en
zag ze ook niet aan voor de Uitverkorenen van God. Hij vond het
idee van een uitverkoren volk nogal absurd. Hij wist maar al te goed
wat zich tijdens de twee wereldoorlogen had afgespeeld. De stompzinnige slachtpartijen in de loopgraven tijdens de Eerste Wereldoorlog deden hem denken aan koloniale slagvelden in de Derde Wereld.
De koelbloedige genocide van de Tweede Wereldoorlog had bij hem
een sceptischer opvatting over de blanken losgemaakt. Op het persoonlijke vlak was hij nooit helemaal over de schok heen gekomen
dat zijn oom tijdens de Tweede Wereldoorlog in Birma een been
verloren had door een landmijn. De man kwam tweemaal per jaar
bij hen op bezoek en dan moest hij de stomp wassen en zwachtelen.
Daarna at Serenity dagenlang geen vlees. Hij kon de zachtheid van
wat er van zijn ooms been over was niet uit zijn hoofd zetten. Het
feit dat de man niet meer sprak boezemde hem vrees in. Wat spookte er door zijn hoofd? Waarom was hij met praten opgehouden? Wat
zag hij voor zich aan het eind van de dag als al die gesprekken van
iedereen door zijn hoofd zoemden? Zonder erover te reppen zag Serenity zijn oom als de persoon door wie hij een afkeer van geweld
had gekregen. Elke keer als hij het gevoel had dat hij van woede uit
elkaar ging springen, dacht hij aan zijn oom en hield hij zich in.
Toen hij volwassen was geworden was zijn angst voor het blanke

ras vergroot. Hij geloofde dat het met gemak het Afrikaanse continent kon opblazen, als het hun uitkwam. Ooit had hij geprobeerd de
opvatting van zijn vrouw over blanken bij te stellen, maar hij had
het opgegeven. Evenals God was Hangslot onbereikbaar, politiek
gezien.

'Niemand wordt gedwongen zich tot de islam te bekeren,' zei
Serenity na wat hem een heel leven leek.

'Ze worden omgekocht,' antwoordde ze, denkend aan dokter Ssali, de zwager van haar man. 'Ze krijgen auto's, banen, promotie, alles om ze te bekeren.'

'Mensen kiezen wat ze zelf het beste vinden,' zei Serenity ten
slotte.

Teleurgesteld wierp Hangslot zich weer op het speuren naar kinderen die gulzig aten of op hun eten bliezen om het sneller te laten
afkoelen, in plaats van geduldig te wachten zoals fatsoenlijke mensen deden, of kinderen die het vlees of de vis het eerst opaten, of
smakten of slurpten of de soep tussen hun vingers door lieten lopen.
Goddank was alles weer normaal.

Mijn conclusie was dat Hangslot haar anti-islamitische campagne aanscherpte om mij van Loesanani weg te drijven, een nobele
doch vergeefse onderneming. Loesanani was mijn medeplichtige.
Ze had al laten merken dat ze praktisch alles voor me wilde doen,
wat ik bepaald niet van Hangslot kon zeggen. Ik was al begonnen
een vaag plan te bedenken waardoor ik niet naar het seminarie hoefde, en ofschoon ik nog niet wist welke rol Loesanani daarbij zou
spelen, zou ik ervoor zorgen dat ze er uiteindelijk in voorkwam.

In de tussentijd was ik zeer opgewonden over het aanstaande bezoek van koning Feisal. Mijn bewondering voor mijn peetvader
steeg. Hij had alle vreemdelingen het land uit gegooid, plus nog enkele onbezonnen missionarissen, en had zich voor sponsoring tot de
Arabische wereld gewend. Slim bedacht. Ik had fragmenten van
zijn bezoeken aan Arabische leiders op de televisie gezien. Dat zag
er mooi uit. Nu verheugde ik me op koning Feisal.

Het rooster op school was veranderd. Elke ochtend deden we
gymnastiek, atletiek, zongen we het volkslied, droegen we gedich-

ten voor, studeerden we dansjes in en oefenden we met de school-
band voor een optocht.

De stad beefde onder de betovering van het staatsbezoek van de
voorname gast: winkels werden behangen met papieren vlaggen
van Oeganda en Saoedi-Arabië. Van andere gebouwen wapperden
echte vlaggen. Alle winkels hadden een facelift ondergaan en sommige wegen werden opnieuw bestraat. Dagelijks verscheen generaal Amin op de televisie; hij stak redevoeringen af, hield toezicht
op de werkzaamheden aan de wegen, opende nieuwe scholen en ziekenhuizen en installeerde uiteenlopende functionarissen. Hij gaf het
startsein voor een safari-rally en deed zelf mee in zijn Citroën Mase-
rati. Hij was ontembaar, onvermoeibaar en onmisbaar als lucht.

Soldaten kregen nieuwe uniformen, nieuwe laarzen en nieuwe
wapens. We kwamen hun op weg naar en van school tegen op straat,
standvastig als bomen, toegewijd als zelfmoordcommando's. Als ik
langs ze liep voelde ik me trots. Ze waren daar voor mijn eigen bestwil, en voor de bestwil van het land. Ik hoefde maar een kik te geven
en als trouwe buldogs zouden ze me hijgend en hunkerend te hulp
schieten. Ik werd er inschikkelijk en gul van, want uiteindelijk hoefde ik ze maar een teken te geven en de despoten zouden behoorlijk
in de problemen raken.

De dag dat de grote man aan zou komen, stonden we langs de
kant van de weg met twee vlaggetjes in de hand: een groen van Saoedi-Arabië en een zwart-geel-rood van Oeganda. Als een beer op
een kraanwagen torende Amin boven de koning uit, die duizelig
heen en weer zwaaide in de metaalachtige ochtendlucht. Er scheen
een slap zonnetje, dat een zachte heiigheid teweegbracht die ons
duizenden jaren terugvoerde naar het visioen van Elias uit de bijbel:
op ons asfalt rees een triomfwagen van vuur ten hemel. Terwijl de
triomfwagen voorbijreed leek iedereen te zeggen: 'Vader, vader,
laat me niet in de steek!' Wat we ervoor terugkregen was de school-
jongensgrijns van Amin en de onbeweeglijke hand van de koning,
bevroren in een groetend of wuivend gebaar. Er leek zich evenmin
beweging af te tekenen op het gezicht van de koning, en als dat wel
zo was dan ging die teloor in zijn vele rimpels. De magere oude man

straalde een vage macht uit. Ik moest denken aan Abraham. Hij keek tegen de wereld aan met de sublieme waardigheid van iemand die heel kalm tegenover het leven en de dood stond. Hij zag er in feite uit als iemand in wie het leven en de dood samenvloeiden.

De koning stopte niet bij onze school; we waren duidelijk niet belangrijk genoeg om het-leven-en-de-dood-op-wielen op te houden. Persoonlijk was ik niet teleurgesteld. Ik had het gevoel door zijn mantel aangeraakt te zijn. Ik was niet langer bang voor de dood in de ware betekenis. Het leek alsof hij bezit van mij had genomen en mijn angsten had weggenomen. Als deze man Oeganda wilde islamiseren, dan mocht hij dat voor mijn part. Ghadaffi daarentegen had het niet gedaan, mogelijk omdat hij te ongedurig was, als iemand die te veel wil bewijzen, iemand die te veel ballen tegelijk heeft opgegooid. Deze man keek met de vreemde ogen van de eeuwigheid, hoefde niets te bewijzen en in elk woord dat hij uitsprak weergalmden de eeuwen en de krachten van hemel en aarde. Ik viel voor zijn charme omdat ik dat graag wilde. Dat was de macht die ik in mijn leven zocht. Ik wilde een aantal mensen uit de kaken van de dood bevrijden en anderen tot de ingewanden van de hel veroordelen. Wekenlang droomde ik over koning Feisal. Onschuldige dromen waarin niet veel gebeurde.

Serenity en zijn kornuiten bij het tankstation hielden de veranderingen in het land nauwlettend in de gaten. Urenlang spraken ze erover, op zoek naar de beste manier om de toekomst in te gaan.

'Ik ga een winkel openen voor mijn vrouwen,' kondigde Hadji aan. 'Doe mee. Mijn bank financiert het. Ze hebben van alles bedacht om ondernemers te steunen. Je hoeft alleen maar een uitvoerbaar plan in te dienen en dan leent de bank je het geld. Laten we onze krachten bundelen, voor het te laat is.'

'Ik ben geen zakenman,' bekende Serenity. 'Alleen al van een etalage met spullen krijg ik kippenvel.' Zijn oude vooroordelen waren nog zeer levendig. Hij kon maar niet van zijn angst voor winkels en winkeliers afkomen.

'Het probleem met jullie katholieken is dat je geboren volgelin-

gen bent,' was het commentaar van Hadji terwijl ze naar het namid-
dagverkeer keken waarin af en toe een auto met een Saoedi-Arabi-
sche sticker voorbijreed. 'Je bent altijd op zoek naar iemand die je
kunt volgen, gehoorzamen, voor wie je kunt werken. Jullie zijn opgevoed in ontzag voor autoriteit en macht en hebben geleerd op veilig te spelen. Wij moslims zijn sjacheraars van nature, altijd op zoek
naar een kans, een kiertje om ons doorheen te wurmen. Dit is een regering voor doeners, degenen die weifelen blijven in een brandend
huis achter.' Parels voor de zwijnen; het maakte geen indruk op Serenity.

'Mensen veranderen niet in een dag.'

'Voor het eerst in de geschiedenis van dit land overheersen de
moslims, en doet een moslim een beroep op zijn katholieke broeder
om de handen ineen te slaan en voorspoed tegemoet te gaan.'

'Ik wil op mijn eigen terrein vechten. Ik heb mijn zinnen gezet op
de Vakbond van Postbeambten. Ik wil lid worden van het bestuur,
penningmeester of zo. Dat is mijn ambitie,' bekende Serenity voor
het eerst.

'Zal ik een goed woordje voor je doen?' vroeg Hadji, met een sa-
menzweerderige glimlach op zijn gezicht.

'Als dat zou kunnen,' zei Serenity enigszins terughoudend. 'Een
man met veel monden om te voeden kan alle hulp gebruiken.'

'Ik ken wel mensen die met een elleboog in de juiste ribben kunnen porren. Vergeet niet: Amin blijft voorlopig. Degenen die denken
dat hij morgen weer verdwenen is, zullen dat bezuren.'

De inwendige sprinkhanen gingen Serenity's ingewanden en
borstkas te lijf. Het paranoïde geweeklaag van zijn vrouw weergalmde in zijn oren. Wat zouden zijn weldoeners eisen als wederdienst voor hun hulp? Bekering tot de islam? Of rekrutering bij de
Staats Veiligheidsdienst? Veiligheidsorganen begonnen de ambtenarij al te infiltreren; Serenity wenste hier part noch deel aan te hebben. Hij had Hadji willen uitvragen over de weldoeners, maar slaagde er niet in de juiste woorden te vinden zonder te insinueren dat
Hadji met de verkeerde mensen omging.

'Ik zal je laten weten wanneer de tijd er rijp voor is,' zei hij vaag, en liet zo de deur op een kier zonder zich ergens toe te verplichten.

'Er wordt heus niets gevaarlijks van je gevraagd. Ik help je alleen maar omdat je mijn vriend en buurman bent, een man aan wie ik mijn leven kan toevertrouwen.' Serenity had hem niet voor de gek kunnen houden; Hadji had zijn behoedzaamheid aangevoeld.

'Ik ben je zeer dankbaar voor je aanbod. Als er gestemd moet worden zal ik je waarschuwen.'

'Doe rustig aan, maar wacht niet al te lang.'

Ik had nog altijd één nijpend probleem aan mijn hoofd: hoe ik onder het seminarie uit zou kunnen komen. Bij twee verschillende gelegenheden vroeg ik Serenity toestemming om Opa in het dorp te gaan opzoeken. Ik had het plan opgevat de oude man erin te mengen, in de hoop dat hij het belachelijke idee in de kiem zou kunnen smoren. Beide keren stuurde Serenity me echter naar Hangslot, die me tien minuten lang liet knielen voordat ze mijn verzoek kil afwees. Ik zat vast, en ik was razend. Ik had geld, van het gestolen spoeltje, maar ik kon niet voor mijn financiële positie uitkomen. Mijn trukendoos was leeg: Stengel, het evenbeeld van Stomme A, had me aangeraden nooit twee keer dezelfde truc toe te passen. Maar wat moest ik dan? Ik besloot hem om hulp te vragen.

Mijn band met Stengel dateerde uit mijn brieventijd. Ik had hem geholpen bij het schrijven van een paar epistels aan meisjes op wie hij een oogje had. Twee van hen had hij in zijn netten gevangen, maar hij had me nooit betaald. Hij had alleen beloofd dat hij me een wederdienst zou bewijzen. Stengel was groot en donker, en had een handlangerige charme en overredingskracht, of een schijn van overredingskracht, al bleef je serieus aan hem twijfelen. Wij, zijn klasgenoten, bewonderden Stengel en tegelijk waren we bang voor hem, omdat hij een noorderling was, geboren op de barre vlakten van Noord-Oeganda, op jonge leeftijd in de steek gelaten door zijn vader, een soldaat, en grootgebracht door een moeder die met hem de lange asfaltweg had afgelegd naar het zuiden, naar Kampala. Net als Kawayida's moeder verkocht ze pannenkoeken, etenswaren en alles wat ze maar te pakken kon krijgen om zichzelf en haar zoon in leven te houden. En wat was hij een potige jongeman geworden! Stengel liep over van de nijdige zelfverzekerdheid die voortkwam uit haat en een te grote bekendheid met de onderbuik van de maatschappij. Hij had bijna overal een mening over. Tegen ons die uit het midden van het land kwamen zei hij vaak: 'Het waren niet de Britten die dit land hebben verpest; het waren jullie hielenlikkende voorvaderen, en jullie hebberige hoofdmannen en jullie koning die op het laatst het land aan Obote hebben verkocht.' Door onze achtergrond van loyaliteit waren de meesten van ons verbijsterd dat hij zijn mede-noorderling Obote in het openbaar afviel. 'En verkopen aan Obote komt op hetzelfde neer als verkopen aan Amin. Jullie moeten dus niet zeuren als het misgaat. Onderga je straf als een echte man.' Aangezien we er met geen mogelijkheid achter konden komen aan welke kant hij stond, hielden we onze mond.

Gedurende lange tijd zorgde Stengel ervoor dat Opa's politieke uiteenzettingen in mijn hoofd danig door elkaar werden geschud. Het feit dat ik ze uit mijn hoofd had geleerd zonder ze werkelijk te begrijpen, was een bijkomstig probleem. Ik kon ze niet analyseren. Zodra ik ze trachtte uit te pluizen, verpulverden ze als vergaan papier. Maar langzamerhand begon ik mezelf de juiste vragen te stellen: bedoelde Stengel dat als onze hoofdmannen niet verdeeld waren geweest over het protestantisme, het katholicisme, de islam en het heidendom, ze de verspreiding van het koloniale Britse gezag en het imperialisme hadden kunnen tegenhouden? Waren onze troepen aan het begin van de eeuw sterker geweest dan de Britse troepen in Oost-Afrika? Hoe zat het dan met kapitein Lugards maximgeweer? Nee, Stengel had het mis; de Britten zouden toch gekomen zijn. De hoofdmannen waren van ondergeschikt belang geweest in het drama dat volgde. Ik had graag een paar van Stengels vragen aan Opa willen voorleggen en ik zou me aan Stengels kant hebben opgesteld, alleen maar om de ouwe te plagen, maar ik kreeg dus geen toestemming om naar hem toe te gaan.

Op seksueel gebied werden we eveneens door Stengel opgevoed. Hij leidde ons de wereld van de pornotijdschriften binnen. Hij had een oom in het leger die ze vanuit Kenia het land binnensmokkelde.

Voor het eerst van mijn leven zag ik hoe de blanke nonnen er onder hun habijt uitzagen. Sommige modellen leken zo erg op die nonnen in de parochie van Ndere, dat ik eerst dacht dat het hun zusters waren of dat ze het zelf waren. De meeste modellen waren niet blank, maar goudachtig bruin als biscuitdeeg. Een paar van de modellen leken op mulatten of halfbloedkinderen uit Aziatische en Afrikaanse verbintenissen. We hadden een heleboel vragen voor Stengel. Hoe kwamen de samenstellers van die tijdschriften aan al die schoonheden? Er zat niemand bij die gezet was of lelijk of hoe dan ook onaantrekkelijk. En hoe hadden ze hen zover gekregen dat ze naakt wilden poseerden, met hun achterwerk in de lucht als sprinkhanen, hun glimmende uitnodigende roze lippen en loerende bruine poepgaatjes? Waren dit echte mensen of hadden we hier te maken met poppen? Wat een pech dat Opa oud was: als hij dit eens had kunnen zien!

Ik was zo bevoorrecht dat ik de tijdschriften mocht bestuderen zo lang als ik wilde. Andere, minder gelukkige voyeurs, moesten betalen, met geld of in natura. Stengel kwam ook aanzetten met titels als *Alles wat men behoort te weten over seks* of *Het Complete Seks Handboek*. Stengel genoot van onze reacties als ik er passages uit voorlas, omringd door een groep opgewonden gezichten. Er kwamen intrigerende woorden in voor, zoals penis, sperma, zaad, vulva, vagina, die we van Stengel hardop moesten zeggen maar die hij weigerde te verklaren. Hij was ook niet erg goed in het beantwoorden van vragen. Iedereen wilde het verschil weten tussen vulva en vagina, sperma en zaad. Maar hij weigerde nadere toelichting te verschaffen.

Stengel was ook degene die me vertelde waarom Hangslot me voor pampus had geslagen op de dag van de rode inktvlek. 'Moeders doen net alsof ze niet bloeden, de bedriegsters,' zei hij lachend. Ik was te kwaad om te lachen. 'En je zou die kinderachtige, snotterige geluiden eens moeten horen die ze maken als ze geneukt worden.' Hij bulderde en gaf me een harde klap op mijn schouder.

Toen we ons weer bij de groep schaarden zei hij: 'Jullie moeders worden allemaal elke nacht geneukt, behalve als ze bloeden. Jullie vaders steken hun … in jullie moeders …' Wij moesten de woorden invullen. Iemand wilde precies weten hoe vaders hun … in hun moeders … goten. Iemand anders opperde dat ze er misschien een lepel of een trechter bij gebruikten. Stengel ging hem bijna te lijf; hij kon niet geloven dat we zo weinig wisten.

Stengel was niet bang voor de onderwijzers en schepte er een bijzonder genoegen in de vrouwelijke stafleden te pesten. Zo was hij in feite ook aan zijn bijnaam 'Stengel' gekomen, omdat hij onderwijzeressen uitdaagde met een 'Geef me er maar lekker van langs met de rietstengel, teef.' De eerste die de handschoen opnam sloeg hem tot het zweet haar uitbrak en er natte plekken in haar oksels en tussen haar borsten verschenen. Uiteindelijk gaf ze het op. Stengel ging graag op de grond liggen voor de slagen en als hij dan opstond had hij een enorme erectie. Dan stond hij daar met zijn armen in zijn zij en zijn penis bollend achter zijn gulp als een grote ongeduldige rat. De onderwijzeressen hadden hun lesje snel geleerd. Tegenwoordig stuurden ze hem naar het hoofd van de school of naar een mannelijke collega.

Ik kwam Stengel tegen op weg naar school en legde hem mijn seminarie-probleem voor. Hij gaf een klopje op mijn rug en zei dat het niets voorstelde. In de klas scheurde hij een kostbare pagina uit een van de pornotijdschriften waarop een meisje met gouden haren en blauwe ogen schrijlings op een stoel zat. Hij scheurde een blanco vel uit een schrift, vouwde het dubbel en maakte een schets van het hoofd van de biologielerares, met haar kapsel en haar neus en lippen extra aangedikt. Hij plakte de schets over het hoofd van het naakte meisje. Vervolgens plakte hij het plaatje op het schoolbord.

De lerares trof een pikant geroezemoes aan in de klas, dat verstomde zodra ze binnenliep. Ze zette haar tas op een stoel, keek naar het bord en kreeg een zware zenuwtoeval. 'Wie-wie-wie?'

'Ik,' zei Stengel met zijn contrabasstem achter in de klas.

'Waarom?'

'Vindt u het niet leuk, juf?'

'Haal die vuiligheid van het bord en ga de klas uit. En kom pas over een maand terug.'

'Ik krijg liever met de stengel, juf,' zei Stengel kalm.

We barstten bijna in geschater uit; onze held zou haar wel even een volbloed erectie laten zien, onze erectie, onze nastoot voor haar. O, wat een lef!

'Eruit, zei ik.'

'Alstublieft, juf, sla me, sla me, alstublieft.'

'Eruit, eruit, eruit,' gilde ze.

'Geef me met de stengel, teef.'

Wij brulden het uit en sloegen op onze lessenaar van opwinding. Er liepen tranen uit onze ooghoeken. Stengel was onze wraaknemer. Wat genoten we van de vernedering van dit kreng met zwabbertieten! Normaal gesproken dacht ze er geen twee keer over na om de karwats te gebruiken en ons tien emmers water te laten halen die we in het gras voor het klaslokaal moesten leeggooien. Maar Stengel was onaanraakbaar.

Op zijn dooie akkertje slenterde Stengel naar voren, inspecteerde de juf, pakte zijn plaatje en verdween uit de klas. Wat een dramatisch effect! Maar er rees twijfel in mij op: moest ik Hangslot ook zo behandelen?

Tussen de middag werd Stengel omringd, maar hij negeerde zijn bewonderaars. Hij wenkte naar mij en mijn *Treasure Island*-vriend, die door iedereen Eiland werd genoemd. Terwijl de speelplaats weergalmde van lawaai en kleur en de zon boven ons hing als een bal van vuur en zwavel, staken we het voetbalveld over. Twee terrassen lager lag 'de ring', de zandkuil waar verspringers oefenden en onze vechtersbazen zich uitleefden in confrontaties waarbij alle middelen waren toegestaan. We werden opgeslokt door de cassave- en tarogewassen. Opgezwiept door de droge wind knarsten en ruisten de bosjes en werden onze blote ledematen gekieteld en geprikt door de scherpe bladeren. In de vallei schoten reusachtige bomen een twintigtal meters de lucht in, met kruinen die leken op de papyrus in de moerassen aan de voet van Mpande Hill.

Op enige afstand van de bomen en het overwoekerde pad lag een dode man in een zwart hemd en een blauwe broek, met zijn gezicht naar beneden en zijn armen gespreid, alsof hij op de bomen afkroop.

'Ik wilde jullie dit laten zien,' verkondigde Stengel.

Waar zaten de beruchte vliegen? Waarom was ik niet bang? Eiland daarentegen deed het in zijn broek en begon danig te beven. Naar het scheen was ik door Oma's dood over dit soort dingen heen gekomen.

Een eindje verder lag het lichaam van een vrouw, op haar rug, met haar rechterarm voor haar gezicht, alsof ze haar ogen tegen de zon beschermde. Sliep ze? Hoe kon het dat er geen enkel teken was van een doodsstrijd?

'Wie heeft ze vermoord?' vroeg ik.

'Onze vriend hier misschien wel.' zei Stengel, en wees naar Eiland.

'N-n-nee, ik niet.'

'Wie dan wel?' vroeg Stengel. 'Ik?'

Ik vermoedde dat hij nadat de biologiejuf hem eruit had gestuurd aan het zwerven was gegaan, de lijken had gevonden en het idee had gekregen om ons eens goed op stang te jagen.

Hij keek me tartend aan en liep op de vrouw af. Hij tilde haar rok met zijn voet op. 'Willen jullie haar ... zien?' Hij keek naar Eiland en dwong hem het woord in te vullen. Hij leek bijna aan de inspanning te zullen bezwijken. Stengel greep Eiland in zijn nek beet en duwde zijn hoofd omlaag. Een gele stroom, als vloeibaar goud, druppelde in het gras.

'Lafaard,' zei hij, terwijl hij de jongen losliet. 'Deze mensen zijn dood, maar toch zijn jullie bang voor ze. Hoe kan dat? Als jullie mijn vrienden niet waren dan had ik jullie gedwongen ze uit en aan te kleden. De les begint weer, jongens,' zei hij er ernstig achteraan.

Had hij mijn vraag beantwoord? Natuurlijk niet. Ik had altijd liever mensen die duidelijke taal spraken, maar dit kwam neer op holle frasen, en deze keer was ik, zoals zoveel andere keren, verbijsterd. Ik begreep niet eens waarom hij ons de lijken had laten zien. Ik kon alleen maar bedenken dat hij wilde opscheppen dat hij nergens bang voor was. Verwachtte hij van me dat ik mijn vijanden op dezelfde onbevreesde manier onder handen zou nemen? Zat dat erachter?

Loesanani slokte mijn maagdelijkheid op tussen de muren van het vervallen huis waarin wij ook de transactie hadden gedaan met het spoeltje. In plaats van geld te tellen en te delen, verkenden we elkaars bereidwillige lichaam en haalden er al het plezier uit dat we maar konden. Eindelijk was ik de laatste hindernis naar de volwassenheid aan het nemen. Onderwijl werd ik gekweld door spijt: ik bleef denken dat ik haar veel eerder had moeten vragen. Om de verloren tijd in te halen, probeerde ik zoveel mogelijk van haar te genieten.

Ik was weer terug in mijn lievelingsboom, doordrenkt van de geur van rijpe broodvruchten, met kwijlende speekselklieren en er kwam een golf van voldoening over me heen. Loesanani zuchtte als tien struiken in een storm en ik probeerde alle kreunstemmen van de barende vrouwen uit het dorp en de verschrikkelijke stem van de vrouw op de taxistandplaats in haar getier te ontdekken. Mijn grootste succes die avond was de vrijheid om haar te bestuderen en bezit te nemen van haar geheimzinnige, vage moerassige gebieden zo lang ik kon. Ik besmeurde mezelf met haar sappen en ging naar huis geurend als een overrijpe broodvrucht. Het was al laat. Hangslot had het niet meer. Ze vroeg waar ik had uitgehangen. Bij de put, antwoordde ik, met ogen die flonkerden van trots na mijn seksuele ontdekkingsreis. Ik verwachtte dat ze commentaar zou hebben op mijn nieuwe parfum, maar ze schonk er geen aandacht aan. Ik was er trots op dat ik geen maagd meer was en liet het merken ook. Nu zou ze de plannen voor het seminarie wel afgelasten, want ik was niet langer geschikt voor het celibaat. Ik lachte haar bijna in haar gezicht uit.

Ik genoot van het nieuwe gevoel van gevaar en liep rond met een hoog opgezette borst. Ik was niet bang meer voor Hadji Gimbi, want wat hij kon, kon ik ook. Nu wilde ik dat Hangslot ons zou betrappen, maar zou Loesanani dat toestaan? Ze zou haar huwelijk ermee op het spel zetten, hoewel ik betwijfelde of het zo'n vaart zou lopen. Zij was de jongste vrouw, en had de macht van de begeerlijkheid aan haar kant. Ik wist dat ze zich een boel kon veroorloven.

De eerste keer dat ik haar over het plan inlichtte, weigerde Loesanani eraan mee te doen. Ze vond het een beter idee om mij een liefdesbrief te sturen. Maar Stengel had me gewaarschuwd nooit twee keer dezelfde truc uit te halen. Bovenal wilde ik een onmiddellijke reactie teweegbrengen. Ze gaf toe en ik ging opnieuw sterk geurend naar huis. Hangslot schreeuwde en tierde, maar ging geen directe confrontatie aan. Ik had het gevoel dat ik haar de baas was.

Op de aangewezen dag deed ik alle schijters in bad, op één na. De nacht viel snel, zoals altijd. Ik beval de ongewassen schijter in de badkamer te blijven. Ik liep naar de rand van de binnenplaats. Loesanani liet op zich wachten, maar ten slotte kwam ze. We stonden aan de rand van het erf. Toen de meeste mensen naar binnen waren gegaan, slopen we naar de pagode; voor ons lagen de traptreden en de stad die in de verte knipoogde. Ik stond met mijn rug naar de kant waar Hangslot vandaan zou komen. We deden net of we neukten. Hadji was een paar dagen weg. Serenity was bij het tankstation. Alles verliep volgens plan. We praatten over scholen waar we op hadden gezeten. Ik droomde van de universiteit en een graad in de rechten.

'Tegen die tijd ben je mij helemaal vergeten,' fluisterde ze.

'Nooit,' zei ik oprecht. 'Ik beloof het je.'

We stonden in het gangetje tussen de twee pagodes. Plotseling riep ze uit: 'Allah akbar!' Ze had een klap op haar hoofd gekregen met het uiteinde van een stok. Hangslot wierp zich tegen mij aan om haar te kunnen bereiken, maar Loesanani ging er snel vandoor. Nu concentreerde Hangslot zich op mij. Ze had een dikke stok in haar handen en sloeg me op mijn schouder, op mijn rug en tegen mijn benen. Ik kon alleen maar mijn hoofd beschermen. Ik had geen zin om een oog kwijt te raken. Al snel raakten mijn armen verlamd van de harde klappen. Ik probeerde haar in de maag te schoppen, maar ze sloeg tegen mijn achterhoofd. Zij kwam tevoorschijn als de overwinnaar van de dag.

Een week lang had ik geen gevoel in mijn linkerhand. Ik was bang dat hij zou verdorren. Ik bad alle goden dat dat niet zou gebeuren, want ik wilde geen gewelddadige represailles hoeven nemen. Gelukkig kwam het gevoel na tien dagen geleidelijk weer terug. Binnen veertien dagen kon ik er weer mee tillen.

Mijn periode bij de despoten was begonnen met bloed – dat van Oma – en was bijna geëindigd in bloed – het mijne. Serenity weerhield Hangslot ervan de Loesanani-kant van de affaire uit te diepen. Ik vertelde hem dat het allemaal mijn schuld was. Ik vertelde er ook bij waarom ik het gedaan had. Hij was er inmiddels min of meer van overtuigd dat ik achter die Miss Singer-brief zat en achter de diefstal van het spoeltje. Hij en Hangslot wilden me kwijt. Serenity stelde voor me naar Kasawo te sturen, maar Hangslot vond dat geen goed idee. Het seminarie zou al over veertig dagen beginnen. Uiteindelijk werd ik naar tante Lwandeka gestuurd. Dat was een opluchting.

Ik was uitgeput geraakt van de conflicten. Ik voelde me oud en gebarsten als een versleten laars. Er was geen tijd te verliezen. Het seminarie was een omweg die ik zo gauw mogelijk achter de rug wilde hebben zodat ik een opleiding zou kunnen volgen die mij weer op mijn advocatenspoor zou terugzetten. Ofschoon deze tijd niet bepaald een explosie genoemd kon worden, had het me een glimp gegeven van wat Opa bedoelde met zijn stelling dat de moderne staat een kruithuis was dat in een serie ontploffingen de lucht in zou gaan. Het was mijn geheime wens dat ik niets met al die vuurzeeën te maken zou krijgen.

DEEL VIER

Seminarietijd

In het hart van de autocratie, in de volksmond beter bekend als het seminarie, huisde een slang met drie giftige koppen: hersenspoeling, gespletenheid en de goeie ouwe dictatuur. Deze koppen werkten met elkaar samen als een Helse Drie-eenheid: het instampen van nieuwe ideeën was bedoeld om elk verband tussen de gedachten, gevoelens en handelingen van de leerlingen af te breken, wat zou resulteren in de kneedbare wezens die de geestelijkheid aan het hoofd van dit systeem goed kon gebruiken.

Seminaristen waren in theorie wezen, minderwaardige bastaarden die uit de smerige, zondige wereld waren geplukt en tot puurheid werden gedrild door geestelijke vaderen die zij op een dag, als God het wilde, zouden bijstaan in het heilige priesterschap. Daarom was het mandaat van de seminarist: te behagen, te gehoorzamen en mak en betrouwbaar te zijn. Een seminarist moest zijn persoonlijkheid en zijn seksualiteit inleveren en vrijwillig een eunuch worden. Hij moest zich geheel wijden aan zijn roeping en zou daarvoor op zijn aanstaande inwijdingsdag de schatten van Gods Koninkrijk toevertrouwd krijgen. Een seminarist leek nog het meest op een leerling-tempelhoer: hij vertrouwde zichzelf en zijn rechten toe aan de Moederkerk, die met hem kon doen en laten wat ze wilde, inclusief hem terstond afwijzen. Als hij doorzette en alle hindernissen overwon, werd hij beloond: alles wat hij op aarde opgaf, zou voor honderd procent gecompenseerd worden met een beloning in het hiernamaals.

Net als de dictatuur die ik achter me had gelaten, was het seminarie een toneelopleiding, omdat je ook hier moest zien te overleven door telkens nieuwe rollen in te studeren en die zo goed mogelijk te spelen. Je moest je superieuren te slim af zijn door hun gedachten te raden, ze te vertellen wat ze wilden horen, het gezicht te laten zien dat ze wilden zien en ze op de beste manier te souffleren, want ook zij speelden een rol. Hoe sneller je leerde goed te acteren, des te langer je seminarieleven en des te groter je kansen het vol te houden tot het altaar en tot de tijd dat de gelovigen aan je voeten kronkelden om door jou gezegend, en van het kwaad en hun zonden verlost te worden.

Het seminarie leek op elke andere gematigd ruige school in de jaren zeventig, en was bepaald geen heilige tuin vol gehoorzame, engelachtige kinderen die tussen de lessen door vlinders bestudeerden en bloemetjes plukten. Weliswaar liepen er geen jongens met wapens in hun schooltas rond, maar ze pasten de gewone, minder dodelijke wapens zeer trefzeker op de nieuwelingen toe. Vele lange nachten kregen we nauwelijks de kans om te slapen. Hele bendes tweedejaars pestkoppen, die zelf nog last hadden van de wonden die ze tijdens hun eerste jaar hadden opgelopen, vielen ons aan als het donker geworden was, meestal nadat de lichten waren uitgedaan, en richtten behoorlijke schade aan.

Deze aanvallen kwamen niet onverwacht: vanaf je eerste dag had je al in de gaten dat er stront aan de knikker was. Om te beginnen oefenden de sterke jongens hun nieuwverworven macht uit middels het verzinnen van bijnamen voor de nieuwkomers of het doorgeven van hun eigen oude bijnamen. Ze schopten de nieuwelingen, floten ze uit en noemden ze bosjesmannen. Dat was nog maar het voorspel.

De eerste nacht kwamen deze stoere jongens, gewapend met stokken, mokers, elektriciteitskabels en wat ze ook maar hadden kunnen vinden, ons wakker maken – als we al in slaap waren gevallen – en namen de draad van overdag weer op. De enkeling die net deed of hij sliep, kreeg koud water over zich heen voordat hij uit bed werd gesleurd. We werden in kleine groepjes ingedeeld en naar het achterste gedeelte van de slaapzaal gevoerd, waar zich een platform bevond dat op een langgerekt podium leek (het vertrek was ooit een recreatiezaal geweest). Daar moesten we op de vloer knielen, en met onze handen geheven Psalm 23 opzeggen: 'De Here is mijn herder... Gij richt voor mij een dis aan...' Dit was de dis die onze meesters een jaar lang voor ons hadden voorbereid. We werden gedwongen het onzevader op te zeggen, een weesgegroet en nog een paar andere gebeden terwijl we stonden, zaten, knielden, bukten, handen omhoogstaken of om en om draaiden. Degenen die niet snel genoeg reageerden werden geschopt of met stokken aangespoord. Iemand kwam aanzetten met een enorme emmer koud water en een grote kan. Er werd aangekondigd dat de doopceremonie zou beginnen. We stonden aan het ene eind van het podium te wachten terwijl er aan het andere eind een stoel werd neergezet. Een jongen met een habijt, of iets wat eruitzag als een kerkelijk gewaad, ging op de stoel zitten met een papieren mijter op zijn hoofd, met naast hem de emmerjongen. Hij was de hogepriester die de ceremonie zou leiden. Er verscheen nog een jongen in habijt, die een vel papier in zijn hand hield en ons één voor één een teken gaf om naar de voeten van de hogepriester te kruipen. De jongen in de pij bescheen zijn papiertje met een zaklantaarn, las een naam op, wendde zich tot de priester en fluisterde de nieuwe naam van de kandidaat in zijn oor. De priester kreeg de kan overhandigd en overgoot de kandidaat, terwijl hij de volgende woorden uitsprak: 'Ik doop u in de naam van de Vader, de Zoon en de Heilige Geest. Van nu af aan heet u Neushoorn' (of een andere naam die ze verzonnen hadden). 'God zegene u, mijn zoon, ga nu in vrede heen.' Van de jongen in de pij moest je je bijnaam eenmaal herhalen, de priester bedanken en vervolgens terugkruipen naar het andere eind van het podium.

De vier slaapzalen waren officieel vernoemd naar beschermheiligen, maar werden in de wandel het Vaticaan, Mekka, Kaap de Goede Hoop en Sing-Sing genoemd. Ik zat in Sing-Sing, de beruchtste van alle slaapzalen, het verblijf van spijbelaars en bullebakken, dat chronisch onderhevig was aan strafmaatregelen, verwaarlozing en vunzigheid. In allevier de slaapzalen werd dezelfde doopceremonie gehouden, al ging het in de ene harder toe dan in de andere. Sing-Sing spande wat dat betreft de kroon, vanwege zijn unieke locatie helemaal achteraan op het schoolterrein, vlak bij de toiletten en de acaciabomen en de omheining. Elke vechtersbaas in Sing-Sing gedroeg zich op een manier waarvan elke bosjesman zich afvroeg waarom de paters het toelieten, want diè waren beslist op de hoogte van de initiatieplechtigheden.

Om twee uur die eerste nacht, toen ik net weer in slaap was gevallen en de dauw in dunne kronkelige stroompjes over het zinken dak liep, was er weer opschudding: we werden uit bed getrommeld. In onze pyjama moesten we in de gang tussen twee rijen bedden gaan staan. Na een controle om te zien of we allemaal aanwezig waren, werden we naar de toiletten gestuurd, tien meter verderop. Het tijdstip was met opzet uitgekozen: het was ijskoud en het woei, er joegen dikke wolken door de lucht en het zag eruit alsof het ging regenen. We stonden onder de acaciabomen, een tapijt van dode bladeren onder onze voeten, met bevend lichaam en klapperende tanden, en wachtten het noodlot af. Er droop dauw van de bladeren boven ons hoofd, die de laatste restjes slaap uit onze ogen en alle vermoeidheid uit ons lichaam wiste.

De pestkoppen, met stokken in de hand, stelden zich voor en achter ons op en hun leider gaf ons bevelen: we moesten opdrukken opzitoefeningen doen en als kikkers rondspringen. Herhaaldelijk werd ons duidelijk gemaakt dat we aan deze jongens overgeleverd waren, dus hoe beter we meewerkten, des te beter kwamen we ervan af. Ik bespeurde dat hier een ouderwetse afpersingsmethode achter zat, maar ik hield me gedeisd en besloot eerst de kat uit de boom te kijken voordat ik bepaalde hoe ik ze terug kon pakken. De zwakken en tragen, die last kregen van kramp of niet meer konden, werden geschopt, gepord met stokken en met knokkels op hun hoofd geramd. De gymnastiek ging lang door, want we waren traag, niet gewend aan dergelijke hardheid en de pestkoppen hadden een sadistisch geduld en wachtten rustig af tot iedereen aan de beurt was geweest.

Met bladeren en vuil aan onze kleren en in ons haar werden we uiteindelijk in rijen opgesteld en werd ons bevolen onze gulp open te maken. 'Op je fluit spelen, bosjesmannen. Fluiten, druiloren. Zodra jullie zaad geloosd is mogen jullie naar bed.' Hoe kon je in hemelsnaam ook maar een flauwe erectie krijgen? De penissen za-

gen eruit als verschrompelde wormen of slappe paddestoelen of op-
gerolde duizendpoten.

De volgende ochtend vroeg gaven twee bosjesmannen er al de brui
aan; de ene zei dat hij gekomen was om priester en niet om misdadiger te worden, maar de paters trokken zich er weinig van aan. Uiteindelijk werden er velen geroepen, maar weinigen uitverkoren. En
hij die zichzelf meer liefhad dan God was de roeping niet waard.
Scheidde het kaf zich op het laatst niet van het koren? En begroeven
de doden zichzelf niet? Schepen die de eerste storm niet doorston-
den, waren niet voor de reis geschikt, leerden we.

De vierde nacht bereikte de uitzinnigheid zijn hoogtepunt. Iemand
trok zo hard aan mijn linkerarm dat die uit de kom schoot. Ik gilde
het uit. De jongens raakten in paniek en gingen ervandoor. Ten langen leste werd de ziekenbroeder erbij gehaald en kreeg ik de vereiste behandeling. Weer werd ik overvallen door de angst dat mijn
hand verlamd zou blijven, zou verslappen en ik hem niet meer zou
kunnen gebruiken. Ik verhuisde met mijn spullen naar de ziekenzaal. Ik overdreef mijn blessure en genoot van de tijdelijke immuniteit die ik daardoor kreeg. Dit was mijn redding uit de verschrikkingen van Sing-Sing. Hier, verscholen achter de kale lichtblauwe
muren van de ziekenzaal, met uitzicht op een bos, was ik veilig.
Niemand viel me lastig. Niemand pestte me of dwong me ook maar
iets te doen. Ik sliep zoveel ik maar wilde. Ik ontliep de mis en elke
andere activiteit waar ik geen zin in had. Voor de eerste keer sinds ik
aangekomen was had ik tijd om na te denken.
    Het interesseerde me niet wie er precies aan mijn arm had getrok-
ken. Onder de omstandigheden had het iedereen kunnen zijn. De
jongens deden maar en de staf zag alles door de vingers. Naar mijn
mening kregen ze veel te veel vrijheid. Wat kon ik daaraan doen?
Hoe kon ik doordringen tot het personeel? Voor het ogenblik hoefde
ik me alleen maar te handhaven en een kans af te wachten om terug
te slaan.
    Ik nam me voor een lijfwacht aan te stellen, iemand als Stomme

A of Stengel. Een slonzige luidruchtige krachtpatser, Lwendo genaamd, was me al opgevallen. Hij ging de nieuwkomers wraakzuchtig te lijf, gaf ze ervan langs, schold ze uit, pikte hun spullen af, dwong ze zijn badwater te sjouwen, vrat hun eten op en gaf ze opdracht om in het weekeinde zijn kleren te wassen. Mijn ruwe schatting was dat hij schreeuwde om aandacht, dat hij iemand zocht in wiens ogen hij stoer was. Ik besloot hem te benaderen, in ruil voor bescherming.

Op een middag ging ik naar hem toe en bood aan vrijwillig alle dingen voor hem te doen die hij als tweedejaars beneden zijn stand vond. Ik beloofde dat ik onder zijn bed zou vegen, zijn schoenen poetsen, zijn kleren zou wassen en strijken en tijdens een droogteperiode water voor hem zou halen.

'Je bent gek geworden, bosjesman,' zei hij spotlachend. 'Je bent invalide. Je kunt nauwelijks je eigen kont afvegen en nu bied je aan om voor mij te werken? Hoe denk je dat te doen?'

'Mijn arm geneest sneller dan je denkt. Ik kan mijn vingers alweer bewegen. Over een week of twee ben ik tot je dienst.'

'Ga maar voor Jezus werken in ruil voor een wonder,' zei hij zelfvoldaan.

'Ik meen het.' Er viel een stilte. De eerste bel was gegaan; binnen vijf minuten zou de tweede gaan en dan moest iedereen in de klas zitten. Er renden al schimmen in zwarte broeken en witte overhemden voorbij, met knellende, krakende schoenen.

'Ik heb je wel door,' zei hij fel. 'Je bent een spion, bosjesman. Door wie ben je gestuurd? Door de rector of een van die klotepriesters? Denk je soms dat ik achterlijk ben? Hoepel op, bosjesman.'

'Ik ben geen spion. Dat zou niet in mijn hoofd opkomen. Ik zweer het op mijn zere arm.'

'Oké, bosjesman, ik neem je aanbod aan, maar ik waarschuw je: als je me voor de gek houdt krijg je brandende kooltjes over je heen, begrijp je me? En, wat staat ertegenover?'

'Ik wil met rust gelaten worden door je vriendjes. Een van hen heeft mijn arm uit de kom gerukt en heeft niet eens het fatsoen om zijn excuses aan te bieden. Dat verwacht ik ook niet van hem. Maar ik wil dat ze bij me uit de buurt blijven.'

'Ik zal zien wat ik doen kan, bosjesman,' zei hij met een triomfantelijke glimlach. Achter zijn rug, waar een grote zweetplek op zat, zei ik: 'Op een dag zul je me geen bosjesman meer noemen.'

Zodra Lwendo had ingestemd mijn vliegen te zullen meppen, begon ik aan mijn bevrijding te werken. Ik was niet van plan om een heel jaar zijn slippendrager te zijn. Chantage zat in mijn bloed; het zou niet lang meer duren of hij liep in mijn val. Bovendien mocht ik hem niet en stelde ik geen prijs op zijn gezelschap. Hij was te luidruchtig, te armoedig en te tactloos naar mijn smaak. Mijn plan was hem te gebruiken, hem te misbruiken en hem vervolgens in de goot achter te laten, waar hij thuishoorde.

In mijn tijd bij de despoten had ik een onherroepelijke afkeer gekregen van handenarbeid. Ik zag Serenity's verzotheid op boeken als een ideaal. Mijn volgende stap op het seminarie was mezelf te verzekeren van een witte-boordenbaantje, bijvoorbeeld in de bibliotheek, de sacristie, de ziekenzaal of in het laboratorium. Ik moest zorgen dat ik een priester vond die ik met valse geestdrift kon imponeren, zodat hij me zou aanbevelen op een van de plekken die ik ambieerde.

De priester die de leiding had over de sacristie was zelf een te grote toneelspeler om voor de listen van een amateur te vallen. Ook moedigde hij geen vriendschap aan. Er stond een eeuwige frons op zijn dikke, kraalogige gezicht, en vanwege zijn lengte leek het of hij altijd iets zocht: altaarwijn en ballen van staal, zeiden de jongens. Hij was een onverbeterlijke chagrijn die van mening was dat wij het veel te makkelijk hadden. Hij verkondigde vaak dat de seminaria van tegenwoordig slappe aftreksels waren van die van vroeger, toen priesters nog keihard waren. Net als een heleboel andere jongens, verafschuwde ik deze zuurpruim en bleef bij hem uit de buurt. De algemene grap was dat hij het staal uit zijn ballen had gepist omdat het niet bestand was tegen de hitte van zijn mopperbuien.

Mijn meest voor de hand liggende prooi was pater Kaanders, een gepensioneerde Nederlandse missionaris, die de scepter zwaaide in de bibliotheek. De bibliotheek was niet erg populair: de meeste jongens stierven liever dan dat ze met een boek in hun handen werden aangetroffen dat geen schoolboek was. Ik geloofde dat de oude man uiteindelijk wel voor mijn charmes zou bezwijken als ik mijn best deed.

Ik viel op de bibliotheek aan alsof mijn leven ervan afhing. Ik was altijd de eerste die kwam en de laatste die vertrok. Bij binnenkomst liep ik langzaam langs de boekenplanken, af en toe halt houdend om een boek in te zien. Dan veegde ik het stof eraf, opende het en deed net of ik er helemaal in opging. Ik sloeg een geïllustreerde pagina op, liet mijn gedachten afdwalen om wat tijd voorbij te laten gaan en hoopte dan dat Kaanders me zag. Als ik het gevoel had dat ik het boek weer op zijn plaats kon zetten, schoof ik het voorzichtig tussen de andere boeken terug. Vervolgens liep ik naar een andere plank en herhaalde de handeling. Nadat ik de ronde langs de planken had gedaan, pakte ik twee of drie banden, legde ze op een lessenaar en begon in een lievelingsboek te lezen. Intussen deed ik net of ik af en toe iets nakeek in de dikke bibliotheekboeken.

Een andere keer nam ik een blocnote mee en deed ik onder het lezen net of ik aantekeningen maakte of schema's overschreef. Ik trachtte de indruk te wekken dat ik een maximum aan kennis uit elk boek haalde. Elke keer wanneer ik aan de pestkoppen wilde ontsnappen, wilde nadenken of een uiltje knappen, ging ik naar de bibliotheek. Als de bel ging deed ik net of ik hem niet hoorde. Ik bleef zitten tot pater Kaanders naar me toe kwam, me op de schouder tikte en vervolgens met zijn vinger op zijn horloge wees; dan schrok ik op alsof ik een spook had gezien. Ik glimlachte naar hem, verontschuldigde me, zette haastig en luidruchtig de boeken terug op hun plank, graaide mijn spullen bij elkaar en vloog het gebouw uit.

Ik wist dat ik, om een plaats in de bibliotheek te veroveren, meer steun nodig had. Ik mikte op de literatuurleraar. Literatuur was voor velen niet meer dan een wat verheven soort grammatica- en schrijfles. Ik wist zelf niets van literatuur en een hele tijd kende ik zelfs de betekenis van het woord niet. Ik zocht het op, leerde de definitie uit mijn hoofd en vergat hem weer. Ik wist wel zeker dat ik het hier met schijnheiligheid niet ver zou schoppen. Deze man was de meest bedaarde priester die ik ooit had ontmoet. Hij was eveneens de hoogst opgeleide: een priester met een graad van een niet-kerkelijke universiteit was in die dagen nog een zeldzaamheid. Deze man werd door sommige van zijn collega's met achterdocht bejegend. Waarom zou iemand die afgestudeerd was en een diploma had priester worden, in plaats van een goede baan in de stad te nemen? Deze magere, ascetische man bezat het buitengewone vermogen om recht door je heen te kijken, wat je het gevoel gaf dat hij alles van je wist en liegen geen enkele zin had. Om deze reden kozen weinig jongens hem als biechtvader of geestelijke raadsman. Jongens hadden een hekel aan priesters die ze niet om de tuin konden leiden.

Aangezien ik dus wist dat ik hem niet voor de gek kon houden, besloot ik een oprechte belangstelling voor zijn vak te ontwikkelen. Ik stelde vragen en probeerde hem zover te krijgen dat hij het geheim van de literatuur aan ons zou openbaren. Ik las alle boeken die hij opgaf en trachtte echt te begrijpen waar ze over gingen. Grondige analyse was niet mijn sterkste kant, maar ik deed mijn best en maakte veel gebruik van mijn Longman-woordenboek. Ik kreeg van iemand de bijnaam Longman Lul, omdat hij beweerde dat ik meer aan het woordenboek zat dan aan mijn piemel.

In een vak dat als verdacht werd gezien, begon ik op te vallen vanwege mijn goede cijfers. Maar ik deed geen speciale moeite om de aandacht van de leraar te trekken. Het was de bedoeling dat hij mij zou benaderen en de eerste stap zou doen. Vaak was ik lang voordat ze ingeleverd moesten worden met mijn taken klaar, maar dan wachtte ik de dag af dat ze opgehaald werden. Mettertijd zou deze strategie vruchten afwerpen. Ofschoon me dat zeer verheugde, trachtte ik er onverschillig onder te blijven.

Na twee maanden literaire campagne kwam Kaanders op een middag naar me toe en zei: 'O, jongen, wat ben jij dol op boeken, hè, jongen?'

'Thuis hebben we een bibliotheek met heel veel banden. Het enige speelgoed dat we hebben zijn boeken.'

'Boeken zijn niet erg populair hier, jongen,' zei hij en liet zijn blik over de koude, strenge planken gaan. 'Wil je hier komen helpen, jongen?'

'Ja, Vader,' antwoordde ik, terwijl ik probeerde niet al te opgewonden te lijken.

'Goed, jongen. Dat is heel goed, jongen.'

Zijn irritantste eigenschap was dat hij iedereen 'jongen' noemde. Vooral de priesters namen hem dat kwalijk. Als hij het woord richtte tot de rector zei hij: 'Jongen... zoals ik al zei, jongen...' Op het kantoor van de thesaurier zei hij: 'Wanneer komen die boeken die we hebben besteld, jongen?' Aan tafel boog hij zich voorover naar de priester die de sacristie leidde en zei: 'Jongen, er was geen wijn in de zijkapel waar ik mijn privé-mis opdien, jongen.' Of: 'Wil je me het zout even doorgeven, jongen?' De jonge priesters, met ego's zo groot als een huis, konden er maar niet aan wennen 'jongen' genoemd te worden. Elke keer als hij het woord uitsprak, vooral als er leerlingen in de buurt waren, keken ze de ouwe aan alsof ze hem een oplawaai wilden verkopen. De onschuldige uitdrukking in het door het leven getekende gezicht van Kaanders bracht hen in verwarring en ergerde hen. Het was niet bepaald een woord waarmee hij iemand wilde ergeren, laat staan kwetsen. Maar waarom was hij er zo door geobsedeerd? Een van de jonge priesters deed een poging de oude man te verbeteren door hem erop te wijzen dat hij geen jongen meer was, maar de eerste de beste zin die Kaanders daarna uitsprak begon meteen met het woord 'jongen'. Iedereen moest lachen en de priester gaf het op en werd door de leerlingen 'Jongen' genoemd tot hij overgeplaatst werd. In een kleine afdeling vol met nissen, grenzend aan de keuken, woonden ook een paar nonnen die, tot algemene hilariteit, ook met 'jongen' werden aangesproken.

Het afgeleefde lichaam van Kaanders droeg de littekens van zijn lange strijd met de polygamisten van het bisdom Jinja. In het heetst van de strijd tegen het heidendom, de polygamie en de onnozelheid aan de oostelijke, door tseetseevliegen geplaagde oevers van het Victoriameer, had hij de slaapziekte gekregen. De ziekte en de zenuwinstorting die daarop was gevolgd, waren behandeld en hij was genezen verklaard, maar in zijn kindsheid had de tseetseevlieg weer de kop opgestoken en hem herinnerd aan de sappen die in zijn bloed waren achtergebleven. Tegenwoordig dommelde hij in tijdens de mis, in de klas, op het toilet, in de bibliotheek, overal. Midden onder een Franse les raakte hij buiten westen. We zagen het aan met een jongensachtige gein; hij sliep met zijn kin op zijn borst, zijn hoofd gevaarlijk wiebelend, met een sliertje speeksel uit zijn open mond en zijn armen op zijn dijbenen. Hij werd even plotseling wakker als hij weggedommeld was en zei dan: 'Jongens, jongens, die vlieg… Waar waren we gebleven?'

Tijdens de mis, vooral als de zondagse preek lang uitviel, vloog hij naar dromenland op de vleugels van de vlieg. Als de preek voorbij was en iedereen overeind kwam, bleef hij met zijn kin op zijn borst en een speekselvlek in zijn schoot zitten. Als iemand probeerde hem wakker te porren, begonnen zijn lippen te prevelen. Kaanders was heel slecht in het onthouden van namen, behalve die van de grote schrijvers. Hij herinnerde zich de namen van zijn collega's nauwelijks, maar wel de naam van de jongen die zijn kantoor schoonhield.

Vanwege zijn geheugenverlies was Kaanders de populairste priester bij de leerlingen, vooral bij spijbelaars en andere chronische overtreders. Elke keer als hij iemand snapte, dan vroeg hij diens naam, die hij getrouw opschreef en aan de rector doorgaf met de boodschap: 'Jongen, deze jongen heeft de regels overtreden, o jongens.' De rector deed net of hij er serieus op inging, terwijl hij zijn lachspieren in bedwang trachtte te houden, want geen van de namen was hem bekend. Soms kreeg hij de namen van legerofficieren onder zijn neus, beroemde zangers of andere personages die de jongens hadden verzonnen toen ze gesnapt werden. Als hij in de stemming was aapte hij Kaanders na: 'O jongen, jongen, ik zag kapitein Jonas, pater Adriga en zuster Broek achter het hek… o, jongens!' Hij schaterde het uit, timmerde met zijn vuisten op zijn bureau en stampte met zijn voeten.

Op slechte dagen leed Kaanders aan een dermate ernstig geheugenverlies dat hij vergat dat hij al had ontbeten. Dan ging hij terug naar de eetzaal en vroeg aan de daar aanwezige priester: 'Wie heeft er aan mijn kopje gezeten, jongen? O jongen, niemand heeft nog respect tegenwoordig. Mijn kopje! Ik gebruik het al twintig jaar en nu heeft iemand anders het gebruikt die vergeten is het af te wassen en terug te zetten. O jongens, jongens!' De meeste priesters keken hem dan alleen maar aan, haalden hun schouders berustend op en lieten hem gaarstoven in zijn eigen vreemde sappen. Hij ijsbeerde door het vertrek, van de muur naar de ijskast en zei: 'O jongens, iemand heeft ook mijn kaas opgegeten! O jongens.'

Het enige dat Kaanders nooit vergat of door elkaar haalde waren onze cijfers voor Frans. Het leek of zijn hersens zichzelf daarin overtroffen. Hij ontdekte elke fout, streepte die met rood aan en trok er een halve punt voor van je cijfer af. Hij leerde ons de volgende zeven Franse adjectieven in de vorm van een liedje, dat ook zijn bijnaam werd: Bon mauvais méchant bon / grand petit joli gros.

Als de jongens zin hadden in een dergelijk liedje, dan ging alles goed, maar zo niet, wat voor de pauze nogal eens gebeurde, dan gooiden ze opzettelijk de volgorde door elkaar, zodat hij rood aanliep van woede en uit frustratie met zijn voeten stampte.

Om de dag, als de bibliotheek openging of sloot, vroeg hij mijn naam en liet die dan een paar minuten tot zich doordringen, waarbij hij elke lettergreep op een onverstoorbare manier uit elkaar trok in een poging die onder de knie te krijgen. Maar er zaten zoveel gaatjes in het vergiet van zijn brein dat hij de volgende keer weer naar mijn naam moest vragen. Mijn gezicht onthield hij wel. Dat was niet al te moeilijk aangezien ik om de dag, als ik een werkbeurt had, naar de bibliotheek ging om te vegen, teruggebrachte boeken weg te zetten, een lijst te maken van de boeken die over tijd waren en de exemplaren uit te zoeken die opnieuw gebonden moesten worden.

Terwijl andere jongens buiten op het land zwoegden, het gras maaiden, de vloer van de refter schrobden, op jacht gingen naar kakkerlakken in de bijkeuken, ratten doodden in de voorraadkast en nog honderd-en-één klusjes opknapten, vertroetelde ik de boeken in de bibliotheek.

Aanvankelijk verveelde ik me. Ik had mijn doel bereikt. Ik was niet echt stapelgek op boeken. Ik kreeg nogal de zenuwen van het stof waardoor ik voortdurend moest niezen. Ik zag er vreselijk tegenop wanneer Kaanders aan de slag ging om een beduimeld boek opnieuw in te binden: al dat gemeet, gesnij, gelijm, al dat gepers en gewrijf over de nieuwe banden nam zoveel tijd en energie in beslag dat ik er kierewiet van werd. Maar de ogen van Kaanders werden vochtig als hij het werk van zijn handen inspecteerde. Hij had een beschadigd voorwerp een nieuw leven gegeven. Hij had een anonieme schatgraver de kans geboden om in die opgekalefaterde banden te duiken. Van de eigenzinnige vreugde die hij daarin schepte, ging hij fluiten en hij streelde de boeken als waren het schoothondjes.

Intussen broedde ik een plan uit om van Lwendo af te komen. Om hem eens goed bij zijn lurven te grijpen, wilde ik hem chanteren. Uiteindelijk wilde ik een paar buitengewoon vervelende stafleden te grazen nemen, maar die negeerde ik op dat moment nog met opzet, omdat ik eerst mijn huis aan kant wilde hebben. Ik was ervan overtuigd dat ik me niet aan andere zaken kon wijden zolang die vuile rat Lwendo de baas over me speelde.

Lang voordat ik gevraagd werd om in de bibliotheek te helpen, was Lwendo al verantwoordelijk voor de houtskoolvoorraad. Hierdoor was hij een invloedrijk persoon, want op zaterdagmiddag hadden we hem allemaal nodig om onze zondagse en doordeweekse kleren te kunnen strijken. We verzamelden ons in zijn schuur, een verschoten steenrood gebouwtje met een rechthoekige schoorsteen, dat als keuken gediend had in de tijd toen seminaries nog seminaries waren en de priesters nog stalen ballen hadden. Lwendo moest onze ijzers met hete kolen vullen. Maar de vraag was meestal groter dan het aanbod en concurrentie en discriminatie vierden hoogtij. Ouderejaars studenten kwamen het eerst aan de beurt, dan degenen die zij aanbevalen. De bosjesmannen die niemand hadden die voor hen opkwam, kregen de laatste restjes halfgedoofde kooltjes, vaak meer as dan vuur.

Als hij zin had om een geintje uit te halen, speciaal op natte da-

261

gen, als het moeilijk was om voldoende hout te sprokkelen om voor iedereen houtskool te maken, trok Lwendo zich terug nadat hij de tweedejaars had voorzien en liet hij de bosjesmannen vechten om de resterende kooltjes. Met een bezweet gezicht en een schop in de hand ging hij buiten in het kapotgetrapte gras staan en sloeg het gevecht gade, terwijl de tranen over zijn wangen biggelden. 'De bosjesmannen vermoorden elkaar om een paar kooltjes, ha, ha, ha…' lachte hij, bijgevallen door een paar tweedejaars die door nieuwkomers al van hun strijkbehoeften voorzien waren, in ruil voor lijfwachtdiensten. Lwendo bofte dat niemand ooit ernstige brandwonden opliep en dat de jongens die in de gloeiende as terechtkwamen hem niet verlinkten.

Lwendo's taak verschafte hem vrijheden en bracht hem in contact met de nonnen die voor ons en voor de staf kookten. Tijdens werkuren kon je hem in de keuken vinden, waar hij tegen een paar nonnen aan stond te kletsen, veinzend dat hij zich opmaakte voor zijn zaterdagse karwei. Tussen zijn bezoekjes aan de keuken door verzamelde hij brandhout, takken, oude meubelstukken of wat hij dan ook nodig had, of veinsde nodig te hebben, om het zaterdagse vuur te kunnen stoken. Lwendo bracht ook veel tijd door met de bende van de varkensstal, die de varkens moest hoeden en slachten voor de maaltijden van de paters. De bendeleiders hielden wat vlees achter en smokkelden het in emmers naar de schuur van Lwendo, waar het later geroosterd en verslonden werd. Dat was allemaal tegen de regels en kon bestraft worden met onmiddellijke schorsing of verbanning, maar niemand was geneigd deze misdaden te rapporteren.

Ze waren allemaal meesters in het verspreiden van geruchten. Als je ergens achter wilde komen hoefde je slechts af te gaan op wat de roddelaars zeiden. Een van die geruchten bracht Lwendo in verband met zuster Bizon, een kleine dikke zwarte non met ronde benen, hele dikke armen en een zeer omvangrijk achterwerk waarop volgens de fantasten de dikste bijbel kon staan zonder eraf te vallen. Dezelfde non werd ook in verband gebracht met de eerwaarde pater Mindi, de tuchtmeester. Mijn interesse ging uit naar de eerste relatie. Ik begon Lwendo 's avonds te schaduwen, in de hoop hem te be-

trappen bij het verorberen van de verboden vrucht. Als dat niet lukte, hoopte ik hem in een andere compromitterende situatie te snappen. Het lukte niet. Ik wist dat hij elke keer als het eten heel vies
was, wat vaak het geval was, naar de keuken ging en de restjes van
de tafel van de fraters opat. In de weken dat nonnen met wie hij het
niet kon vinden de kookbeurt hadden, ging hij veel minder vaak
naar de keuken. Ik had twee mogelijkheden: hem te betrappen bij
het stelen en roosteren van varkensvlees in zijn schuur, wat inhield
dat ik een belangstellende priester moest zien in te schakelen, of
hem te betrappen tijdens het neuken met zuster Bizon of een andere
non.

Het duurde acht weken voordat ik hem te pakken had. Elke avond
tijdens het studie-uur, dat om negen uur begon, volgde ik hem. Op
die bewuste avond was hij niet in de klas, noch in zijn schuur, noch
in de bibliotheek. Dus kon hij alleen nog in het kantoor van een van
de paters zijn of in de keuken. Rond half tien ging ik naar de keuken,
die verlaten was, en waar slechts de beslagen boilers treurig uit de
smerige ramen staarden. Ik stond buiten en dacht diep na. De voor-
raadkamer, een smal koud vertrek waar zakken maïskorrels, maïsmeel en rotte bonen opgeslagen stonden, bevond zich rechts van
mij. Gewoonlijk hingen er aan de zware houten deur twee vuistvor-
mige hangsloten. Ik nam een kijkje. De deur was dicht maar de sloten hingen er niet aan. Ik besloot een kansje te wagen en liep naar
binnen. Het vertrek was verboden terrein, behalve voor degenen die
speciale toestemming hadden. Ik had geen toestemming nodig. Uiteindelijk was ik bibliothecaris. Ik kon altijd zeggen dat ik pater
Kaanders zocht, of dat hij me naar de thesaurier had gestuurd, die in
dit walgelijke hok de scepter zwaaide, om te vragen of een bepaald
boek was aangekomen.

Een zware, door korenworm bezwangerde stank bevuilde de
muffige atmosfeer, waardoor het er nog benauwder en verlatener
aanvoelde. De bolstaande jutezakken op hun logge houten stellin-
gen deden me denken aan Opa's koffiezakken, volgestouwd en klaar
voor de branderij boven op Mpande Hill. Net als de bedden in Sing-
Sing, stonden de zakken tegen de muur opgestapeld, waardoor een

brede betonnen gang was onstaan, die het aanzicht had van een lange donkere tunnel in een berg. Ik bleef staan om te luisteren, onderdrukte een acute niesaanval, bang dat ik hier alleen in het donker zou worden ontdekt. Het was heel stil. Er viel een dode tak uit een boom die het klooster overschaduwde, boven op het golfplaten dak, met een ijl krassend geluid. Ik schrok alsof iemand me in mijn zij porde.

Ik dacht andere geluiden te horen, die van achter uit de donkere tunnel kwamen. Het leek op piepende ratten. Misschien waren er andere loerders. Ik dacht een hond te horen snuffelen, doordringend en herhaaldelijk. Het was een beheerst geluid dat als scherpe naalden of vuurtongen door merg en been sneed. Opeens zag ik Loesanani voor me, haar boezem doordrenkt door een lekkende waterkan, haar tepels hard onder haar katoenen blouse. Ineens was ze hier in het duister aanwezig, ofschoon zij heel anders zong. Haar liefdeslied was veel verfijnder, verfraaid door staccato kreetjes en bloemrijke, strelende woordjes. Dit ingehouden geluid klonk onvervalst, puur, dringend en opwindend. Op mijn tenen en aangenaam gehinderd door mijn eigen geslachtsdeel dat beierde als een kerkklok, sloop ik in de richting van de snuffelhond.

Lwendo naaide de non met krachtige, gerichte, volle stoten. Er viel een brutale lichtstraal door een vastgelopen ventilator op een rode nonnenonderbroek die om de gespierde nonnenenkels zat gestroopt. Wellustige nonnenogen zagen mij het eerst en de nonnelijke snik die door de duisternis scheurde, doorkliefde mijn kruis met de bijtende kracht van zwavelzuur. Lwendo, die zich maar al te goed realiseerde dat de schade al was aangericht, liet zich zijn pleziertje niet afnemen. Hij stootte door tot hij trillend klaarkwam, met de zelfvoldane onbeschaamdheid van een dekhengst. Toen hij zag dat het geen priester was, maar ik, zijn lakei, lachte hij en trachtte in zijn geestdrift mijn hand te schudden.

Ik had mijn vrijheid gekocht, en zijn vriendschap, en bovendien de porties die overbleven na de maaltijden van de paters in de weken dat de dankbare non keukendienst had.

In mijn opwinding moest ik denken aan oom Kawayida, de tovenaar, de charmeur, de verteller van verhalen, zoals dat van de man met de drie zusters. Ik had hem graag over mijn coup willen vertellen en over het leven op het seminarie in het algemeen, maar we hadden sinds mijn vertrek uit het dorp nauwelijks meer contact gehad. Las hij boeken? Nee, hij had het te druk met zijn zaken, zijn kalkoen- en braadkippenfokkerij. Was hij de goede oude tijd vergeten? Ik dacht van niet.

Ik was nu een vrij man. Ik speelde met de gedachte om een paar pestkoppen te grazen te nemen, maar de plagerijen waren afgenomen. Ik besloot achter mensen aan te gaan die groter waren dan ik, de ware bazen. Ik schepte nog steeds geen genoegen in het verslaan van mensen van mijn eigen niveau. Ik genoot van de uitdaging mezelf te ontstijgen en overwinningen te behalen, al was het met meer blauwe plekken. Mijn aandacht was al getrokken door pater Mindi, de tuchtmeester en inmiddels waarschijnlijk de enige die zuster Bizon naaide. Deze man gaf de jongens niet alleen stokslagen, hij zat ze ook achterna, verschool zich achter struiken en gebouwen, hoge muren en hekken, overal, om mensen te betrappen die stomme regels overtraden, door bijvoorbeeld te praten in de stilteperiode of te eten tussen de maaltijden door. Hij kende alle sluipwegen waar spijbelaars gebruik van maakten en verstopte zich vaak achter de acacia's bij Sing-Sing in de hoop dat hij hongerige jongens zag komen aanlopen met bananen, maïskolven, pannenkoeken, suikerrietstengels of wat dan ook om hun honger te stillen. Er waren spijbelaars met een aanleg voor zaken: die namen bestellingen op en leverden voedsel tegen winst. Pater Mindi vervolgde deze 'handelaars in de tempel' met de inzet van een missionaris. Hij ontbood ze op vreemde tijden in de slaapzaal, om te zien of ze contrabande of geld in hun kasten hadden verstopt.

Officieel had hij het zakgeld van iedereen onder zijn beheer, maar veel jongens verborgen hun geld op plekken waar ze erbij konden wanneer ze maar wilden, zonder eerst aan pater Mindi te hoeven uitleggen waar ze het voor nodig hadden. Sing-Sing leed het meest onder Mindi's politieonderzoeken naar geld.

Door de wol geverfde spijbelaars en hamsteraars lieten het er niet bij zitten. Ze verspreidden roddelpraatjes zodat hij op een verkeerd spoor werd gezet, en zij zichzelf konden dekken. Mindi liep een aantal malen in de val, totdat hij erachter kwam dat de jongens hem uitlachten om zijn onnozelheid. Hij pakte een paar van de grappenmakers op en strafte ze streng. Op de een of andere manier lekte er informatie uit over zijn 'politieonderzoeken' en een paar keer waren ze hem voor, met als resultaat dat hij op de dagen dat hij de misdadigers hoopte te snappen, alleen lege kasten en koffers aantrof.

Het succes van een tuchtmeester hing af van het beeld dat de jongens van hem hadden. In het geval van pater Mindi was dat belabberd, wat hem alleen maar feller maakte.

Ik heb me vaak afgevraagd waarom deze geschoolde man de bespottelijkheid van zijn situatie niet inzag. Jongens die slechte *posho* en bedorven bonen te eten kregen raakten niet vol en moesten zorgen dat ze hun ontoereikende dieet aanvulden. Zou hij dat zelf ook niet gedaan hebben? Zag hij niet in dat hij onmogelijke regels hanteerde? Zag hij niet in dat hij de farizeeër was die maande tot totale rust op de sabbat, maar die zelf zijn ezel redde toen die in de sloot viel op die dag? Het was gemakkelijk gezegd dat je tussen de maaltijden door niets mocht eten als je eigen buik vol zat met varkensvlees, vis, aardappelen, groenten en andere lekkernijen die de priesters kregen voorgezet.

Ook verwierp ik het gebrek aan zelfbeheersing die deze prediker van zelfbeheersing tentoonspreidde wanneer hij iemand gevangen had. Als hij werkelijk toezag op de naleving van onpersoonlijke regels, die in Rome waren vastgesteld en door de bisschop in dit land waren geïmporteerd, dan behoorde hij zelf enige onpersoonlijkheid en onpartijdigheid te tonen. Het tegendeel was waar: hij genoot ervan straffen uit te delen, vooral als hij overtreders pijn deed. Het was allemaal heel persoonlijk. Hoewel sommigen hem ontsnapten, moest iedereen die gepakt werd een hoge prijs betalen. Voor hem betekende het trots, ambitie, vooruitzichten en macht.

Kortom: Pater Mindi was de meest gehate man van het seminarie.

Hij werd 'De Lugubere Zeiseman' genoemd en iedereen bad dat hij een auto-ongeluk zou krijgen en de rest van zijn dagen in een rolstoel zou moeten slijten. Ze baden dat hij blind zou worden, kanker zou krijgen en met alle etterende ziektes zou worden besmet die er bestonden. Het overheersende gevoel was dat alles drastisch zou veranderen als hij er niet meer was, want iedereen geloofde dat hij de boel met opzet verziekte. Niemand snapte waarom het voedsel zo slecht was, als het land er was, en waarschijnlijk ook het geld, om het te verbouwen. We dachten dat hij er de filosofie op na hield dat je een goede seminarist en uiteindelijk een goede priester zou worden als je bedorven eten kreeg.

'Hij moet dood,' zeiden de jongens vaak, vooral als ze hem op het voetbalveld met de bal zagen dribbelen. Hij was bedrieglijk snel. Hij was de beschermheer van slaapzaal 'Het Vaticaan' en dankzij zijn deelname en training wonnen zij meestal de jaarlijkse wedstrijd. Als ze gewonnen hadden gaf pater Mindi ons vaak twee varkens en volop te eten in het weekend.

'Nee, nee, nee,' antwoordden anderen, 'hij moet blijven leven en eeuwig lijden.'

'Hoe zullen we het aanpakken?'

Men was het er unaniem over eens dat hij aan de genade van de goden overgelaten moest worden, die er wel voor zouden zorgen dat hij een been brak, een ongeluk kreeg of onder vuur genomen werd.

Pater Mindi drong vaak tot mijn gedachten door. Ik zag in hem een broer van die geconstipeerde heks: Hangslot. Beiden hadden een religieuze roeping. Beiden hadden die gevolgd. De een had haar roeping opgegeven om een echte ouder te worden, de ander had volgehouden en was nu een symbolische ouder. Beiden geloofden dat hoe harder en gemener en stiekemer je kinderen behandelde, hoe beter ze werden.

Het viel me ten slotte op hoe beperkt pater Mindi eigenlijk was. Hangslot leek met haar nonachtige boerenmeidenbenauwenissen op een door verwondingen geplaagde buffel, die er nauwelijks in slaagde de duizenden luizen en de zilverreigers van zijn etterende rug weg te houden. Mindi, daarentegen, was opgezwollen van de theologie, filosofie, het Latijn, Italiaans, de kerkgeschiedenis en allerlei vormen van geestelijke en niet-geestelijke geleerdheid, opgedaan in zowel plaatselijke als buitenlandse seminaria. De vier jaar die hij had doorgebracht op de Urbanus-universiteit in Rome hadden zijn conservatisme aangescherpt, zijn wredere trekken versterkt en zijn vermogen tot mededogen en zelfanalyse afgestompt.

En dit was een man tegen wie we 'Vader' moesten zeggen en die we moesten eren en op een voetstuk plaatsen. Als een beurs voor een buitenlandse universiteit en al dat gestudeer tot dit onvruchtbare toneelspelen en herkauwen leidden, wat was het nut er dan van? Dit was een man die geprogrammeerd was om te gehoorzamen, en om gehoorzaamd te worden. Dit was een man die geleden had en die nu anderen liet lijden, zodat zij op hun beurt weer anderen konden laten lijden. Dit was Mindi's versie van honderd procent priesterlijke compensatie op aarde en honderd procent beloning in het hiernamaals. Zijn materiële bezittingen, vooral zijn auto, maakten deel uit van de deal, ze waren een compensatie voor het gezinsleven dat hij vanwege zijn roeping had opgegeven. Hij schepte erover op, in de waan dat hij ons aanmoedigde om vol te houden. Zijn droom verschilde niet zoveel van mijn droom om advocaat te worden, de macht die hij genoot en de geruchten over hem en zuster Bizon in aanmerking genomen. Wat me stoorde was de olie van heiligheid en voorbeschikking waarmee hij het allemaal overgoot. Mijn oogmerk was die olieachtige glans eraf te wrijven, zodat de doffe, ruwe kern bloot zou komen.

Ik verviel weer tot mijn gebruikelijke slapeloosheid. Het was beangstigend om in de kleine uurtjes van de ochtend op te zijn. Maar er zat ook een opwindende kant aan: de adrenalinetoevloed die plunderaars ook moesten hebben, maakte het de moeite waard. Ik verliet Sing-Sing rond twee uur in de ochtend. Dorobo, de nieuwe nachtwaker, deed zijn ronde of sliep. Hij was heel lang, heel sterk, zo zwart als roet en levensgevaarlijk met zijn reuzen pijl-en-boog. Het beeld van die enorme boog etste zich in mijn geest als een diamanten halvemaan en achtervolgde me terwijl ik van schaduw naar schaduw kroop. Ik prees de Heer dat wij Afrikanen geen honden verafgoodden: wat zou deze man angstaanjagend geweest zijn als hij een Duitse herder aan zijn zijde had gehad. Maar er was geen hond te bekennen op de campus.

Het seminarie bevond zich op het topje van een heuvel en was om de centrale kapel heen gebouwd, die van alle kanten bereikbaar was. Het was gemakkelijk om van Sing-Sing, aan het verre eind van de campus, ongezien naar de kapel te lopen, omdat je beschermd werd door bomen en door een haag van dennen. Ik trof Dorobo achter de kapel aan, weggedoken in een hoekje, hard snurkend tijdens zijn illegale dutje. Mijn bestemming lag links van de kapel, tien meter verderop. Het was een langgerekt gebouw met een schuin dak, gedeeltelijk in gebruik als opslagruimte voor gereedschap, en gedeeltelijk als garage voor de auto's van de paters.

Ik stak het grindpaadje over en bereikte de gereedschapsruimte. Met een sleutel die gebruikt werd door de toezichthoudende student, opende ik de zijdeur. Ik trad binnen in het lange, kille gebouw met bergen snoeiers, schoffels, pangamessen, harken, kapotte maaimachines en kettingzagen die roken naar stof, olie en verwaarlozing. Ik pakte een botte panga en woog hem in mijn hand, terugdenkend aan de maniak die had gedreigd Oma te onthoofden. Ik legde hem weer neer, ervoor zorgend dat ik geen lawaai maakte door de andere gebruiksvoorwerpen te verschuiven. Ik liep naar de tussendeur.

De scharnieren piepten en ik was bang dat Dorobo het zou horen. Ik drong door tot de garage, waar ik geconfronteerd werd met de geur van auto's: een scherp mengsel van olie, staal en rubber. Daar stonden Mindi's blauwe Peugeot, Kaanders' witte Volkswagen, de beige Renault van de rector en een oude grijze auto die een vriend van de rector had achtergelaten. In de verre hoek leek een dikbuikige motorfiets op zijn standaard tegen de muur te leunen, met een olievlek eronder.

Het kostte me enkele minuten van gemorrel en gehannes voor ik met zweterige handen in de auto zat. Ik dacht aan tante Tiida, die helemaal opgetut toekeek hoe dokter Ssali hun Peugeot met verholen opwinding trachtte te openen terwijl de buren vanachter de gordijnen toekeken.

Maar een verschaalde tabaksstank bracht me weer bij mijn positieven. Ik zat in de auto van een kettingroker. Ik had zout in Mindi's motor kunnen gooien, zodat hij voorgoed verpest zou zijn, maar dat leek me niet nodig. Ik was hier niet om de boel te verwoesten, maar om een beleefdheidsbezoekje te brengen. Ik was hier voornamelijk om de grote man een bescheiden boodschap door te geven, maar een minder bescheiden boodschap dan die van de gemiddelde wraakzuchtige seminarist. Ik had een paar papaja's gegeten, die ik van een spijbelaar had gekocht, en in combinatie met onze bedorven bonen was de stank die mijn ontlasting afgaf overweldigend. Ik kneep mijn neus dicht terwijl ik de polytheen zak openmaakte. Ik had voor het wapen van de voetbalvandaal uit de verhalen van oom Kawayida gekozen: stront. Met een troffel besmeurde ik de banken, het dak, de bodem, het stuur, de versnellingspook, het dashboard en de vloerkleedjes. Ik sloot de stank in de auto op en richtte me op de deurhendels. De weerzinwekkende plastic zak liet ik op de motorkap achter.

Inmiddels stonk de hele garage als de pest. Ik haastte me uit de walgelijke lucht, sloot de tussendeur zo zachtjes als ik kon en liep op mijn tenen om de stapels maaiers, schoffels en panga's heen... Ik was me maar al te zeer bewust van mijn hachelijke situatie: op een kilometer afstand kon je me ruiken. Ik liep naar de toiletten, en schrobde mezelf op de terugweg met geurige dennennaalden die ik uit de haag plukte.

Door deze aanval besefte ik dat ik begon te malen. Ik kreeg het knagende gevoel dat ik mijn tijd hier aan het verdoen was, dat ik een zinloze weg was ingeslagen naar een loopbaan die mij niet lag. Ik had behoefte aan een anker, iets dat me met mijn benen op de grond zou houden en me in staat zou stellen me in elk geval op de academische kant van alles te concentreren. De meeste lessen hadden niveau en de priesters vatten het huiswerk dat ze opgaven serieus op. Maar het leven was veel te gereglementeerd, waardoor alle initiatieven van onze kant in de kiem gesmoord werden. We waren als de braadkippen van oom Kawayida: opgesloten in een hok, gevoed, ingeënt en door een voorgekauwd schema gejaagd, met de nadruk op nodeloze gebeden en saaie activiteiten.

Ik had me een gecompliceerdere nasleep van mijn kliederpartij voorgesteld. Het personeel was typerend vaag over de aanslag. 'Iemand heeft de auto van pater Mindi vernield.' 'Iemand heeft vreselijke schade aangericht aan het eigendom van een zeker personeelslid.' 'Iemand heeft zich zeer oneerbiedig gedragen tegenover onze thesaurier,' werd er gezegd. Maar de details werden uiteindelijk aan het licht gebracht door de jongens die de rotzooi moesten opruimen. Pater Mindi had ze betrapt bij het praten tijdens de verplichte stilte en ze de afgrijselijke taak opgedragen zijn ontheiligde statussymbool te schrobben, af te spoelen en droog te wrijven.

Op het laatst vertelde pater Mindi het ons officieel. Hij kleedde zijn woede aan met vervloekingen en bedreigingen, en voorspelde dat er iets ernstigs zou gebeuren als degene die het gedaan had zich niet binnen drie dagen meldde. Ik was weer op bekend terrein en kon haast niet geloven hoe de dictatoriale gedachtegangen op elkaar leken. Deze man, die een ego had zo groot als de lever van een alcoholist, dacht dat de schuldige onder de heilige geur ervan in elkaar zou storten. Als dit het resultaat was van al dat conservatisme van de Urbanus-universiteit, dan misgunde ik hem al de lasagna die hij in Italië had opgevreten niet. Zijn ervaringen met spijbelaars hadden hem moeten leren dat niet alle overtreders onder de indruk waren van zijn in Bolognese-saus gedrenkte verwensingen.

Pater Mindi bezocht ons voor de tweede keer, ditmaal in de refter. 'Wat is dat voor een seminarist die zoiets doet? Waarom is hij hierheen gekomen? Wil hij priester worden? Hoe is hij hier binnengekomen? Het is in jullie eigen belang om deze figuur aan te geven. Ik weet zeker dat hij iets tegen iemand heeft gezegd, dat doen misdadigers altijd. Vertel het me alsjeblieft. Als dit soort gedrag niet afgestraft wordt, dan zijn we allemaal in gevaar. Dit is een figuur die de hele boel in de fik zou kunnen steken.' Ik was er niet van onder de indruk; en de meerderheid van de jongens, die vond dat pater Mindi het verdiend had, ook niet.

De volgende dag verzocht de rector, zwaarmoedig als een rechter met aambeien, ons de dader aan te geven. Hij was er net als Mindi van overtuigd dat iemand iets gehoord, gezien of geroken moest hebben. Hij zinspeelde erop dat er wellicht iemand rondliep met een wrok tegen de thesaurier, maar dat de manier waarop hij die geuit had beestachtig was en onbetamelijk voor iemand die voor het altaar voorbestemd was. Hij legde het er dik bovenop: 'Kom met ons praten als je een probleem hebt. Wij staan altijd voor jullie klaar. Zonder jullie zouden wij hier ook niet zijn. Wij zijn één grote familie en als een lid van die familie het moeilijk heeft dan hebben we het allemaal moeilijk. Eén rotte sinaasappel kan de hele mand aantasten, moet je bedenken. Als jullie iets weten, vertel het dan aan jullie geestelijke raadsman of schuif stiekem een briefje onder mijn deur door. Ik verzeker jullie: niemand zal gestraft worden voor het geven van de nodige informatie. En als jullie bedreigd worden, als jullie de mond gesnoerd wordt, kom dan onmiddellijk naar mij toe, dan zal ik maatregelen nemen.' Ik had het allemaal al in mijn vorige bestaan gehoord. Het liet me koud.

Vier dagen na de aanslag kondigde pater Mindi, in een wolk van speculaties, nogal triomfantelijk aan dat hij de daders had opgepakt. Het personeel was verdeeld. Mindi wilde de drie plaaggeesten met onmiddellijke ingang schorsen. Anderen wilden de jongens straffen opleggen, maar ze de kans geven met hun opleiding door te gaan. Sommigen waren sceptisch over de methode van opsporing, want die was maar al te bedrieglijk: iemand begaat een misdaad, er worden anoniem namen doorgegeven en de koppen beginnen te rollen.

Lwendo en zijn klasgenoten kwamen in opstand. Zij vertelden rond dat een bosjesman het drietal aan het personeel had verraden. De bosjesmannen werden bedreigd en er werd gezworen dat ze onder druk zouden worden gezet tot ze het uit zouden gillen. Slechts een van het drietal werd van school gestuurd, en de anderen werden twee weken geschorst, en toen ebde het oproer weg.

Dat was dus gerechtigheid. Ik kwam er vooralsnog niet achter welke slimmerik de pestkoppen had gestraft door ze met de schuld van de misdaad op te zadelen. Het kon me niets schelen. Mijn buurman in de slaapzaal zei dat ik vaak lachte in mijn slaap.

Ik stortte me weer op de boeken. Er zat niet veel anders op. Het leven was ordelijk en saai. Sport was vervelend en alleen spannend tijdens de jaarlijkse onderlinge competitie.

De overheersende kerkelijke en liturgische activiteiten waren over het algemeen verstikkend. Terwijl de anderen zich geheel aan de saaiheid overgaven of af en toe een aanval van bravoure hadden, verloor ik me in de boeken. Het geheime universum onder de stoffige omslagen intrigeerde me en de opwindende brokstukken die je uit de onwaarschijnlijkste banden kon halen boeiden me. Onder de saaist uitziende kaften zaten spectaculaire oorlogen, avonturen, moorden, liefdesaffaires en figuren verstopt, hele terrae incognitae om te ontdekken.

Te midden van het bedrog, de voorwendsels en de angst dat er overal verklikkers rondliepen die elk woord wat je zei onthielden, boden boeken een betrouwbare ontsnappingsweg naar de veiliger, vrediger soort werkelijkheid van fantasieën en ideeën. Veel daarvan brandden zich in je geheugen en ontpopten zich tot volwaardige demonen die je je hele leven zouden achtervolgen.

Zoals in de meeste dictaturen waren vrijzinnige boeken niet populair op het seminarie; zij werden beschouwd als ondermijnend. Goede seminaristen wantrouwden dergelijke lectuur omdat die vervuld was van de duivel, waardoor je aan je roeping ging twijfelen, en aan de goede Vaderen en aan de Moederkerk. Je werd er opstandig en arrogant van en afvallig. Ze bevatten beloftes van een eigen hemel, stimuleerden eigen gedachten en riepen de verkeerde vragen op.

Ik moest terugdenken aan de Tweede Wereldoorlog en de mannen die Opa onder de wapens had gebracht. Ik ploos dagenlang oorlogsverslagen na om erachter te komen of er iets over de Oegandezen in voorkwam. Het enige wat ik te weten kwam was dat er honderdduizenden Afrikanen in die oorlog waren gesneuveld. Ik kon niets vinden dat met Oeganda in het bijzonder te maken had. De afslachting van tientallen miljoenen Europeanen, nauwelijks negentien jaar nadat de Eerste Wereldoorlog was afgelopen, plus de twintig miljoen die het na die oorlog tegen de Spaanse griep hadden afgelegd, wierp een totaal ander licht op de ideale moderne beschaving zoals die hier aan ons werd voorgeschoteld. Dat beeld van de moderne beschaving was net zo eenzijdig als de heilige saus waarmee de Kerk de massamoord door de Kruisvaarders overgoot en alle andere godsdienstoorlogen tot en met die van ons rond de eeuwwisseling.

Langzaamaan begon ik pater Kaanders te begrijpen. Hij had een groot deel van zijn jonge jaren besteed aan het bestrijden van polygamie, aan het hooghouden van een moraal waarvan hij dacht dat die universeel en cruciaal was, en hij was er halfdood van uitputting en slaapziekte uit tevoorschijn gekomen. In het zicht van de dood was het pas tot hem doorgedrongen dat zijn pogingen vruchteloos waren geweest, zijn opoffering stom en de wens de klok duizenden uren vooruit te zetten onrealistisch. Verstandig als hij was had hij besloten het uurwerk stil te zetten, het zand uit de zandloper te verwijderen en de tijd op zijn beloop te laten. Dat ging ik ook doen. Ik zou de dood in een tijdloze omhelzing nemen, in het gezicht kijken en er een handlanger van maken. Ik was opgetogen. Ik dacht dagenlang over mijn ontdekking na.

Op een dergelijke wereldvergeten dag betrapte pater Mindi me op het lezen tijdens gebedstijd. De klok had net geluid. De jongens waren zojuist weggemarcheerd naar de kapel, en ik denk dat zijn handen jeukten. Ik was niet snel genoeg overeind gekomen, noch had ik duidelijk genoeg laten merken dat ik op het punt stond dat te doen. Hij had voor zichzelf het poepincident afgesloten en zich met hernieuwde heftigheid toegelegd op het spioneren en besluipen, alsof hij zeggen wilde dat hij zich niet door een stelletje snotapen uit zijn evenwicht liet brengen. Nu stond hij dreigend voor me, in zijn zwarte pij waarin hij groter leek dan hij was.

Aan het einde van de ochtend meldde ik me om mijn straf in ontvangst te nemen. Er klonk popmuziek op de achtergrond in zijn gezellige kantoortje, fluisterend als vlinders achter een raam. Ik moest aan zuster Bizon denken en vroeg me af of hij deze muziek voor haar draaide terwijl ze haar ophitsende neukgeluidjes maakte. Alle meubelstukken zagen er keurig uit en waren bedekt met schone lappen tegen de vlekken. Ik moest gaan liggen. Het harige vloerkleed kriebelde en deed me denken aan dat rottapijt in de pagode.

Ik kreeg drie brandende klappen op mijn 'staatsvlees'. De gedachte aan mijn dreksmeerderij verdoofde me. Ik besefte dat deze man niets had geleerd. Hij was de kennis zelf, dus ononderwijsbaar. Ik bedankte hem voor de straf met een dociele, boetvaardige uitdrukking op mijn gezicht. Zijn ogen begonnen te stralen.

'Goed zo, jongen. Je bent heel stil, heel nederig en je veroorzaakt nooit een probleem. Ik weet zeker dat je op een dag een hele goede priester zult worden.' Ik kon bijna niet geloven wat er uit de mond van deze ex-Urbanus-alumnus galmde. Maar ik zei beleefd: 'Dank u, Vader.'

Het voornaamste onderwerp van gesprek was nog steeds het eten: het werd steeds slechter. De *posho* was half rauw, of gewoon heel vies, bereid als het was met wormstekig maïsmeel dat in grote hoeveelheden werd ingekocht en veel te lang stond opgeslagen. De bonen waren door maden aangevreten en reageerden nauwelijks op de oven. Ze bleven hard en onverteerbaar en we lieten scheten als nijlpaarden. Het personeel klaagde voortdurend over onfatsoenlijke jongens die winden lieten in de kerk, in de klas en op de gangen. Net goed. Er werd steeds meer gespijbeld en de prijzen van illegale papaja's, suikerriet, pannenkoeken vlogen omhoog.

De droogte viel in, het gras verkleurde van groen naar bruin, onze watervoorraad was in gevaar en het smokkelen van etenswaren werd enigszins makkelijker. Terwijl wij de kilometer liepen naar de seminarieput met onze emmers, teiltjes en jerrycans, doken de experts de bosjes in om de wachtende verkopers te ontmoeten. Ze smokkelden de contrabande naar binnen in hun watercontainers. Anderen verstopten het en haalden het 's nachts of 's avonds tijdens het eten of de avondstudie op. Zo vielen de onfortuinlijken in de val van pater Mindi.

Er werden er twee van school gestuurd, een uit Sing-Sing en een uit Mekka. Dit ging vergezeld van een overvloed van verwensingen aan het adres van pater Mindi. Hij zou in elkaar geslagen worden en de garage zou in de fik gestoken worden om al het personeel te straffen. Ondanks het feit dat we er echt van overtuigd waren dat pater Mindi, thesaurier van het seminarie, verduisteraar en folteraar, verantwoordelijk was voor ons leed, kwam daar niets van.

Aangezien ik totaal geen verstand had van de financiële kant van het seminarie, legde ik me erop toe pater Mindi te ontmoedigen bij het bespioneren en achternazitten van degenen die de zwarte markt van etenswaren bestierden. Als hij bij ons uit de buurt bleef, ach, dan konden we hem ook zijn eigen gang laten gaan. Maar de man was een duivel, gedreven door de blinde dwang van een psychopaat. De enige manier om hem aan te pakken was met een koekje van eigen deeg.

Een priester bespieden was voor een bibliothecaris zo simpel als wat. De bibliotheek was gelegen aan het einde van het kantorenblok. Ik kon altijd even langs de kantoren lopen om te zien welke priester aanwezig was en welke afwezig. Ik had vrije toegang tot de verblijven van de paters, zelfs die achter de kantoren, omdat ik zogenaamd pater Kaanders zocht. Ik wist zeker dat het favoriete spionage-uur van Mindi 's avonds van negen tot tien uur was, als alle seminaristen in een lokaal behoorden te zijn voor de avondstudie. Dat was ook de veiligste tijd om hem onderuit te halen, met zo min mogelijk kans op onvoorziene gebeurtenissen.

Er liep een netwerk van paden van de voetbalvelden achter Sing-Sing naar het onbebouwde overwoekerde landgoed, het dal door, het bos in, naar de weg en de dorpen in de omgeving. De weg lag een kilometer verderop: de ene kant op leidde die naar het bisdom van Jinja, het toneel van Kaanders' voormalige nachtmerries, de andere kant op kwam je bij het aartsbisdom van Kampala, waartoe ons seminarie behoorde. Pater Mindi had zes jaar in het aartsbisdom gewerkt voordat hij overgeplaatst werd. Hij had minder last gehad van de aartsbisschoppelijke polygamisten die, in tegenstelling tot hun taaie tegenhangers in het bisdom van Jinja, zwegen over hun tweede of derde vrouwen. Hem hadden vooral de brutale vrouwen parten gespeeld die, aangespoord door zijn knappe uiterlijk en bekwaamheid op het voetbalveld, openlijk naar zijn gunsten dongen.

Nu, in het droge seizoen, was Mindi altijd buiten, genietend van de koele avondlucht terwijl hij op zijn prooi loerde. Deze nachtelijke wandelingen herinnerden hem aan zijn parochiewerk, als hij midden in de nacht op moest staan om de laatste sacramenten aan stervende mensen toe te dienen. Pater Mindi was apetrots op zijn roeping en geloofde heilig dat hij het nobelste deed dat er bestond. Hij had de volgende tien jaar van zijn loopbaan al min of meer gepland. Hij stelde zich voor dat hij hier nog vier jaar zou blijven, waarna hij naar de kerkelijke gemeente zou terugkeren, maïs en bonen zou gaan telen voor de verkoop en zodoende genoeg verdienen om een gerieflijk leventje te kunnen leiden, onafhankelijk van parochiesubsidies. In zijn vrije tijd zou hij het parochieteam coachen en ervoor zorgen dat het geleidelijk de top van het interparochiale voetbal zou bereiken. Hij fantaseerde geregeld over zijn *shamba's*, en over zijn maïs- en bonenoogst. Hij droomde van overvloedige opbrengsten en rijke financiële beloningen.

Maar op dat moment werden zijn overpeinzingen ruw onderbroken door geluiden die vanachter de beschutting van dennenbomen kwamen, op een steenworp afstand van de acacia's. Hij hoorde iets sissen en vroeg zich af of het een slang was. De tweede keer klonk het gesis menselijk, opzettelijk, uitdagend. Dit was iets nieuws: spijbelaars renden altijd voor hem weg en trokken nooit zijn aandacht. Wie kon dit zijn? De nachtwaker, die hij uitgescholden had omdat hij zijn auto had laten vandaliseren? Ja, hij had hem zelfs met ontslag gedreigd als hij niet ophield met slapen in plaats van waken. Het volgende geluid was een hondenfluitje. Iemand floot naar hem alsof hij een hond was! Hij was niemands hond. Hier niet, en zelfs niet in Italië. Hij hield halt en overwoog de klootzak te verrassen door in één lenige beweging over het hek te springen. Tot zijn verbazing schudde de fluiter aan een van de dennenbomen om zijn schuilplaats bekend te maken. Nadat hij besloten had te springen, liep pater Mindi op het geluid af. Hij keek over het hek heen om te zien wat er aan de hand was en om er zeker van te zijn dat hij gerust kon springen. Te laat kreeg hij de walgelijke stank in de gaten.

'O, God!' riep hij uit toen een twee dagen oud strontpakket in zijn gezicht uit elkaar spatte. Zijn tweede, langere kreet werd gesmoord door een nieuw kleddergeluid. Zijn gezicht was overdekt met drek, die langs zijn hals omlaaggleed, over zijn hemd en broek. Instinctief veegde hij met zijn hand over zijn gezicht, dat meteen nog erger besmeurd werd. Hij greep een handvol dennennaalden en begon er zijn gezicht en kleren mee af te vegen. Wild rende hij om de kapel heen naar de refter. Maar de aluminium waterreservoirs waren leeg. Hij sjeesde de heuvel af naar de biggenstal en gebruikte het drinkwater in de troggen om zich te wassen. De stank verdween niet. Hij moest kokhalzen, maar er kwamen alleen slierten gal uit zijn mond. Hij ging de heuvel weer op en sloop via de achterdeur zijn slaapkamer in. De kamer vulde zich met de stank. Hij bespoot zichzelf en de hele kamer met een spuitbus en begon alle troep grondig te reinigen.

Pater Mindi was niet de eerste dictator die verblind werd door zijn eigen gevoel van onaantastbaarheid en die daardoor een riskante situatie verkeerd inschatte. Hij kon niet door het vlies van despotische verontwaardiging heen breken om tot de kern van het probleem door te dringen. Hij geloofde dat de aanslag uit haat voortkwam, wat niet het geval was. Het was een lesje in zelfbeheersing. De aanval was op een kille manier berekend en uitgevoerd, zoals straf uitgevoerd diende te worden. Maar Mindi was verblind geraakt door zijn macht en koppigheid. Zijn gezichtsvermogen werd vertroebeld door priesterlijke kortzichtigheid, zodat hij paranoïde was geworden. Hij was er vast van overtuigd dat een krankzinnig geworden seminarist eropuit was hem te doden. Hij dacht met een schok terug aan de vergiftiging van zijn vader. Diens lichaam was bij het sterven roetzwart geworden. Hij zag het voor zijn ogen zweven. Pater Mindi begon het gevoel te krijgen dat de dood door vergiftiging een vloek was die door de een of andere onbekende over zijn familie was uitgesproken. Als dat waar was, dan was hij nu aan de beurt. Hij raakte er helemaal overstuur van. Hij was niet bereid om zo'n ellendige dood te sterven. Hij voelde zich plotseling kwetsbaar en onveilig. Dit bracht een vreselijke aanval van depressie, walging en argwaan teweeg. Er was iemand in zijn omgeving die hem niet alleen uitlachte, maar ook een spel met hem speelde, als een kat met een gedoemde muis. Hoe kon hij zijn gezicht nog in het openbaar vertonen? Was de misdadiger al aan het opscheppen geslagen? Uitwerpselen nog wel! Voor de eerste maal sinds zijn terugkeer uit Rome en zijn ordinatie, had hij het gevoel dat hij het onderspit ging delven. Hoe moest hij deze onzichtbare vijand te lijf gaan? Hoe moest hij zijn medebroeders vertellen wat hem was overkomen? En wat zouden ze ervan zeggen? Hielden zij zich bezig met het opleiden van psychopaten of van priesters?

Pater Mindi meldde zich een paar dagen ziek en verliet de campus uiteindelijk een hele week. Er gingen geruchten dat hij een maagzweer had. Latere geruchten beweerden dat hij overplaatsing had aangevraagd.

Toen hij terugkeerde zag hij er beroerd uit en was nauwelijks in staat om ook maar de geringste arrogantie op te brengen waarmee hij zich door de geladen atmosfeer heen zou kunnen slaan. Hij haatte de jongens. Hij haatte het seminarie. Hij haatte zijn geheime kwelgeest. De jongens merkten op dat hij was opgehouden met rondsluipen en spioneren. Er ging een gerucht dat hij drie grote honden had aangeschaft. Het interessantste was dat niemand begreep waarom de thesaurier-annex-tuchtmeester zijn plichten verzaakte. Het was zo'n plotselinge ommezwaai dat niemand het in het openbaar durfde te vieren. Er heerste een gevoel dat zijn inkeer een truc was, een list om overtreders uit hun tent te lokken. Maar waarom was de thesaurier opeens zo vaak op reis? Waarom bleef hij bijna voortdurend op zijn kantoor wanneer hij op het seminarie was? Waarom woonde hij niet langer de gemeenschappelijke mis bij? De jongens voelden nattigheid.

Censuur was een ijzeren regel. Onze brieven werden opengemaakt en gelezen voordat ze aan ons werden overhandigd. En als wij brieven schreven dan gaven we die in een onverzegelde envelop aan de rector, die ze doorlas en op de post deed. We mochten alleen tijdens de weekeinden brieven schrijven en het was verboden om ze zelf te posten.

Op een middag kreeg ik een boodschap dat de rector me wilde spreken. Mijn hart klopte in mijn keel. Was ik door de mand gevallen? Had iemand me bij de tweede aanslag betrapt? Ik gaf absoluut geen fluit om het seminarie, maar had geen zin om halverwege het schooljaar weggestuurd te worden. Ik wilde pas aan het eind van het jaar weg, als ik de staatsexamens had afgelegd. O, Loesanani kon me geschreven hebben. Als dat zo was, wat moest ik de rector dan vertellen? Met welke slimme leugen zou ik me hieruit redden? Ik begon te trillen.

'Je ziet er angstig uit,' zei de rector voordat ik mijn mond had opengedaan. 'Heb je soms iets gedaan wat niet mocht?'

'Nee Vader, maar…'

'Wat maar?' Hij zat op zijn praatstoel vandaag, ondanks al het papierwerk dat over zijn bureau verspreid lag. Er lag ook een stapeltje geopende brieven, en ik vroeg me af waarom deze man onze post controleerde. Was hij echt van mening dat het voor jongens van onze leeftijd verkeerd was om met meisjes om te gaan? Was hij echt van mening dat de beste priesters ingewijde maagden waren? Wat ging er om in het hoofd van die lui in Rome die dergelijke regels oplegden? En wisten deze inheemse geestelijken wel wat ze veroorzaakten door die regels klakkeloos toe te passen? Hier had je een man die bijna de middelbare leeftijd had bereikt, een redelijk aardige man met gevoel voor humor, die onze post zat door te lezen als een viezerik die op een goedkope manier aan zijn gerief wilde komen. Hij vertelde ons altijd grappige verhalen en daarom mochten we hem. Nu begon ik me af te vragen of hij niet door onze correspondentie op ideeën gebracht werd.

'Heb je iets op je lever?' vroeg hij terwijl hij dramatisch zijn wenkbrauwen fronste.

'Dat hebben we toch allemaal?' zei ik moedig. 'Ik heb gisteren iemand voorgelogen. Ik heb een nieuw potlood uit zijn lessenaar gepakt en het gebruikt zonder er iets van te zeggen. Hij vroeg wie zijn potlood had gestolen en ik zei dat ik dat niet wist. Ik heb het 's avonds teruggelegd, maar kon het hem niet bekennen omdat hij opvliegerig is.' Dit was allemaal verzonnen, maar het sloeg ergens op. Dit was het soort leugen dat we verzonnen voor de biecht. Meestal bespraken we onderling welke dingen we gingen opbiechten: bedrog, gevloek, kleine diefstallen... Ik zocht naar een opening om hem met mijn geveinsde openhartigheid in de val te lokken.

'Wat vind je van je werk in de bibliotheek?'

Opgelucht, maar me ervan bewust dat hij ook naar een opening zocht, zei ik: 'Ik vind het fijn werk. En sinds ik het doe zijn mijn cijfers erop vooruitgegaan.'

'Zijn er wel eens problemen?'

'Soms kunnen we niet achterhalen wie onze boeken steelt.'

'Heb je alles gedaan om diefstal te voorkomen?'

'Het vervelendste is dat sommige jongens boeken stelen die anderen hebben geleend.'

'Je zult wel een heleboel horen in de bibliotheek.'

'Soms.'

'Heb je gehoord wat pater Mindi is overkomen?'

'Ja, het vandalisme aan zijn auto was een schande voor ons allen die priester willen worden.'

'Dat bedoel ik niet. Ik bedoel wat onlangs met hem gebeurd is.'

'Nee. Ja, ik heb gehoord dat hij een maagzweer heeft.'

'Heb je niets gehoord over een aanslag?'

'Nee Vader, wat voor aanslag?'

'Heb je er niemand over horen praten?'

'Nee, iedereen heeft het over een maagzweer en dat de thesaurier te hard werkt.'

'Ik heb het niet over maagzweren, ik heb het over een ander soort lichamelijke aanslag.'

'Nee Vader, over zoiets heb ik niks gehoord. Daar staan paters toch boven?'

'Vroeger schepten overtreders altijd op over wat ze hadden uitge-spookt en dan verraadden ze zichzelf. Weet je zeker dat je niemand hebt horen opscheppen dat hij pater Mindi een lesje ging leren? Ik weet heus wel dat de thesaurier niet erg in trek is bij sommige jon-gens.'

'Ik heb echt niets gehoord, Vader. Maar ik weet zeker dat de da-ders gepakt zullen worden, net als de vorige keer.'

Kennelijk vond de rector mijn antwoorden te glad. Hij wist ook dat ik wist dat hij niet wist wie de aanval had uitgevoerd. Hij vond het frustrerend dat hij mij of iemand anders geen bekentenis kon ontfutselen.

'Als je iets hoort moet je het mij komen vertellen. Dit soort wan-staltig gedrag kan ik niet tolereren. Het seminarie mag niet tot anar-chie vervallen, zoals bij sommige niet-kerkelijke scholen gebeurt. Het is ook in jouw belang. Als priesters worden aangevallen, dan worden er ook seminaristen aangevallen. En als dergelijke aanval-lers ongestraft blijven, wat voor priesters zullen zij dan later wor-den? Wie wil er nou samen met hen in dezelfde parochie dienen?'

Ik had willen zeggen dat alle nieuwkomers een heel jaar lang het slachtoffer waren geweest van lichamelijke aanvallen en gedwon-gen werden zich elke nacht af te rukken terwijl de priesters in bed lagen en natte dromen hadden. Ik had willen zeggen dat aanvallen op priesters misschien wel betekenden dat zij hun trekken thuis kre-gen. Maar ik besefte dat ik die dingen niet kon zeggen zonder van school gestuurd te worden. Ik had medelijden met de man omdat hij me onderschatte. Ik was geen verklikker.

'O, en nog iets,' zei hij en liet me de brief zien die ik aan tante Lwandeka had gestuurd. 'Waarom heb je deze brief dichtgeplakt? Is het een ondeugende brief?'

'Nee, Vader, ik was het gewoon vergeten. Ik was zeker ver-strooid. Hij is aan mijn tante van moederskant. Er staat niets slechts of ondeugends in.'

'Vergeten? Vergeet je wel vaker je brieven op de gebruikelijke manier te posten?'

'Nee, Vader.'

'Wat staat erin?'

'Zij is een keer door Amins soldaten opgepakt en daar heeft ze nachtmerries over. Ik heb haar geschreven dat ze een noveen aan Sint-Judas Thaddeüs moest wijden.'

'Moet ik hem openmaken?'

'Ga uw gang,' zei ik kalm. Er stond niets in over de beruchte heilige, maar dat risico nam ik.

'Goed, je mag gaan. Maar als je iets hoort, aarzel dan niet om het te komen vertellen. Ik reken op je, mijn zoon.'

'Ik zal mijn best doen, Vader,' zei ik om hem duidelijk te maken dat hij het vader/zoon-gelul achterwege kon laten.

Ik was enorm opgelucht. God zij dank was het geen brief van Loesanani. Hoe had ik mijn relatie met een moslimse moeten uitleggen op deze superkatholieke plek?

Hunkerend naar nieuws over wat er aan de hand was met onze thesaurier-annex-tuchtmeester, begonnen de jongens individuele stafleden het vuur na aan de schenen te leggen. Ze stelden suggestieve vragen tijdens de les. De zwarte priesters, veteranen op het gebied van dit soort trucjes, lieten ons in het ongewisse. Ik interpreteerde dat als een teken van solidariteit jegens hun in ellende verkerende collega. Het was ook een zekere wraakoefening jegens ons, want ze wisten natuurlijk wel dat degene die pater Mindi had afgestraft zich in onze schijnheilig grijnzende gelederen bevond.

Het was pater Kaanders die ons te hulp kwam. Na de gebruikelijke bon/mauvais/méchant-onzin, toen de mist opgetrokken was uit zijn brein, slingerden een paar jongens hem wat vragen toe. Na de paar slierten haar op zijn bolle hoofd gladgestreken te hebben, zei hij: 'O jongens, jongens, jongens... pater Miendie gaat weg, jongens.' Vanzelfsprekend werd er geïnformeerd waar de thesaurier naartoe ging. Na een hele serie 'O, jongens, jongens' vertelde hij ons dat pater Mindi was overgeplaatst. Wat mij opviel was dat de oude man ongerust leek te zijn over de kwestie. Ik vroeg me af of hij wist van de zaak met stront en probeerde te achterhalen wie van ons de aanval had uitgevoerd. We bleven hem uitvragen over wie de thesaurier, oftewel pater Miendie zoals hij hem noemde, zou opvolgen, maar dat wilde hij niet zeggen.

Plotseling werd het hele seminarie overspoeld met geruchten over het aanstaande vertrek van pater Mindi. We trachtten de zwarte priesters uit te horen over zijn opvolger, maar ook zij wilden niets onthullen en evenmin de geruchten bevestigen.

Een week daarna bracht de Deken ons onverwacht een bezoek. Hij was een lange, dikke man met een hangbuik, enorme billen en een wijdbeense, onhandige tred. Hij sprak te snel om te verbergen dat hij sliste en stotterde, zodat je hem moeilijk kon verstaan. Ondanks zijn gebrekkige manier van spreken hoorde hij zijn eigen stem graag. Hij onderwierp ons aan een vijftig minuten lange preek die we onbewogen aanhoorden en waar pater Kaanders doorheen sliep. Hij overstelpte ons met het aloude gezever over onze roeping en wat het betekende om priester te zijn, en hoe bijzonder we waren en hoe we onze eer hoog moesten houden en nog meer van die lulkoek. We waren het er bijna allemaal over eens dat hij uit zijn nek kletste, en waren chagrijnig omdat het ontbijt weer niet te vreten was geweest. Dunne pap vol maden met droog brood, terwijl de staf zich te goed had gedaan aan lekkernijen die de gangen met de heerlijkste geuren hadden gevuld. Het belang van een bezoeker werd afgemeten aan wat er op tafel kwam. Als de bisschop op bezoek kwam, gaf de thesaurier ons het beste van het beste, omdat de grote baas meestal kwam kijken wat we op ons bord kregen. We hebben ons vaak afgevraagd of hij werkelijk zo stom was te denken dat we altijd aten wat hij zag dat we aten, of dat hij gewoon wilde zien of wij dankbaar waren omdat we voor een keer niet het gebruikelijke varkensvoer kregen. Maar deze kerel had de moeite niet genomen om te zien wat voor eten er op tafel werd gezet, en daarom gaven de meesten van ons geen zier om zijn wijze, slissende en stotterende woorden. Even kwam de kapel tot leven toen hij vergeefs worstelde met het woord 'baas' en gevaarlijk uitgleed: 'Jezzjusj isj de bbbaars, ik bedoel de bbbbaaf, ulium, de bbaasj van dit insjtitututuut.' Daarna sprak hij wat langzamer. We waren in een juichstemming tegen de tijd dat de mis ten einde was.

Bij dit soort gelegenheden deden de priesters ook hun best, haastten niet met de mis, droegen hun habijten overal, rookten niet in het openbaar en deden net of ze de volgzaamste en voorbeeldigste priesters waren in het hele bisdom. Op het hoofdkwartier van het bisdom werd van elke priester een dossier bijgehouden, dat ze zo ongeschonden mogelijk wilden houden, want hoe kuiser hun dossier, des te groter de kans om een post te krijgen in de beste parochies.

De dikke Deken verdween na de mis en vertrok incognito. Ten langen leste vernamen we dat pater Mindi zou worden overgeplaatst. De grote man had het personeel bijeengeroepen om de naam van de nieuwe thesaurier bekend te maken, want omdat het een tamelijk controversiële stap was, moest het enigszins verbloemd worden. Wij vernamen alleen dat het een blanke missionaris was die de plaats van de voormalige thesaurier in zou nemen.

De kerkelijke feesten braken aan en voor de eerste keer zagen de jongens er vrolijk uit. Ze werden niet meer bespioneerd, er waren geen politiecontroles meer, ze hoefden niet meer bang te zijn voor loerende verklikkers. De spijbelaars beleefden hoogtijdagen. Hun contactpersonen brachten de contrabande nu vlak bij de voetbalvelden achter Sing-Sing en er werd gehandeld in papaja's, suikerriet en van alles en nog wat. Hier was ik op uit geweest en ik was blij dat ik het voor elkaar had gekregen. Er werd nu een heleboel eten weggegooid, en de euforie over de heerlijke maaltijden wakkerde zelfs de sloomsten aan tot opstandigheid.

Ik aanschouwde alles van een afstand, me afvragend waarom de nachtwaker en de priesters zoveel door de vingers zagen. Op het toppunt van de nieuwe uitzinnigheid was ik op een hete middag getuige van een perverse gebeurtenis. Iemand was er op de een of andere manier in geslaagd een vergrote foto van pater Mindi te bemachtigen en had die op bruin papier geplakt en tegen een boomstam gespijkerd. Een groep jongens sloeg er al scheldend met stokken tegen. Ik liep weg toen er van het gezicht alleen nog maar snippers over waren. De euforie had een reservoir van bedenkingen en bange voorgevoelens in mij aangeroerd. Wat zou er met al die emoties gebeuren als de nieuwe man niet over de brug kwam? Maar ik wilde niet al te zeer op de dingen vooruitlopen. Nu hadden we nog te maken met het vervagende gelaat van de voormalige thesaurier, die overdag leek te slapen en 's nachts zijn koffers pakte.

De plaatsvervanger van pater Mindi was pater Gilles Lageau, een Frans-Canadese zendeling uit Quebec. Pater Lageau was alles behalve het stereotype van de baardige, gluiperige missionaris. Hij was een knappe man met een rechte neus en blauwe ogen, die zijn ijdelheid overeind hield met een scherp bewustzijn van zijn eigen uiterlijk, zijn macht, zijn invloed en zijn veilige missie. Hij arriveerde prachtig gebronsd, wat zijn blozende teint niet verhulde, maar wat wel goed paste bij zijn rossige haar en het goudkleurige dons op zijn vlezige armen. In zijn loopje viel iets van de zwierige gang van een Amerikaanse filmster te bespeuren. De vloeiende bewegingen van zijn goed onderhouden lichaam kon men interpreteren als een duidelijk teken van onbedekte macht, waarvan elke optimistische seminarist hoopte te zullen profiteren. Als hij gearriveerd was als een wegkwijnende, treurige figuur bij wie de jaren langs zijn gezicht omlaagdropen, zou hij alle seminaristen teleurgesteld hebben. Maar vanwege de combinatie van Amerikaanse macht en Franse arrogantie zag iedereen in hem de belichaming van de anti-lusteloosheidskuur waar ze op hoopten. Zijn reputatie was hem vooruitgereisd. Tegen de tijd dat hij arriveerde wisten we dat hij een financieel wonderkind was dat alles in zijn mars had om ons uit het slop van armoede, sloomheid, ondervoeding en door onderontwikkeling instandgehouden opportunistische malaise te halen. Hierdoor werd hij een instant-held, en werd er op zijn komst gewacht met een opwinding als was hij een zegevierende Messias.

De man was opmerkelijk, en dat waren de omstandigheden waaronder hij kwam ook. Het tijdperk van de blanke missionarissen was voorbij. Ze hadden bijna honderd jaar tevoren, met veel bloedvergieten, de kerk in Oeganda gevestigd. Voordat ze verdwenen, hadden zij in bijna alle bisdommen een plaatselijke kerk gebouwd en een plaatselijke geestelijkheid gekweekt, behalve in het bisdom van Jinja, waar zich een volhardende polygamistische cultuur in stand had gehouden, die zijn nakomelingen niet naar de ruige binnenlanden van het klooster verbande. De Inheemse Kerk die de blanken hadden opgezet, breidde zich snel uit. Tegen de tijd dat de missionarissen weggingen of stierven, had de kerk een inheemse aartsbisschop, later een kardinaal, en waren een heleboel bisschoppen, en het administratieve kader dat de katholieke kerk bemande, inheems. Het missie-element verpieterde langzamerhand, uitgedund door sterfgevallen en het ter ziele gaan van de kerk in Europa. Als de organisatie iets vreesde, dan was dat de opkomst van het zwarte ras binnen de voormalig geheel uit blanken bestaande missie. Er heerste een ware angst order conservatieve missionarissen dat kleurlingen op een dag de macht zouden overnemen, want in Afrika lag hun grootste werkterrein en in Europa was bijna niets meer te doen op dit gebied.

In die tijd hadden enkele missieorganisaties hun eigen seminarie. Bisschoppelijke seminaria werden allemaal geleid door inheemse priesters, hier en daar nog bijgestaan door een blanke missionaris. Wat er meestal gebeurde wanneer een blanke missionaris vertrok, was dat hij niet vervangen werd omdat er niemand was om hem te vervangen. Dat een inheemse priester vervangen werd door een blanke missionaris was helemáál ongebruikelijk. Maar Lageau was verre van gewoon.

Dat Lageau ter plekke tot held werd gebombardeerd was een gevolg van het feit dat wij – de seminaristen, de vertrapten – geloofden dat deze nieuwe, energieke blanke een regelrechte uitdaging zou zijn voor de zwarte priesters en ze met grote animo in de richting van een totale revisie van het administratieve, financiële en liturgische systeem zou duwen. Zoals bij alle helden het geval zou zijn, werd er druk gespeculeerd over Lageaus motivatie om naar ons seminarie te komen. Sommigen dachten dat hij gezonden werd als straf voor een grove dwaling want, zo redeneerden zij, niemand zou de schitterende vlaktes van Quebec willen verruilen voor onze heuvels. Maar anderen zeiden daarentegen dat Lageau de overplaatsing zelf had aangevraagd omdat hij een uitdaging zocht. Als bedrijfssaneerder zocht hij een noodlijdende firma die hij tot een rijzende adelaar kon omvormen om zijn ego te strelen. Volgens de derde theorie was Lageau een ombudsman, gestuurd door Rome en andere sponsors om een onderzoek in te stellen naar corruptie binnen het bisdom en het seminarie, alvorens de nodige veranderingen aan te bevelen. Er waren er ook die zeiden dat Lageau een cowboy was op zoek naar avontuur en dat hij weer op zou stappen zodra het hem hier begon te vervelen. Het beetje wat we van hem wisten was dat hij in delen van Azië en Latijns Amerika had gewerkt en zich nu in Afrika bevond. Hoe dan ook, Lageau was op een dramatische manier ten tonele verschenen en had een overheersende invloed op ons kleine wereldje.

Ten slotte hoorden we via officiële kanalen dat pater Lageau aangesteld was om de financiële touwtjes van het seminarie over te nemen. Er werd in onze straten gedanst en gezongen, vooral in de ruimtes tussen de rijen bedden op de slaapzalen. Overal zag je oksels plakkerig van puberachtige opwinding in het vooruitzicht van fabelachtige maaltijden. Geen bedorven bonen meer. Geen door maden aangevreten maïs meer. Geen halfgare rijst meer op zondag. Welkom *matooke* en vlees. Welkom zoete aardappelen en vis. Welkom alle dagen heerlijk eten. Wat zou deze rijke Noord-Amerikaan veel kunnen doen in dit land van lage prijzen!

Eten was het allerbelangrijkste in ons kleine afgezonderde wereldje. We aten om in leven te blijven en om ons lichaam te ontlasten van overtollige begeerten. Denkend aan eten gingen we naar bed en eten was het eerste waar we aan dachten als we wakker werden. Wat waren we afgunstig op de priesters met hun dagelijkse lekkernijen en hun zondagse feestmalen! De nonnen kookten met hart en ziel voor de priesters, en met al hun onderdrukte driften. Ze verwenden de priesters zoals ze een superminnaar zouden verwennen, iemand die ze tot nieuwe hoogten van erotische gekte wilden voeren door hem op te hitsen met pittige hapjes die hem tot in alle regionen van zijn lichaam zouden prikkelen. In die dagen stond het priesterschap gelijk aan exquis eten. Dat was een doel dat de moeite van het vechten waard was. Het was aan tafel dat je je realiseerde hoe ver woorden van de werkelijkheid af stonden er werd veel gepredikt over het thema gelijkheid, zoete woordjes die wegzakten in het stinkende varkensvoer. Ikzelf had het nog niet zo slecht, nadat ik mezelf door middel van chantage verzekerd had van priesterkliekjes. Desalniettemin was het contrast ontstellend, vooral op de dagen dat er niets voor mij overbleef.

Er waren periodes dat ik tussen de kaften van een bepaald boek leefde. Ik was blij dat ik niet zelfzuchtig was geweest. Ik had me gedeisd kunnen houden en Mindi zijn gang kunnen laten gaan terwijl ik er lustig op los kauwde. Maar ik had gedaan wat ik kon, alsof ik een van degenen was die het ergste onder de voedselcrisis leden. Geen wonder dat ik rondliep met het gevoel dat het hele seminarie bij me in het krijt stond: het waren uiteindelijk mijn strontpakketten geweest die voor een groot deel hadden bijgedragen tot de komst van de Frans-Canadese miljonair die een revolutie teweeg zou brengen. Ik had het gevoel dat goede dingen altijd in een geheimzinnige verpakking zaten.

Pater Kaanders was zeer opgewonden over de komst van pater Lageau. De *macho* in hem gluurde door zijn oude met levervlekken bedekte vel en zijn doffe ogen begonnen te glimmen. Hij liep nu met een kwikere pas en trok zijn broek op tot aan zijn navel op een haast opzichtige manier. Hij leek zich weer terug te wanen in de dagen toen hij in het bisdom van Jinja in de enorme parochie werkte aan de oevers van het Victoriameer. Hoewel de inwoners notoir ongevoelig waren voor de zegeningen van het Evangelie, had hij toch dit bisdom gekozen. Het katholicisme was er in het slop geraakt omdat het volhardde in de één-man-op-één-vrouw-verhouding. Als hij op huisbezoek ging dan kwam hij maar al te vaak in een situatie terecht waarbij een enkele man van vijftig, zestig of zeventig, zich omringd had met vrouwen, van wie de oudste in de vijftig was en de jongste nog een tiener. Kaanders stond te trappelen om een frontale strijd aan te binden. Hij beschouwde polygamie als een van de gevolgen van de onderontwikkeldheid in het bisdom. In polygamisti-

sche gezinnen werden veel kinderen verwekt die geen hoge levensstandaard hadden. Hun kansen werden beperkt door ziekte, slecht
onderwijs en ze bleven hangen in de vicieuze cirkel van meerdere
vrouwen, meer kinderen en meer onwetendheid. Hij kon maar niet
begrijpen hoe de paar katholieken die er nog waren de polygamie goedpraatten door Martha en Maria Magdalena allebei als de
vrouw van Jezus te beschouwen. Hij weigerde de mening te accepteren van degenen die Abraham, Jozef en zelfs koning Salomo aan-
haalden als polygamisten van de bovenste plank. Hij wees al die uitvluchten af en predikte uit alle macht tegen het kwaad der polygamie. Hij wees erop dat het bisdom van Jinja het enige bisdom in het
hele land was waar bijna geen inheemse priesters zaten, omdat mensen weigerden te veranderen. Hij wees erop dat seminaristen, die
door andere bisschoppen afgewezen werden, hun heil zochten in
Jinja en daar tot priester werden gewijd. Hadden de mensen in zijn
bisdom dan geen zelfrespect? Hij weigerde te accepteren dat polygamie erbij hoorde, dat er een aantal vrouwen voor nodig was om
een huishouden te bestieren. Hij wees het idee af dat ze zoveel kinderen kregen vanwege de hoge kindersterfte. Hij was niet onder de
indruk van de redenering dat polygamie prostitutie tegenging door
elke vrouw de kans te bieden om te trouwen. Hij predikte en lichtte
voor en reisde tot hij er van uitputting bij neerviel. Hij was gevestigd in een parochie van twintig vierkante kilometer, met slechte
wegen, enorme moerassen en onmogelijke verbindingen. Hij doorkruiste de hele parochie op zijn motorfiets, trotseerde tropische stormen, bruggen die door stortregens weggeslagen waren en bezocht
door ziekte geteisterde plekken waar geen blanke hem was voorge-
gaan. Hij was een bekende gestalte op zijn motor en werd in het
voorbijrijden toegezwaaid, terwijl sommigen 'Springboon' naar
hem riepen in het plaatselijke dialect. Boon was een synoniem voor
testikel. Hekelaars beweerden dat hij maar één bal had, want alleen
een man met maar één bal kon zich zo heftig tegen polygamie verzetten terwijl hij zelf niet getrouwd was. Hij werd beleefd ontvangen en kreeg soms zelfs een geit of een kip mee, maar iedereen behield al zijn vrouwen, ondanks dreigementen dat ze in de hel zouden

komen. Ze hadden meer belangstelling voor scholen en ziekenhuizen dan voor zijn zegeningen. Ze wilden een motor, net als hij, en een fiets en een auto om hun producten naar de markten te kunnen vervoeren. Hij sloot een compromis door te beloven dat hij onechte kinderen ook zou dopen, anders had hij het hele jaar geen enkele doopceremonie kunnen opdragen. Hij onthield degenen die bleven zondigen de heilige communie en andere sacramenten, maar er waren er weinig die zich daar iets van aantrokken.

Hij was altijd moe en ging gebukt onder het overwerk. De pijn onder in zijn rug bedierf zijn avonden. Er werd gezegd dat hij zo rusteloos was omdat hij nooit eens een goeie beurt kreeg. Ze begonnen vijftien- en zestienjarige meisjes op hem af te sturen die tegen hem zeiden dat ze de duivel in hun kruis hadden. In zijn verwarring begreep hij niet onmiddellijk waar ze het over hadden. Hij dacht aan gonorroe en syfilis en vroeg zich af hoe vroeg meisjes aan hun seksleven begonnen. Maar toen er steeds meer klachten kwamen over duivels in de liesstreek, begon hij iets te vermoeden. Hij deelde pakken slaag uit en gaf anderen ervan langs met zijn zweepje van nijlpaardenhuid dat hij ook voor inbrekers gebruikte. Ze bleven echter komen, allemaal met de duivel in hun tienerliezen. En ze hadden een oneindig geduld. Sommige meisjes wachtten van 's morgens vroeg tot 's avonds laat tot de pater terugkwam. Als hij niet verscheen liepen ze de vele kilometers weer terug naar huis. Het was in die tijd dat pater Kaanders gevloerd werd door de tseetseevlieg. De combinatie van uitputting en slaapziekte bracht hem tot bezinning. Hij was maandenlang ziek. Hij werd bedrukt door een gevoel dat hij al vijftien jaar niets had bereikt, afgezien van de zielige kleine schooltjes die hij gebouwd had en die in de regentijd door de stortvloed weer weggespoeld werden. Hij kreeg een zenuwinzinking en toen hij daarvan hersteld was vroeg hij overplaatsing naar het seminarie aan. Sinds die tijd werd zijn liefde voor boeken en voor het ordelijke seminarieleven slechts verstoord door zijn toenemende geheugenverlies.

Hij kikkerde op van de komst van pater Lageau. Het gaf hem het jeugdige gevoel terug dat ze de strijd gingen aanbinden met eeuwenoude problemen. Met een jonge man aan zijn zijde zou hij niet meer alleen staan in zijn blankheid. Hij zou iemand hebben om een glaasje wijn mee te drinken en om mee te babbelen over de andere kant van de wereld.

Pater Gilles Lageau zag eruit als Sean Connery in de rol van James Bond. Naast hem leek Kaanders een schooier die speldengeld bietste van een stoere Californische windsurfer. Kaanders, met zijn melkboerenhondenhaar, artritis, slappe sluitspieren en rotte tanden, kon de poenige Noord-Amerikaan nauwelijks bijhouden. Vanaf het begin was duidelijk dat, als er tussen die twee al een relatie zou ontstaan, het Kaanders was die daarop aan zou dringen. Wij bekeken de twee blanken met een haast antropologisch oog. We waren gefascineerd door de tegenstellingen van de westerse wereld, in elk geval voor een poosje.

Zowel priesterlijk als seminaristisch narcisme vond in het algemeen een uitlaatklep in een levendige belangstelling voor materiële zaken. Normaal werden de auto's, de kleren en de meubels van de staf tot op het laatste draadje geanalyseerd op kwaliteit, merk, prijs en duurzaamheid. Lageau stimuleerde dit door op te scheppen over zijn gouden Rado-horloge ('de kampioen onder de chronometers'), waarvan hij beweerde dat het slechts een afwijking vertoonde van één seconde in de tien jaar. Wat een westerse betrouwbaarheid! Wat een westerse precisie! Grappenmakers besteedden hun tijd aan het berekenen van de bergen etenswaren die dat horloge alleen al zou kunnen opleveren voor de tweehonderd jongens op de campus. Anderen trachtten erachter te komen waar Lageau zijn pastelkleurige overhemden en bijpassende broeken kocht. Een jongen die bij hem op kantoor werkte onthulde ten slotte dat Lageau uitsluitend Franse kleren droeg. De dure riemen, geruite sokken en echt lederen sandalen die hij in de klas droeg, veroorzaakten veel ophef. Er werden weddenschappen afgesloten of hij een habijt priesterkleed bezat of niet want hij en Kaanders hadden die lompe gewaden nooit aan, zelfs niet wanneer de bisschop op bezoek kwam.

De plotselinge verschijning van deze flamboyante man te midden van door armoede geplaagde zielen, was een triomf voor de rijkelui in het algemeen. Er bestond een fijn afgestemde verering voor rijke mensen, er werd een opzettelijke dosis gulheid in hun aderen gespoten en hun tekortkomingen werden bewust gladgestreken of over het hoofd gezien. Weinig mensen vonden het vreemd dat een man van in de veertig openlijk over een horloge pochte, aangezien hij uit een streek kwam waar dergelijke horloges niets bijzonders waren. Er heerste een gevoel dat zulke foutjes de vlooien vertegenwoordigden op een anderszins indrukwekkende hond.

Eigenbelang speelde ook een rol: je beet niet in de hand die je voedde, of die je zou kunnen gaan voeden. Daaruit volgde dat er vaak andere wangen werden toegekeerd en er veel geduld werd opgebracht in de hoop op een goede afloop. Stroomden rivieren niet langs de weg van de minste weerstand? Deze krachtfiguur, deze westerse rivier die tussen ons door stroomde, zou eerder geneigd zijn onze lasten te verlichten als we rustig aan zijn oevers lagen.

Onwetendheid speelde ons ook parten. We wisten weinig van hoe men in het Westen een brok rijkdom voor zichzelf uithakte. Bijna niemand van ons wist hoe die magische westerse economische machinerie werkte die belichaamd werd door deze figuur. De tendens was het onbekende te roemen, zodat westerlingen, Lageau in dit geval, van tijd tot tijd geroemd werden tot je er misselijk van werd. De meesten van ons geloofden dat Lageau een door God gestuurde middelaar was tussen ons en de weldoeners in het westen. Welke deuren kon hij niet allemaal voor ons openen? Welke persoonlijke dromen kon hij niet allemaal vervullen? De verbeelde weldaden liepen uiteen van zakgeld tot allerlei consumptieartikelen van hoge kwaliteit en om te beginnen goed eten. We wisten uit ervaring dat priesters die een weldoener hadden een betere levensstandaard genoten dan degenen die dat niet hadden. Ze hadden een fatsoenlijke auto, geld op zak en mooie kleren. Een enkele keer gingen zij op vakantie in het buitenland. Daarom begon het magische honderd-procent-compensatiesysteem voor het verlaten van vader en moeder ten gunste van Jezus te knipperen als Lageau met zijn blauwe ogen in beeld kwam.

Er werden nog aardig lang gissingen gedaan over wanneer La-

geaus invloed merkbaar zou worden. De priesters waren behoed-
zaam; wij waren optimistisch. Was geduld geen schone zaak? Van
een beetje meer geduld zouden we toch niet doodgaan? Nee, dood
gingen we niet, maar evenmin vielen ons de voorziene vruchten in
de schoot.

Maar al snel toonde Lageau ons zijn ware aristocratische gezicht:
hij was onontvankelijk voor meningen, het gaf niet van wie. Er
vloeiden tranen van smart, die over de scherven van hoopvolle dromen drupten. Wij wilden onze houding niet herzien, onze dromen
en onze beperkte kennis over het westen niet opgeven. Niemand
wilde toegeven dat hij het verkeerd had gezien en te grote verwachtingen had gekoesterd, want wat was er nou te groot voor iemand als
Lageau die zich in een toverkring van geld en macht bevond? Maar
de werkelijkheid moest onder ogen gezien worden. Lageau zei: 'Er
zijn mensen die denken dat er geldmijnen in Europa zijn.' De knipoog die op deze uitspraak volgde deed menigeen trillen van ondraaglijke pijn. Als er in Europa geen geldmijnen waren, waar waren ze godverdomme dan wel? Hier soms? In Siberië? Of in de hemel? Had hij niet beter kunnen zeggen dat geld geen probleem was,
maar wel hoe je het uitgaf? Die knipoog was, zoals we al spoedig
ontdekten, een manier om quasi-medestanders en quasi-vertrouwe-
lingen van ons te maken. Hij gaf nadere toelichting: 'Er komen
voortdurend priesters bij me die bedelen om auto's, stereo-installa-
ties, geld en sponsors.' Hij bracht dit op een terloopse manier. In
werkelijkheid was het een specerij waarmee hij de wrange mathematische schotel die hij ons voorzette op smaak bracht. Hij gaf les in
wiskunde. Als er niet om hem gelachen werd, knipoogde hij, maakte hij schroefbewegingen met zijn vinger tegen zijn slaap en wachtte de algemene hilariteit af. We moesten lachen om de naïeve, hebberige, materialistische priesters. Maar de hilariteit die volgde was
onecht en pijnlijk, omdat iedereen zich realiseerde dat we helemaal
geen medestanders waren en dat we hoe dan ook onszelf uitlachten.

Ik werd doordrongen van een dof, zwaar gevoel, dat niet veel verschilde van de winderigheid na een portie bedorven bonen, en dat
dreigde mijn levendige belangstelling in die man een kopje kleiner

te maken. Al mijn voelsprieten stonden overeind, ik was klaar om als een spons alles op te zuigen. Het was voor de eerste keer dat ik iemand tegenkwam die alles had, en ik was van plan er zoveel lering uit te trekken als ik maar kon. Ik had het gevoel dat ik Serenity voor was geweest bij de eindstreep: ik stond tegenover een van die 'miljonairs' die hij alleen maar in zijn boeken tegenkwam. Dit was de eerste man die me deed twijfelen aan het idee van macht waar ik mee opgegroeid was. In tijden van crisis had ik altijd vijftig baby's horen huilen, die me eraan herinnerden hoe bijzonder ik was, of liever, geweest was. Op het seminarie had ik altijd het gevoel dat ik in het verkeerde gezelschap verkeerde: tussen de peuters die Oma en ik op de wereld hadden geholpen. Ik had het gevoel dat ik iets wist dat de priesters niet wisten: wat er gedaan moest worden op het uur dat er leven op de wereld kwam. Lageau was de eerste man die me bewust maakte van een ander soort macht, een meer vernietigende macht die op afstand het leven van miljoenen bepaalde. Ik schaamde me haast; mijn vroegere macht had bestaan in bloed en vruchtwater en de geur van geboorte. Zijn macht had echter de felle glans van zilver en de gloed van goud. Het maakte me bang en ik werd overrompeld door het verblindende geschitter ervan.

Maar mijn geloof in hem kreeg algauw een knauw: ik ben geen man van geloof. Er waren weken verstreken en het eten was even walgelijk als voorheen. Ik zag het zo dat elke leider die het zout in de pap waard was meteen met initiatieven op de proppen kwam, voor veranderingen zorgde, al waren die cosmetisch van aard, en mensen aan zijn kant trok. Ik ging uit van het principe dat elke dictator net zo slecht of net zo goed was als zijn opvolger. Maar Lageau leek er niet op uit om iets ten goede te veranderen, wat me vreemd en weerzinwekkend voorkwam. Waar was het geld? Was hij met lege handen gekomen? Zo ja, wat was dan het verschil tussen hem en Mindi?

Net toen het ongenoegen zijn intrede deed, leek Lageau de situatie in te zien en verwaardigde hij zich ons te vragen wat we van het seminarie vonden. Ik schaamde me haast dat ik de democratische gezindheid van de man in twijfel had getrokken. In tirannie opgegroeid, kon mijn overtuiging dat alle vormen van autoriteit de zaden van de tirannie bevatten, mij vergeven worden. Maar het viel me op dat mijn medestudenten niet stonden te springen om hun mond open te doen. Ik stak mijn hand op, trots op mijn lef. Ik vloog hem naar de keel. 'Mens sana in corpore sano,' citeerde ik mijn leraar Latijn. 'Ik geloof dat de thesaurier af weet van het abominabele eten dat wij elke dag voorgezet krijgen. De bonen zijn bedorven, smakeloos en verre van voedzaam. De maden in het maïsmeel zijn heel dik geworden en zien er op ons bord nog dikker uit. Wij zouden graag beter en gezonder eten. We zouden graag een gevarieerder dieet hebben. We zouden graag willen dat de nonnen wat beter hun best deden op onze maaltijden, speciaal op zondag, want dan is de rijst meestal halfgaar en zitten er steentjes in. Wij willen de thesaurier ook verzoeken een waterpomp aan het seminarie te schenken zodat het water tijdens de droogte de heuvel op gepompt kan worden.'

Lageau, uitgedost in een lichtblauw ensemble, keek me aan en kneep zijn linkeroog tot een spleet. Ik voelde me niet helemaal op mijn gemak. Vervolgens trok hij zijn wenkbrauwen omhoog zoals James Bond vlak voordat hij met zijn horloge op afstand een bom detoneert. De donderslag kwam er direct achteraan. 'Dacht je soms dat in Europa het geld aan bomen groeit of door de goot rolt? Laat me je dit vertellen: in totaal draagt jullie schoolgeld maar acht procent aan het jaarlijkse budget bij. Wij betalen het leeuwendeel van jullie opleiding. Jullie mogen blij zijn dat er nog geen bezuinigingen zijn toegepast. Ik ben hier gekomen om een compromis te vinden tussen het seminarie en zijn financiers en erop toe te zien dat het seminarie niet gesloten hoeft te worden om financiële redenen. Dankzij Europese bronnen kan ik zeggen dat ik dat niet zie gebeuren voordat jullie je opleiding voltooid hebben.'

Ik stond te beven. Mijn knieën voelden aan als rubber en mijn oksels plakten van het zweet. Als ik niet opgegroeid was met vuistslagen en guavekarwatsen omdat ik tegen het bewind inging, dan zou ik hem nog hebben gevraagd waarom hij zich zo verrekte opzichtig uitdoste. Europa, zijn geldvrienden en zijn weelde betekenden geen reet voor ons zolang we varkensvoer te vreten kregen. Ons goed te eten geven was het minste wat hij kon doen. We konden altijd zelf water halen, dat hadden de meesten van ons hun hele leven moeten doen. Maar het eten! Ik voelde dat het tij zich tegen Lageau begon te keren.

Het nieuws verspreidde zich als een lopend vuurtje. Zijn pogingen om meningen los te krijgen in andere klassen werden met onverschilligheid beantwoord. Er zat ook een element van wijsheid in: mensen die zomaar wat zeiden werden nooit met eerbied behandeld, vooral als opscheppen deel uitmaakte van hun repertoire. Lageau werd nu aangezien voor een holle snoever die niet eens fatsoenlijk genoeg was om zijn dikdoenerij waar te maken door ons met een goede maaltijd te belonen. Lageaus populariteit daalde en Kaanders, in zijn voorbije glorie, herwon zijn voormalige geliefdheid.

Het onmiddellijke gevolg van de openbaringen van Lageau was dat ik me nog dieper in de bibliotheek verstopte. Waar had ik dit soort zwendelaars voor nodig? Het viel me op dat het ergste aspect van afhankelijkheid het nare gezelschap was dat je moest dulden. Plotseling dook generaal Amin, die ik al een tijd verwaarloosd had, op als een leviathan. Hij predikte nog steeds zelfverrijking. Ik werd me bewust van het belang mijn eigen brood te verdienen. Ik was blij dat dat helemaal overeenkwam met Opa's wens dat ik advocaat zou worden. Maar misschien zou ik wel geen advocaat worden, en kalkoenen en kippen gaan fokken, zoals oom Kawayida, of drank gaan stoken, zoals tante Lwandeka. Ik nam me vast voor geen leven als priester te gaan leiden. Ik nam me vast voor de afhankelijkheid, en alle vernederingen die daarmee gepaard gingen te overwinnen.

Om eerlijk te zijn was ik een van de weinigen die Lageau minachtten want, ondanks zijn schijnbare nutteloosheid werd hij nog door veel jongens bewonderd. Hij werd op een soort moedeloze manier gerespecteerd: hij was in elk geval rijker dan onze clerus. Hij gedroeg zich als een ster. Hij bezat de arrogantie en de voorrechten waaronder vele seminaristen in hun dromen de minderwaardige gelovigen lieten lijden die ze na hun inwijding van hun zonden gingen verlossen.

'Moet je onze priesters eens zien,' zei Lwendo tegen me. 'Wat een zielig stelletje, hè? Ze vragen hem om een auto, ze vragen hem of hij rijke sponsors voor ze kan zoeken. Zo is het toch?'

'Nou...'

'Ze zijn toch zeker jaloers op de macht die hij heeft? Lageau heeft die grasmaaiers gerepareerd die in de schuur stonden. Het seminarie hoeft geen elektriciens meer in te huren.'

'Het kan me niet schelen hoeveel het seminarie moet uitgeven: zolang het eten walgelijk is, is het allemaal weggegooid geld.'

'Ik werk met hem samen. Het hele elektrische systeem is weer zo goed als nieuw.'

'Bewonder je soms ook de manier waarop hij tegen iedereen schreeuwt, alsof iedereen dóóf is? Of is hij zelf doof? Soms hoor je hem op een kilometer afstand om een hamer vragen.'

'Wij jongens zijn traag en reageren vaak niet snel genoeg als hij iets nodig heeft. We zouden beter moeten weten.'

'Zijn manieren bevallen me niet, en zijn rijkdom nog minder,' zei ik met klem.

'Het probleem met jou is dat je net zo erg bent als hij: jullie hebben allebei een veel te groot ego,' stelde Lwendo vast.

'Het ligt niet aan mijn ego. Het ligt aan het slappe-zakken-gedrag van bepaalde mensen hier. Is het je niet opgevallen hoe stil de zwarte priesters zijn als Lageau in de buurt is? Alsof ze bang zijn om fouten te maken. Het zijn net vrouwen die zich door een man laten koeioneren en dan later op hun beurt hetzelfde doen met hun kinderen.'

Lageau had Mindi vervangen als beschermheilige van slaapzaal 'Het Vaticaan'. Hij kon geweldig volleyballen en Lwendo wees me daarop. 'Moet je eens zien hoe hij het volleybal nieuw leven in heeft geblazen. Het was zo dood als een pier. Nu is het de op één na populairste sport. Moet je je voorstellen!'

Ik mocht graag naar een spectaculaire volleybalwedstrijd kijken, maar een goede maaltijd betekende meer voor me.

'Hoor eens, hij achtervolgt niemand, en we kunnen zoveel regels overtreden als we maar willen.'

'Ha, ha, ha,' zei ik zonder omhaal.

'Maar ik vraag me wel af wat er met Mindi is gebeurd. Hij is veel te snel ingestort. Mensen veranderen niet zo plotseling.'

'Hij is uhm…' Ik hield gauw mijn mond. 'Ach, misschien heeft iemand een mes op zijn keel gezet en schrok hij zo dat hij het in zijn broek deed. Lageau kan hetzelfde overkomen als hij niet ophoudt met zijn holle snoeverijen alsof heel Europa van hem is.'

'Onzin, niemand kan hem raken. Waar zouden ze zijn zwakke plek moeten vinden? Ik geloof dat je er dubbele maatstaven op na houdt. Je bent gepikeerd over een blanke opschepper, maar mag ik je eens vragen waar je zat toen Mindi de baas speelde?' Hij lachte.

'Ik heb me achter de haag verstopt en…' Bijna flapte ik het eruit.

'Je verstoppen, bah, dat is niks bijzonders. Dat lijkt wel het enige wat we steeds maar aan het doen zijn.'

Ik gaf het op.

Mijn gedachten dwaalden af naar huis. Een van mijn trouwe schijters hield me op de hoogte van de ontwikkelingen daar. Hij schreef me over Serenity's bevlieging: Muhammad Ali. Serenity was in de ban van de comeback van deze held. In Zaïre had de 'The Rumble in the Jungle' plaatsgevonden. Ali was weer wereldkampioen en Serenity hield niet op met zijn loftuitingen.

Op avonden dat Muhammed Ali een wedstrijd had, kon Serenity bijna niet slapen. Hij werd na middernacht wakker en ging in de woonkamer zitten wachten en keek tot vier uur, als de wedstrijd begon, naar voorbeschouwingen en interviews. Hij verbaasde zich over Ali's gulheid en vrijmoedigheid, maar maakte zich zorgen over zijn gezondheid. Hangslot walgde van Serenity's dagelijkse geklets over boksen.

Ik had mijn best gedaan om Serenity en zijn Hangslot te vermijden, maar we werden uiteindelijk weer verenigd door gebeurtenissen in de wereld van het katholicisme. Toen Lageau een van de hoofdrolspelers op ons toneel geworden was, kregen we van de rector op een zondagochtend het nieuws te horen waarover alle katholieken in het land al in grote staat van opwinding waren geraakt. Hij vertelde de onbewogen seminaristen, van wie de meesten alleen maar dachten aan het varkensvoer dat op het lunchmenu stond, dat de Heilige Vader het jaar 1975 tot Heilig Jaar had uitgeroepen en alle katholieken in de wereld had aangespoord een pelgrimstocht naar Rome en het Heilige Land te maken. De rector, die al een sponsor had gevonden en het seminarie zou vertegenwoordigen, legde uit dat er om de vijfentwintig jaar een Heilig Jaar werd uitgeroepen. Hij beloofde speciale gebeden aan ons op te dragen tijdens zijn bedevaart. Alsof we daarop zaten te wachten. In elke gemeente was er al een begin gemaakt met de registratie van potentiële pelgrims, en de rector verzocht ons voor de aartsbisschop te bidden en voor iedereen die iets te maken had met de organisatie, zodat ze het er goed af zouden brengen. Reusachtig!

Om discriminatie, omkoperij en boos opzet te beperken, was er in elke parochie een quota ingesteld. De rijkere mensen uit de arme gemeentes maakten een goede kans, omdat de meeste boeren en ambtenaren de reis niet konden betalen en zich niet in lieten schrijven. Serenity had zich wel laten inschrijven. Hangslot wilde ook graag, maar zij was op problemen gestuit, omdat er geen twee leden van dezelfde familie in één gemeente konden worden ingeschreven. Mbale, haar jongere broer, had zich ingeschreven in hun geboorteplaats. Hangslot kon zich ook niet in de parochie van Ndere Hill inschrijven, omdat ze daar niet vandaan kwam. Hangslots problemen werden nog verergerd door het feit dat, al kreeg ze toestemming voor de bedevaart, Serenity haar reis niet kon betalen zonder failliet te gaan.

Hangslot droomde ervan als eerste van de familie de hand van de paus te kussen, op de foto te komen met de Heilige Vader, en het Heilige Land en de aarde van Vader Abraham, Jozef, Moeder Maria en Jezus Christus te betasten, te proeven, te ruiken en te betreden. Ze wilde als eerste van de familie de lucht inademen die de schrijvers van het Heilige Boek had geïnspireerd. Maar opnieuw leken haar plannen door Mbale gesaboteerd en haar dromen verpest te zullen worden.

Hangslots stemmingen kwamen tot uiting in een gemene vinnigheid. Ze broedde en vulde het huis met de stank van haar zwaarmoedigheid. Ze voelde zich als een spoeltje dat vastzat in zijn sleuf en moest wachten tot iemand besloot het eruit te halen. Ze kreeg ernstige aanvallen van verstikking. Ze was bang dat ze uit elkaar zou barsten. Ze moest terugdenken aan de bittere gebeden die ze had opgezonden en de offers die ze had geplengd in Mbales kamer nadat ze door het klooster was uitgespuwd. Ze had de neiging zich op de ijskoude vloer te werpen en er met haar blote vingers aan te krabben tot haar nagels bloedden. Ze kon zich niet opsluiten en terugtrekken om novenen te offeren, want ze had een gezin waar ze voor moest zorgen. Ze kruiste haar armen over haar borst en vertrouwde haar problemen aan God toe. In de tussentijd timmerde ze erop los met haar guavekarwats wanneer de schijters ook maar de geringste overtredingen begingen, en zat Serenity op hete kolen.

Serenity stond voor een levensgroot dilemma. Aan de ene kant wilde hij de moeder van zijn kinderen een kans bieden, omdat hij wel begreep dat het veel voor haar betekende. Aan de andere kant wilde hij de tante van zijn vrouw verrassen en haar een cadeau geven zoals ze nog nooit eerder van een minnaar had ontvangen. Hij wilde met haar naar Rome en Jeruzalem vliegen en zijn naam voor altijd in haar hart tatoeëren. Serenity kreeg aanvallen van slapeloosheid. Hij lag te woelen in zijn bed. Hij luisterde naar de geluiden van de nacht en was razend op de honden die zoveel lawaai maakten als ze paarden. Hij walgde van zijn financiële onvermogen en zijn onmacht om zowel zijn vrouw als haar tante een plezier te doen. Hij stond op en ging te rade bij zijn bibliotheek. Hij herlas de lotgevallen van Estragon en Vladimir en andere personages, zich afvragend wat zij onder de omstandigheden zouden hebben gedaan. Hij was kwaad dat Muhammad Ali zoveel geld had terwijl hij, een trouwe fan, op de folterbank van de armoede lag, niet in staat een mooie kans te benutten. Wekenlang was Serenity in gemijmer verzonken, slenterde hij door het leven met aan de ene kant zijn lokkende dromen en aan de andere kant de hekelende werkelijkheid.

Serenity's zusters, Tiida en Nakatoe, hadden intussen een storm

doen opsteken in het dorp. Over het algemeen onverschillig tegenover het katholicisme, hadden ze geen ambities om op bedevaart te
gaan maar, in een poging alle families in het dorp, in het bijzonder
de familie Stefano de loef af te steken, hadden ze besloten dat Opa
naar Rome moest. De beide moslim-echtgenoten hadden beloofd
een bijdrage te storten in het bedevaartfonds, evenals oom Kawayida, die goed verdiende aan zijn kalkoenen en braadkippen. De kans
dat Opa een plaats zou krijgen was groot, want er woonden voor het
merendeel arme mensen in het dorp en er was na de eerste registra-
tiekoorts nog een aantal plaatsen over.

Tiida en dokter Ssali hadden ongeveer een jaar tevoren hun strijd
met de Raad van Bekering gewonnen. Zij waren beloond met een
glimmende witte Peugeot, die elke dag gewassen en vertroeteld
werd. Tiida vond het heerlijk om in de auto naar belangrijke vergaderingen te worden gereden, omdat hij nieuw en chic was, en ook
omdat de leerachtige geur van zijn koele grijze bekleding haar het
zweverige gevoel gaf dat ze zelf zo taai was als leer. In zijn lunch-
pauze bracht haar man haar naar Serenity's huis. Ze stapte uit de
auto, vervuld van de geur van het leer en van het gevoel dat haar tegenpartij nauwelijks nog een kans had. Haar opdracht was druk uit
te oefenen op Serenity om een bijdrage te leveren aan Opa's bede-
vaartsfonds. Ze had hem op zijn kantoor kunnen opzoeken, maar
had besloten dat haar levensgrote aanwezigheid in de pagode onder
deze omstandigheden de beste resultaten zou opleveren.

Terwijl Tiida naar de pagode stond te kijken, met in haar achterhoofd de chaotische taferelen van de exodus van de Aziaten, was ze
er trots op dat het haar familie goed was vergaan. Hier zat Serenity,
of Mpanama zoals ze hem genoemd had toen hij nog in korte broek
liep en alle grote vrouwen aanklampte, in een huis gebouwd door
Aziaten, dat inderdaad iets totaal anders was dan zijn duistere vrijgezellenwoning. Hier zat hij, midden in de stad, gelijke tred houdend met nieuwe ontwikkelingen, en vol ambities. Zijn aansluiting
bij de vakbond was een briljante zet geweest, dat moest ze toegeven.
Ze had zich op een bepaald moment, toen ze opgroeiden, zorgen ge-

maakt dat Serenity te sloom was om iets in het leven te bereiken. Ze was bang geweest dat hij arm zou blijven, met verstelde broeken en tot aan zijn nek in de schulden, alleen al omdat hij niet slim genoeg leek om uit te kienen hoe hij vooruit kon komen. Maar nu, na al die jaren, en na alle veranderingen in de lotgevallen van de familie, vond ze dat hij beter af was dan de Stefano's. Hier had je een vader en een zoon die op het punt stonden om naar Rome te gaan, Kawa-yida en zij hadden allebei een auto, en Serenity zat in het bestuur van de vakbond. De Stefano's waren uitgeschakeld. De oude Ste-fano kampte met de gevolgen van een hersenbloeding, waardoor de linkerhelft van zijn lichaam verlamd was geraakt. De ster van de tel-gen van de familie Stefano fonkelde niet meer.

Tante Tiida was zich ervan bewust dat Serenity zich niet met der-gelijke familierivaliteiten bezighield, maar ze was bereid hem op te stoken, op zijn schuldgevoel in te spelen en hem duidelijk te maken dat hij zijn vader deze laatste gunst moest bewijzen om hem te tonen dat hij dankbaar was voor alles wat hij voor hem had gedaan. Ze zou hem helpen herinneren aan het stukje land dat Opa hem geschonken had om zijn vrijgezellenhuis op te bouwen, en aan de rol die de oude had gespeeld bij de organisatie van zijn huwelijk. Ze dacht dat ze Mpanama in haar greep had. Ze had niets aan het toeval overgelaten. Het was de reden waarom ze gekomen was, om zijn vrouw uit te scha-kelen en haar in haar eigen pagode een hoek in te jagen. Dit dorps-meisje, wier ouders door haar broer behoed waren voor de verschrik-kingen van een instortend dak, kon niet tegen haar op. Tiida zou haar op haar plaats zetten. Onderop de stapel, waar ze thuishoorde.

Zoals veel mensen denken als ze zojuist een nieuw statussymbool hebben verworven, dacht Tiida dat de nieuwe Peugeot haar een gro-tere voorsprong gaf op andere mensen. En het was bepaald waar dat het dorpsmeisje met wie haar broer was getrouwd niets in haar bezit had dat op kon tegen het Franse voertuig. Zoals het er nu voor stond, leek het niet erg waarschijnlijk dat Serenity ooit een auto zou aan-schaffen. Niet met zoveel kinderen, niet met zoveel verantwoorde-lijkheden. Al deze dingen gaven Tiida het gevoel dat ze de overhand had.

Wat ze niet wist was dat Hangslot door de jaren heen geen snars veranderd was. Ze had nog steeds het drakengif in zich dat haar onverschillig maakte tegenover materiële zaken. Ze had nog steeds een grote minachting voor schandelijk verworven bezittingen. En iemand die zijn voorhuid en zijn godsdienst inwisselde voor een stuk met lak bespoten metaal was in haar ogen verachtelijk. Zoals zij het zag was de Peugeot van de duivel gekocht, op een snode manier, en verdienden de eigenaars ervan geen enkel respect en dat zouden ze van haar dan ook niet krijgen. Zeker niet in haar eigen huis.

Hangslot ontving Tiida met een beledigende formaliteit, alsof ze een gek was die voorzichtig moest worden aangepakt omdat ze anders een psychotische aanval zou kunnen krijgen. Ze speelde het geïntimideerde dorpsmeisje tegenover een bezoeker van koninklijken bloede. Ze blokkeerde gesprekswendingen door korte, overdreven beleefde antwoorden te geven. Ze verschool zich achter haar bruidstactieken van onbenaderbare welgemanierdheid. Tiida strandde erop en moest haar best doen om een manier te vinden de blokkade op te heffen.

Tiida was niet geïntimideerd, dat liet ze zelden toe, maar ze voelde zich omsingeld, verward, niet in staat onder dergelijke kille omstandigheden te functioneren. Er zat een kink in haar kabel, die de toevloed van haar macht, haar charisma, haar vermogen om te overbluffen, belemmerde. Hangslot was niet het type vrouw dat haar normaal gesproken van haar stuk bracht. Integendeel, het waren meestal rijkere vrouwen, elegantere vrouwen, of jongere, meer ontwikkelde vrouwen die haar hart sneller deden kloppen, en zelfs dan liet ze zich niet gauw kennen. Ze werd overvallen door het vreemde gevoel dat ze in het verleden iets verkeerds had gedaan waarvoor ze nu moest boeten. Maar ze zou met de beste wil van de wereld niet kunnen bedenken hoe ze de vrouw van haar broer ooit had misleid. Eigenlijk was zij de enige van de familie die het wel eens voor Hangslot opnam, meestal in verband met haar vruchtbaarheid.

Met de grootste zorg, en de grootste zwijgzaamheid, die zowel het huis en de middag bedrukkend maakte, werden er versnaperin-

gen geserveerd. Tiida tuurde in haar glas en zag kleine stukjes ge-
perste sinaasappel in de gele vloeistof drijven. Het kwam bij haar op
dat haar geest in dezelfde staat verkeerde, en niet bij machte was een
plan of een aanval of een verdediging te bewerkstelligen. Het kwam
eveneens bij haar op dat haar schoonzuster niet eens geïnformeerd
had naar haar kinderen. Was dat omdat Hangslot nu in de stad woonde, waar dorpsbeleefdheden niet meer golden, en waar huisvrouwen
zich gedroegen als koninginnetjes in stoffige koninkrijkjes? Of was
het omdat zij, Tiida, met een moslim getrouwd was en haar zoons
besneden waren en haar roomse schoonzuster dat afkeurde? Tiida
werd voor het eerst op deze manier bejegend en het maakte haar
woedend. Ze herinnerde zich die verpleegster in het ziekenhuis van
haar man, die geprobeerd had haar positie te ondermijnen, waarschijnlijk omdat ze ervan droomde dokter Ssali van haar af te pikken. Tiida had haar er maar één keer op aangesproken. Kort daarna
had ze vernomen dat de vrouw om overplaatsing had gevraagd. Ze
had alleen maar gezegd dat ze met haar poten van de goede dokter af
moest blijven als ze er prijs op stelde dat ze heel bleven. Wat had die
vrouw gedacht? Dat ze haar handen af zou hakken? Maar goed, het
had gewerkt. In deze situatie was ze echter niet handig, en leek haar
stijgende woede zich tegen haar te keren.

De aanblik van de chic geklede maar warrige Tiida sterkte Hangslot in haar besluit om naar Rome te gaan. Ze zou deze vrouw wel
eens laten zien dat armoede bestreden kon worden met noeste arbeid, en dat de katholieke godsdienst in deze maatschappij nog
steeds overheerste. Ze wilde deze vrouw, en de vrouw van Kawayida, laten zien dat zij voor haar eigen rechten kon opkomen. Ze wilde
dat Tiida schoon schip zou maken en zich van de hatelijke woorden
van Kawayida's vrouw zou distantiëren. Ze wilde Tiida eens goed
laten voelen dat zij het tegenover de vrouw van Kawayida niet voor
haar opgenomen had, zoals het een fatsoenlijke schoonzuster betaamde. Hangslot herinnerde zich de woorden van Kawayida's
vrouw maar al te goed. Toen Tiida met haar man in hun pas gekregen Peugeot bij Kawayida op visite waren gekomen, had die vrouw
gezegd: 'Het is zonde dat Nakkazi het verstand niet heeft om jurken

te maken van kippenveren. Dat zou de enige manier zijn waarop zij ooit een auto konden kopen, als je het mij vraagt.' Dezelfde vrouw had gejammerd dat Hangslots broers niet slim genoeg waren om kalkoenenstront te gebruiken om bakstenen en tegels van te maken en een fatsoenlijke keuken voor hun ouders te bouwen. Hangslot verwachtte nu een bekentenis van Tiida. Maar Tiida had bepaald geen zin om haar toch al hachelijke positie te verzwakken door voor die verschrikkelijke vrouw van haar broer door het stof te kruipen. Ze had haar trots, en meer dan genoeg ook. Te buigen voor een boerin ging haar te ver.

Hangslot maakte haar bedoelingen duidelijk door achterstevoren de woonkamer uit te lopen nadat ze de versnaperingen had opgediend. En toen de kinderen uit school kwamen beval ze hun zo stil als een muis te zijn en onder geen beding de gast lastig te vallen, anders zou ze het vel van hun rug stropen. Ze trok zich terug op de Commandopost en liet de machine ronken. Terwijl de naald zich door de stof boorde, vulde de Singer het huis met de monotone geluiden van zijn reis-op-de-plaats. Het erf was vervuld van de vreugdevolle wraak van de vrouw des huizes. Met lange tussenpozen ging Hangslot de woonkamer in om haar gast in de gaten te houden, zoals men een giftige slang in de gaten houdt die zich in een mooie porseleinen vaas heeft opgerold. Ze uitte dan enkele spottend-beleefde woordjes en liet Tiida gaarstoven in de hitte van haar frustratie.

Tegen de tijd dat Serenity uit zijn werk kwam, had Tiida er heimelijk spijt van dat ze op haar broer had gewacht. Haar gewoonlijk heldere ogen waren bloeddoorlopen. Haar voorhoofd en de rug van haar neus waren nat van transpiratie. Ze kon wel gillen en haar schoonzuster voor alles uitschelden wat in haar hoofd opkwam. Om vijf uur, toen de nationale televisieprogramma's begonnen, had Hangslot zich verwaardigd haar eenzaamheid te verzachten door de stinkende Toshiba aan te zetten. Tiida stoorde zich aan de vluchtige Amerikaanse tekenfilms en hun nasale geleuter, wat haar in de oren klonk als stom gebrabbel omdat ze er geen woord van kon verstaan. Alles vloog in zwart-wit heen en weer en tegen elkaar op, sloeg op elkaar in, overreed zichzelf in auto's en nog meer van die stomme dingen die alleen een idioot of een kind kon waarderen. Om haar bittere woede wat te sussen dacht Tiida aan dokter Ssali. Ze wenste dat hij haar kwam ophalen. Ze wenste dat hij de vrouw van haar broer met de Peugeo: zou platwalsen. Ze wenste dat hij rijk genoeg was om de reis van Opa alleen te financieren, zodat de vernederingen van haar hufterige schoonzuster haar bespaard konden blijven. Toen Serenity thuiskwam was ze zo kwaad dat ze haast geen woord kon uitbrengen, laat staan haar gedachten op een rijtje zetten.

Serenity nam zijn zuster mee op een avondwandeling. Het was bijna donker. In de verte daalde er een dunne mist neer die boven de gebouwen en de toppen van de bergen zweefde. Ze liepen niet langs het tankstation, want Serenity wilde haar niet aan zijn vrienden voorstellen. Serenity verklaarde dat hij ontzettend moe was omdat hij midden in de campagne zat voor de baan van penningmeester bij de vakbond van postbeambten. Hij praatte over de lange vergaderingen, stemmenwervingsacties en huisbezoekjes aan medewerkers. Hij zei dat hij door de campagne zijn gevoel van werkelijkheid kwijt was. Hij klaagde over zijn slapeloosheid. Hij sprak de wens uit dat hij zou winnen en toegang zou krijgen tot extra hulpmiddelen. Hij was kwaad omdat iemand hem het voorzitterschap ontnomen had. Maar hij mocht eigenlijk niet klagen, omdat de vriendjes van Hadji Gimbi zich ermee hadden bemoeid, er een moslim uit hadden gewerkt, en zijn kandidatuur voor het penningmeesterschap steunden.

Serenity bleef maar praten en betuttelde zijn zuster als nooit tevoren. Tiida speelde de tweede viool en verwonderde zich over de welbespraaktheid van haar jongere broer. Ze stond er versteld van hoe hij er eindelijk in geslaagd was erkenning af te dwingen. Ze kon zich hem nu voorstellen als vertegenwoordiger van andere mensen, een beetje prikkelbaar, maar bekwaam. Voordat ze kon uitleggen waarvoor ze gekomen was, had hij medegedeeld dat hij geen cent kon missen. Hij ging naar Rome om zijn imago van leider op te krikken, zei hij. Tiida was het eens met alles wat hij zei en vroeg zich treurig af of ze die ochtend toen ze aankwam met een vrouw of met een hond te maken had gehad. Dit was een te grote pech om toevallig te zijn.

'Gaat je vrouw ook mee?' vroeg ze hoffelijk, terwijl ze ziedde van ingehouden woede.

'Ze wil wel maar ze heeft geen geld en ook geen parochie waar ze zich kan inschrijven.'

'Haar familie is nooit sterk geweest op financieel gebied.' Ze kon zich niet inhouden te pesten.

'Maar haar jongere broer, mijn zwager, staat wel ingeschreven,' zei Serenity trots.

'Waar heeft hij het geld vandaan gehaald?'

'Hij gaat vliegen op een van zijn biggen,' zei Serenity lachend, denkend aan een mop over een vliegend varken, maar zijn zuster snapte het niet. Ze trok een lelijk gezicht, omdat varkens volgens de godsdienst van haar man onrein waren. De familieleden van de vrouw van haar broer waren voor haar varkens: ze wilde niets met hen te maken hebben.

Het knagende gevoel van verslagenheid dat Tiida overviel leek haast op wat ze gevoeld had toen ze die vliegenplaag hadden gehad, en die hondenkoppen, en hun buren beweerd hadden dat de bekering van haar man tot de islam een vloek was. Ze wilde dat ze niet gekomen was. Ze voelde zich gebukt gaan onder de zware last van het slechte nieuws, en de ballast van onechte onderhandelingsmacht en beledigde persoonlijke charme die ze had moeten prijsgeven. Ze hoorde Serenity opnieuw vragen hoe ze erin geslaagd waren de Peugeot te bemachtigen en ze voelde woede in zich oprijzen. Hij vroeg het alleen maar om haar nederlaag wat te verzachten.

'Politiek binnen het Bekeringscomité. Er moesten koppen rollen en het nieuwe lid heeft de achterstand opgeruimd in de euforie die op zijn aanstelling volgde,' zei ze, loom denkend aan Nakatoe. Die had de bui waarschijnlijk al zien hangen en had geweigerd met haar mee te gaan.

Het resultaat van Tiida's bezoek was dat Serenity's haast onmogelijke financiële positie nog eens benadrukt werd. Waar moest hij het

geld vandaan halen? Stiekem dacht hij dat Hadji Gimbi hem misschien zou kunnen helpen, maar dat kon hij toch niet vragen na alles
wat hij al voor hem gedaan had? Serenity was net een adder die een
mals konijn in het oog heeft gekregen: om het te kunnen opslokken
moest hij zijn eigen kaken breken, de pijn lijden die gepaard ging
met het verteren van het beest en vervolgens zijn kaken weer in het
gelid brengen. Was hij bereid zo'n groot risico te nemen? Serenity
dacht van wel, maar hoe moest hij het inkleden? Er waren nog meer
bezwaren om over na te denken: als de vrienden van Hadji Gimbi
nou eens genoeg van hem hadden en hem als tegenprestatie iets heel
smerigs vroegen te doen, zoals het overmaken van grote bedragen
vakbondsgeld naar een geheime rekening? Wekenlang piekerde Serenity hierover.

Als hij zich dezer dagen bij zijn maatjes in het tankstation schaarde, dan stond hij er tobberig bij, zweeg, net als zijn vrouw, en reageerde traag op grappen; hij vertoonde over het algemeen een ver-
strooidheid die zijn maatjes begon te ergeren.

'Ik heb nooit geweten dat penningmeesters overdag sliepen en
's nachts geld telden,' plaagde Mariko, een protestantse vriend die
zelf weinig zei maar altijd won bij het kaartspelen. Iedereen lachte,
ook Serenity.

Hadji Gimbi begon te vertellen over zijn bedevaart naar Mekka
en Medina, vijf jaar geleden. Hij werd weer helemaal enthousiast
terwijl hij sprak, alsof elke zin hem dichter bij de kern van de bedevaart en de betekenis ervan bracht. 'Mensen waren als zandkorrels
op een enorme vlakte!'

'En allemaal in het wit gekleed,' mijmerde Serenity hardop. Voor
het eerst in weken leefde hij wat op. Hij had een beeld van engelen
in zijn hoofd, die rondzweefden boven de een of andere hemelse
vlakte.

'Vertel ons eens hoe het er in Rome uitziet,' vroeg Hadji Gimbi.

'Ik wou dat ik het wist,' zei Serenity.

'Vertel ons eens over al die vrouwen in korte rokjes die verlangend op de Paus wachten,' vervolgde Hadji met een ondeugende
grijns.

'Ach...'

'Waarom ga je daar ook niet heen? Dan kun je ons een ooggetuigenverslag geven. Koop een camera en maak eens wat mooie kleurenfoto's voor je vrienden,' opperde Hadji, onder bijval van de anderen.

'Geld,' zei Serenity voorzichtig, tot algemene hilariteit.

'Er is altijd wel een obstakel, geld of wat dan ook. Maar luister, die bedevaart is maar eens in de...'

'Vijfentwintig jaar,' vulde Serenity aan.

'Vijfentwintig jaar, ja. Die van ons wordt elk jaar gehouden. Wat moet je je kleinkinderen vertellen? Dat je niet gaan kon omdat je geen geld had? Geld is er altijd, maar zo'n kans krijg je maar eens in de vijfentwintig jaar.'

Iedereen was het daarover eens.

'Ik heb een idee,' zei Hadji Gimbi met flonkerende oogjes.

'O ja?' Serenity hield zijn hoofd vlak bij dat van Hadji. Het was duidelijk dat hij het tussen hemzelf en Hadji wilde houden, maar Hadji had het niet zo op geheimpjes. Hij had niets te verbergen, zei hij altijd.

'Bestel op naam van de vakbond drieduizend rollen stof bij de staatsfabriek in Jinja. Verkoop die op de zwarte markt en vlieg van de winst met "Hadjati" naar Rome,' zei hij met een verwijzing naar Hangslot. Iedereen lachte.

'Geld,' zei Serenity treurig.

'Geld!' bromde Hadji ironisch.

'Geld,' zeiden de twee andere vrienden tegelijk.

'Voor alle zekerheid moet je vijfduizend rollen bestellen. Dan heb je geen geldzorgen meer. Je hoeft alleen maar de vrachtbrief aan de zwarte-markthandelaars te verkopen, dan zorgen zij voor de rest.'

'De Veiligheidsdienst...' zei Serenity, half als grap, half uit angst.

'De Veiligheidsdienst?' vroeg Hadji alsof hij daar nog nooit van gehoord had.

'De Veiligheidsdienst?' bauwden de anderen hem na.

'Je bent een ware leider, met ware hoogmoedswaan,' zei Hadji tegen Serenity. 'Die jongens hebben wel belangrijker dingen aan hun hoofd. Ha, ha, haaa!'

Goede echtgenoot en verstandig man als Serenity was, hield hij alles voor zich. Hangslot, gepikeerd vanwege zijn kennelijke onverschilligheid tegenover haar probleem, oefende druk op hem uit om iets te doen voordat het te laat was.

'Je staat nog niet eens ingeschreven!' was zijn verweer, terwijl hij zich in stilte afvroeg of de jongens van de Veiligheidsdienst hem de volgende ochtend uit zijn kantoor zouden slepen, hem in de achterbak van een auto zouden duwen om hem te vervoeren naar een of ander bos of een rivier of een smerige cel.

'Doe dan iets.'

'We zullen zien,' zei hij.

'We zullen zien is niet goed genoeg, en dat weet jij ook wel.'

'We zullen zien,' zei hij voor de zoveelste keer. 'Ik zei: we zullen zien.'

Generaal Amin speelde zijn hand goed uit. Hij wist dat hij een politiek kapitaal van belang kwijt zou raken, als hij de katholieken vrij spel zou geven met de gesubsidieerde dollars van de Bank van Oeganda. Hij wilde de katholieken er voor eens en altijd van overtuigen hoe belangrijk hij in hun leven was, en vooral bij deze bedevaart. Hij leende het quota-systeem en kwam met drie quota's op de proppen. In de eerste quota plaatste hij vijfduizend mensen. Deze mensen ontvingen de benodigde reisdocumenten en dollars en kregen te horen dat zij het land officieel zouden vertegenwoordigen. Langzamerhand werd via officieuze kanalen bekendgemaakt dat er extra plaatsen waren voor mensen die zelf aan buitenlands geld konden komen. Dit was de tweede quota, die uit een elite bestond, mensen met geld en connecties. Maar de afgevaardigde van de regering waarschuwde dat, als iemand staatsdollars op de zwarte markt ging verkopen, hij gearresteerd zou worden en dat zijn paspoort aan flarden zou worden gescheurd. De katholieken waren beledigd dat hij dacht dat ze zoiets zouden doen.

Serenity was opgetogen. Hangslot was gedeprimeerd. De uitverkoren vijfduizend konden gaan zonder dat ze de kleren van hun lijf hoefden verkopen om buitenlands geld te krijgen! Aangezien hij een van de vijfduizend uitverkorenen was, was hij in de zevende hemel. Het was hem gelukt: hij had de vrachtbrief verkocht, zich verzekerd van contanten en de kopers hadden geen pistolen op hem gericht, noch hem in de achterbak van een auto gepropt. Het was een openbaring. Uit dankbaarheid had hij voor Hadji Gimbi een enorme geit gekocht, met uiers die bijna over de grond sleepten. Hij bracht ook een heel weekend door met Nakiboeka. Hij kocht kleren voor haar en haar kinderen, maar zei er niet bij hoe hij aan het geld was gekomen.

Laat op een middag stapte Serenity samen met nog 349 passagiers aan boord van een Alitalia jumbojet. Wat de meeste indruk op hem maakte, zoals hij zich later zou herinneren, was het uitzicht vanuit de lucht op het Victoriameer: het leek een ellipsvormige plas van kwikzilver. De volgende ochtend was hij in Rome, herboren, zijn leven getransformeerd. De stad bruiste, zuchtte en steunde onder het gewicht van bedevaartgangers uit de hele wereld, de alomtegenwoordige toeristen en haar eigen inwoners.

Serenity had veel belangstelling voor oudheden, het Colosseum, de Romeinse huizen, de musea, en alle andere dingen die de historische figuren die hij zich van de geschiedenislessen uit zijn jeugd herinnerde, tot leven brachten. De Renaissance, de Reformatie, de vroege Kerk, het Romeinse Rijk, alles kwam tot leven, omdat hij het nu met een echte plek kon verbinden die het verleden aan het heden koppelde.

Serenity stond op het Sint-Pietersplein, in de menigte, vol bewondering. Hij kreeg een stukje heilig brood van de bejaarde paus en was verrukt over diens haakneus en de schone schijn die niets afdeed aan zijn wazige gelaatstrekken. Hij vond het moeilijk te geloven dat zo'n fragiele figuur aan het hoofd stond van zo'n monsterlijk, reusachtig en machtig lichaam als de Katholieke Kerk. Wat wist deze man van hem af? Wat wist hij af van de katholieken in Oeganda? Wat wist hij af van de mensen die hem serieus namen? Wat had hij ooit voor hen gedaan, behalve hun dogma's te voeren? Toch beïnvloedde hij hun leven alsof hij hen persoonlijk kende!

Serenity vond hem lijken op een gordeldier dat zijn enorme organisatie vanuit het ondergrondse regelde, van tijd tot tijd naar het oppervlak kroop in een pantser van dogma's, zodat men met eigen ogen kon zien dat hij nog steeds de touwtjes in handen had. Behangen met de ene laag prachtige gewaden en kostbare juwelen over de andere, leek deze monsterlijke armadillo uit zijn hol gekropen te zijn om eens duchtig te schitteren. Hij sprak met de berekende luiheid van iemand die verzekerd is van een niet-aflatende bijval en zijn magnifieke pantser glom alsof het gewassen was in het bloed van vorstelijke macht. De heilige armadillo bewoog zich voort met jichtige gratie. Zijn lichaam ademde de lucht van oppermachtige onverschilligheid. Zijn uiterlijk droop van de tegenstrijdigheid: aan de ene kant predikte hij een sadistische ontkenning van het lichaam, terwijl hij aan de andere kant met goud was behangen. Hij bewoog zich in de emotieloze ambiance van heilige dictators, tirannen die zich geen zorgen hoefden te maken over de dag van morgen. Imperiale despoten die het lot in handen hadden van honderden miljoenen mensen.

Rond de eeuwwisseling waren de afgezanten van deze heilige armadillo naar Oeganda gekomen, hadden afgezanten van andere religies naar het leven gestaan, waren in bloedige oorlogen verwikkeld geraakt en hadden de politiek verziekt terwijl hij in zijn bed lag te slapen. Nu verdrongen de nakomelingen van de Oegandezen die in die godsdienstoorlogen waren omgekomen zich om hem en zijn ring te kussen, om door hem gezegend te worden, om met hem op de foto te komen. Alles vergeven en vergeten. Serenity dacht aan zijn vrouw. Het stoorde hem dat deze man, wiens principes en dogma's haar voor het leven hadden getekend en van haar een rigide, frigide vrouw hadden gemaakt, niets van haar af wist noch van de problemen die hij als echtgenoot met haar en haar onverbiddelijke opvattingen had gehad.

's Nachts mijmerde Serenity op zijn hotelkamer na over wat hij overdag had meegemaakt. De rijkere pelgrims gingen naar de hoeren. Eén van hen werd beroofd. Een ander raakte de weg kwijt en doolde de hele nacht rond. Vrouwelijke pelgrims hadden hun eigen hotel, waar hun partners naartoe gingen voor door wijn opgehitste orgieën, en waar sommige vrouwen werden belaagd door zonderlingen uit de stad die zich uitgaven voor fotograaf.

Uit zijn raam kon Serenity de hoeren zien tippelen, terwijl ze hun waren aanprezen, mannen aanhielden, onderhandelden, auto's in en uit stapten, met een verveeld gezicht vanwege het wachten. Hij verbaasde zich erover dat ze duur waren. Hij kon niet erg warm voor ze lopen. Hij dacht er niet over een deel van zijn kostbare zwartemarktgeld aan de een of andere armetierige hoer te verspillen. Hij verlangde naar Nakiboeka, die hem hier een paar bijzondere en smakelijke ogenblikken had kunnen bezorgen. Hij at maar één keer per dag om geld uit te sparen, maar hij voelde zich verzadigd. Hij leek zich te voeden met dromen. Jezus in de woestijn. Verleidingen zat, maar hij zou daar nooit aan toegeven.

Serenity kocht een paar souvenirs, maar zijn hart werd gestolen door een bronzen plakkaat met een voorstelling van de legende van Romulus en Remus. Onbewust had hij hiernaar gezocht; dit was wat de zwarte vogels in hun snavel hadden gehouden. In het midden stond de wolvin, groot, dominant, met een snuit die ze dreigend uitstak naar onzichtbare indringers. Haar opgezwollen tepels leken op een vreemd soort fruit. Haar ogen waren omfloerst van de vreugde en prikkeling van het geven van borstvoeding. De tweeling, naakt en zacht als kale biggetjes, zogen de diabolische melk op terwijl de wolvin ze beschermde door haar lichaam te krommen.

Het was allemaal te veel voor een jongen die door zijn moeder verlaten was, ten prooi aan de wolvinachtige streken van de vrouwen rond zijn vader. Hij klampte het plakkaat vast alsof het elk moment uit zijn handen gerukt kon worden. De koopman, een oude man met een dikke snor en grijze oogjes, was nieuwsgierig. Serenity was zijn eerste klant die dag en wat gedroeg hij zich vreemd!

De sprinkhanen knabbelden er lustig op los in Serenity's borstkas en darmen. Hij vergat bijna waar hij was, in een drukke zijstraat met toeristen in boxershorts en minirokjes, die hem als papieren spoken passeerden. Het leek of hij door een modderrivier van deze mensen en hun stad en hun koopwaren weggesleurd werd, langs de toren van de parochie van Ndere en de moerassen aan de voet van Mpande Hill, terug naar het hart van zijn dorp.

De koopman beloofde hem een aantrekkelijke korting als hij drie van die plakkaten tegelijk kocht. Ineens werd Serenity wakker. Deze man deed hem denken aan de Fiedelaar. En aan de borsten tussen diens benen. Er klonk draaiorgelmuziek aan het eind van de straat. Hij herinnerde zich dat hij graag viool had leren spelen. De koopman herhaalde zijn aanbod, keek Serenity strak aan en verborg zijn toenemende gevoel van onbehagen achter een brede grijns. De boodschap van het plakkaat was te persoonlijk om door Hadji Gimbi of Nakiboeka begrepen te kunnen worden. Nee, hij wilde er maar één, voor zichzelf.

De rest van zijn verblijf in Rome verstreek in een jachtig waas. De tijd slingerde heen en weer tussen heldere momenten van euforisch bewustzijn en een versuft meedobberen op het tij. De bustochtjes, de monumenten, de heilige missen, Lourdes, alles had iets surrealistisch.

Serenity had een rozenkrans gekocht van een meter lang met houten kralen zo groot als tomaten. Hij vond het ding afgrijselijk, evenals het klikkende geluid dat het maakte onder het lopen. Maar ze waren heel populair: al zijn bedevaartgenoten droegen er een om te laten zien dat ze pelgrims waren en geen gewone toeristen. Hij miste dat gevoel van trots en overtuiging. Hij vond dat ze eruitzagen als lopende reclame voor kerkelijke handel.

In Israël kwam Serenity weer bij zijn positieven. Het was er heet en droog, en er hing een zanderig grijs waas in de lucht. Hij verkende de gefortificeerde stad Jeruzalem, vanouds de prooi van geweld. Hij stelde zich de vernietiging en wederopbouw voor, de opkomst en het verval van de stad, door de eeuwen heen op de wip tussen oorlog en vrede, tot aan de tegenwoordige tijd. Hij vroeg zich af hoe de stad erin slaagde de druk van al die geschiedenis binnen zijn muren te houden.

Hij vloog het Oude Testament binnen. Hij herinnerde zich de oorlogen, de interne strijden, en het leiderschap van Mozes met al zijn beproevingen. Zelf een leider, ware het een van een veel kleiner kaliber, kon hij de onmogelijke positie van Mozes goed begrijpen, geplet als hij zat tussen de wil van God en de wensen van de Israëlieten. Hij herinnerde zich het verhaal van het gouden kalf, en de slangen, en vroeg zich af waarom God ervoor koos te werk te gaan in zo'n klimaat van geweld. Serenity waardeerde er de rebelse trekken van Jezus meer door. Verhalen over armen, ontheemden, slachtoffers van Romeins kolonialisme en eerzucht, maakten indruk op hem. In Jezus' tijd hadden de mensen een charismatische leider nodig gehad om het harde gesteente van de onderdrukking en ellende af te bikken. Hij vond zich een klein beetje op Jezus lijken. Hij wilde ook gemythologiseerd worden. Hij wilde dat de boeren van Oeganda over hem en over zijn familie door de generaties heen verhalen zouden kunnen vertellen. Hij bedacht dat zijn kinderwens om violspeler te worden ook een element van mythologie in zich had gehad. Hij had iemand willen worden die de tijd zelf zou overleven. Een Jezusachtig spook dat zijn naam over de zandvlakte van de tijd zou sprenkelen. Een vrije geest die vreemdelingen zou inspireren met de universele zaden die in hun eigen inheemse vruchten zaten. Maar wat had hij de boeren in zijn dorp en de achterbuurtbewoners van zijn stad te bieden in ruil voor de eeuwigheid? Zijn prestaties als penningmeester van de vakbond? De daden van zijn vader als hoofdman? De vroedvrouwentoeren van zijn overleden tante? Welke universele zaden zaten er in de broodvrucht genaamd Serenity? vroeg hij zich af.

Sommige pelgrims weenden toen zij in het Heilige Land aankwamen. Het was overweldigend voor het plattelandsvolk dat onder het ploegen van het veld, het plukken van koffie, het voeren van geiten en varkens, nooit had gedacht dat ze ooit hierheen zouden gaan. De machtigen der aarde waren hier allemaal geweest, en nu, wonder boven wonder, waren zij er ook! Ze stonden verbaasd van de moderne technologie die de Israëli's in staat stelde landbouw te bedrijven in de woestijn. Het leek wel een wonder uit een van die Bijbelse verhalen uit hun jeugd. Serenity verwonderde zich ook over het niveau van de technologie. Maar het viel hem op dat de gebruikers ervan het kostbare gevoel van verwondering kwijt waren. Voor hen was alles even vanzelfsprekend als het aantreffen van bonen in een dop. Hij vond dat treurig.

De nachten waren koel en kalm, heel anders dan de hete hectische dagen die hij gewend was en waar hij nu weer naar verlangde. Het stelde hem in staat zich terug te trekken en tot rust te komen. Het was al weer drie weken geleden dat hij Nakiboeka voor het laatst had aangeraakt. Hij voelde het wonder van hun vuur branden en hem tot het einde toe op de proef stellen.

Serenity's aankomst op Entebbe Airport was een anticlimax. Met om zijn nek de afzichtelijke rozenkrans van een meter, waarvan de houten kralen tegen elkaar klikten en de ijzeren schakels rinkelden als een hondenketting, stapte hij samen met de andere terugkerende pelgrims uit het vliegtuig en liep naar de aankomsthal. Op de eerste verdieping, met uitzicht op de landingsbaan en het zilvergrijze meer erachter, stonden opgewonden familieleden en vrienden te wuiven en te joelen, een mengsel van gejammer, hartstochtelijk gezang en schril geschal van namen. Serenity wuifde terug met een verbouwereerde uitdrukking op zijn gezicht. Thuis, hij was weer thuis. Hangslot, Kawayida, Nakatoe en Hadji Gimbi waren onder de mensen die hem omringden en hem overgoten met de olie van hun vreugde en opluchting. De somberheid waar hij de hele nacht in het vliegtuig last van had gehad, trok op en verdween als ochtendmist.

De pragmatische vuist van Idi Amin was al veertien dagen gebald geweest en sloeg Serenity recht in zijn gezicht. Tijdens zijn afwezigheid had Amin nog eens vierduizend bedevaartplaatsen vrij gemaakt, met koersvoordeel en al. Hangslot had al vijf dagen bijna niet geslapen: Mbale had voor haar een plaats gereserveerd in hun gemeente! Alles was zo snel en plotseling gegaan dat ze onsterfelijk bang was geweest dat er iets mis zou gaan, dat deze onverwachte meevaller ongedaan gemaakt zou worden. Ze was doodsbang dat Serenity niet terug zou komen. Vliegtuigen werden tegenwoordig regelmatig opgeblazen of vlogen tegen bergen op. Maar hij was er weer! Levend en wel! Alleen: waar moest hij het geld voor haar reis vandaan halen? 'We zullen zien, we zullen zien,' had hij gezegd. Hangslot was zwijgzaam en een beetje nors te midden van de vreugdekreten, een gevolg van het ongeduld in haar botten en de angst voor teleurstelling in haar hart. Een blind geloof had haar op de been gehouden voor Amins verrassende ommezwaai en nu rekende ze op haar blinde geloof om te slagen. Verder durfde ze niet te kijken: de poel van analyse en speculatie was te diep om in te duiken. Nu vervulde de aanblik van Serenity haar met trots, haar Serenity, die er zo gedistingeerd uitzag. Ze probeerde blij te zijn en te tonen dat ze blij was in de hoop dat haar blijheid beloond zou worden. Was hij echt in Rome geweest? En in Lourdes? En in het Heilige Land?

De tocht naar huis was een bitterzoete bezoeking. Iedereen praatte door elkaar heen. Hadji Gimbi's stem bulderde en Hangslot vond het fijn te denken dat zelfs de heidenen God nu loofden: alsof de stenen begonnen te schreeuwen. Hangslot voelde geen haat meer voor deze baardige kerel, of voor Kawayida en zijn vrouw, of voor Nakatoe die een oninteressant raadsel voor haar bleef.

Thuis heerste er een vrolijk pandemonium. Er was een lijvige delegatie van de postbeambtenvakbond gekomen, katholieken, protestanten, moslims en heidenen. Ze hadden van de gelegenheid gebruikgemaakt en de organisatie van de festiviteiten op zich genomen. Het leek of de pagode van hen was. Ze blaften bevelen en dienden met gulle hand drankjes en hapjes op. Van tijd tot tijd barstten ze in luid gezang los. Hangslot had er een rustige avond van willen maken, maar deze kerels hadden geen eerbied voor een jetlag of dergelijke luxeproblemen. Ze waren gekomen om te eten en te drinken en te dansen en hun toewijding voor hun nieuwe leider te tonen. Terwijl de trommels roffelden moesten Serenity en Hangslot terugdenken aan hun bruiloft, jaren geleden. De festiviteiten werden al snel naar een hoogtepunt gevoerd en toen het donker werd liepen er dronkelappen te tieren en vloeken en vonden er vuistgevechten plaats die Serenity niet durfde opbreken uit angst zijn kiezers nijdig te maken. Hij gaf zich over aan de vreugdevolle wanorde.

In de kleine uurtjes van de ochtend legde Hangslot haar verzoek op tafel. Serenity was gebelgd over het moment dat ze ervoor gekozen had, zoals hij gebelgd was geweest over de postcoïtale verzoeken van Kasiko. Ze liet hem geen enkele ruimte om te manoeuvreren, gaf hem geen kans om haar over te slaan en haar tante, waar hij ontzettend naar verlangde, de gelegenheid te geven. Hij zei dat hij haar reis zou betalen, vooral omdat het regeringsdollars waren. Om haar op de proef te stellen zei hij dat hij het geld van Hadji Gimbi zou lenen, maar Hangslot maakte geen tegenwerpingen. In feite had ze, in haar wanhopige uren toen ze bang was dat Serenity's vliegtuig zou neerstorten of gekaapt zou worden, zelf al aan die mogelijkheid gedacht. Maar dat lag nu allemaal achter haar. Ze ging!

Alles was voor Hangslot op zijn pootjes terechtgekomen. Ze vertrok enkele dagen eerder dan Mbale, want die moest nog een paar dingen regelen. Ze haalde hem van het vliegtuig in Rome, liet hem de plekken zien die zij inmiddels had ontdekt en waarschuwde hem voor oplichters, nepfotografen en nepgidsen die toeristen lastigvielen en beroofden.

Hoog in de lucht, onderweg naar het beloofde land, met uitzicht op wolken opgestapeld als watten die van een grote hoogte op een leeg veld waren uitgestrooid, voelde ze zich net de Maagd Maria. Ze zag zichzelf in die wattige wolken staan, met een aardbol in de hand, haar ogen ten hemel gericht, in balans tussen het vergankelijke en het eeuwige, hemel en aarde, leven en dood. Ze had een plaatsje aan het raam en degene die naast haar zat had de tranen van vreugde die stilletjes over haar wangen rolden niet in de gaten. Ze wilde dat ze bleven rollen en sporen in haar huid etsten en de wattenwolken buiten zouden verzadigen. Ze duwde de negatieve gevoelens over haar jeugd weg. Ze richtte haar gedachten op sereniteit en vrede en deugd. Terwijl ze over de hemelse wolkenvlakte vloog, bespeurde ze een kleine oude vrouw. Het was Oma. Ze dacht aan de oproep van Jezus om geschillen bij te leggen voordat je een offer bracht. Fluisterend zond ze het einde van haar verbolgenheid en bloedwraak de dampkring in. Ze hoopte dat Oma haar ook vergeven had.

Hermetisch opgesloten in deze vliegende sarcofaag met een snelheid van duizend kilometer per uur, kwam Hangslot erachter dat het haar makkelijk viel aardse misstanden te vergeven. Ze herinnerde zich dat zij in Oma's droom oog in oog met een buffel had gestaan in een meer van zand. Dat begreep ze nu. Het zand was de wolken en zijzelf was de reusachtige buffel. Had ze maar geweten dat de oude vrouw slechts voorspellingen had gemummeld! Had ze maar geweten dat de oude vrouw een voorbode was geweest van de grootste triomf in haar leven! Had ze het maar geweten! Maar het lag allemaal in het verleden. Nu richtte ze zich op de toekomst.

Toen ze in Israël landden zag Hangslot het zand en verbeeldde ze zich dat ze een machtige buffel was die uit een nederig dorp was gekomen om haar Bijbelse bestemming te vervullen. Zij was de maagd die uit de modder en het struikgewas van een onbelangrijk dorp was gerezen, ter ere van de geboorte van Gods Zoon en tot verlossing van allen. Zij was de Maagd van Nazareth, een plaats waar niemand iets goeds van verwachtte, maar waar de grootste man had geleefd voordat hij aan Zijn loopbaan van prediken en genezen was begonnen. Ze voelde de monsterachtige kracht van de Bijbelse geschiedenis bij de poorten van Jeruzalem tot een hoogtepunt komen. Terwijl ze dit grondgebied betrad, voelde ze zichzelf opzwellen van alle beloftes, alle wonderen, alle beproevingen en alle overwinningen van de Israëlieten, omdat zij de nieuwe Israëlitische was, met een besneden hart, de belichaming van het brood des levens dat uit Nazareth gekomen was. Ze wilde naar alle kleine dorpjes die Jezus had aangedaan en met de mensen praten, de wijn proeven, het brood eten, de palmbomen aanraken en de essentie zoeken van het verschijnsel dat daar zijn oorsprong had en tot de hele wereld doorgedrongen was. Ze wilde naar de bron waar Jezus met de Samaritaanse vrouw had zitten praten. Ze wilde mensen water zien halen en op hun hoofd zien dragen net als in Oeganda. Ze wilde in een tent slapen en naar de muziek van dit land luisteren. Ze wilde haar geloof tot op de bodem uitdiepen. Ze wilde naar Golgotha en de berg der schedels beklimmen en zweten zoals Jezus had gezweten. Ze wilde bidden op de plek van de kruisiging. Ze wilde bidden op de plek van Jezus' hemelvaart. Ze moest denken aan de vrouw die jarenlang aan bloedingen had geleden. Wat een geloof! Ze voelde de geneeskracht van Jezus binnen in zich.

Broer en zus hielden na terugkeer een gezamenlijke dankceremonie in hun geboortedorp. Mbale, de catechist en begaafdste spreker van het tweetal, deed verslag van hun bedevaart en van hoe het had gevoeld om de heilige vader te ontmoeten en in het Vaticaan te zijn. Hij probeerde uit te leggen hoe het gevoeld had om in de menigte te staan in Lourdes, en de bergen en bouwwerken in Jeruzalem te bekijken. De dag eindigde met trommelspel en dans en zang.

Maar al die dingen konden Mbales zorgen niet op de achtergrond dringen. Hij had zijn reis betaald met geleend geld, een voorschot op zijn komende oogst. Zijn levende, ademende onderpand was een uitgestrekt veld met gezonde tomaten. Zijn vrouw en kinderen hadden de plantjes besproeid tijdens zijn afwezigheid, en nieuwsgierige aapjes en hongerige vogels weggejaagd. Ze hadden drie fantastische oogsten achter de rug en die van dit jaar beloofde zelfs nog beter te worden. Mbale zag het als een gave Gods, een soort wederdienst voor al het werk dat hij verrichtte in de parochie. Niemand sprak dat tegen, zelfs zijn vijanden niet. Ze waren het er allemaal over eens dat Mbale het hardst werkte van iedereen in de omgeving. Het gezin stond voor zessen op, zegde hun gebeden, ontbeet en trotseerde dauw en mist en viel aan op het werk. Regen of zonneschijn, ze werkten de hele dag door, alleen even pauzerend om te lunchen, of wat te drinken of suikerriet te sabbelen. Dit regime gold voor zowel mannen als vrouwen. Mbales gezin werkte als een ezel en men was het erover eens dat hij elke cent die hij uit het land molk ruimschoots verdiende. In het dorp zeiden ze dat Mbale's suikerriet naar zweet rook.

Daar kwam nog bij dat Mbale catechist was van de dorpsgemeente, het Goede Nieuws verkondigde, pasgetrouwde stellen adviseerde en mensen voorbereidde op het huwelijk en andere sacramenten. Zijn geloof was rotsvast en hij voelde zich grof beledigd wanneer iemand zei dat de Maagd Maria menstrueerde of dat de Heilige Jozef impotent was. Scepsis tegenover de Bijbel was uit den boze en ontlokte een felle opmerking of zelfs een klap, als hij te veel bananenbier gezopen had.

Geen pelgrim die trotser was op zijn bedevaartsreis dan deze oom van mij. Hij vertelde alles wel duizend keer. De meterlange rozenkrans werd zijn persoonlijke herkenningsteken. Iedereen kon aan hem zien dat hij niet zo maar een boer was die zich kapotwerkte op het land, doordrenkt van het zweet in de ijzeren zon, maar iemand die de ruimte had veroverd en naar het Vaticaan was gereisd, naar Lourdes, naar Jeruzalem en naar een aantal plaatsen die in de Bijbel voorkwamen. Zijn preken op zondag werden legendarisch. Als Jezus in het Evangelie naar Kana was geweest, naar Kapernaüm of naar Jericho, dan zei Mbale tegen zijn toehoorders: 'Toen ik in Kana was... voelde ik de kracht van de Here binnen in mezelf branden als vuur. Toen droeg God mij op om naar huis te gaan en voor jullie, mijn volk, te prediken...' Als hij over de Paus sprak, zei hij vaak: 'De Heilige Vader heeft mij opgedragen u te vertellen dat hij van u houdt. Hij wil dat u boetvaardig bent, want het einde nadert...' Maar twee maanden nadat hij terug was, woedden er gure stormen door het dorp en een groot deel van het platteland.

In het begin, toen de winden over de bergen aan kwamen suizen, klonken ze als het geklik van vele houten rozenkranskralen die tegen elkaar aan werden geslagen. Mbale was in de bierhal naar een liedje aan het luisteren dat een paar vrouwen uit het dorp te zijner ere hadden gecomponeerd omdat hij het dorp bekendheid had gegeven door zijn bedevaart. De winden gierden over de bergen omlaag het dorp in met de toorn van tweeënveertig jaar latente rampspoed. Ze rukten het dak van de bierhal, verkreukelden het tot een grote prop en deponeerden die twee voetbalvelden verder. Ze onthoofdden windbrekende bomen en verspreidden hun geknakte toppen overal in het rond. Ze mikten lager en ontwortelden of braken bananen- en koffiebomen in tweeën of drieën. Ze terroriseerden wankele huisjes, bliezen gaten in de muren, rukten deuren uit hun scharnieren en vervoerden die naar onbekende bestemmingen. De parochiekerk was een gedegen gebouw. Het verzette zich uit alle macht. De wind viel het van alle kanten aan, dumpte koffiebomen die vele meters verderop uit de grond getrokken waren boven op het dak en bonsde op de deuren met vliegende bananenpalmen. De winden doken onder het dak met de kwade bedoeling het ondeugend op te laten waaien, als de rokken van de Monroe-lamp, maar het enige dat ze loskregen waren stukken vermoeide hanenbalk. Ze tierden tegen de bloedarmoedige school die aan de kerk verbonden was, pletten de oudere gebouwen, vermaalden de latrines tot vloeibare modder en overspoelden het speelplein met de uitwerpselen van de zondagsschool. Water maakte de vernietiging compleet en spoelde de oogst, de wegen, honden, ratten, gescheurde lakens en alles wat zich op open plekken bevond weg. De schamele resten van Mbales tomatenplanten werden in de dorpsput teruggevonden, waar ze een verstopping veroorzaakten.

Niemand was zo bedremmeld als de pelgrim, die ternauwernood aan onthoofding was ontsnapt. Tot zijn grote ergernis was hij zijn rozenkrans kwijtgeraakt.

'God stelt degenen van wie Hij houdt op de proef,' zei hij filosofisch, zich afvragend hoe hij zijn schuldeisers moest terugbetalen.

Hangslot, de vrouw die aan haar einde zou komen in het nabijgelegen bos, keerde naar het dorp terug om de schade op te nemen en te zien wat ze kon doen.

De natuurrampen die hun familie, en hun aangetrouwde familie, zouden achtervolgen, hadden zojuist hun bedoelingen duidelijk gemaakt. In tegenstelling tot de sprinkhanen, die in de jaren dertig hadden huisgehouden en bijna door de dorpelingen vergeten waren, zouden de nieuwe rampen littekens veroorzaken die hun sporen eeuwenlang zouden achterlaten.

Om te beginnen bonden de dorpelingen de strijd aan door de wederopbouw van hun dorp. Mbale zwoegde zeven jaar om zijn schulden terug te betalen.

Door het hele land werd een overvloed aan heilige missen opgedragen in die periode, en als alle gebeden om het tij te keren verhoord zouden zijn, dan was het land nooit getroffen door de catastrofes die nog zouden komen. Voor ons op het seminarie leek het alsof we één

oneindige mis bijwoonden. Het ochtendlicht was in een voortdurende strijd gewikkeld met de glas-in-loodramen van de kapel, terwijl
wij gevangen zaten in een zichzelf herhalend toneelstuk. De seminaristen, het hoofd in de nek in uiterste verveling en met slaapdronken mummelende lippen, leken op babyvogeltjes die wachtten tot
ze gevoed werden. De rector, zonder meterlange rozenkrans, vertelde steeds maar opnieuw het verhaal van zijn bedevaart, tot in wat de
eeuwigheid leek. Het Vaticaan, Jeruzalem, Lourdes, of was het:
Sint-Pietersplein, Jeruzalem, Lourdes, of een andere route? Als hij
tegenwoordig een overtreder betrapte, ontbood hij hem op zijn kantoor en sprak ongeïnteresseerd zijn vonnis uit. 'Geef me één goede
reden' werd zijn leitmotiv en bijnaam. Sommige van zijn collega's
vonden hem niet streng genoeg en vroegen zich in het openbaar af
hoe lang deze weg-naar-Damascus-bekeringsgekte van hem zou
duren.

Intussen was de populariteit van Lageau aan het tanen en hadden
we eindelijk een bijnaam voor hem gevonden: 'Roodhuid'. Hij was
rossig, maar de naam was een commentaar op het feit dat hij, ondanks zijn afkomst en ogenschijnlijke rijkdom, voor ons nog het
meest leek op een roodhuid in een Indianenreservaat. Meestal
noemden we hem 'Rood'.

Op het toppunt van deze storm in een glas water rees de kwestie
Agatha, waardoor we hem het hele jaar knepen. Het leek alsof Lageau ons een nastoot gaf.

Het seminarie was gebouwd op een heuvel, op drie kilometer afstand van het Victoriameer, het meer dat Serenity zag liggen toen hij
voor de eerste keer vloog, hetzelfde meer aan de oostoever waarvan
Kaanders de strijd met de polygamie had aangebonden en de slaapziekte had opgelopen. Hier bood het meer goede vis- en zwemgele-
genheid. De plaatselijke bevolking schuimde het water af met netten die ze uit houten kano's gooiden en ving grote en kleinere vis,
maar niemand was een zwemmer. Eens per maand mochten wij seminaristen gaan zwemmen, maar het idee drie kilometer te moeten
lopen om kopje-onder te gaan, honger als een wolf te krijgen en dan
weer terug te moeten lopen met een armetierige maaltijd in het

vooruitzicht, was voor velen niet erg aantrekkelijk. De enigen die van dit voorrecht gebruikmaakten waren de door de wol geverfde spijbelaars, die de kans grepen met hun contacten, en soms met hun vriendinnetjes, af te spreken.

Lageau werd geleidelijk aan de belichaming van het zwemmen zowel als van het varen. Als hij geen zin had om te volleyballen stapte hij in zijn auto en ging hij zwemmen. Op weekenden waren er een paar goede zwemmers die toestemming kregen met hem mee te gaan naar het meer. Het was dit uitgelezen groepje aan wie hij de aanstaande komst van Agatha onthulde.

Het nieuwtje verspreidde zich als een benzinevuur in een houten schuur. De materialisten onder ons prezen de man de hemel in. Ze konden haast niet wachten tot ze Agatha zagen. Iemand ontvreemdde een foto van de boot, die sneller van hand tot hand ging dan een pornoblad in een kazerne. Het zwaartige vaartuig werd door onze ogen verzwolgen met een mengsel van bewondering, ontzag en bittere afgunst. Het was een belangrijke boodschap die Roodhuid hiermee wilde overbrengen, en die iedereen, de rector met zijn Vaticaan-Jeruzalem-Lourdesverhalen inbegrepen, op zijn plaats zette. Deze boot, die nog honderden kilometers van ons af lag, was een soort Heilige Graal met allerlei toverdrankjes tegen een nationale plaag. De pientere jongens wezen erop dat onze maaltijden nu eindelijk op het punt stonden een verbetering te ondergaan.

'Al die grote vissen die hij gaat vangen, daar krijgen we vast wel een stukje van.'

'Eindelijk denkt God weer eens aan ons,' zeiden de optimisten.

Lageau koesterde zich in zijn nimbus zonder die verder aan te blazen. Hij mat zich een onkarakteristieke teruggetrokken houding aan en liet het vuile werk over aan de jongens en de enkele loslippige priester. Ik hield me verre van het hele drama. Kaanders en ik waren in die tijd druk bezig met herstelwerkzaamheden aan oude boekbanden: we sneden ze open, lijmden ze, legden ze onder de pers, sneden ze bij en begonnen te hallucineren van de vislijm. Normaal beefden de handen van Kaanders alsof er elektrische stroom door werd gejaagd, maar in de boekbinderij, tussen de bergen papier, de verfoeilijke papierguillotine en de haveloze, behoeftige boeken, waren ze zo trefzeker als die van een chirurg. Hij kon heel lang achter elkaar doorwerken, sloeg maaltijden over en zag er in zijn ijver bijna krankzinnig uit. Hij had altijd een homp kaas in zijn lade waar hij aan knaagde als een rat aan een stuk zeep voordat hij weer verderging. Niets kon zijn concentratie verstoren. We werkten de hele week door, ook tijdens gymnastiek. Hij bleef zeggen: 'O, jongen, we moeten dit af krijgen, jongen.'

Toen Agatha ten slotte arriveerde, een reusachtige zwaan die in de schemer tegen de verre heuvels opdoemde als een witte bliksemschicht in een sombere avondlucht, was ze al gemeenschappelijk bezit, ging ze over de tong in gemeenschappelijke speculatie: een glimmend zeilschip van twaalf voet lang, op een aanhangwagen, badend in fluorescerend licht, fonkelend als een nieuwe albasten Maagd. Terwijl camera's in de schemer flitsten, stond Lageau ervoor: gefascineerd als een uitvinder die over de laatste hindernis wordt geholpen. Hij grijnsde en glom, alsof hij zeggen wou dat het priesterschap het beste beroep van de wereld was, alsof elke priester die gewijd werd een schip kreeg. Hij had lang op Agatha moeten wachten en nu ze er was, was hij zo ongeduldig als een kleine jongen.

Er volgden weken van verwachting. Iedereen hield een oogje in het zeil. Een Afrikaanse priester die bekendstond om zijn hielenlikkerij, vervoerde Agatha met zijn auto naar het meer, installeerde de motor en wachtte tot Lageau in zijn auto zou arriveren. Soms nam Lageau een paar jongens mee om hem met de boot te helpen. Gekleed in een witte korte broek, witte gymschoenen en een wit T-shirt, leek Lageau net een onbekommerde tennisser. Aanvankelijk viste hij met een hengel, daarna ging hij over op netten. Eerst ving hij tilapiavis, vervolgens haalde hij kanjers van nijlbaarzen van dertig tot zeventig kilo op. De ijskast en vrieskasten van de paters werden tot de nok toe gevuld. Maar ons dieet bleef bestaan uit bedorven bonen en we kregen maar eens per maand een stukje baars.

Ik dacht erover Lageau recht in zijn gezicht te vragen waarom hij ons niet wat meer vis gaf. Maar ik hield me in. Ik had liever dat iemand anders het deed. Ik wilde niet de indruk wekken dat ik alleen maar aan eten dacht. En ik hoefde niet al te lang te wachten.

Er begonnen zich regelmatig elektriciteitsstoringen voor te doen. Eerst dachten we dat het een regionaal, of nationaal, probleem was, en dat de schuld bij het energiebedrijf lag. Maar het werd al spoedig duidelijk dat het seminarie er veel meer last van had dan andere gebruikers. Lageau wond zich steeds meer op omdat hij gedwongen werd lantaarns te gebruiken en bovendien tijd moest besteden aan het opsporen van de oorzaak van het probleem.

Aanvankelijk trok de saboteur alleen wat draden of zekeringen los. Onder het mompelen van een paar vloeken had pater Lageau die spoedig weer gemonteerd. Vervolgens besloot de saboteur zijn inzet te verhogen. Hij ontmantelde een deel van het hele systeem, zodat Lageau bijna gek werd van frustratie. Er waren avonden dat de afdeling van de paters in volledige duisternis was gehuld, terwijl onze afdeling in het neonlicht baadde. Een week later zat de hele school in het donker. Frater Lageau timmerde kasten om de transformatoren heen en bewaarde de sleutels op zijn kantoor. Deze keer was hij de klootzak te slim af geweest, zei hij. De klootzak moet dat gehoord hebben en was er niet mee in zijn schik. Hij wachtte een week en sloeg opnieuw toe. Deze stroomonderbrekingen stoorden onze avondstudie, maar het voordeel ervan was dat we vroeger naar bed mochten. Vandaar dat er weinig seminaristen boos waren op deze mysterieuze figuur, en alle boosheid aan het adres van deze kerel loste op in het drama van de vrieskast dat volgde. Na elke geslaagde aanval gaf Lageau de opdracht de vrieskasten leeg te halen en dan smulden we van de vis. De saboteur wachtte tot de vrieskasten weer vol waren, zorgde voor storing en dan was men opnieuw gedwongen vis op te dienen. Intussen werd alles op alles gezet om de boosdoener te pakken te krijgen. Deze figuur fascineerde me. Ik wilde weten wie het was. Hij leek zo op mij in zijn manier van doen. Serenity zou hem ook hebben gemogen, want hij was zo uit de pagina's van een goed boek gestapt.

De vierde, vijfde en zesde maal dat de stroom werd onderbroken, zaten we in totaal twintig dagen zonder. Bij elke gelegenheid richtte de rector het woord tot ons en maande hij de saboteur te stoppen met zijn streken. Het interessante was dat hij niet dreigde met goddelijke tussenkomst of iets dergelijks. Hij moet hebben geweten dat deze figuur geheel onverschillig was wat hemelse zaken betrof. Ik verwachtte dat de rector me bij zich zou roepen om te vragen of ik wist wie de saboteur was, maar dat deed hij niet.

Na de zesde aanslag begon er iets te veranderen: we kregen nu driemaal per maand vis. Er volgden geen storingen meer.

Mijn desinteresse in het drama rond Agatha duurde niet lang. Op een ochtend trof pater Lageau een kras aan op Agatha's tweede rib. Aangezien hij in de afgelopen twee dagen niet op het meer was geweest, kon hij slechts tot één stuitende gevolgtrekking komen. Zo rood als een biet, en met zijn Elvis-kuif recht overeind, maakte Lageau bekend dat iemand Agatha had mishandeld, dat haar trots geknakt was en haar goede naam aangetast. Wie had het gewaagd zich aan haar te vergrijpen? Wie had haar gebrandmerkt? Na alles wat ze voor deze ellendige jongens en hun ellendige priesters had gedaan! Welke idiote boerenhufter had dit gedaan? Wat wilde hij ermee gedaan krijgen of bewijzen? Het kwam niet bij hem op dat het misschien een vergissing was, een ongelukje. Na wat hij had meegemaakt met de stroomsaboteur geloofde Lageau dat ongelukken hier nooit voorkwamen. Alles was boos opzet. En wat Agatha betrof, Lageau zou zich niet inhouden. Het was nu genoeg geweest. In zijn achterhoofd dacht hij dat mooie boten, evenals mooie vrouwen, nooit per ongeluk werden geschonden. Dat gebeurde met voorbedachten rade. Zijn auto, zijn bloemen, zijn persoon, werden nooit gevandaliseerd. Waarom moest het nou juist de gewijde Agatha zijn? Wie was zich er niet van bewust dat Agatha toevallig de naam van zijn moeder was, zijn eerste vriendin en zijn ideale vrouw? Wie wist niet dat Agatha alle beschermende instincten in hem bovenhaalde?

Zoals veel mensen die in een zeepbel van onschendbaarheid vastzaten, voelde Lageau zich zeer gekwetst en beledigd. Hij werd verteerd door een martelende pijn en vreesde tegen beter weten in dat hij een hartaanval zou krijgen. Hij voelde een vernietigende migraine opkomen: de voornaamste kwaal van zijn moeder. Hij leefde in voortdurende vrees dat hij die van haar zou erven. Te razend om zijn emoties te kunnen uiten, haastte hij zich naar zijn kamer en sloot zichzelf op. Hij nam een slok whisky. Opgelucht voelde hij het bekende vuur door hem heen gaan en al spoedig doven van moedeloosheid. O God, het was zijn beurt om de mis op te dragen! Snel kleedde hij zich om en rende naar de sacristie.

De kapel was van binnen overgoten met een gouden licht. Er waren jongens gebeden aan het mompelen, voorafgaand aan het Angelus en de mis. Het gouden licht had net zo goed een vuurrode bliksemschicht kunnen zijn. Vlammen was het enige dat Lageau voor zich zag toen hij de rector die ochtend had verzocht hem de avondmis te laten opdragen.

'Het is mijn beurt deze week,' was het zwakke protest van de pelgrim.

'Maar ik heb een speciale boodschap voor de jongens.'

'Kan het niet wachten tot na de mis? Kunt u de jongens niet in de refter toespreken?'

'Nee, u moet begrip hebben voor deze bijzondere omstandigheden.'

'Spiritueel!' zei de rector die zich afvroeg of de thesaurier een verschijning had gezien, een weg-naar-Damascus-ervaring had gehad. Hij zag zo rood!

Ondanks het feit dat Lageau geweigerd had te vertellen of het om een spirituele of profane boodschap ging, of geen van beide, capituleerde de rector. Wat gloeiden Lageau's oren! had de rector in verbazing gedacht.

Na twee minuten begreep de rector dat het menens was met Lageau: hij ging tot de aanval over. 'Beesten!' Alle priesters en alle jongens keken hem vreemd aan. Wat een rare manier om te beginnen! Wij waren niet bepaald het publiek om een preek aan te horen over de rechten van het dier: we sloegen onze koeien of lieten de herdersjongen dat doen als ze van de kudde afdwaalden; we gaven

de varkens er met een stamper van langs of sneden hun keel door om
ze klaar te maken voor de pan; we zaten achter eekhoorns aan omdat
ze onze apenoten opaten; we maakten ratten af met gif en vallen; we
joegen honden met hun vlooien de deur uit; we hadden een haat-
liefdeverhouding met apen, en als zij aan de dood ontsnapten na het
plunderen van onze teelt, dan hadden ze dat te danken aan hun eigen
slimheid. Beesten waren beesten voor ons. Dus waar had Lageau
het in herejezusnaam over? Was hij ineens een voorvechter van de
rechten van het dier geworden, nadat hij al die vissen had gevangen,
gedood en opgegeten?

'Apen. Zwarte apen. Apen met geen enkele eerbied voor schoonheid of eigendom. Hoe kon iemand Agatha schenden? Wat heeft dit
prachtding iemand aangedaan? Waarom moest iemand haar rib be-
krassen? Weten jullie waarom? Omdat jullie allemaal apen zijn.
Bidt samen met mij tijdens deze mis, opdat de apen een greintje respect krijgen voor de spullen van iemand anders.'

De priesters, langer dan straatlantaarns in hun onberispelijke pij-
en, stonden rond het altaar achter Lageau, als gecamoufleerde lijf-
wachten, met een ondoorgrondelijke uitdrukking op hun glimmende zwarte gezicht. Waren ze vanbinnen even afstandelijk als hun
uiterlijk deed vermoeden? Wie weet. Ze leken boven Lageau's
woorden verheven te zijn. Hun collega wist natuurlijk maar al te
goed hoe materialistisch de meesten van hen waren en was zich ervan bewust dat ze Agatha nooit met een vinger zouden aanraken. Ze
hielden hun gezicht net zo in de plooi als de Maagd Maria, en waren
even zwijgzaam.

De meeste seminaristen, in elk geval degenen die wakker waren
en deze geruchtmakende introductie hadden gehoord, waren te geschokt om met een reactie te komen. Ik hoorde een paar voeten
kwaad schuifelen en een of twee mensen sissen. Misschien was ik
ook nog niet helemaal helder, want ik was pas een dag geleden opgehouden met boeken lijmen. Maar ik wist zeker dat ik het had gehoord. Ik wist zeker dat de meesten van ons het stekende effect van
Lageau's woorden afweerden met een schild van sloomheid en eerbied voor het gezag. Reageerde niet iedereen op de klassieke barm-

hartige-samaritaanmanier? Door de andere wang toe te keren? Het spuug te laten spetteren tot de spuger geen spuug meer had en wegliep? Was dit niet de ultieme toets voor onze zelfbeheersing?

Er was ooit gefluisterd dat er nog eens iemand aan de schoonheid van Agatha ten onder zou gaan. Wat was er eigenlijk gebeurd? Had iemand mij nageaapt en haar besmeurd? Was iemand alleen maar met een mes gaan krassen om te zien of ze van hout of van plastic of van koolstofvezel was? Hoeveel kinderen staken er geen mes in het bankstel van hun ouders om te zien wat het zo zacht maakte? Had ik zelf niet een splinter van het hoofdeinde van het despotenbed gepulkt? Hoeveel kinderen rukten de armen uit hun pop om te zien waardoor die zo piepte? Had de saboteur zijn campagne opgevoerd en Agatha gekleineerd? Ik zou bijna gaan glimlachen. Deze vent had ballen van staal. Ik begreep Lageau's frustratie wel: de saboteur die hem voor schut had gezet als elektricien liep nog steeds vrij rond. En nu had iemand, hoogstwaarschijnlijk dezelfde lamstraal, iets met zijn Agatha uitgespookt! Ik gaf Lageau het voordeel van de twijfel omdat ik van mening was dat iemand Agatha's rib die gemene kerven had gegeven om de arme Roodhuid gek te maken.

De hele mis leek plaats te vinden in een onderzeeër, ver van de vaste grond en de werkelijkheid. Normaal gesproken waren de jongens tijdens deze ochtendmis zich niet bewust van wat er zich om hen heen afspeelde tot de communie. Alles stond op de automatische piloot, omdat de mis altijd precies hetzelfde was. Dit keer was iedereen echter klaarwakker, alsof ze een boodschap door hadden gekregen middels piepkleine zendertjes die in het altaar waren verstopt. Iedereen was verbaasd over Lageau's lef en eigendunk. De gemiddelde blanke was niet zo eigenzinnig om tweehonderd sippe jongens recht in hun gezicht een aap te noemen zonder een pistool op zak te hebben. De gemiddelde kolonialist zou er twee keer over nadenken voordat hij zo ver zou gaan zonder dekking te hebben van een detachement scherpschutters. Maar deze ongewapende, gladgeschoren, jongensachtige man duwde ongestraft onze neus in de stront! Zo stoer wilden wij ook zijn: met net zulke gladde wangen, net zo'n kalme stem en middelmatig uiterlijk, en voorzien van stalen ballen. Ik had zin om hem toe te juichen. Deze kerel haalde uit naar priesters die ik zelf wel een klap in het gezicht had willen geven. Ja, ja, dit was geweldig! Ik voelde de opwinding in mijn keel.

Lageau deed denken aan Jezus die de Farizeeërs uitscheldt, ze wandelende graven noemde versierd met verrot vlees en stank. Jawel, deze man was een of andere reïncarnatie van Jezus. Hijzelf leek ook getransformeerd. Het zachte gouden licht viel op zijn goudgerande bril en spatte uiteen in talloze gouden sterretjes die zich vermenigvuldigden wanneer hij zijn hoofd bewoog. Op dat moment was hij de wezenlijke belichaming van macht en glorie. Als zijn hand de lucht kliefde, barstte zijn Rado-horloge uiteen in vloeibare boogjes die als lenige surfers op kleurloze golven dreven. Als het licht in zijn mond viel, deed het elke gouden kies twinkelen als een verre ster. Het was een geweldig schouwspel. Ik hing aan zijn lippen. Ik voelde mijn benen slap worden omdat ik me realiseerde dat ik in de nabijheid was van een heel bijzonder iemand. Ik voelde me aangetrokken door het machtsvertoon van deze man, en door wie hij was.

Ik zag in hem de kracht van het Katholieke Imperium, oprukkend, overwinnend, onderwerpend, manipulerend, bevelend en heersend. Ik kreeg de kans het ontzag te ervaren dat deemoedige gelovigen voelden wanneer ze oog in oog stonden met de goden van het Imperium. Ik kon de neiging aanvoelen om te knielen, mijn kin op de grond te drukken en het Imperium van deze man en zijn leiders te dienen. Deze man was tevens voorzien van de kenmerken van Wereldbank- en Monetaire Uniehegemonie. Hij verpersoonlijkte de ijzeren regels die in gouden kamers gesmeed werden, vereeuwigd in goudgelinieerde boeken met dikke gouden pennen in afgelegen gouden steden. Hij had die strenge graag-of-niet-houding van de almachtigen als ze hun slachtoffer ingepalmd hadden. Deze man, omringd door goud, torende uit boven rauwdouwende, snotneuzerige republieken en beval en intrigeerde en gebruikte en misbruikte erop los. Hij draaide de gouden last van zijn goudgeringde vinger af en gaf het bevel die op te vangen en te poetsen. Met een paar halen van de gouden pen in de gouden kamer op de goudgelinieerde pagi-

na, kon hij iemands last verdubbelen, verdriedubbelen of vervier-
dubbelen of, als hij om welke reden dan ook een onderdaan besloot
te belonen, iemands last halveren. Dit was de ware macht waar ik
van droomde. Dit was de ware macht die ik wilde bezitten. Dit was
de ware macht die je beschermde tegen de aanblik van stervende baby's, uitgemergelde mensen en stinkende ouden van dagen. Dit was
de ware macht, omdat je 's avonds voor het naar bed gaan de geur
van rozen rook en 's morgens wakker werd zonder iets wat je tegenstond in de ogen te hoeven zien.

Ik lag op mijn knieën. Ik was er zeker van dat de meeste jongens
dachten dat ik bad. In de verste verte niet. Ik aanbad macht in zijn
meest glorieuze verschijningsvorm, een kracht die over de bergen
joeg als de winden die Mbales dorp verwoestten. Ik wilde hier blijven, tot het einde van het kwartaal, tot het einde van het jaar, misschien wel tot het einde van mijn leven.

Ik werd wakker toen de laatste psalm gezongen werd. Of misschien pas toen ik zag dat de jongens de kapel uitliepen? Alles leek
op zijn kop te staan. Ik merkte dat ik me dromerig van de rest van de
kudde afgezonderd had. Het snot kriebelde in mijn neusgaten. Mijn
mond was uitgedroogd van het openstaan. Geleidelijk kwam ik
weer bij mijn positieven. Uitgebannen door mijn toenemende bewustzijn, trokken de demonen van de macht zich terug. Ik begon
mezelf vragen te stellen.

Was de reden dat ik Hangslot zo haatte niet dat ze macht uitoe-
fende over mensen die zwak waren? Had Lageau niet hetzelfde gedaan? Zo ja, waarom was ik dan zo gehypnotiseerd? Was dit niet
een geval van huidskleuraanbidding of de een of andere schijnver-
toning die ik niet doorzag? Wat had deze man ooit gepresteerd, afgezien van macht uitoefenen die hij aan zijn afkomst ontleende?
Had hij ooit zijn naam in diamant gekerfd door een prachtig boek
te schrijven? Had hij ooit iemand de tijd doen vergeten met een lied
dat hij had gecomponeerd? Had hij ooit een machine uitgevonden
of de een of andere mathematische formule bedacht zodat de kennis der mensheid erop vooruit was gegaan of leed of verspilling
verholpen waren? Niet dat ik wist. Het was één grote maskerade.

Zoals Hangslot nooit de baarmoeder had uitgevonden, zo had Lageau nooit het geld of de kennis of zelfs de macht uitgevonden. Zoals de meesten van ons was hij een voddenraper, een gebruiker van
andermans overschot. Zijn overmatig vertoon van arrogantie was
het met schuld beladen bedrog van een erfgenaam. Misschien had
hij geld; misschien kon hij een heel dorp opkopen; misschien kon
hij half Oeganda opkopen. Dat moest hij allemaal verdomme zelf
weten. Hij was slechts een spaak in het rad van fortuin, een rader-
tje in de machtsmachinerie. En wat zijn huidskleur betrof, en zijn
door kernwapens beschermde voorrechten: wat had hij nou bijgedragen aan de oplossing van het aloude rassenprobleem? Noppes.
Zoals vele intelligente mensen was hij in de val gelopen van het
verdedigen van of pronken met een miezerig standpunt, had hij de
zwakheden van anderen gelokaliseerd en intussen geen nieuwe manier van denken ontdekt. Met andere woorden: hij kotste slechts
honderden jaren van filosofisch, sociaal, politiek en andersoortig
braaksel uit.

Ik voelde me erg teleurgesteld, en ook moe. Lageau had zijn aantrekkingskracht verloren, zoals zoveel andere mensen die mij niets
meer konden leren. Op een goeie dag zou ik groter zijn dan hij, en
groter dan Serenity en zijn Hangslot en andere ondermaatse despoten. Ik voelde me misselijk, alsof alle vislijm die ik de afgelopen
week had geïnhaleerd in één vlijmende kramp door mijn lichaam
uitgespuwd werd. Ondanks zijn zendelingenvorming had Lageau
een hoofdstuk van de culturele antropologie gemist. De aap stond
bij ons voor slimheid, nieuwsgierigheid en het soort intelligentie
waar hij prat op ging – de aap stond voor zijn eigen standpunt. In de
tweeënvijftig totemclans speelde de aap een belangrijke rol. Meisjes
van de apenclan stonden bekend om hun kwiekheid, lef, schrander-
heid en toegewijdheid. Loesanani, de vrouw die mijn maagdelijkheid had opgeschrokt, behoorde tot de apenclan. De oppervlakkige
minachting voor apen, die begonnen was tijdens de koloniale zen-
delingentijd, was bespottelijk. Het was de holle kreet van ontwortelde mensen die op vreemde melodieën dansten en hun benen braken.
De meeste blanken geloofden dat zij een punt scoorden met dat

apengescheld, maar dat was niet zo: ze stonden alleen maar zelf voor aap.

Deze man, die in de kerk zijn eigen onwetendheid stond uit te kramen, stond ook voor schut. Apenstreken. Deze man, die het altaar uitkoos om zijn eigen oppervlakkigheid te openbaren, bezat geen greintje originaliteit. Hij aapte na, hij bootste zijn voorouders na, de vertegenwoordigers van de heilige armadillo die oorlogen hadden gevoerd en onze politiek hadden vergiftigd met hun geloof. Had generaal Idi Amin, steeds opnieuw, de katholieke kerk er niet van beschuldigd dat zij op moord, terreur, zinloze oorlogen, genocide, diefstal en andere buitensporigheden was gebouwd? De verse slachting van onschuldigen en niet-zo-onschuldigen was een oud gebruik en alleen de halvegaren onder ons werden erdoor geschokt. En voor een kerk die pijn verheerlijkte, en het martelaarschap, die het kruis ophield als haar vaandel, was dit onbeduidend. En als Lageau, net als pater Mindi, van mening was dat hij ons een voorbeeld ter navolging gaf, dan kon hij niet tippen aan de hoge geestesgestoorde norm van de katholieke kerk. Dus waar bleef hij met zijn vernieuwingen? Het ademde allemaal de ouderwetse lucht uit van het principe dat Lageau aanhing door ons apen te noemen. Ik was niet geïnspireerd, ik was geïrriteerd.

Nog niet zo lang geleden had Serenity me bijna doodgeslagen, enkele uren nadat Hangslot me gefolterd had, omdat ik een stukje zo groot als een nagel had afgepulkt van een banaal tweedehands bed dat afgedankt en vervloekt was door vertrekkende Aziaten. Vanaf die tijd was ik iemand die geen respect had voor het eigendom van iemand anders. Ik had geen ontzag meer voor Agatha. Mijn hart ging niet meer sneller kloppen van haar prachtige welvingen. Ze was neergedaald uit de stratosfeer van idealisering tot de minderwaardige status van een massa-geproduceerd consumptieartikel, ternauwernood behoed voor tweedehands sjofelheid door een knap staaltje van restauratie. De een of andere gulle ziel in Canada had voor Agatha betaald, maar niet met de bedoeling haar tot pispaal te maken van de seminaristen onder wie ze terecht was gekomen. Misschien waren er een paar jongens die geloofden dat Agatha splinternieuw was, en dat Lageau haar met zijn eigen geld had gekocht. Mispoes. Agatha was een oude schoen, een guitig hoertje die haar voorgeschiedenis afdekte met een laagje glimmende make-up.

Wat zei dit allemaal over ons seminaristen en de priesters die we moesten trachten te evenaren? Waren we inderdaad halfzachte misbaksels met ballen van glas? Waren die priesters met hun wassen smoelen inderdaad misbaksels die alleen maar ontzag hadden voor geld? Daar zaten en stonden ze, terwijl een dikke blauwgroene vlieg zijn voeten veegde op hun sullengezicht, kromme lijntjes op hen tekende als een schaatser op het ijs, zijn eitjes in hun mond legde waarmee ze over enkele ogenblikken een voedzaam ontbijt zouden opschrokken terwijl wij dunne pap met maden kregen voorgezet. Hielden ze zich daarom zo stil? Voor de meesten kon ik geen respect meer opbrengen. Wat hadden zij, afgezien van hun huidskleur, aan het priesterschap toegevoegd? Wat hadden ze uitgevonden? Hadden zij de visie op het leven en de geestelijkheid verruimd? Hadden zij zich verzet tegen het lijden of op de een of andere manier iets aan de menselijke kennis toegevoegd? Niet dat ik wist. Wanneer ze hun mond opendeden, boerden zij alleen maar rottende kerkregels op, wormstekige dogma's en slijmerige clichés gefabriceerd in het hol van de heilige armadillo in Rome. Zij zetten slechts de oude stinkende orde voort: blanke, kernwapenbevoorrechte priesters boven de zwarte, schijtbange plattelandspriesters, die boven de gatlikkende plattelandsnonnen stonden, die weer de scepter zwaaiden over de wriemelende plattelandsgelovigen: man, vrouw, kind. Dit was het armzalige resultaat van honderden jaren katholieke dictatuur, waarvan vijfennegentig van eigen bodem! Wat een zonde van de tijd!

Ik was gekrenkt door Lwendo's reactie op het incident. Ik trof hem aan bij de watertank. Hij stond water te tappen met zijn gele plastic bakje op de bodem waarvan een oude luffaspons lag en een verweerd stuk Sunlight-zeep. Ach, Sunlight-zeep! Er kwam een triomfantelijke blik in mijn ogen toen ik terugdacht aan de tijd dat ik zijn water moest halen en het voor hem naar de badkamer moest brengen.

'Er zijn hier een heleboel klootzakken die geen eerbied hebben voor andermans eigendom,' zei hij. 'Weet je wel hoeveel die boot gekost heeft?'

'Alsof Rood hem met zijn eigen geld heeft betaald! Weet je wat voor soort smoezen hij heeft opgehangen om zijn weldoeners zover te krijgen? En de zendelingenorganisatie die haar hierheen heeft verscheept? Maar hij doet net of hij het allemaal zelf heeft betaald. Het is maar een eenvoudig bootje, geen zeiljacht.'

'Het geeft niet wat het is, een kano of een walvisvaarder, je moet er respect voor hebben. Een priester behoort de bezittingen van zijn parochie te beschermen. Liefdadigheid begint in het seminarie.'

'Wat een oorspronkelijke gedachte!'

'Ze hadden haar niet hoeven beschadigen.'

'Wat ben je toch gevoelig! En wat is Rood toch gevoelig, zoals hij met zijn apenreet wiebelt! Volgend jaar heeft hij niks meer om op te zitten.'

'Wat had hij dan moeten doen? Ons heiligen noemen?'

'Hij had de dader moeten opsporen en hem straf moeten opleggen. Maar ons op te zadelen met een collectief schuldgevoel, likkend aan zijn apenlippen, nee, dat had weinig effect.'

'Maar je bent het er toch mee eens dat hij met recht kwaad was?'

'Natuurlijk, net zoals hij het recht heeft om die elektriciteitssaboteur te vervloeken die nog steeds vrij rondloopt,' zei ik lachend.

'Het klinkt alsof je achter die klootzak staat.'

'Voordat hij iets ondernam lag die vis maar in de vriezer te stinken. Dankzij hem krijgen wij er af en toe ook wat van.' Ik barstte weer in lachen uit.

'Misschien ben jij de saboteur zelf wel,' zei hij grijnzend. 'Misschien moet ik tegen Lageau gaan zeggen dat ik zijn mannetje gepakt heb.'

'Het is een prachtig gezicht pater Roodhuid negentig kilometer per uur te zien vloeken.'

'De smeerlap wordt nog wel eens opgepakt en dan zal hij spijt krijgen.'

Op een bepaalde manier ging Lwendo's conventionaliteit mijn verstand te boven. Dit was dezelfde vent die dingen van mensen af-

pakte en ze gebruikte zonder hun toestemming. Dit was dezelfde figuur die ik betrapte op het neuken van onze eigen zuster Bizon. En
nu verdedigde hij de weelde van frater Lageau. Had hij een abonne-
ment op 'macht is kracht'? Was Lwendo's wildemansstunt alleen
maar een vorm van omgekeerd conformisme geweest? Zijn reactie
gaf me te denken dat ik misschien de enige persoon was met een op-
gefokte jeugd die lont rook waar niets aan de hand was. Waarom
voelde niemand anders zich verbolgen? Had ik in het begin te veel
van pater Lageau verwacht en reageerde ik nu alleen maar mijn
frustratie af?

Ik trok me in de bibliotheek terug. Ik wilde Lageau en zijn ego
doorboren. Maar welk woord kon ik net zo scherp maken als Dorobo's monsterlijke pijlen? Scheldwoorden waren niet geschikt: die
zouden Lageau's opvatting over ons alleen maar bevestigen. Ironie
was de beste manier om de kolkende golven van frustratie en verbolgenheid te bevaren.

Ik ontvreemdde een habijtachtig gewaad uit de stapel die door de
altaarknapen werd gebruikt, verstopte het achter de kapel en nam
het later mee naar de opslagruimte waar we oude boeken bewaar-
den. Niemand had de diefstal in de gaten. Een habijt was van het
grootste belang voor nachtelijke strooptochten: dan was je er zeker
van dat Dorobo niet zou schieten alvorens drie harde kreten uit te
stoten. Spijbelaars hielden er hun eigen habijten op na en slaagden
er vaak in de boel te belazeren, omdat rondzwervende priesters hen
aanzagen voor medepriesters. De meeste priesters vielen iemand in
een habijt 's nachts niet lastig, omdat het een paar keer was voorgekomen dat spijbelaars cayennepeper in hun ogen hadden gegooid
om te ontsnappen. Pater Mindi was driemaal het slachtoffer van dit
trucje geweest, ofschoon het hem niet van het spioneren had afge-
bracht.

Ik repeteerde een paar keer en sloeg op een ochtend om drie uur
toe. Agatha lag op een gevaarlijke plek. Ze werd van alle kanten be-
licht. De kans dat ik gesnapt zou worden door een slapeloze priester
of een bewaker was groot. Het moeilijkste was het stuk door de
gang langs de kantoren, die twintig meter van de kapel af lagen, ze-

ventig van de klaslokalen, tien van de refter en driehonderd van Sing-Sing.

Het was een pikdonkere nacht. Ik begon mijn tocht in de badkamers, en liep via Lwendo's schuur tot ik aan de achterkant van de kapel kwam, de enige plek waar binnen een lichtje knipperde. Omdat er geen honden op de campus waren, vervolgde ik mijn weg zonder bang te zijn dat ik plotseling aangevallen zou worden. Nu ik zo ver gekomen was, liep ik moedig van de kapel naar de gang, deed de deur naar de verlichte hal open en hield mijn adem in toen ik binnen stond. Agatha lag pal voor mij! Met een olieachtige geur en een albasten huid die heel glad leek in het neonlicht. Als ze me op liefkozen betrapten dan zou ik meteen van school gestuurd worden, maar daar dacht ik niet aan. Ik nam de schade op: een flauw, schuchter, aarzelend krasje, niet de gemene jaap die ik had verwacht. Dit was een uiting van nieuwsgierigheid; als er boos opzet achter had gezeten, zou de wond veel dieper en schreeuwender zijn geweest.

Ik haalde een lange spijker van onder mijn habijt, koos een plekje vlak bij het midden uit en begon Agatha's buik te bewerken, vier ribben van boven. Ik priemde diep en lang. Het etsen van vier letters en een uitroepteken leek een eeuwigheid te duren. In werkelijkheid was ik snel klaar. *O God!* stond er op Agatha's buik te pronken. Ik beefde. Ik deed een paar passen achteruit en bleef aan de deur staan luisteren. Ik was heel voorzichtig onderweg naar de kapel. Ik ging terug zoals ik gekomen was en spoedde me naar de badkamers.

Die ochtend kreeg pater Lageau zijn eerste echte aanval van migraine. De helft van zijn hoofd, zijn nek en zij voelden verlamd aan. Hij was te zeer verstrikt in het web van zijn woede om nog te kunnen denken. Hij trok zich op zijn kamer terug, gebelgd dat iedereen het bewijs van zijn vernedering kon zien. Het was een afgrijselijke migraine. Hij kon wel kotsen. Zijn reet schrijnde van de diarree. Het licht deed pijn aan zijn ogen en hij ging in het donker liggen. 'O God!' mompelde hij. De ironie ervan! De priester die Agatha altijd naar het meer vervoerde, bracht hem naar het ziekenhuis.

Lageau was van slag, maar niet van gisteren. Een paar dagen later nam hij een baal tweedehandskleding die hij gekregen had voor de arme seminaristen mee naar Lwendo's schuur, sprenkelde er petroleum over en hield er een lucifer bij. Het vuurtje trok een publiek van een paar jongens en nonnen die kwamen kijken wat er aan de hand was. Lageau stond voor de schuur, op de plek waar Lwendo stond als hij toekeek terwijl jongens om houtskooltjes vochten, te staren zonder een woord te zeggen. Toen de nonnen zagen wat er in de fik stond, sloegen zij hun hand voor de mond, maar zwegen. De jongens stonden op eerbiedige afstand van Lageau met elkaar te fluisteren.

Diezelfde avond verscheen hij in de refter en kondigde op kalme toon aan dat hij de dader zou pakken al moest hij ervoor naar Mars. Toen hij dit zei stond hij twee meter van mijn tafel vandaan. Iedereen wist dat hij de kleren uit wraak had verbrand en velen vroegen zich af waarom hij op het onderwerp doorging terwijl hij zijn woede al geuit had in een vreugdevuur. Ik was niet de enige die fantasieën had hem te stenigen met de brokken walgelijke *posho* die we moesten eten.

De literatuurdocent, die de doorslaggevende Apenmis, zoals we het noemden, niet had bijgewoond, deed een vage verwijzing naar de gebeurtenis door met ongelijke tussenpozen in de les 'O God!' te roepen. We probeerden hem zijn mening te ontlokken, maar hij bleef nogal ironisch zeggen: 'Ik weerhoud mij van commentaar. Spreken is zilver, zwijgen is goud. Ik hou me liever bij het goud.'

Het seminarie gonsde van de gissingen over wie Lageau te kakken had gezet en die provocatieve krassen had gemaakt. Ik hield me erbuiten. Lwendo probeerde er met me over te praten, maar ik toonde geen enkele belangstelling.

De richting die Lageau insloeg met zijn onderzoek maakte me bang. Hij verzamelde een voorbeeld van het handschrift van iedereen en zei dat hij die in de computer zou invoeren. Ik ging haastig in de bibliotheek opzoeken hoe een computer eruitzag. Ik trachtte erachter te komen hoe verschillende computers werkten, maar kon er niet wijzer van worden. Kaanders merkte mijn plotselinge interesse in computers op en zei: 'O jongen, jongen, pater Lageau krijgt die kwajongen wel te pakken, jongen.'

'Het is schandalig wat ze met Agatha hebben uitgehaald, Vader.'

'O jongen, jongen.'

'Ik hoop dat de dader gepakt wordt,' zei ik om hem te toetsen. 'Het is vast dezelfde persoon die bibliotheekboeken steelt.'

'Ja, jongen, ja.'

Ik vroeg aan Kaanders hoe je een computer kon gebruiken om een dader te pakken te krijgen en hij zei dat hij de overeenkomsten in lettertypen kon aangeven. Ik zou nu mijn sporen moeten uitwissen door de pogingen van Lageau te saboteren.

Zoals het geval was in de meeste dictaturen, was het seminarie gevangen in een web van geruchten en geheimzinnigheid. Dagen later kwam Lwendo me vertellen dat Lageau de dader te pakken had.

'Ze hebben gisteravond een stafvergadering gehouden, maar het personeel is verdeeld over wat ze met de dader moeten doen.'

'Hoe hebben ze hem gevonden?'

'Iemand heeft een velletje papier onder Lageau's deur door geschoven en waarschijnlijk heeft de computer geholpen. Ze zeggen dat dezelfde vent een paar avonden geleden in een habijt op de slaapzaal gezien is.'

Nu wist ik zeker dat ik niet de enige was die Lageau haatte. Dit riekte naar 'Visser', zoals we de geheimzinnige stroomonderbreker noemden. Deze figuur intrigeerde me steeds meer. Ik vermoedde dat hij op Stengel leek, er altijd op uit het gezag te provoceren. Had Visser me gezien en genoot hij er nu van Lageau nog wat langer een hak te zetten? Zo ja, waarom verklikte hij bepaalde mensen dan?

'Het lijkt erop dat er alleen bazige jongens verklikt worden,' zei ik met een geveinsde onverschilligheid.

'Met Lageau is het anders dan met Mindi. De pestkoppen? Dat zijn toch ook degenen die streken uithalen?'

Ik vond dat ik snel iets moest doen. Er was grote kans dat de jongen niet van school gestuurd zou worden. Maar tijdelijk gokte ik op de mogelijkheid dat Lageau een heleboel aan zijn kop had en Agatha niet al te goed in de gaten hield.

De volgende ochtend werd de jongen naar huis gestuurd. Hij zei tegen zijn vriendjes dat hij wel teruggeroepen zou worden omdat hij onschuldig was. Dit was onwaarschijnlijk, want een schorsing werd bijna nooit teruggedraaid, behalve als je uit een hele invloedrijke familie kwam met bisschoppelijke connecties, wat hier niet het geval was. Ik was vastberaden een knuppel in het hoenderhok te gooien.

Dit keer controleerde ik de nachtwaker. Hij sliep. Ik benaderde de hal van de kant van de refter. Agatha's geur wond me op. Agatha. Als een tovenares die haar glazen bol oppoetst, riep zij allerlei beelden bij me op. Ik zag haar voor me op het meer en hoorde de wind om haar heen kreunen, boven het monotone gezoem van haar motor uit. Het geluid leek tot een crescendo aan te zwellen en de hele gang op te vullen en de vloer te laten vibreren.

Ik knielde met een been op de vloer, klaar om iedereen die me bespioneerde een stoot in de maagstreek te geven. Ik etste het woord 'Roodhuid' onder het 'O God!' dat er nog steeds stond. Het koude zweet liep over mijn rug en in mijn oksels. Ik sprong overeind, denkend dat iemand me op de schouder had geklopt. Vals alarm.

Opgelucht liep ik de gang in, met achterlating van de roestige spijker. Het was me voor de tweede keer gelukt! Dit keer liep ik via de refter en achter de klaslokalen langs. De keurige rijen lessenaars hadden bijna iets goddelijks. Zij vertegenwoordigden een eigen wereld, met zijn eigen regels, beloningen en straffen. Ik kon de acaciabomen in de verte zien. Ik was er bijna. De bomen, de piepende geluiden van de insecten, het bos in de verte, deden me allemaal denken aan mijn dorp, en de moerassen, de bergen, de lagere school van Ndere, de kerktoren, de nonnen en Santo de dorpsgek.

Ik zag de badkamers opdoemen als onthoofde standbeelden. Plotseling moest ik denken aan de drie benzinepompen waar Serenity met zijn maatjes samenkwam. Ik sloeg de hoek om van het laatste gebouw en liep bijna letterlijk Dorobo omver. Ik dacht dat hij lachte want ik zag een witte streep in de pikzwarte bal van zijn gezicht. Ik bleef verstijfd staan.

'Goedmorgen, Vaduh,' bromde hij.

'Goeie m-morgen.' Ik kon me zijn naam niet herinneren. Ik wilde hem lokken met het geluid van zijn eigen naam, maar het enige wat me te binnen schoot was 'Dorobo', de naam van een Keniaanse stam, die de jongens hem hadden gegeven omdat hij zo zwart was. Wat was hij lang! Hij deed me denken aan van die ontzagwekkende Amerikaanse kooiworstelaars. Alsof ik zelf in een stalen kooi zat en uitgleed op de met zweet en bloed bevlekte mat, en moest zorgen aan dit monster te ontsnappen. Het enige wat ik kon doen was afwachten wat hij te zeggen had en misschien om genade smeken. Wat zou ik in ruil voor clementie kunnen bieden? Dorobo verraste me met een proeve van zijn humor. 'U nie slaap, Vaduh?'

'Uh, ik slaap…' Ik was in de verleiding om het hogelijk patroniserende 'mijn zoon' toe te voegen aan mijn antwoord, maar dat durfde ik niet. Hij kon me bekeuren wegens spijbelen, habijtdiefstal, verkrachting van Agatha…

Ik dacht aan Stengel en de lijken: wat moest hij zich groot hebben gevoeld toen hij ons die lijken liet zien alsof het poppen waren! Wat moest hij zich machtig hebben gevoeld toen hij het hoofd van Eiland naar het onderlijf van de vrouw duwde! Het trof me dat hij er wellicht een soort seksuele kick van had gekregen. Had hij daarom niet de rok van de vrouw met zijn voet opgetild? Ik was blij dat ik het niet had gezien. Ik was blij dat ik niet had gezien wat eronder zat.

'U nie slaap, Vaduh, hè?' zei de reus lachend.

Ik wilde meelachen maar wist niet precies wat hij in zijn schild voerde. 'Ja, te veel zorgen over de examens.'

Er stond me een grotere schok te wachten. Hij zei: 'Danku voor Agaath-truc, hi, hi, hiii.'

'Ach…'

'Danku ook voor Mindipestuh, hi, hi, hiii,' en hij schudde van het lachen.

Nu wist ik zeker dat hij me een koekje van eigen deeg zou geven: chantage. Maar als hij het aldoor had geweten, waarom had hij er dan zo lang mee gewacht? Om voldoende bewijs te vergaren zodat hij me onder druk kon zetten? Ik wist het al. Hij wilde dat ik documenten voor hem zou vervalsen en bestempelen. Hij wilde waarschijnlijk een aanbevelingsbrief hebben op briefpapier van het seminarie, ge-stempeld en ondertekend door de rector. Dat kon ik wel voor elkaar krijgen, al zou het me moeite kosten natuurlijk. Ik vermoedde dat hij een beter baantje had gevonden maar de staf daar nog niet op wilde attenderen.

'Jij bedankt mij?' zei ik, in afwachting van de bominslag.

'Ja, ja, sterk hoor. Vaduh Mindi slecht. Vaduh Lago slecht. Jij? Ha, ha, haaa, sterk hoor. Andere jongens laf, maar jij?' Hij brulde weer en bracht me in verlegenheid. 'Vaduh Lago vraagt me over boot en ik zeg ik zoek dief, niet schrijver, ha, ha...' De reus sloeg dubbel, sloeg zich op zijn dijbenen en brulde erop los.

Intussen werd ik bang dat de een of andere rusteloze priester ons kon horen en op het punt stond me in te rekenen.

'Wat slim van je om dieven te zoeken en geen schrijvers!' Het lukte niet al te best om met hem mee te lachen.

'Ik ook schrijver,' zei hij, wijzend op zijn enorme borstkas met de pijlkoker vol weerzinwekkende pijlen. 'Ik doe papier met naam in Mindi en Lago kantoor, hi, hi, hiii.' Hij liet zijn gulle lach weer ho-ren. Dit keer deed ik met hem mee.

'Jij?'

'Ja, voor Dorobo-spel.'

Ik schaterde, want nu snapte ik het. Er was een groepje jongens die deze man pestte door voor te wenden dat ze een grammatica-spelletje deden.

'Ik kwam gisteren een Dorobostrijder tegen,' zei de een dan.

'Wist je dat de moeder van pater Mindi een Dorobo was?' vroeg de tweede.

'Wat toevallig! De oom van de bisschop was ook een Dorobo-strijder!'

Diezelfde jongens hadden de schuld gekregen voor de schade die aangericht was aan Mindi's auto. Geen van hen wist wie ze verklikt had. De nachtwaker had ons allemaal bij de neus gehad! Het klopte wel, want zowel pater Mindi als pater Lageau hadden hem willen ontslaan, maar de rector had hier steeds een stokje voor gestoken.

'Het laat nu, Vaduh. Slaap, slaap.' Hij maakte snurkgeluiden en loste op in de duisternis. Ik bleef vermoeden dat hij Visser was, de stroomsaboteur. Een echte mensenvisser. Ik maakte een sprint naar de badkamers. Mijn tanden klapperden nog toen ik in bed ging liggen.

Er heerste verwarring en ongeloof toen de ochtend onthulde dat Agatha opnieuw mishandeld was. De rector toonde ons de spijker die de schurk had achtergelaten en laakte de handeling. Pater Lageau kreeg weer een migraine-aanval, slikte pillen en bleef de hele dag in bed. Er volgden dreigementen van personeel dat aan zijn kant stond, want zij waren bang dat hun auto's en andere bezittingen eveneens mishandeld zouden worden.

Agatha kreeg een nieuw verflaagje en werd voorzien van een superalarm van Duitse makelij. Het gerucht ging dat Lageau een gevaarlijke politiehond had besteld. Alsof ik zo gek zou zijn om Agatha nog een beurt te geven! De hond arriveerde nadat ik van het seminarie af was. Jaren later werd hij in stukken gesneden door regeringssoldaten op zoek naar guerrillastrijders, en gebarbecued.

'Agatha's alarm kost jullie een jaar eten,' had hij volgens zijn volleybalvriendjes gezegd. Daar konden we mee leven, want we verwachtten niets meer van hem en onze hoop op vooruitgang was vervlogen. De jongens maakten nu grapjes over Agatha en de hond.

'Hoe gaat het met Agatha?' vroeg iemand aan het ontbijt.

'O, prima,' antwoordde iemand anders.

'Wie is Agatha?' vroeg een derde dan.

'Een Canadees hoertje met geel haar,' antwoordde de eerste.

'Waar heeft ze de nacht doorgebracht?'

'Ze heeft haar pooier bedrogen en die heeft haar uit wraak met een mes bewerkt.'

'Wat heeft haar vriendje eraan gedaan?'

'Hij heeft een politiehond voor haar gekocht.'

Zo ongeveer in diezelfde tijd verloor Hangslot haar ouders. Op het ogenblik dat ik oog in oog stond met de nachtwaker, werd een dikke, opzichtig getekende haakneusslang aangevallen en weggejaagd

door safarimieren. Hij verplaatste zijn hoofdkwartier naar een verwaarloosd zoete-aardappelveldje en begroef zichzelf onder de aarde
en het spaarzame gebladerte overgebleven na de hete zomer en de
eerste oogst. Enkele uren later wekte de oude vrouw haar man voor
het ochtendgebed, de rozenkrans en een psalm om Gods nieuwe dag
welkom te heten. Dit was een tweede natuur: ze deden dat al veertig
jaar. Ze vonden het heerlijk om een gebed te richten tot de God die
hun beide kinderen naar Rome had gezonden en naar het Heilige
Land, en hen weer veilig thuis had bezorgd. De oude vrouw bereidde een pot thee op een open vuurtje in de keuken en dronk snel een
kopje. Ze liet haar man achter in de zitkamer onder het wakend oog
van de gekruisigde Jezus en de rest van de heilige Familie, en liep de
tuin in. Het zag ernaar uit dat het een hete dag zou worden. De lucht
was helder en ze kon het bos in de verte duidelijk zien. Een deel van
het bos droeg nog steeds de littekens van de recente storm. Goddeloze mensen gaven Mbale de schuld van de storm. Ze vond dit belachelijk, en betreurenswaardig. Die mensen hadden een fundament
nodig: God. De storm had gewoed, maar niet veel schade aan haar
huis en tuinen aangericht. Ze geloofde niet dat het had gelegen aan
de heuvel die bescherming bood, maar aan God. Mbale was er
slecht van afgekomen en had een heleboel schulden, maar dat was
alleen maar goed: hij moest nu des te harder werken en des te harder
bidden. Er was niets dat God niet doen wilde, als je het maar met een
oprecht hart aan Hem vroeg.

De oude vrouw bukte om overgebleven aardappelloof aan te harken dat aan de dunne, slangachtige stengels hing. Ze voelde de
scherpe pijn onder in haar rug. Daar had ze al jaren last van. Ze had
hem aan de Maagd Maria opgedragen. Ze stapte over wegkwijnende aardappelplanten heen, raapte de bladeren op en gooide ze op een
hoop achter in de tuin. Ze liet haar ogen over de kale hoopjes gaan,
die de wind, de regen en de eerste oogsten, die nog met stokken waren opgegraven, hadden overleefd. Ze pakte haar schoffel, om de
hoopjes om te woelen, de laatste aardappels op te graven en het stuk
land voor te bereiden op de volgende oogst. De pijn schoot weer
door haar heen. Ze peinsde erover een van haar kleinkinderen,

waarschijnlijk een van Mbales kinderen, te vragen hier te komen wonen en haar te helpen met een paar karweitjes. Ze hief haar schoffel en groef diep in de aarde, die over haar voeten stoof, en raapte de aardappels een voor een op. De laatste oogst was meestal middelmatig en deze was geen uitzondering: de aardappels waren klein en draderig.

Toen voelde ze iets aan haar rechtervoet krabben. Ze schonk er geen aandacht aan. Het was vast een van die rode safarimieren die ze in de buurt van het privaat had zien lopen. Terwijl ze in de aarde wroette, dankte ze God voor de goede gaven die Hij onder haar familie had verdeeld: haar kinderen die thuis waren gekomen met de zegeningen van de Paus, en foto's waarop zij samen met de Heilige Vader stonden afgebeeld, was meer dan ze had durven hopen. Al het harde werk dat ze aan hun opvoeding had gehad rees als een wolk van wierook op naar de hemelse poorten. Haar eigen kinderen! Kinderen die op blote voeten naar school moesten en gepest werden vanwege hun armoede en een harde les hadden geleerd. Haar kinderen waren met het vliegtuig naar het heilige land geweest! De zegeningen die Nakkazi had meegebracht waren een teken dat God haar zusters vergeven had dat ze in zonde hadden geleefd, tegen Zijn wil hadden gerebelleerd, iedereen te schande hadden gezet door in zonde kinderen te krijgen en het sacrament van het huwelijk te versmaden.

De tweede kras voelde ze niet: de pijn werd overstemd door haar gedachten. Ze dacht terug aan Nakkazi's bruiloft. Het had gewemeld van de mensen: familieleden, vrienden en vreemden. Ze kon het gehamer nog horen van toen het oude dak verwijderd werd en vervangen door het nieuwe. Ze zag de bruid schitteren in de zon, met boterolie die steeds dieper in haar huid drong. Ze herinnerde zich dat ze zich een beetje opgejaagd had gevoeld door de schoonfamilie en erop had aangedrongen het transport dat zij hadden aangeboden van de hand te wijzen. Toen waren hun voertuigen op de dag van het huwelijk kapotgegaan en hadden de meesten achter moeten blijven! Ze herinnerde zich ook goed dat zij zich zorgen had gemaakt dat Nakiboeka tweedracht zou zaaien: de manier waarop ze naar de bruidegom had gekeken was ongezond. Goddank was er niets gebeurd en was Nakkazi al jaren gelukkig getrouwd en had nooit een woord van kritiek over haar tante geuit. Nu zou een van Nakkazi's jongens priester worden: wat een eer! De oude vrouw had het gevoel dat ze haar missie op aarde volbracht had.

De derde kras schudde haar wakker: het was een scherpe steek, alsof hij veroorzaakt werd door een lange doorn of een grote naald. Omdat ze haar gedachtegang niet wilde onderbreken deed ze wat onder de omstandigheden het natuurlijkst was: ze tilde haar linkervoet op en wreef hard met haar hiel over haar andere voet om de rode mier te pletten zonder ernaar te kijken. Maar haar hiel landde op iets dik en zachts als een rotte aardappel. Ze sprong in de lucht en zag de staart van de slang slingeren als een stuk smerig touw. De pijlpunt in haar voet werd door haar angst vergroot tot de omvang van een pompoen. Jezus, Jozef en Maria: wat gebeurde hier? Ze begon te gillen en rende de tuin uit. De slang zat nog steeds aan haar voet vast. Ze voelde het gif in haar bloedsomloop binnendringen. Haar hele been voelde al zwaar aan. Weer bij haar positieven stopte ze en liep terug om haar schoffel te pakken. Ze hakte op de slang in en verloor daarbij bijna haar grote teen. Ze zag haar man op haar afsjokken en de buren naderen. Wie zou er voor haar man zorgen als zij er niet meer was? Ze moest in leven blijven. De snellere buren bereikten haar het eerst. Ze trokken de slang van haar voet af, kalmeerden haar en hielpen haar zo goed en zo kwaad als ze konden.

Op weg naar het ziekenhuis, met het wilde geluid van beukende, knarsende, tierende winden in haar oren, bezweek ze aan het gif.

Haar man heeft niet eens haar begrafenis bijgewoond. Haar dood wekte de winden op van een tien jaar oude malariastorm die de kern van zijn wezen aantastte, plunderde en terroriseerde met een duivelse kracht. Na twee dagen werden hem door zijn zoon de heilige sacramenten toegediend. Na het toedienen van het heilig oliesel keerde Mbale naar huis terug om de begrafenis van zijn moeder te regelen. Toen de eerste rouwenden terug waren, kwam het nieuws dat de oude man gestorven was.

Ik heb geen van beide begrafenissen bijgewoond: ik liet de doden zichzelf begraven vanwege mijn examen. Bovendien moest ik pater Kaanders helpen bij het inzamelen van de seminarieboeken van de ongedurige jongens. Het was een hectische week, geplaagd door spijbelaars en honger. Sommige vrijwilligers schoten te hulp, maar we boekten weinig vordering. We keken elk boek na op het stempel van het seminarie en het serienummer. Er werden een heleboel boeken vermist, maar daar kon ik weinig aan doen. Kaanders bleef boven de boeken in slaap vallen en kwijlen. Tijdens de schamele ogenblikken vrije tijd die ik had, maakte ik een valse schorsingsbrief, ondertekend en verzegeld met het stempel van de bibliotheek. Ik beval mezelf aan voor de beste scholen die ik kende.

Lwendo begreep absoluut niet waarom ik ermee ophield. De volgende keer dat ik hem zou ontmoeten was hij luitenant in het leger. Er had een guerrillaoorlog gewoed en die was gewonnen, en de guerrilla-eenheid waar hij zich bij had aangesloten nadat hij zelf van school was getrapt, was het nationale leger geworden.

DEEL VIJF

Negentien negenenzeventig

In de jaren zeventig traden mannen op de voorgrond die ondanks hun beperkte achtergrond tot duizelingwekkende hoogten van macht rezen voordat hun triomfwagens in de afgrond stortten. Ik denk aan Richard Nixon, Partijleider Mao, Keizer Bokassa en Elvis Presley. Ze deden me denken aan de gele motten die in het donker van verre kwamen aanvliegen en om Opa's stormlamp heen dansten. Betoverd door het licht draaiden ze rondjes om het glas, zonder het aan te raken, en vermeden de dodelijke ventilatiegaten erboven. Maar de onversaagden onder hen konden de ultieme verleiding niet weerstaan. Zij werden de ventilatiegaten in gezogen en doodgeroosterd. Anderen schroeiden zich aan het hete glas of vielen er van uitputting bij neer. Over het schijnbare verband tussen licht en dood heb ik me jarenlang het hoofd gebroken.

Ook mijn jeugd was op een bepaalde manier aan het afsterven: ik was bezig uit mijn oude roekeloze vroegrijpe huid te kruipen, in het nieuwe licht van de volwassenheid. Ik bewoog me in een nieuwe richting, naar een nieuwe helderheid. Mijn ogen begonnen de wereld op te nemen en ontdekten doorkijkjes waar ik tot dan toe blind voor was geweest. Mijn kortstondige belangstelling voor Idi Amin was voorbij, in de kiem gesmoord door het moordzuchtige licht van de waarheid. Ik had het gevoel dat ik het gevecht tegen Serenity en Hangslot min of meer ontgroeid was. Ik realiseerde me dat ik al die tijd mijn walging voor de manier waarop nationale zaken werden bestierd had ingedamd, eenvoudigweg om mijn eigen territoriumpje te verdedigen. Dit afstropen van mijn oude huid deed pijn. Ik voelde me prikkelbaar, verloren, opgesloten. De vooruitzichten op de toekomst leken naargeestig. Gevoelens van vreugde en wanhoop

353

wisselden elkaar af. Ik huiverde bij de gedachte dat ik mezelf opnieuw moest definiëren. Ik huiverde bij de gedachte mijn eigen wereldje met de grote buitenwereld te moeten confronteren. Lange tijd
dacht ik dat ik achter een luchtspiegeling aan joeg.

In de schoolvakanties had ik altijd de indruk gehad dat we op het seminarie òf in een tovercirkel òf in een omheinde veekraal opgesloten zaten. De buitenwereld was een wrange, vormeloze, ingewikkelde chaos waarin alleen de sterksten zich overeind konden houden. De regels volgens welke de maatschappij draaide moest je je
eigen maken door middel van intelligente observatie en intuïtie,
precies de eigenschappen die op het seminarie niet werden gestimuleerd. Nadat je maanden achtereen had gedaan wat je opgedragen was, keerde je met een misselijk gevoel van vervreemding en
onmacht terug tot de wereld van meedogenloze overlevers. De paters noemden de wereld 'een leeuwenkuil' en dat zal zij voor het
grootste deel ook wel geweest zijn, maar behalve gevaren bevatte
die wereld ook echte opwindende mogelijkheden tot verkenning.
Het was de enige plek waar je je eigen gevoelens en gedachten tot
op de bodem kon uitspitten, omdat je er een totaal andere rol had
dan in het voorgekauwde toneelstuk op het seminarie. De buitenwereld was een keiharde leerschool, maar onder de bergen kaf lagen kostbare graankorrels begraven die onmisbaar waren bij het
bakken van het brood des levens.

Ik bracht mijn schoolvakanties altijd door bij tante Lwandeka.
De despoten hadden me naar haar huis verbannen na het geveinsde-
seksincident met Loesanani. Net als alle andere studenten keek ik
altijd uit naar de vakantie. Vanwege de bezoeking van het inzamelen van alle bibliotheekboeken aan het einde van elk semester
kwam ik altijd doodmoe aan. De eerste paar dagen van de vakantie
gingen voorbij in een zalige vervreemding; ik probeerde mijn voeten weer op de grond te krijgen en op krachten te komen. Op een bepaalde manier leek ik op een toerist die in het hoogseizoen aankwam en vertrok zodra hij al zijn lusten bevredigd had. Ik genoot
van de anonimiteit van het leven in een krimpend industrieel stadje

met een lange geschiedenis en een wankele toekomst. Ik genoot ervan mensen te observeren die totaal anders waren dan het seminariekringetje en ik raakte geboeid door hun verhalen. Ik schepte genoegen in het gevoel dat ik tijdelijk deel uitmaakte van deze gedoemde groep en meeproefde van het Sodom en Gomorra zonder gevaar te lopen zelf mee ten onder te gaan. Oom Kawayida's beschrijvingen van het stadsleven joegen opnieuw door mijn hoofd. Ik vulde ze aan met nieuws over Amins laatste bokkensprongen: schommelende prijzen, corruptie, moord, militair vertoon, verkrachting, verraad, moed, liefde... en trachtte er een geheel van te boetseren. Ik deed me eraan te goed als een beer die zich op de winter voorbereidt.

In deze tijd begon ik me ook te realiseren hoe sterk de uitwerking van het gif was dat de slang in het hart van het seminariesysteem afscheidde. Het werk dat de paters in het seminarie verrichtten, hun verzekering dat onze roeping uniek was, en dat we heel anders waren dan de zondaars in de rest van de wereld, leverde nu resultaat op. Het viel niet mee deel te nemen aan wat er om je heen gebeurde. De werkelijkheid was een leeggeschudde doos van Pandora. De capriolen van Amin leken op wat er in een tekenfilm gebeurde. De mensen die dood in het oerwoud werden aangetroffen, waren personages geworden die speelden alsof ze dood waren. De schaarste van essentiële levensbehoeften en de algemene ontberingen werden vluchtige verschijnselen die zouden verdwijnen zodra de film afgelopen was. Gelatenheid kreeg een heroïsche glans. De oprukkende doem kreeg een apocalyptische galm. Het waren de laatste loodjes voordat de verlosser zou komen. Al kwam deze verdraaide kijk op de wereld voort uit zelfbescherming, het vergde veel van degenen die het zo zagen. In wezen was ik de eerste noch de laatste seminarist die onder een zware last gebukt ging.

Ik benaderde tante Lwandeka als een legpuzzel, een persoon die in stukken uiteen was gevallen en die ik weer in elkaar moest zetten tegen de quasi-surrealistische achtergrond van die tijd, waarin veel niet was wat het leek te zijn. Om te beginnen kreeg ik geen details over haar ontvoering, gevangenschap en vrijlating te horen. Af en toe had ze het erover dat ze in een auto was geduwd, ondervraagd, bedreigd en voor het gerecht gedaagd. Verder dan deze grove schets ging ze tegen mij niet. Tante Kasawo en Hangslot en de andere volwassenen had ze alle details wel verteld. Bij die exclusieve club wilde ik ook horen. Als ik mijn nieuwsgierigheid niet uit de eerste hand kon bevredigen, dan moest ik andere bronnen aanboren. Het kostte me bijna twee schooljaren om de stukjes van de puzzel op hun plaats te krijgen.

Aan het begin van de vakantie hoopte ik altijd dat ik een of ander nieuw bewijsstuk zou vinden, een vaag gerucht of verhaaltje dat iets bijdroeg. Mijn belangrijkste vondst was een notitie, door tante Lwandeka in dikke meisjesachtige letters op een pagina geschreven die uit een schrift van een van haar drie kinderen was gescheurd. Ik vond het in een klein bijbeltje op de bodem van haar koffer. Er stond:

7/3/73 *allest. ballak. velhool. addel. glote man. mes. bligadie. vlijheid.*

Toen ik deze notitie voor het eerst zag barstte ik in lachen uit. Ik had nog nooit zo'n kinderachtig handschrift gezien. Hier kon een schoolklas dagen plezier aan beleven. Waar zou Stengel deze persoon niet allemaal voor uitgescholden hebben! Maar dit was mijn tante van moederskant. Dit was het boerenmeisje dat tegen haar strenge katholieke ouders in was gegaan en geweigerd had haar school af te maken. Wat zou het mooi geweest zijn als ze een dagboek had bijgehouden, met alle sappige details! Maar zoals zoveel boerenmeisjes hield ze geen kroniek bij van haar leven. Ze had deze notitie gemaakt als geheugensteuntje en ik was me ervan bewust dat het besluit hiertoe haar al een hoop kopzorgen moest hebben gekost. Door haar infantiele schrijfsel kreeg ik ineens een beschermend gevoel tegenover haar. Ik voelde een sterkere band omdat ik haar geheim kende, haar zwakke plek. Ik voelde ook dat ik bij machte was haar te redden.

Ik telde de nieuwe feiten op bij de ruwe schets die ik al had. Ik wist nu dat ze op 7 maart gearresteerd was, en meegenomen naar een barak waar ze verhoord werd door een grote man met een mes. De grote man verwees haar naar een zekere brigadier die de loop van de gebeurtenissen had bepaald. Ze moest voorkomen en werd uiteindelijk vrijgelaten. Maar wie was Addel? Was 'addel' een anagram? En zo ja, was hij een vreemdeling of de een of andere krachtpatser van eigen bodem? Was Addel de grote man of de brigadier? Misschien was Addel wel geen van beiden, maar de Duitse vrouw die tante de brief had geschreven waardoor alle problemen ontstaan waren. De verleiding was groot om terloops de naam 'Addel' te laten vallen om te zien hoe tante zou reageren. Maar ik beheerste me heldhaftig. Ik wilde vermijden dat ik in een kwaad daglicht kwam te staan.

Toen het uiteindelijk tot me doordrong dat 'addel' geen persoon was maar een reptiel, was ik kwaad dat tante me niet verteld had wat ze had meegemaakt. Ik wist dat ze doodsbang was voor adders en slangen, maar ik wilde weten waarom. Had die schurk haar gedwongen rauw addervlees te eten? Of met een adder te neuken? Wat betekende het allemaal? Ik had het gevoel dat ze een geheim van levensbelang voor me verborg.

Na haar vrijlating was tante Lwandeka de politiek in gegaan. Er was iets in haar veranderd in die weken dat ze oog in oog met de dood had gestaan. Je zou kunnen zeggen dat het addergif naar haar hoofd gestegen was. Haar handschrift bleef dan misschien kinderlijk, haar meisjestijd was voorbij. Haar politieke betrokkenheid was vóór haar arrestatie minimaal geweest, maar kwam in het midden van de jaren zeventig tot volle bloei, toen de guerrilla-activiteiten vanuit Tanzania toenamen. Geleidelijk aan vertelde ze mij erover. Ze werd lid van de Nationale Reform Beweging, of de NRB zoals iedereen het noemde. De NRB was een kleine organisatie die deel uitmaakte van de collectieve guerrillabeweging in Tanzania. De NRB had de taak kleine anti-regerings operaties uit te voeren, zoals het saboteren van elektriciteitsvoorzieningen, het opblazen van bruggen, het aanvallen van militaire barricades en het in de war sturen van overheidsplannen.

Uit het kleine beetje dat ze mij vertelde maakte ik op dat tante's rol bestond uit informatie doorgeven over de manoeuvres van plaatselijke troepen, wegversperringen en de verblijfplaats van sleutelfiguren. Ze behoorde ook tot de groep die NRB-guerrilla's op geheime plekken onderdak verschafte, hun voorzag van reisdocumenten, progressieve-belastingbonnen, identiteitskaarten en dergelijke. Vanzelfsprekend was dit spelen met vuur. Als ze opnieuw in handen van Amins mannen zou vallen, dan zouden ze haar niet weer laten gaan: dit keer zouden ze haar verkrachten, folteren en misschien wel vermoorden of zo ver gaan dat ze zou smeken om uit haar lijden verlost te worden. Ik wist in elk geval zeker dat de vorige keer, toen ze om drie uur 's nachts in een kofferbak geduwd was, een kwajongensstreek zou lijken bij wat haar nu zou overkomen. Het was allang geen geheim meer dat het Staats Veiligheids Bureau, de militaire veiligheidsdienst en andere geheime diensten doodsbenauwd waren voor wat er in Tanzania broeide. Tante wist waartoe Amins mannen in staat waren, maar maakte een lange neus tegen ze. De laatste brug was ze al over: angst voor de dood. Af en toe voelde ik me hierdoor onveilig. Op het seminarie leerden we dat alle gezag van God afkomstig was: ik geloofde daar niet in, maar tegelijkertijd dacht ik dat er iets van waar was. De legpuzzel die ik aan het maken was leek van tijd tot tijd uit duivelse vormen te bestaan. Dat beviel me absoluut niet.

De eerste keer toen tante in moeilijkheden was geraakt en Hangslot vier hele dagen van huis was geweest, ik voor de schijters moest zorgen en het spoeltje al in mijn bezit had, was dat het gevolg geweest van een brief van een Duitse vrouw. Dokter Wagner was naar Oeganda gekomen met de bedoeling haar eigen praktijk op te zetten. Om te acclimatiseren had ze in het begin bij een katholiek ziekenhuis gewerkt en in die tijd had tante, die als hulp in de huishouding voor haar werkte, haar ontmoet. Later vatte dokter Wagner, die onder de indruk was van tante's ijver, het plan op haar terug naar school te sturen om haar Engels te verbeteren met het oog op voortgezet onderwijs. Tante was heel enthousiast over dat plan en de nabijheid van een geleerd iemand motiveerde haar nog meer. Ze bewonderde dokter Wagner en kon goed met haar opschieten omdat ze duidelijk was over wat wel en wat niet mocht, en omdat alles op een vaste tijd, in een vaste volgorde gebeurde.

Dokter Wagner stoorde zich niet erg aan de coup van 1971: ze wist dat er altijd dokters nodig waren, welk bewind er ook aan de macht kwam. Ze was ontdaan over de exodus van de Aziaten, maar niet helemaal uit het veld geslagen: ze moest professioneel blijven. De exodus stijfde haar juist in haar vastberadenheid: haar werkterrein werd er alleen maar groter op. Al die patiënten die voorheen door Aziatische doktoren behandeld waren, vielen nu onder haar zorg. Het ver-inheemsen van de economie veroorzaakte instabiliteit, wat haar zorgen baarde. Maar aangezien het zendelingenziekenhuis waar ze nog steeds werkte al sinds het begin van de eeuw bestond, vreesde ze niet voor haar baan, ofschoon ze nu wel ging twijfelen aan de haalbaarheid van een eigen praktijk. Toen kwam Amins zwaard neer op de Britten, Amerikanen en Duitsers. Ze kreeg toestemming om te blijven, maar de situatie verviel van kwaad tot erger. Er werden twee ziekenauto's gestolen. Stafleden verdwenen en wilden niet zeggen waar ze geweest waren. Dokter Wagner was van mening dat iemand in de regering het katholieke ziekenhuis aan het pesten was omdat de aartsbisschop zich kritisch over het regime van Amin had uitgelaten. Het ziekenhuis nam maatregelen en stelde bewakers aan; bovendien werd de staf aangeraden er 's avonds niet meer uit te gaan en na spertijd voor niemand de deur meer open te doen. Dokter Wagner dacht dat ze nog een kans had. Ze was niet bereid om nu al naar Duitsland terug te gaan. Haar moeder was aan kanker overleden en ze was veel te erg van streek om terug te gaan. Toen kreeg ze bericht dat haar werkvergunning elke maand vernieuwd moest worden. Ze rook lont. Ze dacht erover om naar het naburige Kenia te gaan, maar tijdens de paar keer dat ze er op vakantie was geweest had het rassenklimaat daar haar niet aangestaan. Toen haar volkomen onverwacht werd aangezegd dat ze binnen vierentwintig uur het land moest verlaten, vloog ze verontwaardigd terug naar Duitsland.

De brief die dokter Wagner aan haar voormalige huishoudster

stuurde, had ze verscheidene malen herschreven om het venijn erin enigszins te verdunnen. Maar ze weigerde bepaalde elementen door te strepen, zoals: 'De soldaten op het vliegveld hebben mijn geld gestolen. Ze wilden ook mijn horloge afpakken, maar dat heb ik ze niet gegeven. Ik heb ze geadviseerd generaal Amin om opslag te vragen als ze van mening waren dat ze niet genoeg verdienden met het terroriseren van mensen. Een van hen probeerde me een klap met zijn geweerkolf te geven, maar zijn collega stak daar een stokje voor. Ik vraag me af hoe jij het in zo'n omgeving kunt uithouden. Je staat er nu helemaal alleen voor. Werk hard aan je opleiding en zorg ervoor dat je je diploma haalt. Hou me op de hoogte over wat je doet en over het land; als het belangrijk is zal ik je brieven onder vrienden en geïnteresseerden laten circuleren. Zorg goed voor jezelf en onthoud dit: Oegandese soldaten zijn heel gevaarlijk…'

Het openen van buitenlandse post was aan de orde van de dag en uitslovers, die hun al te dominante bazen wilden imponeren om in de gunst te komen, vielen op dokter Wagners brief aan als een uitgehongerde kudde leeuwinnen op een reusachtige buffel. Binnen een dag hadden ze tante opgespoord. Ze was in het Nsambya Ziekenhuis, het adres waar de brief naartoe gestuurd was. Ze bestormden het vertrek van de ondergeschikte stafleden, sleurden haar uit bed, duwden haar in de kofferbak van hun auto en reden twee kilometer naar de barakken van Makindye waar ze ingekwartierd waren.

Tante Lwandeka slikte alle bedreigingen zoals ze opgediend werden. Ze was zich ervan bewust dat zij een belangrijk geval was, en dat ze hoogstwaarschijnlijk voor de rechter gesleept zou worden als een voorbeeld van Duitse infiltratie, spionage en lastercampagnes. Het zou de bewering ondersteunen dat zendelingen, artsen en anderen in dienst van de kerk spioneerden voor buitenlandse regeringen. Degenen die tante overmeesterd hadden wilden haar een bekentenis afdwingen zonder zichtbare lichamelijke sporen achter te laten, aangezien ze voor de rechter zou moeten verschijnen. Maar er kwam geen bekentenis. De stemming werd vervaarlijk ontvlambaar. Normaal kregen ze vrouwen al snel aan de praat, maar tante

deed haar mond niet open. Ze slikte hun beledigingen en dreigementen met een kalme, bijna wezenloze blik in haar ogen. De 'glote man' beval zijn manschappen haar op een tafel vast te binden, op
haar rug. Hij trok zijn mes en dreigde haar ermee te zullen bewerken. Zonder resultaat. Vervolgens haalde hij een spuwende cobra
uit een ijzeren trommel. Hij hield hem bij haar voeten en het beest
beet haar verscheidene malen. Daarvan raakte ze behoorlijk overstuur. Ze bleef bij bewustzijn door pure wilskracht, zich vastklam-
pend aan het geloof dat de giftanden afgevijld waren en het gif ver-
dund. Ze schreeuwde het uit van angst en de mannen lachten en aai-
den haar arrogant over het gezicht. De slang beet haar steeds weer,
maar ze hield zich groot en zei niets. Razend pakte de man de slang
en stopte hem via haar decolleté in haar kleren. Ze begon als een
idioot te gillen, aan de touwen te rukken, maar de mannen bleven
lachen en elkaar op de rug kloppen. Ze dansten in het rond en
schreeuwden: 'Amin, o jee, o jeee! Amin ju, juuu!' Tante dacht op
een gegeven ogenblik dat ze flauw zou vallen. Het reptiel bleef
kronkelen alsof hij tot in het diepst van haar lichaam doordrong om
haar en haar toekomstige kinderen af te maken met zijn dodelijke
gif. Aan alle verschrikkingen kwam een eind, en dat wisten de bru-
ten ook wel. Eindelijk verloste de man haar van de slang en aaide
hem. Voor de laatste maal duwde hij hem in haar gezicht en zei dat
ze antwoord moest geven op de volgende vragen: wat was de naam
van de spionage-organisatie waar dokter Wagner voor werkte? Wat
voor spionnen rekruteerde zij? Wat voor soort militaire aanval was
haar groep aan het bekokstoven? Had ze iets te maken met de mislukte guerrilla-invasie van 1972? Wat voor soort geheime informatie stuurde tante aan die Duitse spion? Wie van het personeel op het
ziekenhuis spioneerden nog meer? En hoe lang bestond deze spionnenbende al?

Tante weigerde iets te zeggen. Ze hielden het mes vlak bij haar
gezicht, maar ze hield haar kaken op elkaar geklemd. Ze wist dat ze
haar nu niet verder zouden bewerken. Op haar beurt was zij aan het
bedenken wanneer ze hen zou verrassen. Toen ze aanvoelde dat het
moment gunstig was, zei ze dat ze een bepaalde roemruchte bri-

gadier wilde spreken. En wel onmiddellijk.

Wie dacht ze verdomme wel dat ze was? Wie dacht ze verdomme wel dat ze voor zich had? Wie dacht ze verdomme wel dat de brigadier was?

Keer op keer herhaalde ze dat ze voor hem gewerkt had. En dissidenten, buitenlandse spionnen in de val had gelokt.

Waarom had ze dat in godsnaam niet eerder gezegd? De mannen raakten in verwarring en werden achterdochtig en een tikje bevreesd. Als je bij de geheime dienst wilde blijven, zoals de grote man en zijn kornuiten heel goed wisten, dan moest je vooral niet op de tenen van hooggeplaatste figuren trappen en goed weten wanneer je het kalm aan moest doen. Hoezeer die grote man deze vrouw ook een lesje wilde leren, hij wist dat hij zijn eigen graf groef als hij doorging, zeker als het waar was wat ze beweerde. Dat was de redding van mijn tante. Zelfs al zou de brigadier er enige tijd over doen om in actie te komen, tante wist dat ze de boosdoeners genoeg op stang had gejaagd en dat ze haar voorlopig met rust zouden laten.

De brigadier gaf opdracht haar voor het gerechtshof te dagen, waar ze verscheen in een wijde, lange bloemetjesjurk die de opgezwollen slangenbeten verhulde. Maar het dossier van de zaak werd gestolen, verdonkeremaand of allebei. De brief van dokter Wagner verdween ook. De rechter was kwaad omdat de tijd van het hof verspild werd. Na veertien dagen werd de zaak niet ontvankelijk verklaard. Met behulp van Hangslots geld kochten tante's broers en zusters de schurken af die haar opgepakt hadden, zodat ze 'het onderzoek' niet zouden voortzetten. Een week later werd tante vrijgelaten. De brigadier is vervolgens naar Tanzania uitgeweken en sloot zich aan bij de vluchtelingen en de rebellen.

Hangslot en Kasawo gebruikten het incident telkens weer om tante te smeken zich niet met politiek of dissidenten te bemoeien. Zelf het slachtoffer van een aanslag op haar leven, was Kasawo van mening dat zij een geloofwaardige expert was in het overleven van moeilijke tijden en ze verwachtte van haar jongere zusje dat ze haar vermaningen en goede raad ter harte zou nemen. Ook geloofde Kasawo dat de politieke bemoeienissen van haar jongere zuster het feit moesten compenseren dat ze nooit een geschikte man had gevonden om mee te trouwen en een gezin mee te stichten.

Als brave jongere zuster, die zo uist ontsnapt was aan de kaken van de dood, verdedigde tante Lwandeka haar positie niet en toonde ze het respect dat haar oudere zusters van haar verwachtten. Ze liet ze kletsen tot ze erbij neervielen.

'We zijn zo verschrikkelijk ongerust over je geweest. We waren zo bang dat er iets vreselijks zou gebeuren. Heb je dan geen enkel gevoel voor anderen? Hoe haal je het anders in je hoofd ons nu door de brandnetels te sleuren door te zeggen dat je niet uit de politiek kunt stappen?'

'Zoek een man, trouw met hem en sticht een gezin.' Kasawo sprak haar favoriete zin uit met een glimlach. 'En als je niet genoeg hebt aan je eigen kinderen kun je altijd nog voor weeskinderen gaan zorgen.'

'Je moet geen brieven meer schrijven aan buitenlandse spionnen, zuster,' zei Hangslot kwaad. 'Wat kan die Duitse vrouw nou voor je doen? De hele tijd dat ze hier was heeft ze je gebruikt; ze dwong je haar onderbroeken en handdoeken te wassen. Was dat niet erg genoeg? Nu is ze terug in haar eigen land en kun jij wegkwijnen. Ze weet niet eens wat je hebt meegemaakt. Het kan haar niets schelen. Besef je dat dan niet?'

'Luister naar de woorden van je oudere zus,' zei Kasawo, die al haar aandacht op tante Lwandeka richtte.

'Ik weet dat je slim bent, maar je bent ook naïef. Sinds je het geloof hebt opgegeven en niet meer bidt en jezelf niet meer aan Gods voeten werpt, is het je slecht vergaan,' begon Hangslot, met steeds luidere stem maar zonder een spier van haar gezicht te vertrekken. Ze had het wonder van het sprekende standbeeld kunnen zijn.

'De eerste ontwikkelde man die op het toneel verscheen heeft ons allemaal in het ootje genomen en jou in de steek gelaten om met een meer ontwikkelde vrouw te trouwen. Wat heeft hij sindsdien voor jou en je zoon gedaan? Wat hebben andere mannen voor jou en je kinderen gedaan? Je sloof je voor ze uit alsof het weeskinderen zijn. Nu ben je met politici aan het sjansen, die je zullen laten vallen zodra je hebt gedaan wat ze willen. Hou ermee op mensen te vertrouwen, investeer je vertrouwen in de enige die je nooit in de steek zal laten: God.'

Tante nam haar standje zwijgend in ontvangst. Ze keek haar zusters benepen aan, maar ging gewoon haar gang toen ze van ze af was. Ze kon niet terug. Ze overwoog naar Tanzania te gaan en zich aan te sluiten bij de NRB-rebellen. Ze kon haar drie kinderen bij hun vaders achterlaten. Een aantal malen had ze er contact over met de brigadier. Hij wilde wel dat ze naar Tanzania kwam, want daar hadden ze alle hulp nodig die ze konden krijgen. Maar ze werd op een dag apart genomen door een intieme vriend, die haar ervoor waarschuwde alles op één kaart te zetten. Hij vroeg haar wat ze van vechten af wist. Hij vroeg haar of ze wist hoe lang de strijd nog zou duren. Hij vroeg haar of ze zeker wist dat de NRB een groot aandeel in de macht zou hebben als de strijd gestreden was. Hij vroeg haar of ze zeker wist dat ze een goede baan zou krijgen na de strijd. Hij vroeg haar of ze geloofde dat al die guerrillasplintergroepen die op een losse manier verenigd waren in de strijd tegen Amin wel verenigd zouden blijven als hij eenmaal onttroond was. Hij vroeg haar of ze echt haar leven wilde vergooien, alsof er geen enkel alternatief bestond. En ten slotte vroeg hij haar een testament te maken en te ondertekenen en dat aan hem te geven.

Hierdoor werd tante Lwandeka wakker geschud. Ze zag in hoe wijs het was om van binnenuit te blijven strijden, informatie door te spelen aan de NRB, medewerkers van de NRB onderdak te verschaffen totdat ze hun karwei hadden voltooid. Het bleek een veel bevredigender optie. Haar leven werd niet op zijn kop gezet. Ze hoefde haar kinderen niet achter te laten. Het bood haar de kans de touwtjes van haar leven in eigen handen te houden.

Na de wezenloze gezichten van de despoten was het een verademing om in de nabijheid te vertoeven van iemand met een levendig gezicht. Tante Lwandeka had een plooibaar gelaat waarvan al haar emoties af te lezen waren. Ze kon glimlachen en schaterlachen en

huilen. Haar gezicht kon ook ernst. onverzettelijkheid en woede uit-
stralen, in veelzeggende mate. Het was een schok te ontdekken dat
een vrouw, uit dezelfde katholieke boerenbaarmoeder voortgekomen als Hangslot, zo anders kon zijn. Ze sprak met een warme
stem, als je 's morgens opstond, als ze overdag tegen je babbelde en
's avonds als ze je vroeg wat voor dag je had gehad. Ze speelde met
haar kinderen en had belangstelling voor hun welzijn. Ze vertelde
gekke verhaaltjes en zong vrolijke liedjes. Ze stelde ze op hun gemak, maar eiste ook een zekere discipline.

Tante deed al haar kinderen zelf in bad, schrobde hun rug en onderzocht hun voeten nauwkeurig. Ze hield ze in haar armen en liet
ze over zich heen kotsen en poepen als ze ziek waren. Als ze de mazelen hadden en hun ogen prikten en als ze weigerden te eten en aan
één stuk door huilden, dan probeerde ze hen met zoete woordjes te
kalmeren en troostte ze hen met kleine dingetjes. Ze toonde een hoge mate van geduld, ook als ze zelf heel moe was.

Belast met Hangslots erfgoed bond ik de strijd aan om deze kinderen te behoeden voor wat in mijn ogen de verkeerde manier van
opvoeden was. Ik zag erop toe dat ze hun huiswerk maakten. Ik
stampte er de tafels van vermenigvuldiging bij hun in. Ik overlaad-
de ze met spellingsoefeningen. Ik beval ze af te wassen en op te
schieten als ze een boodschap moesten doen. Ik raadde tante aan
streng voor ze te zijn, waarmee ik bedoelde dat ze hen moest slaan
en ervoor moest zorgen dat ze niet brutaal tegen haar waren. Ik zei
dat ze hun moest afleren smoesjes te verzinnen als ze iets stouts
hadden gedaan. Ik wilde dat ze gedwee, gehoorzaam en betrouwbaar zouden worden. Ik wilde dat ze ophielden met ballen, niet
meer met dingen smeten, geen papier verscheurden en elkaar niet
meer achternazaten. Het leek mij toe dat spelen tot slordigheid leidde, waarvoor geen plaats was op de lijst van deugden.

Ik nam de taak van vader op me voor deze vaderloze bastaarden
die alleen een gemeenschappelijke moeder hadden. Waar zaten hun
biologische vaders? En was tante eigenlijk niet een soort hoer?
Zouden de bijbelse joden haar niet doodgestenigd hebben? Diep
van binnen moet het woord 'hoer' mij geprikkeld hebben. Hoer!

Het deed me denken aan de naaktfoto's van Stengel, met hun gapende schaamlippen en uitdagende blikken. Tante deed het met een heleboel mannen, dacht ik. Die gedachte bezorgde me een aangename opwinding, maar ik werd er ook boos van. Ik walgde als ik haar met een man zag praten. Ik werd niet goed als ze tegen haar vriend sprak. De manier waarop ze hem aandacht schonk en op hem reageerde, al ging het over banale onderwerpen als luiers, koorts of zonneschijn! Als 'de man in huis', als de 'pappie' van de kinderen, als de baas nummer twee, voelde ik me beledigd en overschaduwd.

Ik zou het niet zo erg hebben gevonden als tante lelijk, dik en gemeen was geweest. Maar ze was sierlijk, elegant en aantrekkelijk. Ze deed me voortdurend aan Loesanani denken. Als zij glimlachte dan werd haar tandvlees niet wreed door haar lippen ontbloot. Nee, haar lippen bleven precies aan de bovenkant van haar tanden hangen op een beheerste, bijna bewuste manier. Ik had graag gezien dat ze altijd en eeuwig glimlachte. Haar glimlach was de trek van haar gezicht waar ik het meest van hield, waar ik steeds aan dacht als het tij zich tegen haar keerde en gaten in haar oude dromen sloeg.

Ik begon moordneigingen te krijgen wanneer ik haar met haar vriend zag. Ik wilde dat hij door een auto overreden werd. Deze man had een eigen huis, op een behoorlijke afstand van tante's huis. Als hij langskwam bracht hij lekkere dingen mee en deed hij zijn best om aardig voor haar te zijn, maar ik wilde niks met hem te maken hebben. Ik wenste hem impotentie toe, want ik wist dat hij, na haar te hebben gepaaid met cadeautjes, boven op tante ging liggen, zijn grote penis in haar stopte en haar stomme geluidjes ontlokte. Ik zag voor me hoe hij zijn vingers in al haar openingen doopte en met alle macht doorduwde. Ik was in de greep van de machteloze woede waar rechtschapen mensen onder lijden die in een compromitterende situatie terecht zijn gekomen.

Ik voelde me door zijn aanwezigheid bedreigd en vernederd. Deze man kon de 'vader' van de drie kleine bastaardjes bevaderen. Ik vond het vervelend mezelf te moeten beheërsen als hij in de buurt was. Ik wilde dat hij degene was die zich moest beheersen, die zichzelf onzeker voelde en aan zijn gevoel van eigenwaarde twijfelde. Ik wilde dat hij van zijn voetstuk viel en zijn poten zou breken, anders zou ik hem er wel afduwen. Om hem te betrappen met zijn broek omlaag begon ik ze door het sleutelgat te beloeren. Dit was de tijd toen alle beetjes informatie die ik in de bibliotheek had opgedaan tot leven kwamen. Ik legde mijn oor tegen het sleutelgat en hoopte met hart en ziel dat ik een geil gefluister zou opvangen, een hijgerige zucht, een harde kreun. Ik wilde de eenvoudige, droge, effectieve geluiden van zuster Bizon en de zangerige uithalen van Loesanani vergelijken met het onbekende repertoire van tante. Ik raakte hevig in verwarring als ik beloond werd met een of ander geluid. Het celibaat stond op het spel. Als dit de manier was waarop een seminarist zijn levenservaring opdeed zonder tegen de regels van het celibaat te zondigen, dan bevond ik me duidelijk op een zinkend schip. Ik voelde mezelf naar adem happen en verdrinken. Uiteindelijk hield ik op met afluisteren, opgelucht dat ze me nooit hadden betrapt.

Als hij was blijven slapen zag tante er altijd stralend en merkwaardig sereen uit, en was ze bijna verontschuldigend in haar hartelijkheid. Ik bleef fantaseren over die dag dat Jezus in een boot sliep en er een storm opstak. Na al het gebeuk en gepomp en gekreun leek de storm in tante te zijn gaan liggen. Meneer Stormstopper zelf zag er altijd nonchalant uit, alsof hij slechts een vlieg had doodgemept. Tante besteedde dan altijd veel zorg aan het ontbijt, alsof iedereen zoet gehouden moest worden. Het maal werd overschaduwd door een vreemd onbehagen. Het was alsof er iets verkeerds gebeurd was en iedereen wist wie de dader was maar er wegens tegenstrijdige belangen niet over kon praten. Dan leek tante op iemand die jongleerde met een aantal verschillende petten. Na de maaltijd veranderde ze van minnares en moeder in NRB-functionaris, marktopzichtster, drankstookster en kerkvrijwilligster. Wat een vertoning. Ik juichte bij het vertrek van Meneer Stormstopper.

Ik kon alle petten die tante droeg wel waarderen, behalve die van kerkvrijwilligster. Haar verzoening met de kerk leek erg dramatisch tegen de achtergrond van haar verzet als tiener en haar onafhankelijke leven als volwassen vrouw. Het leek een berekende beslissing om een deel van haar verleden te fuseren met haar huidige leven. Ze ging elke zondag naar de kerk en was lid van de katholieke vrouwenvereniging. Het kwam in die tijd niet bij me op dat ze in de kerk rondhing om informatie in te winnen voor de guerrilla's, want heel veel katholieken stonden achter het goede doel.

Door de week ging er veel van haar tijd in haar taak als marktopzichtster zitten. Tijdens het oplossen van conflicten, het behandelen van aanvragen voor een standplaats, het inzamelen van standgelden en contacten onderhouden met de plaatselijke regeringsbeambten, voerde ze ook NRB-werkzaamheden uit. Ze wisselde berichten uit met andere contactpersonen, guerrilla's die zich vermomden als klant, potentiële afnemers en steunzoekers. Daar kwam nog bij dat ze eens per maand drank stookte in het huis van een vriend in een buitenwijk. Het was een gevaarlijke onderneming en de onverfijndheid ervan stoorde me zeer. Ik vergeleek het met de boekbinderij van pater Kaanders en vond het weerzinwekkend. Waarom nam tante zo'n risico? Wist ze geen betere manier om haar inkomsten aan te vullen? Veel later pas, na mijn botsing met de soldateske Helse Drie-eenheid kon ik me ermee verzoenen.

Alles ging best goed in die tijd. Ik genoot van de vakantie, behalve dat ik me af en toe ongerust maakte als tante 's avonds laat thuiskwam. Dan begon er van alles door mijn hoofd te spoken. Had ze pech? Was ze door de veiligheidsdienst opgepakt met NRB-documenten? Maar elke keer dook ze weer op en verontschuldigde ze zich omdat ze me had laten wachten.

Mijn wens kwam uit. Tijdens schoolvakanties kwam haar vriend niet meer bij haar slapen. Ik had hem van zijn voetstuk geduwd. Het kon me niet schelen hoe vaak tante naar hem toe ging, als hij maar bij mij uit de buurt bleef.

In mijn tweede vakantie zag ik een foto van de beroemde brigadier. Hij zat in datzelfde bijbeltje waar tante kennelijk dingen in verstopte die haar dierbaar waren. Ik had de brigadier één keer op televisie gezien en drie keer in de krant. Ik begon te vermoeden dat ze meer met hem deed dan alleen maar guerrillazaken. Een militair gaf nooit een foto aan een burger, behalve om persoonlijke redenen. Deze verwikkeling vond ik opwindend, maar tegelijkertijd weerzinwekkend. Dus mijn tante van moederskant liet zich neuken door een van de leiders van het land! Wat een lef! De foto was met een polaroidcamera genomen, een handig apparaat voor iemand die vast niet naar een fotostudio durfde te gaan. Maar waarom bewaarde ze dit kiekje in huis? Was dat geen meisjesachtige dweperij? Ik dacht aan haar kinderlijke handschrift. Was mijn familie gedoemd om betrokken te raken bij soldaten? Ik werd zelf verteerd door idoolverering: ik zou er veel voor over hebben gehad om erachter te komen wat voor een persoon deze man was. Wat was zijn geheim? Hoe voelde het om een positie te hebben in de regering en tegelijkertijd met guerrilla's te heulen?

Aangezien Meneer Stormstopper in zijn eigen huis bleef, voelde ik me hier veilig. Er was geen reden meer om streng tegen haar kinderen te zijn. Ik was om hen gaan geven. Ze leken onmiskenbaar op mijn oude schijters, die ik al heel lang niet had gezien.

Aan het begin van 1976 ging ik voor het eerst sinds jaren terug naar het dorp. De heuvels en moerassen en wouden waren nog even indrukwekkend als voorheen. Maar het dorp was geslonken en leek op een onbewoond eiland dat eerst belaagd was door stormen, wervelwinden en vulkanische uitbarstingen, en nu door piraten werd geteisterd. Het oude deel van het dorp was ten prooi aan een vergaande troosteloosheid, terwijl het nieuwe deel een dubieuze welvaart uitwasemde. Op de meest onwaarschijnlijke plekken trof ik drankgelegenheden aan. Er klonk harde dansmuziek uit het duistere hoekje waar eens het huis had gestaan van Vingers, de melaatse. Nu stond er een nieuw huis, met een nieuw golfplaten dak dat fonkelde in de zon, en op de veranda een enorme luidsprekerbox. Vreemde jongelingen in bell-bottom broeken en grote, onflatteuze schoenen met plateauzolen, met afro-pruiken op en opzichtige sieraden om liepen me voorbij, slingerend van de geïmporteerde drank. Ze maakten schunnige opmerkingen die voorheen in deze contreien onbekend waren geweest. Waar waren al die lui vandaan gekomen?

Van de veranda's van een aantal nieuwe rode bakstenen huizen hingen opzichtige reclameborden: Supermarkt, Hotel, Restaurant, Casino. Voor de deur van deze 'supermarkten', 'restaurants' en 'casino's' zaten jonge goklustigen aan felgekleurde tafeltjes met beduimelde kaarten te spelen onder algemeen gebulder van de omstanders. Er kwamen dubbelloopse nicotinewolken uit de neusgaten van de terzake kundigen. Er vloeide alcohol. Daarvan raakten de hersenen vol vechtlust en werden de liezen gedwarsboomd door stijve pikken. Ik was getuige van een miniruzie bij een uit de hand gelopen kaartspelletje. De kaarten vlogen door de lucht. De tafel verloor zijn poten. Onder het gejoel van beschonken meisjes met dikke reten trapte iemand met een plateauzool op een in het stof bijtend gezicht. Vlak in de buurt waren drie jongens een kleine Honda-brommer aan het uitproberen en pompten met hoog toerental blauwe rook in de ogen van de uitgelaten meisjes. Iemand ging met een grote hoed rond om geld in te zamelen voor de een of andere wedstrijd. Mijn hoofd kriebelde van het lawaai, alsof ik zelf bij de strijd betrokken was. Een eindje verderop werd ik in een bocht door de brommers ingehaald. Ik werd met modder bespat terwijl ze wegscheurden naar het andere eind van het dorp, achtervolgd door een Honda Civic vol luidruchtige jongens die op ramen, stoelen en dak roffelden.

Ik liep haastig het oude dorp in. De oudjes zaten in elkaar gedoken, overschaduwd door treurnis. Het leek of de explosies die Opa had voorspeld al begonnen waren en het dorp werd meegezogen in de wervelwinden van heftige veranderingen, en verdeeld in onherroepelijke brokstukken. Het heimwee dat mijn vroege jaren in het dorp had gekenmerkt, door Opa en Oma's verhalen over vroeger, was weg, uitgewist door de agressieve energie van de jonge smokkelaars en hun handlangers. Er hing nu een spoor van angst in de lucht.

Serenity's huis was ingesponnen in een web van verval. De ramen waren aan de binnenkant verzegeld door termieten en de deuren werden uit hun scharnieren gelicht door de mieren. Het dak was afgebladderd en verroest door de aanhoudende regens en zonneschijn. Serenity had blijkbaar geen enkele belangstelling meer voor dit huis, en voor het dorp, en was bereid het verleden tot bouwval te zien verworden. Ik ging het huis binnen zoals ik vroeger deed als er ineens een bezoeker uit het niets verscheen. Ik werd begroet door een muffe wolk van hete lucht, stof en vleermuizen. Ik deed voorzichtig met de deuren en ramen, bang dat ze uit hun scharnieren zouden vallen. Ik raakte de termietensporen niet aan. Ik veegde ook niet. Wat had het voor nut? Ik keek toe hoe de wind het stof meevoerde naar de takken van de bomen. In de zitkamer lag een mierenhoop van een meter hoog in de hoek waar Hangslot vroeger haar mat bewaarde. In Serenity's slaapkamer had een grote slang zijn huid afgeworpen onder het bed van herinneringen. Het bed was stoffig, maar stond nog steeds op zijn poten, dankzij de vernislaag van verdelgingsmiddel. Snel ging ik naar buiten, de tuin in. Die was overwoekerd door onkruid dat zelfs het privaat was binnengedrongen en de vuurplaats waar ik altijd water had gekookt voor de baden van tante Tiida. Hier ergens was ik voor het eerst met de karwats afgerost, daar ergens had Oma gestaan en zich erop bezonnen hoe ze tussenbeide kon komen. Het privaat waar ik Hangslots geslachtsdelen had beloerd was gekrompen, als een conservenblikje in de vuist van een reus.

Oma's huis vertoonde nog sporen van de brand. Het schamele hutje dat een familielid vlak naast het oude huis had gebouwd was verlaten. De tuin was verwilderd en lag vol met blad van de oude boom waaronder Opa en Oma na het middageten altijd hadden zitten bekvechten. Ik ging op de plek staan waar de menigte zich had verzameld op de avond van de brand en voelde mijn blaas samenkrimpen. Gelukkig was hij leeg. Het leek of de bodem uit mijn ingewanden viel. Ik hoorde hier niet meer thuis. Ik moest een nieuw middelpunt zoeken in mijn bestaan. Bedrukt door het gewicht van het verleden en de wreedheid van al die veranderingen liep ik verder.

Opa's huis zag er nog steeds groot en indrukwekkend uit, maar bood de akelige aanblik van een monument in verval. De koffie-shamba vocht tegen het onkruid, de heg tegen de vogellijm, de terrassen tegen de erosie.

Opa was eveneens verouderd. Al die aframmelingen en beschietingen en messteken en het oproer in zijn politieke en persoonlijke leven hadden een hoge tol geëist. Als je zijn oude strijdlustige zelf zocht, vond je dat alleen terug in zijn ogen: hij had nog steeds die open, vragende blik. Zijn gehoor was slecht geworden, vooral in het oor waar die schurken in 1966 op hadden geslagen. Nu moest je een beetje schreeuwen als je wilde dat hij je verstond. Hij hield zijn hoofd schuin, met zijn goede oor naar je toe. We waren heel blij elkaar weer te zien. Hij was verbaasd dat ik zo groot geworden was. Hij bleef maar vragen wanneer ik mijn rechtenstudie af zou hebben en ik bleef maar uitleggen dat ik nog een lange weg te gaan had.

We bezochten Oma's graf. Met rechte rug stond Opa erbij te kijken terwijl ik vergeefse pogingen deed het onkruid uit te trekken, stenen herschikte die door de natuur verlegd waren, en het kruis rechtzette dat door de wind scheef gewaaid was. Dezelfde onuitgesproken vraag spookte door ons beider hoofd: wie had deze vrouw vermoord? Wie zat er achter haar berechting, haar vonnis en haar executie? Ik dacht aan al die baby's die ik met haar op de wereld had geholpen en alle kruiden die we in het bos, in het moeras, overal hadden geplukt. Opnieuw had ik het gevoel dat ik bijna in mijn broek piste, een vreemd gevoel na al die jaren. Ik verwachtte dat haar geest zou oprijzen en de bladeren van mijn lievelingsboom zou laten ruisen. Ik verwachtte een of ander wonder. Er gebeurde niets. Ze had mij opgedragen de taak waaraan ze begonnen was af te maken. Ik zou vruchtwater en slijm verruilen voor advocateninkt en spraakwater.

We verlieten de begraafplaats. De koffieshamba kon beter onderhouden worden. Veel van de bomen moesten gesnoeid worden. Opa was afhankelijk van dagloners die zijn koffie onkruidvrij hielden en plukten. De shamba bracht nog steeds genoeg geld op om van te leven, ofschoon de branderijen maanden achter waren met betalen en de regering de schuld gaven van de achterstand. Serenity's droom leek werkelijkheid geworden: Opa's erfgoed was niet meer zo winstgevend als tevoren. Maar dat stoorde Opa niet. Hij had ook niet naar Rome willen gaan. Hij reisde zelden deze dagen, behalve om een begrafenis, belangrijke bruiloft of grote clanbijeenkomst bij te wonen. De clanlanderijen waren in andere handen overgegaan. Opa was nu vrij en hoefde niet langer over clanbezittingen te waken. Hij zat nu alleen nog maar te wachten en te kijken naar de schommelingen in het politieke klimaat.

Hij vroeg of ik hem wilde scheren. Het duurde even voor ik de scheermesjes had gevonden. Hij ging in zijn luie stoel zitten, met zijn benen voor zich uitgestrekt, zijn diepgegroefde Beckettgezicht omhoog. Het scheermes knetterde en schuimde terwijl ik het over groeven en richels heen haalde. In de hoogste windbreker, een *mtoeba* met grijze bast, zaten vogeltjes opgewonden te tsjilpen. Ze hipten heen en weer in de takken.

'Slangen,' zei Opa woedend. Ik sneed in zijn kin. 'Er zit een zwarte *mamba* in die boom. Het stikt hier van de zwarte mamba's.'

'Groene mamba's ook.' zei ik terwijl ik schuim en bloed wegveegde.

'Al dit struikgewas,' zei hij met een breed gebaar, 'zit vol slangen.'

'Bent u nog steeds bang voor slangen, Opa?'

'Wie niet? Natuurlijk ben ik bang voor slangen. Mijn grootste angst is dat er een in mijn bed kruipt, dat ik erop ga zitten en gebeten word.' Opeens moest ik denken aan de moeder van Hangslot en de haakneusslang die haar had gedood. Ik lachte niet.

'Alle mensen die het dorp hebben verlaten zijn vervangen door slangen,' vervolgde hij.

'Wie zijn al die nieuwkomers?' vroeg ik geestdriftig. 'Ik herken bijna niemand meer in het dorp!'

'Wat ik al zei: het dorp zit vol slangen. Het is de gekte van het koffiesmokkelen die erachter zit.'

'Wanneer werd deze streek overgenomen door smokkelaars?'

'Een paar jaar nadat jij weg bent gegaan. Gelukkig maar, dat het gebeurde toen jij er niet meer was.'

'Hoe is het gekomen... ik bedoel...?'

'In de jaren zestig zijn je ouders naar de stad getrokken om werk te vinden en een beter leven te leiden. Nu gaan jonge mensen de stad weer uit om zich aan te sluiten bij koffiesmokkelbendes en zich te laten doodschieten door anti-smokkelpatrouilles.'

'Vertel er eens wat meer over, Opa,' zei ik, bijna kwijlend van opwinding.

'Die jongelui hebben een manier ontdekt om snel geld te verdienen zonder ervoor te hoeven studeren. Ze smokkelen koffie het meer over naar Kenia en krijgen er Amerikaanse dollars voor. Ze komen beladen met luxeartikelen weer terug: jeans, radio's, Orishorloges, pruiken en meer van die rotzooi, en ze gedragen zich als gekken. Ze zijn erachter gekomen dat dit dorp een goed plekje is om je te verschuilen en je uit te leven, zonder de aandacht van de autoriteiten te trekken. De dichtstbijzijnde barak ligt hier vijftien kilometer vandaan, dus ze hebben niets te vrezen van het leger. Af en toe ontsnappen er een paar soldaten uit de barakken die hier het weekend komen doorbrengen, zich bezatten en om de vrouwen vechten. Daar kunnen de smokkelaars wel mee leven. De chiefs hebben hun gezag verloren en laten de jongelui hun gang gaan en zichzelf rustig ruïneren. Maar soms houden die jongens motorraces in het oude dorp en jagen ze kinderen en vrouwen de stuipen op het lijf met hun hoge snelheden. Al die jongens zijn gokkers. Ze worden steeds vaker door de anti-smokkelpatrouilles neergeschoten. Anderen schieten op hun eigen collega's als ze in de gaten krijgen hoeveel geld er omgaat. Alleen lijkt het wel of degenen die het overleven steeds roekelozer worden. Ze komen terug, geven als idioten hun geld uit, raken blut en vertrekken weer. De meesten lukt het maar een paar keer voordat ze gedood worden. Van de jongens die vroeger mijn koffie naar de branderij brachten zijn de meesten dood. Het enige wat je hoort is dat de zoon of kleinzoon van die en die "verdronken" is. Ze durven het beestje niet eens bij zijn naam te noemen!'

'Wat een verspilling!'

'Blijf jij maar met je neus in de boeken, mijn jongen.'

'Dat is het enige wat ik doe, Opa.'

'Vroeger vertelde ik je over explosies, en dan keek je me soms ongelovig aan. Toen was je nog te jong. Maar nu zul je wel inzien dat ik gelijk heb gehad. De dingen blijven niet zoals ze zijn.'

'Maar hoe zal het aflopen?'

'Dat moet jij uitzoeken, jij bent toch advocaat?'

Ik glimlachte schaapachtig en zei: 'Ja, Opa.'

'Ik heb al die koffie en al dat land niet meer nodig. Het is voor jou en je broers. Maar ik heb het gevoel dat jij niet terug zult komen om op het land te werken. Trek de wereld in en verover een plekje voor jezelf. Een belangrijk advocaat moet zich niet aan een klein dorp binden, vooral niet als het er stikt van verkeerd volk.'

'Dank u, Opa.'

Het kwam bij me op hem te vragen of hij de opvatting van Stengel betwistte, dat het onze chiefs waren die de Britten hadden binnengehaald en wat er over was van het land hadden laten vernielen. Maar hij leek in gedachten verzonken, alsof hij communiceerde met mensen die ik niet kon zien. Ik had zijn zegen al gekregen, wat wilde ik nog meer?

Een slordig jong meisje, een of ander ver familielid, zwaaide de scepter over Opa's huishouden; ze liet overal dingen slingeren: ketels op drempels, pannen in de tuin, het keukenmes op tafel. Ze kookte en veegde en waste en werkte af en toe in de shamba. In het weekend kwam de moeder van oom Kawayida het overnemen. Ook dat vond ik een interessante wending, maar opnieuw vroeg ik niet wat het te betekenen had. Ik had een beetje medelijden met de vrouw. Ze moet als een paard hebben gewerkt om de rotzooi van het meisje op te ruimen. Het meisje was half-analfabeet, beleefd en heel gastvrij. Als ze thee bracht dan zaten er sporen van haastig afgeveegd vuil aan mijn kopje en dat van Opa zag er niet veel schoner uit. Ik aarzelde of ik haar zou beledigen door haar te vragen of ze de kopjes nog eens in een teil zeepsop wilde wassen, of dat ik mijn ogen voor het vuil zou sluiten. Het kopje rook naar vis. Ik deed net of ik het per ongeluk liet vallen omdat er een insect langs mijn been omhoogkroop. Ik morste de inhoud op de grond en bedankte toen ze het opnieuw wilde volschenken. Ik begon te vermoeden dat Opa's reukvermogen ook niet meer was wat het geweest was: vroeger zou hij vuile gebruiksvoorwerpen met geen tang hebben aangeraakt.

Opa deed me denken aan koning Feisal van Saoedi-Arabië. Ofschoon hij er niet uitzag als iemand met absolute macht, die in volledige harmonie met de dood was, had hij wel dat stadium bereikt van verdroging door ouderdom. Zijn wandelstok leek een verlengstuk van zijn arm. Hij had me er vaak mee gepord als ik hem had geplaagd en dan probeerde weg te rennen. Hij stelde voor een rondje door het dorp te maken. Het was prachtig weer: er scheen een zacht zonnetje dat de regen van de vorige dag deed verdampen. De lucht was knalblauw, wat meestal het geval was, met hier en daar een wolkje. Het gewas glom van de aanhoudende regenbuien. De lucht was verzadigd van aardegeuren, vermengd met plantenaroma's. Het was heel vredig.

Opa trok een grijze trenchcoat aan, een witte tuniek, zachte sloffen en pakte zijn stok. Hij ging met me pronken, ik was zijn prijsstier. Ik was trots. Ik zou de eerste advocaat zijn die uit dit dorp kwam. We volgden het pad dat in een halve cirkel om het dorp heen liep.

We gingen naar het erf van de familie Stefano. Het was een heel kamp, dat vroeger dichtbevolkt was geweest met zonen en dochters en hun gezinnen, die in de kleinere huizen om het grote huis heen woonden. Ik was altijd bang geweest om ernaartoe te gaan: ze hadden een reusachtige binnenplaats die me, vanwege al die ogen die erop uitkeken, intimideerde. Nu leek het wel een verlaten voetbalveld na een wedstrijd, met hier en daar nog een paar mensen die op een souvenir uit waren. Meneer Stefano, een grote, dikke man, was verlamd na een hersenbloeding. Zijn ziekte maakte van de plek een spookhuis. Het was er doods. 'Mijn enige concurrent,' zei Opa. 'Wat een treurige manier om aan je einde te komen!' Ik moest denken aan Tiida en haar pogingen Opa mee te krijgen naar Rome. Wat zag het er van de grond af gezien allemaal belachelijk uit!

376

Ik wilde graag een paar van de kinderen zien die Oma ter wereld had geholpen. Ik wilde naar de leerlooier wiens binnenplaats naar de drogende koeienhuiden stonk die met stukjes touw op houten frames waren gespannen. Hij was een lange, uitgemergelde man die me altijd aan de bijbelse Abraham deed denken. Hij had een heleboel brood-, mango- en avocadobomen, maar geen kind wilde zijn fruit eten vanwege de stank op de binnenplaats. Hij leefde met zijn bejaarde vrouw die we altijd Sara hadden genoemd. Ik vroeg Opa naar hem. Hij zei dat de man er nog was en nog steeds huiden looide.

Wie ik ook wilde zien was Tiida's eerste minnaar, die haar had ontmaagd maar niet had willen trouwen. Hij had een zonderlinge dochter. Zij zat op de veranda met haar knieën opgetrokken, zonder ondergoed aan, met haar gezicht naar de weg toe. Over hem ondervroeg ik Opa niet, want die mocht hem niet.

Het pad was breed maar hobbelig, met hier en daar een diep gat of een grote steen. Opa stapte in een gat dat hij niet zag en slaakte een lange kreet. Hij had zijn beschoten been bezeerd. Ik zei dat hij even moest gaan zitten, maar dat wilde hij niet. Hij bukte en klampte zijn been vast, zijn gezicht een hoop vertrokken rimpels. Ik hoorde harde muziek aan de rand van het corp. Het was een Boney-M-liedje en de menigte zong mee. Na een paar minuten, toen het liedje uit was en het volgende begon, richtte hij zich op, pakte mijn hand beet en samen liepen we naar huis. Einde van het uitstapje.

Ik had tijd in overvloed. Ik klom in mijn lievelingsbroodboom en tuurde naar Mpande Hill. Hij leek te zweven op de wind, langs stilhangende wolken, en een hele poel van papyrusstengels mee te voeren die leken op zachtgroene paraplu's. Deze berg was ons Golgotha. Een stuk of twee, drie fietsers waren op de hellingen omgekomen. Ik dacht terug aan de adembenemende heuvelafwaartse races van de stoere jongens uit de omgeving, tweehonderd meter van de steilste helling die er bestond. De enige keer dat ik eraan deelnam, bij iemand achterop, deden er nog vijf anderen aan de wedstrijd mee. We stonden bovenaan, voorwielen op een rij, de gezichten van de berijders een strak masker van concentratie, het dal beneden een geelgroenige massa, de toeschouwers dwergen op een reusachtige vlakte. Ik zat op een in vieren gevouwen jutezak. De onderkant van mijn dijbenen waren al rauwgeschuurd. Ik hield me vast aan het ontblote, glibberige middel van de berijder en hield mijn ogen strak op zijn rug gericht. Ik bleef me maar afvragen hoe hij met zijn blote hielen kon afremmen, want over het algemeen zaten er geen remmen op de racefietsen. Met een blindmakende snelheid schoten we omlaag terwijl de kiezels het ravijn in rolden. De helling kantelde. De bomen en papyrusplanten vlogen ons tegemoet. De wind suisde verschrikkelijk en zwiepte en sneed me in mijn huid. In een spookachtig waas schoten er twee andere racers langs ons heen. We gingen nog sneller. Wat een sensatie! De voorband stuiterde toen hij een rotsblok raakte en het puin stoof in gouden stroompjes langs de weg naar beneden. De rijder boog zich voorover om al zijn kracht in te zetten, zodat mijn gezicht de volle laag wind opving. Tranen, speeksel en snot vlogen in dunne draadjes om me heen. Er kwamen een paar insecten in mijn mond en ik spuugde tegen de wind in. Het voorwiel slipte en ik werd overspoeld door een lawine van gebroken botten, uitgerukte ingewanden, eindeloze dagen in het ziekenhuis, talloze injecties, overlopende ondersteken en bloederig verband. Ik zat nu in de lucht, de bagagedrager was verdwenen, met mijn handen hield ik de natte broek van de rijder vast, een versnipperde kreet kwam uit mijn zere keel. Hij zette alles op alles om een ramp te vermijden, kletsnat en met elke spier gespannen. We hingen schuin over de weg en leken te zweven. In een halsbrekende passeermanoeuvre kwam een van onze rivalen naast ons rijden. In het voorbijgaan voelde ik een scherpe schop tegen mijn been. Geholpen door de schop kreeg mijn rijder zijn wiel weer goed op de weg. We kwamen op de laatste plaats. Zijn rug droop van mijn braaksel. Hij klaagde er niet over. Er waren jongens die het nog veel erger maakten: die pisten en scheten in hun broek. Zijn linkerhiel zag er rauw uit en lag open; zijn rechter was vuurrood. Hij liep mank.

'Je kunt mij bedanken dat ik je voet heb gered,' zei de jongen die me had geschopt, 'hij zat bijna tussen de spaken en dan was hij niet meer te redden geweest, denk ik.'

'Zijn Opa zou je hebben vermoord,' zeiden ze tegen mijn rijder, die zich stoïcijns met zijn hielen bezighield.

'Daar zou ik niet op hebben gewacht,' zei hij met een grijns. 'Ik zou de jongen meteen naar het ziekenhuis hebben gebracht en ervandoor zijn gegaan.'

Iedereen lachte. Ik niet. Ik had nog steeds het gevoel dat mijn benen niet meer aan mijn lichaam vastzaten.

Ik heb Opa nooit over die rit verteld. Waarom organiseerden die jonge smokkelaars niet zulke races? Het op stang jagen van dorpelingen leek mij niet zo'n uitdaging.

Oeganda was in staat van beleg en lag op de grond te kronkelen als een stervende nachtuil. De trompetten van de nederlaag werden gereedgehouden om de muren omver te blazen. Het hart van het land was als een granaat waar de pin al uit was getrokken.

Ten noorden van ons land, in Soedan, was de Arabische regering in Khartoem druk in gevecht met de christelijk-animistische rebellen uit Joeba: een oorlog waarin voorlopig weinig uitzicht was op een staakt-het-vuren. Het land werd verwoest door bommen en geweren, terwijl de vulva's van maagden werden bewerkt met het besnijdenismesje. Nu en dan kampeerden er Soedanese vluchtelingen aan onze grens. De tijd leek aangebroken om een schuld in te lossen. In het noordoosten, in de Hoorn van clitoris- en schaamlippenloosheid, de landpunt die zelf leek op een overeind staande clitoris, woedde de Ogaden-oorlog. Met heftige windstoten woei hij over de ruwe woestijnstreken en verschroeide strijders en niet-strijders, van wie velen naar naburige landen vluchtten, waaronder Oeganda. In het oosten, in Kenia, lagen de goederen uit Oeganda op hemelhoge stapels in de havens. De van daaruit opererende koffiesmokkelorganisaties, die als doel hadden het regime van Amin omver te werpen door de op koffie gebaseerde economie te verlammen, bloeiden als nooit tevoren. In het zuiden, in Tanzania, verzamelde zich het uitschot van het bewind van generaal Amins voorganger, Milton Obote. Deze anti-Amin-rebellen oefenden zich voor de grote krachtmeting en deden af en toe moedige kleine invallen in Oeganda. Via

Radio Tanzania riepen hun leiders het Oegandese volk op Amin te verstoten.

Aan het begin van 1976 waren de samenkomsten op het tankstation al grimmiger geworden. Het was Serenity, Hadji en Mariko, hun protestantse vriend, wel duidelijk dat het land stormachtige tijden tegemoet ging. Om te beginnen waren de Staatsveiligheidsdienst, en andere veiligheidsinstanties, almachtig geworden en arresteerden zij wie ze maar wilden, wanneer ze maar wilden, waar ze maar wilden. Daar kwam bij dat de verbannen dictator Obote van over de grens een hoop lawaai maakte over zijn voornemen degene die hem afgezet had ten val te brengen. De exodus van Oegandezen die de grens over vluchtten, stilletjes begonnen met de *brain drain*, bereikte nu een hoogtepunt omdat de veiligheidsdiensten steeds paranoïder werden en steeds meer mensen oppakten die verdacht werden van steun aan de verbannen guerrilla's. Eenmaal aan de andere kant van de grens vertelden sommige van deze vluchtelingen over de ontstellende situatie die in Oeganda heerste. Dat beviel Amin niet erg. Hadji Gimbi's vrienden bij de geheime dienst vertelden hem bang te zijn dat Oeganda aangevallen zou worden, een angst die gerechtvaardigd bleek toen de Israëli's hun landgenoten kwamen redden die door Palestijnse strijders gegijzeld waren en naar Oeganda gebracht vanwege Amins sympathie voor de Palestijnen. De hernieuwde angst voor een aanval was een obsessie geworden die door de boeven binnen het leger en de veiligheidsdiensten voor persoonlijke doeleinden uitgebuit werd.

Deze dagen ging het drietal al vroeg uit elkaar omdat er op een dag tegen schemertijd een legerjeep was gestopt waar in burgerkleding gehulde manschappen uitgesprongen waren. Serenity en zijn vrienden moesten op de grond gaan liggen, waarop ze een aantal malen geschopt werden en beticht van een complot tegen de regering; daarna hadden de mannen de kas leeggehaald en de hele opbrengst van die dag opgeëist. Als Hadji Gimbi niet de naam van een invloedrijke figuur had laten vallen, was het waarschijnlijk slechter afgelopen, aangezien er weinig in de kas zat. De schurken stelden zich tevreden met de horloges van het drietal.

Na deze gebeurtenis had Hadji Gimbi vijftig kilometer buiten de stad een stukje land gekocht en was hij begonnen met de bouw van een huis. Aanvankelijk vond Serenity dat zijn vriend in paniek was geraakt en dat hij niet zo ver weg moest gaan. Maar Hadji had hem uit de droom geholpen: 'De goede tijden zijn voorbij. De stad is een moordenaarshol geworden. Het wordt tijd om terug te keren naar het platteland.'

'Hoezo?' vroeg Serenity korzelig.

'De val van Amin zal niet op een ordelijke manier verlopen. Voorlopig zal de situatie verslechteren. Er worden steeds meer gewapende overvallen gepleegd, de soldaten worden steeds wanhopiger, de toekomst ziet er somber uit.'

'Zo gaat het toch al twee jaar lang?' vroeg Serenity nogal stompzinnig.

Hadji werd ongeduldig, boos bijna. 'Wat ik bedoel is: wee degenen die tijdens Amins laatste dagen in het kruisvuur terechtkomen. Wee de gezinnen die dan geen' plekje hebben om zich te verschuilen.'

Serenity was zich ervan bewust dat, als er op dat moment oorlog zou uitbreken, zijn gezin geen veilig plekje had. Behalve zijn bouwvallige vrijgezellenhuisje in het dorp, was het enige onderdak dat zij hadden de pagode, die van de staat was. Serenity schaamde zich voor zijn kortzichtigheid. Hij hield niet van het platteland, hij hield niet van werken op het land en daardoor had hij een eenzijdige blik op de toekomst gehad. Hij behoorde tot de minderheid voor wie het idee landeigenaar te worden geen aantrekkingskracht bezat. Hij associeerde het met de klaplopers die vanwege het clanland zijn vaders huis waren binnengedrongen en met zijn vaders onmacht om ze in bedwang te houden. In het geheim was hij er bang voor dat zijn huis, zodra hij een stuk land had verworven, bestormd zou worden door allerlei mensen, zoals de familie van zijn vrouw. Ook herinnerde hij zich nog maar al te goed wat er bij het huis van zijn zuster Tiida was gebeurd, toen iemand darmen en hondenkoppen had achtergelaten waar de vliegen op afkwamen, vanwege een oud conflict over het perceel. Het was beslist waar dat landeigenaars vaak oneerlijk en hebzuchtig waren en de verleiding niet konden weerstaan land door te verkopen als ze er een goed prijsje voor konden krijgen. En het toenemende aantal vuurwapens zorgde ervoor dat dergelijke onenigheden vaak fataal of bijna fataal afliepen. In het zwartste scenario werden zijn kinderen door huurlingen doodgeschoten, alleen maar om hem van een stuk land te verdrijven. Tot dan toe had hij gedacht dat hij altijd nog naar een andere buurt kon verhuizen als hun het vuur na aan de schenen werd gelegd. Nu zag hij in dat je een rustig plekje moest zien te vinden, ver van de stad, waar je je gedeisd kon houden als er een aanhoudende terreurcampagne, of misschien zelfs een oorlog uitbrak.

De stad was de zetel van de regering, het centrum van de macht, en als dat betekende dat die tot het einde toe verdedigd moest worden, of platgebombardeerd, zouden degenen die er bleven wonen beslist omkomen. Serenity, die zich de overval bij het tankstation niet al te zeer had aangetrokken, kreeg nu de rillingen. Tegelijkertijd was hij Hadji Gimbi, die hij steeds meer ging zien als de oudere broer die hij nooit had gehad, ontzettend dankbaar. En vanwege het feit dat ze door het toeval eerst buren en vervolgens vrienden waren geworden, leek Hadji een geschenk uit de hemel.

Serenity besefte dat hij bij de val van Amin zijn positie in de vakbond en misschien wel zijn baan kwijt zou kunnen raken. Hij begon hard over de toekomst na te denken.

Mariko had pret om zijn twee plannen smedende vrienden: zijn familie bezat grote stukken land in verschillende streken en ook in de stad. Hij bood Serenity's gezin vrij onderdak aan in het geval er een oorlog uitbrak voordat hij een ander onderkomen had. Serenity schonk hem een kwaadaardige glimlach.

Serenity nam contact op met de man die Hadji een mooi stukje land had bezorgd en verzocht hem ook zoiets voor hem te vinden. Het tijdperk van de magische vrachtbrieven was voorbij: het beheer over staatsfabrieken was overgenomen door legerofficieren en de meeste fabrieken stonden door wanbeheer en corruptie aan de rand van de afgrond. Serenity, die geen enkele zelfvernietigingsdrang kende, had zich snel aan de tijd aangepast. Hij had een veiliger manier gevonden om geld bij te verdienen: hij bezuinigde op de uitgaven van de vakbond en spaarde daarmee een klein fortuin bij elkaar. Hij werd hierbij geholpen door de onbekwaamheid van zijn nieuwe baas, ofschoon hij zich alleen toe-eigende wat hij kon verantwoorden, zo gematigd was hij wel. Nadat hij een stuk land verworven had, diende hij een verzoek om een bouwvergunning in, kocht iemand bij het kadaster om zodat het snel ingewilligd zou worden, en binnen twee maanden was de aannemer met de bouw van een huis begonnen. Toen het huis tot aan het niveau van de ramen was gevorderd, realiseerde Serenity zich hoe geweldig het was een eigen dak boven je hoofd te hebben.

Het jaar kwam tot een goed einde en het nieuwe jaar begon rustig. Er gebeurde niets bijzonders en de drie vrienden hoopten dat het een beter jaar zou worden dan het vorige. Totdat Hadji met zeer verontrustend nieuws aan kwam zetten.

'Een van de grote christelijke leiders zit in de problemen,' zei hij op een goede middag.

'Bedoel je de aartsbisschop?' vroeg Serenity. De katholieke kerkvorst was niet lang na de wittebroodsweken van Amins coup diens meest vrijmoedige vijand geworden. Hij had kritiek geleverd op het doden van priesters, onder wie de redacteur van een katholieke krant, alsmede op de uitzetting van missionarissen, de verkrachting van nonnen, het vermoorden van mensen in het algemeen, en op de aftakeling van de openbare orde en het machtsmisbruik door het leger en de veiligheidsdiensten. Er gingen geruchten dat er een aanslag op zijn leven werd beraamd, zijn huis werd doorzocht, hijzelf gevolgd, maar daar was het tot dan toe bij gebleven en hij had zich de mond niet laten snoeren.

'Ik weet het niet helemaal zeker,' gaf Hadji toe.

'Het kan toch niet de Anglicaanse aartsbisschop zijn,' zei Mariko benepen. De Anglicaanse kerk had een koers in het midden gevaren en zich niet openlijk uitgelaten over Amins wijze van regeren. Ofschoon er ook prominente protestanten verdwenen waren, was het naar omstandigheden niet zo slecht met hen afgelopen. De protestanten waren altijd nogal pragmatisch geweest ten opzichte van de politiek, en daardoor had hun partij, de Oegandese Volks Partij, macht en onafhankelijkheid verworven. Een groot deel van de bannelingen in Tanzania was protestant en zodoende verbonden met de OVP, omdat de twee voornaamste partijen een religieuze achtergrond hadden: de OVP een protestantse, de Democratische Partij een katholieke, maar er bestond geen directe schakel tussen de bannelingen en de protestantse kerkvorsten.

'Er komen de laatste tijd veel geluiden uit Tanzania, die de indruk wekken dat de bannelingen onder leiding van Obote en de protestantse pressiegroep iets in hun schild voeren,' legde Hadji uit.

'Bannelingen voeren toch altijd iets in hun schild?' verzuchtte Mariko, met de wanhopige behoefte gerustgesteld te worden.

'Ik heb het over infiltratie. Er wordt gefluisterd dat er al guerrilla's het land binnengedrongen zijn. Sommige van hun leiders gaan stiekem de grens over, en weer terug, en scheppen via Radio Tanzania op over hun escapades. Dit betekent dat er collaborateurs zijn die we tot nu toe nog niet hebben opgesnord.'

'Ik denk er liever niet over na,' zei Mariko geërgerd.

'Niemand denkt er graag over na,' zei Serenity.

Politiek en godsdienst waren als twee handen op één buik: in theorie stond elke moslim achter Amin, elke katholiek achter de verbannen Democratische Partij en elke protestant achter de in winterslaap verkerende Oegandese Volks Partij. Dit had tot gevolg dat de religieuze leiders de uitstraling van halfgoden hadden en hart en ziel van het volk beheersten. Hetgeen ook betekende dat, als er een religieuze leider werd tegengewerkt of gekwetst, de toorn van zijn volgelingen erop volgde.

'De Anglicaanse aartsbisschop is onaantastbaar. Hij is niet alleen aartsbisschop van Oeganda, maar ook van Rwanda, Boeroendi en Boga-Zaïre. Hij is een internationale figuur; Amin durft hem niet aan te pakken.'

'Hij is ook een Acholi, en Acholi's en Langi's hebben het niet makkelijk sinds zij door hun band met Obote mogelijk geallieerd zijn op grond van hun stam,' zei Serenity, die nu ook de slag te pakken kreeg.

'Ik vind het allemaal maar treurig,' zei Mariko.

'Het gaat dit keer niet om het geloof,' verklaarde Hadji. 'Het gaat om de politiek. Veel christenen denken dat de moslims immuun zijn voor Amins interventie en daarom veilig zijn. Niemand is veilig. Kijk, Amin heeft de Moslim Hoge Raad in het leven geroepen om moslimzaken te bestieren, en hij heeft niet geaarzeld raadsleden af te zetten als hem dat goed uitkwam. Sommigen hebben het zelfs met hun leven moeten bekopen. Dus, als hij van plan is zich te gaan mengen in christelijke zaken, dan doet hij dat alleen maar omdat hij dat ziet als de enige oplossing voor zijn politieke problemen. Je moet bedenken dat het bijna honderd jaar geleden is dat het christendom in dit land werd ingevoerd. Die gebeurtenis wordt dit jaar door de kerk gevierd. Amin en zijn beulen zullen zich wel grote zorgen maken over de implicaties die dat heeft, zowel in het binnenland als in het buitenland.'

'Bannelingen en andere groepen die de kans zullen grijpen het land te destabiliseren, hè?' opperde Serenity.

'Ja,' antwoordde Hadji grimmig, nors met zijn baard zwaaiend en met licht fonkelende oogjes.

'Ze moeten maar zien. De handen van onze godsdienstleiders zijn schoon,' zei Mariko gekweld en bijna schreeuwend tegen zijn vrienden.

'Jullie herinneren je de geruchten over de islamisering toch nog wel?' zei Hadji.

'Ja, toen werd er beweerd dat Amin het land tot een moslimnatie zou uitroepen,' zei Mariko, die zijn islamitische vriend achterdochtig aankeek, alsof hij een regeringsspion was die hem in de val probeerde te lokken.

'Dat gerucht heeft tot onverwachte reacties geleid. Het heeft de christenen in groten getale de kerk ingedreven. En aangezien dit jaar het protestantse eeuwfeest wordt gevierd, zullen de kerken uit hun voegen barsten. Over twee jaar vieren de katholieken hun eeuwfeest. Deze toenemende opwinding leidt op hoge plaatsen tot slapeloze nachten.'

De drie vrienden hoefden niet lang te wachten op het bericht dat de woning van de Anglicaanse aartsbisschop op wapens was gecontroleerd. De spanning in het land steeg, in het bijzonder onder protestanten. De staatszender gaf toe dat de woning van de aartsbisschop was doorzocht. Daarop volgde het nieuws dat de Anglicaanse kerk had teruggeslagen door een venijnige brief aan Amin te schrijven, waarin de kerk zijn handen in onschuld waste wat de anti-regeringsactiviteiten betrof, en de toenemende onveiligheid in het land betreurde.

Toen de hele zaak bekoeld was, werd er aangekondigd dat de Anglicaanse aartsbisschop, samen met twee kabinetsministers uit de geboortestreek van Obote, gearresteerd was wegens het inslaan van ammunitie met het kwade opzet president Amin van het leven te beroven en het land in oproer te brengen.

'Mijn bangste vermoedens zijn bewaarheid,' verklaarde Hadji Gimbi. 'Hierdoor worden de verhoudingen tussen moslims en christenen slechter. Alle moslims zullen met hetzelfde sop overgoten worden. Ik vertrouw de lui niet die deze zaak bestieren.'

'Maar wat wil Amin hiermee bewerkstelligen?' vroeg Mariko, met een a-politieke woede. Hij was een gematigd protestant die regelmatig naar de kerk ging, eerbied had voor de wet, hulpbehoeftigen steunde en hoopte dat zijn goede daden zijn veiligheid zouden garanderen.

'Hij wil de kerk intimideren en de mensen op hete kolen laten zitten,' opperde Serenity.

'Als er een slang in je huis zit, of als je denkt dat er slangen in je huis zitten, dan rook je die uit. Misschien moet je gezin dan uren buiten blijven, maar je doet wat je doen moet,' zei Hadji Gimbi met zijn handen in de lucht. 'Ik vrees dat onze leiders ook zo denken.'

Het drietal zag de drie gedetineerden op de stinkende Toshiba van Serenity. Het beeldscherm wemelde van de soldaten. Ze toonden de keurig opgestapelde wapens die de samenzweerders hadden willen gebruiken. De uitzending vond plaats vanaf het gazon van een beroemd hotel, waarvan sommigen beweerden dat het gedeeltelijk ingericht was als martelkamer. De getoonde wapens waren aangetroffen in de buurt van het huis van de aartsbisschop. Er waren nog meer collaborateurs gearresteerd, maar de drie mannen waren de hoofdverdachten. Er werd een brief van Obote voorgelezen waarmee hun medeplichtigheid werd aangetoond. Aan het eind van het interview zeiden de soldaten dat ze de drie mannen wilden doden. En ze vonden inderdaad de dood, bij een auto-ongeluk dat plaatsvond toen ze de chauffeur van de legerwagen waarmee ze weggebracht werden probeerden te overweldigen. Van de vier mensen die in de wagen zaten overleefde alleen de chauffeur het: hij liep slechts lichte verwondingen op.

Evenals het overgrote deel van de bevolking lazen de drie vrienden tussen de regels door, en voelden ze zich erg treurig. Hier werd voor de ogen van de mensen geschiedenis geschreven. Het was een vreselijke ervaring. Dit waren enkele van de treurigste dagen in de geschiedenis van het land, niet omdat er voorheen geen ergere dingen waren gebeurd, maar omdat het juist de kleinere gebeurtenissen waren die aantoonden hoe verrot alles was.

Tante Lwandeka was een paar dagen van streek. Niet omdat het land politiek ontmaagd was – dat was al veel langer geleden gebeurd – maar omdat het aan de rand van het graf stond en iedereen een helder idee leek te hebben over hoe het af zou lopen. De lering die ze eruit dienden te trekken was duidelijk: als het de hoge pieten kon overkomen, dan kon het de lage pieten ook overkomen.

De drie vrienden hadden weinig meer te zeggen over het incident. Ze gingen gewoon zitten kaarten of over andere dingen kletsen. Hadji en Serenity zaten feller dan voorheen achter de aannemer aan. En niet lang daarna waren hun huizen afgebouwd en vertrokken ze met hun gezin, ver van het oog van de storm vandaan.

Voor Hangslot werd een droom verwezenlijkt toen ze van de stad weer naar het platteland verhuisde. Meteen vanaf het begin al had ze een grote hekel gehad aan de stad, met al zijn lawaai en gevloek en wanorde. Ze had een haat-liefdeverhouding met de pagode gehad. Net als bij het vrijgezellenbed van Serenity had ze het gevoel dat hij besmet was, dit keer door de heidense geest van de Aziaten die er voor haar hadden gewoond. Door de jaren heen had ze gehunkerd naar iets puurs, iets maagdelijks, iets dat ze met haar eigen geest kon bevolken. Het geweld in de stad, de ontvoeringen, verkrachtingen en de onzekerheid hadden haar dorpse gevoeligheid ondermijnd. Ze was bijna gek geworden omdat de misdadigers nauwelijks gestraft werden. Voor haar was schuld bijna altijd synoniem met boete, maar hier was ze in een situatie terechtgekomen waarin de zonde ongestraft bleef.

Jarenlang had ze in angst geleefd dat ze verkracht zou worden. Ze had een voorgevoel dat de soldaten dat op een dag zouden doen. Vandaar dat ze altijd heel gespannen was als ze zo'n grote donkere figuur zag lopen of voorbijrijden. Ze werd onpasselijk wanneer ze het voertuig waarin zij reed aanhielden. Dan stikte ze haast. Eén keer sprong ze bijna uit een taxi toen een soldaat zijn hoofd door het raampje stak om de passagiers beter te kunnen opnemen. Toevallig zat ze naast het portier. De man zag haar niet eens, en vroeg ook niet naar haar identiteitspapieren. Hij richtte zich op andere passagiers. Toch was ze doodsbenauwd geweest. Het zweet brak haar uit, haar ogen werden rood en haar longen snakten naar lucht. Na de bedevaart was de beklemming erger geworden. Ze dacht dat haar heiligheid op het punt stond ongedaan gemaakt te worden. Ze dacht dat haar naam elk moment uit het boek der heiligen verwijderd kon worden. Ze vreesde dat een stel soldaten iets heel ergs met haar zou doen, haar zou onthoofden en haar ontheiligde lichaam door de straten zou slepen. Ze vreesde de gevolgen voor haar kinderen. Op het hoogtepunt van haar angst begon ze te twijfelen. Ze voelde zich weer als na het vallende-adelaarsyndroom: gelouterd. Ze begon zich schuldig te voelen dat ze zich gelouterd voelde. De loutering maakte haar bang dat de Duivel aan de winnende hand was. Die angst, zonder de begeleidende louteringen, voerde haar tot aan de rand van de afgrond. Toen de soldaten zoals gebruikelijk geen aandacht aan haar schonken, vroeg ze zich af of ze het noodlot niet in de weg stonden. Toen ze haar in de gaten leken te krijgen, beefde ze en bad ze of de beker aan haar voorbij kon gaan. Ze leed in stilte.

Vanwege al die verwarring hunkerde ze naar een plek op het platteland. Een maagdelijk plekje, dat ze met haar wil kon bedwingen, een vredig plekje waar ze kon bidden en mediteren. Ze vond zichzelf een woestijnplant, een cactus, die de troosteloosheid van haar situatie trotseerde. En toen ze het nieuwe huis betrok, voelde ze dat haar wortels heel diep de grond in schoten en zich in de aarde uitspreidden. De deugd zou zegevieren over het verval, de cactus zou welig tieren in het woestijnzand, zelfs al moest het water van tientallen kilometers ver opgezogen worden. De plaatselijke priester was verhinderd om het huis te komen inzegenen. Hij stuurde de cathechist in zijn plaats. Die besprenkelde het huis en het erf met water dat Hangslot uit Lourdes had meegenomen in een plastic flesje in de vorm van de Maagd Maria. De rozenkrans van een meter die in de woonkamer hing was haar talisman tegen het kwaad, de in leer gebonden bijbel haar zwaard en schild tegen de vijand. Ze had het gevoel dat ze eindelijk het huis betrokken had dat vanaf haar geboorte voor haar was voorbestemd.

De omvang van dit dorp was heel geschikt voor haar doeleinden. Het was een kleine plaats, met maar één straat, één medische hulppost en één markt. Niemand viel op. Als dat wel gebeurde, dan had het niet veel om het lijf. De kinderen gingen naar een goede school, op vier kilometer afstand. De onderwijzers hielden de leerlingen goed in de gaten en traden meteen op als er iets gebeurde wat niet mocht. Hangslot kon zich niets beters wensen. Op een kilometer afstand stond de kerk van de katholieke parochie en de priester kwam eens per maand langs om de biecht af te nemen en de heilige mis op te dragen. De cathechist, een hard werkende man van Rwandese afkomst, behandelde haar gezin met respect en christenliefde. Hangslot mocht hem graag en was gul tegenover zijn zes kinderen. Ze naaide jurkjes en hemden voor ze uit lappen die ze overhad. Als de priester er was kreeg Hangslot altijd een plaats voor het altaar, wat haar het gevoel gaf dat de priester het woord alleen tot haar richtte. Ze bestudeerde alles wat hij deed. Ze luisterde aandachtig naar elk lied dat het koor zong. Het was haar show. Ze droeg bij aan de grote maaltijd die bij dergelijke gelegenheden voor de priester bereid werd. Ze vond het fijn dat de cathechist haar erbij betrok. Ze was blij met haar nieuwe status in het leven. Eindelijk had ze haar plek gevonden en ze was niet van plan die op te geven.

Serenity daarentegen bleef een man van de stad. Hij verruilde de pagode voor een kleiner stadshuis met één slaapkamer, één woonkamer, een keuken en een badkamer. Het stond in verbinding met twee andere huizen van hetzelfde type binnen een afrastering. Zijn buren waren mensen van in de veertig en in de vijftig, die op zoek waren naar rust in het stadsrumoer. Vanuit zijn positie in het centrum kon Serenity genieten van de anonimiteit van de stad. 's Avonds las hij een boek en luisterde hij naar de radio, meestal de BBC of Voice of America. Overdag regelde hij de zaken van de vakbond op zijn kantoor of op vergaderingen in de stad. Hij nodigde zijn collega's nooit thuis uit. Thuis was privé. Meestal at hij in een klein restaurant en zette hij thee als hij weer thuis was. Een paar dagen in de week kwam Nakiboeka zorgvuldig voorbereide maaltijden brengen, alsof ze hem het hof maakte. Hij zweefde tussen de wereld van getrouwd zijn en niet getrouwd zijn en stuiterde in een bijna saaie sleur tussen zijn vrouw en zijn minnares heen en weer. In het weekend stapte hij op de bus om Hangslot en de kinderen op te zoeken en ze de spullen te brengen die ze nodig hadden. Met een door schuldgevoel belaste doeltreffendheid vervulde hij de plichten van een kostwinner.

In het laatste kwartaal van 1978 ging die duivelse wiskundige uitvinding, de driehoek, voor het eerst een rol in onze geschiedenis spelen. Enkele jaren later zou hij opnieuw opduiken, voorzien van genoeg vuur en zwavel om het hele land in vlammen te doen opgaan. De eerste dodelijke driehoek was de Kagera Driehoek, een stuk Tanzaniaans land van zevenhonderd vierkante kilometer aan de grens met Oeganda. Het werd binnen enkele uren door de soldaten van Amin veroverd. In een blitz die als lava uit een rokende vulkanische krater spoot, vielen tanks, Mig-gevechtsvliegtuigen en soldaten te voet de Tanzaniaanse grenswachters en nietsvermoedende burgers aan en namen bezit van de Driehoek in een kwistige uitbarsting van doodslag, plundering en brandstichting. Degenen die snel ter been waren en snel konden denken sloegen op de vlucht en vermeden de keiharde hoorns van deze buffels; degenen die aarzelden kwamen om. De Buffels van Agressie beweerden jaren later dat ze in deze Driehoek gezocht hadden naar anti-regeringselementen, die zich in de bossen, de struiken, de heuvels en langs de rivieren verstopt hadden. De Guerrillazender veroordeelde de aanval en inlijving in gepiep en geruis dat ons bereikte achter de kast waar we ons verstopten als we naar de radio luisterden.

Ik voelde de opwinding opkomen als een koorts, die alle schimmen uit het verleden wekte die ik op de stoffige planken van de seminariebibliotheek was tegengekomen. Ik hoorde het geknetter van de vlammen die de huizen verteerden, de jammerkreten van mensen die smeekten om hun leven, het gedreun van de hoeven van het vee dat in legerwagens werd gedreven, en het aluminium en zilveren gekletter van het huisraad dat in groene legerzakken werden gegooid.

Een woordendiarree, van dezelfde soort als de uitzendingen tijdens Amins wittebroodsweken, smoorde de mogelijke gevolgen van de inlijving in goedkope, wazige verhaaltjes die de bedoeling hadden verwarring te stichten. De leugens waren doorzichtig, maar stelden de smachtende mensen gerust. Het was niet gemakkelijk deze opschepperij te verwerpen, want opschepperij was het voornaamste waarop Amin tijdens de afgelopen acht jaar had geteerd.

Maar de situatie verviel van kwaad tot erger. De prijzen stegen terwijl hamsteren en smokkelen hoogtij vierden. De importartikelen lagen te rotten in de havens van Kenia, waar ze al maanden, soms jaren, geleden geconfisqueerd waren. Het kleine beetje benzine dat er was ging naar het leger, zodat het openbaar vervoer in het hele land stillag. Er was geen voedseltransport meer uit de dorpen naar de stad. Tante Lwandeka zette ons daardoor het gehate posho voor, van een betere kwaliteit dan op het seminarie weliswaar, maar het bleef posho. Omdat de mensen onmogelijk konden gaan werken, kreeg de armoede een ferme greep op vele huishoudens. De grote gezinnen werden onherroepelijk door honger geplaagd en moesten zich veelal beperken tot maar één schrale maaltijd per dag.

Een groot aantal mensen werd neergeschoten bij het stelen van etenswaren uit winkels of opslagplaatsen. De situatie was nu op zijn ernstigst; de oorlog ondermijnde de energie, bevruchtte de wraakzucht en kweekte zondebokken en een collectief schuldgevoel.

Terwijl de hoofden van de mensen op hol gejaagd werden door de zorgen, tuften vrachtwagens vol met in de Driehoek geplunderde goederen voorbij, smerig en overbeladen, op weg naar het noorden. Legerofficieren die op muiterij uit waren geweest, stilden hun honger nu met de vervloekte buit die doem voorspelde.

Weken verstreken, en het aantal vrachtwagens dat in noordelijke richting trok nam af. De Guerrillazender informeerde ons dat de Buffels van Agressie op de vlucht geslagen waren, nadat ze het oerbeest van de oorlog binnengehaald hadden op Oegandees grondgebied. De plunderaars in de Driehoek werden aan flarden gescheurd. De kakofonie van moordlustige woorden die de leiders van beide landen uitwisselden, verhoogde het gevoel van gevaar. De nationale tragedie die acht jaar daarvoor onder meester-regisseur Idi Amin begonnen was, naderde haar einde.

Oom Kawayida stuurde ons een kerstboodschap in de vorm van een haastig geschreven briefje: er was oorlog uitgebroken aan de grens en de Tanzaniaanse strijdkrachten en Oegandese guerrilla's waren diep in het land binnengedrongen. Hij verzekerde ons echter dat burgers goed behandeld werden in de 'bevrijde' gebieden, en dat Amins op de vlucht geslagen soldaten het enige gevaar vormden.

Scholen werden gesloten en de resterende buitenlanders verlieten het land, met inbegrip van pater Gilles Lageau, die zijn grote hond aan het seminarie naliet. In een wolk van angst, wanhoop, kwaadwilligheid en stof sloegen de soldaten en hun gezinnen op de vlucht in noordelijke richting, in wagens volgeladen met besmeurde meubels, schichtige geiten, gesmoorde kippen, sullige vrouwen, treurige kinderen en slaperige bejaarden. Wat was er met Stengel gebeurd? Was hij nu bij het leger? Was hij gevlucht? Had hij zijn naaktfoto's meegenomen? Het deed me allemaal denken aan de Aziatische exodus in 1972. In die dagen hadden er kleine kinderen langs de weg gestaan die lofliederen zongen op generaal Amin en de misdaden van de Aziatische gemeenschap laakten, vooral hun monopolisering van de economie. Dit keer werd er niet gezongen en hoorde je alleen het gekreun van de overbelaste wagens, maar de boodschap was duidelijk.

Op 25 januari 1971 was mijn hele wereld op zijn kop gezet, werd ik van Oma beroofd en was mijn jeugd een te verwachten richting opgegaan. Acht jaar later sloeg ik met cynische belangstelling de herdenkingsfeesten gade. 25 januari 1979 was een dag zo vals, nors en dreigend als het smoel van een rasbuldog. Iedereen, burger of soldaat, was zenuwachtig, als beklemd door de trompetten van de nederlaag. Ik bestudeerde de gezichten van de soldaten, de mannen over wie ik zo verrukt was geweest en die mij over het algemeen een beschermd gevoel hadden gegeven op de dag dat Amin het Albertmeer in tweeën had gedeeld. Ze zagen er afgetobd en geteisterd uit, alsof ze een maand lang vergiftigd voedsel hadden gegeten. Ik wist dat zich onder hen mannen bevonden die de verschrikkelijkste misdaden hadden begaan, die mensen hadden gemarteld, verminkt en vermoord. Hoe scheidde je het kaf van het koren?

Ik zag Amin nu als een demonische schim die gekomen was om mensen te destabiliseren en de natie te vervuilen door nadruk te leggen op het kwaad vanbinnen. Mijn ongegronde mening was dat de zaadjes die gezaaid waren zouden ontspruiten en dat het ergste nog moest komen. Optimisten beweerden het tegenovergestelde. Het enige wat de meesten wilden was Amins hoofd op een schaal.

Ik moest denken aan de Spaanse-griepepidemie waar in 1918 bijna twintig miljoen Europeanen aan gestorven waren, toen de oorlog al voorbij was. Ik stelde me voor dat de soldaten van Amin ook getroffen zouden worden door de een of andere epidemie, cholera of zo. Tante dacht er anders over. Zij was een aartsoptimist. Voor haar leek de val van Amin alles te betekenen, het einde van al onze problemen. Ik begon te vermoeden dat de brigadier haar een rooskleurige toekomst had beloofd.

Als voorproefje van de dingen die nog komen moesten, saboteerden de collega-rebellen van tante elektriciteitsverbindingen en werden de stad en omstreken in het duister gehuld. Ik moest denken aan de saboteur op het seminarie. Het watertekort werd steeds nijpender en maakte de stad onbewoonbaar. Woningen werden dodelijke vallen waarin de mensen stikten van de smerige toiletstank. Er werd gevochten bij waterpompen, putten en overal waar maar water te vinden was.

Op een avond werd ons stadje opgeschrikt door een aantal ontploffingen. Diezelfde avond rond negen uur bonsden er soldaten op onze deur. Ik had de kinderen in bed gestopt en wilde net naar de radio gaan luisteren. Schrille soldatenstemmen bevalen me de deur open te maken. Dat deed ik terstond. Twee soldaten stormden het huis in. Een van hen rende naar de slaapvertrekken. Het huis vulde zich met de stank van zweet, vuile laarzen en slechte adem. Ze vroegen mij waar mijn vader was en ik antwoordde dat hij dood was. Ik toonde mijn identiteitspas. Mijn hart klopte in mijn keel toen ik dacht aan de foto van de Brigadier in de bijbel onder tante's matras. Ik hield mijn adem in toen een van de soldaten de lakens van tante's bed trok. Hij porde in de matras, maar in plaats van het hoofdeinde op te tillen, ging hij naar het voeteneinde. Er was niets te zien. Ik had het gevoel dat ik met mijn charisma een ramp had voorkomen. Anderen hadden geen geluk. Ik hoorde het gekrijs van mensen die geslagen werden en het geld dat ze in huis hadden moesten inleveren. Een paar huizen verder werden twee mannen opgepakt. Ze hadden geen identiteitspapieren en werden met geweerkolven bewerkt en in een jeep gesmeten. Operatie Guerrillaschuilplaats bewoog met knarsende laarzen voort, trapte deuren in en blafte gespannen bevelen.

Waar zat tante eigenlijk? Ik was razend. Waarom riskeerde ze haar leven nog steeds voor die rebellen? Wat zou er gebeuren als ze die stomme foto van de Brigadier vonden?

Tante moet mijn woede gevoeld hebben nog voordat ze het huis binnenkwam. Ze wierp me haar meisjesachtige glimlach toe, verontschuldigde zich en bracht de storm tot bedaren. In de hele stad wemelde het van de NRB-rebellen, zei ze. Maar er was er niet een opgepakt omdat ze allemaal in bezit waren van de juiste documenten.

Toen de Guerrillazender ermee ophield, veranderden onze nachten. Wat waren de uitzendingen aanvankelijk belangrijk voor ons geweest! Later werden ze volgepropt met bombastische wartaal en toen hielden ze geleidelijk aan helemaal op. De opmars van het oorlogsbeest was nu nog slechts een kwestie van ruwe schatting en onsamenhangende geruchten. Ik slikte tante's verhalen niet zomaar voor zoete koek omdat ik vermoedde dat ze de verzorger van haar kinderen een dosis geruststellingstherapie toediende. De boodschap kwam beter over via het grote aantal vrachtwagens, die afgeladen vol zaten met smerige soldaten. Officieren zoemden voorbij in jeeps met lange antennes en aan de radiator vastgebonden speren, alsof ze het gemunt hadden op een vijand in de hemel. Een keer dacht ik de Peugeot van dokter Ssali en tante Tiida te herkennen in de staart van een konvooi voertuigen vol manschappen. Mensen die een auto hadden haalden de wielen eraf en verstopten die op een donker plekje. Naar mijn idee was tante Tiida iemand die een dergelijke maatregel zou verwerpen. Ik zag haar niet zo gauw toegeven aan de ontheiliging van hun praalwagen. Maar misschien had ik het mis. Had ze niet de zijde van haar man gekozen in zijn moeilijkste dagen? Ook Miss Sunlight Zeep had haar onvoorspelbare kanten. Onder deze omstandigheden zou Hangslot onmiddellijk de wielen hebben verwijderd. Wat zou ze juichen als Tiida's wagen door de Duivel of zijn trawanten in beslag genomen werd!

Er werden steeds meer wegversperringen opgeworpen, maar Amins soldaten hielden zich merkwaardig rustig. De wind was uit hun zeilen. Willekeurig uitgekozen reizigers moesten zich ontkleden om te zien of er veelbetekenende striemen van geweerriemen op hun schouders zaten. De rest moest de boevenstreken van het verslagen leger ondergaan: losgeld. Als door een wonder verplaatsten de wegversperringen zich: 's morgens hier, 's middags verdwenen, en 's avonds weer terug. Het leek net een spel en van tijd tot tijd had ik ook echt het gevoel dat ik een spel gadesloeg.

De verkeersstroom naar het noorden druppelde nog wat na en droogde toen op. Binnen veertien dagen was de weg verlaten, zo desolaat als een leeg graf. Ik dacht aan Opa en de explosies die hij had voorspeld. Ik wilde naar hem toe, maar de leemte tussen ons werd met het uur holler én weergalmde van de bommen. Tijdens wat de climax leek te zijn werd er twee weken, twee dagen, twee nacht- merries lang aan één stuk door gevochten. De stad beefde en ram- melde op zijn grondvesten terwijl bommen ontploften en lege ma- gen knorden. Het centrum van Kampala, de nationale radio en het parlementsgebouw werden bestormd. Amins regering was gevallen. Het was 11 april 1979.

In ons stadje klonken sporadische schoten terwijl de laatste sol- daten van Amin de aftocht bliezen. In de verte loste de frontlinie op in de vormeloosheid van een nare droom. De 'bevrijders' versche- nen en verdwenen, hun vijanden steeds verder noordwaarts en oost- waarts jagend. Ze lieten een pandoradoos vol oude conflicten ach- ter. De oorlog was in de hersenen begonnen en op de pagina's van bibliotheekboeken. Hij eindigde in dezelfde surrealistische atmos- feer. Het was de nasleep die mij duidelijk maakte wat de realiteiten van een oorlog waren.

Amin, de man die in een waas van geheimzinnigheid gekomen was, verdween in een waas van geruchten, met achterlating van een oorlogsdamp, naar onbekende grenzen, jammerend en tierend en vloekend, zonder ook maar een greintje wijzer te zijn wat zijn toe- komst betrof. Maar zijn erfgoed begon nu pas wortel te schieten en tot bloei te komen.

Het dorp, ingesloten tussen Mpande Hill en Ndere Hill, werd op de horens genomen en geschopt toen de Buffels van Agressie erdoor- heen denderden op weg naar hun noordelijke toevluchtsoorden. Soldaten uit de nabijgelegen barakken zwermden uit naar het nieu- we deel van het dorp, alsof ze zin hadden hun oude slemppartijen te hervatten. Ze grepen en ontvoerden de vrouwen met hun bell-bot- tom broeken die op de valse welvaartsgolf meegekomen waren, sa- men met de Honda-auto en de rallymotoren. De rest van de spijker- broekendragers werd opgeslokt door het moeras en de bossen, waar men zich bij de inwoners van het oude dorp voegde die geen risico's hadden genomen. Bij hun aftocht schoten de soldaten in het wilde weg op de leegstaande huizen. In de parochie van Ndere had een menigte uit de dorpen zijn toevlucht gezocht onder het kruis. Amins soldaten gingen op strooptocht door het huis van de paters, namen geld en kostbaarheden mee en stalen een busje en een paar meisjes. Ze vroegen losgeld van de ontheemde mensen, waarbij ze iemands arm braken. De soldaten eisten steeds hogere bedragen. De priesters onderhandelden uit naam van de mensen en om de een of andere reden lieten de schurken zich vermurwen. Zoals gebruikelijk schoten ze in de lucht bij hun vertrek. Toen ze wegreden kregen ze Santo, de dorpsgek, in de gaten. Het leek of hij met zijn vinger in de lucht schreef en zich nergens van bewust was. Hij liep heen en weer tussen twee schoolgebouwen. Ze riepen dat hij moest blijven staan, maar hij hoorde het niet, of, als hij het wel had gehoord, deed hij net of zijn neus bloedde. Een van de soldaten vuurde een salvo af en lachte. Santo werd niet geraakt en de schurk schoot niet nog eens. Santo verdween achter de klaslokalen en wachtte tot het zijn lievelingsuur was om 'Kyrie Eleison, Christe Eleison' op het bord te schrijven. Tegenwoordig schreef hij zijn eigen woorden op en wiste ze zelf ook weer uit.

De wisseling van regering werd kracht bijgezet door krijgsmuziek. Nu en dan werd de feeststemming onderbroken door een omroeper die de luisteraars vrede en veiligheid beloofde. De mensenmassa werd wakker en ging de nieuwe dag tegemoet met de energie van een reusachtige stier. Men weeklaagde en joelde. Men uitte zijn opgekropte optimisme met een verblindende caleidoscoop van emoties. Kreten als 'Nooit, nooit weer laten wij ons regeren door geweren' en 'We hebben de hoogste prijs betaald en nu zullen we eeuwig in vrede leven', scheerden door de lucht.

Onze bevrijders, een samenraapsel van Tanzaniaanse soldaten en Oegandese bannelingen, sloegen de menigte kalm gade. Ze deelden het soort superieure vriendelijkheden uit die meestal gereserveerd werden voor gedegenereerden. Niettemin dromden de mensen om hen heen. De schaamteloze, bijna slijmerige manier waarop de mannen, en vooral de vrouwen, hen benaderden! Ik vond dat ik geluk had gehad omdat het allerergste me de afgelopen acht jaar bespaard was gebleven en ik me kon veroorloven geamuseerd toe te kijken. De bevrijders, die een glad, gepolijst, zangerig Swahili spraken, werden omarmd, gezoend, op de schouders genomen en bedolven onder mateloze dankbaarheid. Overal in de krioelende straten en stinkende pisstegen werd wild gedanst en gezongen. Dit was de puurste uiting van vreugde die ik ooit had gezien, vrij van godsdienst of politiek, de vreugde van koning David die voor de Ark des Verbonds danst. Euforie blies over het volk heen als een sterke verdovende wind, ook ondergetekende werd tot op zekere hoogte meegesleept. Men werd bedwelmd door de nieuwe mogelijkheden, de nieuwe kansen en de nieuwe zekerheden, en zo verzeilde men op de kleurrijkste pagina's van de heimelijkste fantasieverhalen. De mensen raakten buiten adem van alle verwachtingen, iets wat hun in acht jaar niet meer was overkomen.

In de zee van gejubel dreven stille eilandjes van ingehouden angst: dit waren de hele donkere, soms door stam-littekens getekende gezichten van burgers uit het noorden. Ze deden hun best er vrolijk uit te zien, in de hoop hun zuidelijke tegenhangers niet te herinneren aan hun beulen, de moordenaars die op de vlucht waren geslagen. Je kon ze zien bidden dat ze niet in aanraking zouden komen met de flitsende panga's van de wraakzucht. Elke juichende hand was in staat iemand te verminken. Elke jubelende mond had de macht iemand ter dood te veroordelen. Maar op het ogenblik was de vreugde van de menigte te intens om met dergelijke lage sentimenten te worden bezoedeld en de wraak zat veilig onder het veelkleurige deksel van de euforie.

Ik voelde me slap in mijn benen. Tante sprong op en neer. Ik hield haar dicht tegen me aan en voelde haar lichaam beven van koortsachtige vreugde. Er vloeiden tranen van geluk over haar wangen die in mijn nek kietelden. Het leek of ik opgetild werd door de stuwkracht van de menigte. Plotseling maakte ik deel uit van het monster en werd ik voortgedreven door het geschreeuw, bedwelmd door het gejuich, de tranen en het gelach. Ik wist nu zeker dat de oorlog uit de van wapens vergeven heuvels, de van soldaten krioelende dalen en de met explosieven besmeurde lucht verdwenen was en door ons allen heen raasde. Ik was me er niet van bewust wanneer ik tante had losgelaten. Ik herinnerde me dat er gratis drank werd aangeboden door een groepje mannen die me aanspoorden om te drinken, drinken, drinken. Het was een soort competitie. Trommels bromden ter begeleiding van ondeugende liedjes. Ik werd dronken van de lichten. Ik werd duizelig, viel om en kotste tegen de muur. Een koopvrouw die de door tante gestookte sterke drank verkocht, nodigde me binnen. Ik wist dat ze me aardig vond, maar ze was niet meer zo piep. Ze veegde mijn gezicht, mijn kleren en mijn schoenen schoon. Ze had prachtige knieën die glansden als gepolijst en gevernist hout. Ik keek naar haar vingers. Tante zei dat je de leeftijd van een vrouw aan haar vingers kon aflezen. Dat kon ik niet. Ik dacht dat tante dat zei omdat zijzelf prachtige rimpelloze vingers had. Toen de koopvrouw me in de richting van de sofa voerde, werd ik overmand door haar schitterende knieën. Ik greep haar uit alle macht beet en kwam klaar in mijn broek. Het laatste wat ik hoorde waren haar scheldwoorden.

Er gingen twee dagen voorbij. Ik voelde me ziek. Ik kwam nauwelijks tot rust vanwege het lawaai en het schieten. De heisa en somberheid werden doorbroken door de komst van oom Kawayida naar Lwandeka's huis. Ik was heel blij hem te zien. Hij was terughoudend, alsof hij niet zo blij was mij te zien. Hij droeg vuile kleren en modderschoenen. Ik had hem in geen jaren gezien, maar vond hem niet erg veranderd. Hij was nog steeds dun, lang en op zijn qui-vive en zijn ovale gezicht met die grote ogen verleende hem een listig, innemend uiterlijk. Hij onderbrak de lange begroetingsformule die ik was begonnen uit te spreken. Dat duidde op grote moeilijkheden. Was een van zijn vrouwen verkracht door een groep soldaten? Waren er leden van zijn schoonfamilie omgekomen bij een brand of een bloedbad of een ongeluk? Uiteindelijk had Meneer Kavoele, zijn overleden schoonvader, veertig kinderen – dertig meisjes en tien jongens – op de wereld achtergelaten. Was hun iets overkomen?

Het gevaar dreigde dichter bij huis: Opa werd vermist!

Een week voor de val van Amin had Opa het dorp verlaten om een clanoudste te ontmoeten. De man die een nationale explosie had voorspeld, had gedacht dat de tijd daarvoor nog nièt was aangebroken. In het dorp, ver van het toneel waarop zich de oorlog afspeelde, was alles nog rustig geweest. Hij had gedacht dat hij wel weer terug zou zijn voordat de stad zou vallen. Hij had de clanoudste ontmoet, enige belangrijke clanzaken afgehandeld en was drie dagen voor de val van de stad vertrokken. Hij was voor het laatst gezien weggedoken in de cabine van een overbelaste wagen met open laadbak die hem rechtstreeks naar huis zou brengen.

Ik was ziek van verdriet. Ik vroeg oom Kawayida wat hij ervan dacht, maar hij wilde er niet over praten. Hij wachtte tot Serenity zou komen om een plan voor een gedetailleerde zoektocht te bedenken. Intussen vroeg hij me wat ik in de toekomst wilde gaan doen. Hij wilde weten hoe ik bij kas zat. Ik vertelde hem over de maandelijkse stookactiviteiten van tante. Hij maakte berekeningen door met zijn wijsvinger in zijn hand te krassen. Hij knikte en zei dat het een goede business was. Hoe zou ik het vinden om eraan deel te nemen? Ik zei dat het te gevaarlijk was. Hij antwoordde dat gevaarlijke zaken juist veel geld opbrachten. Ik vond de suggestie weerzinwekkend. Hoe kon ik, voormalig seminariebibliothecaris, verdrijver van pater Mindi, kwelgeest van pater Lageau, toekomstig advocaat, me nou gaan bezighouden met zoiets laags als drank stoken in een afgedankte olieton boven een houtvuurtje? Ik was voorbestemd voor een witte-boorden-baantje waarmee ik een wit salaris zou verdienen. Ik zei dat ik van plan was parttime als onderwijzer te gaan werken. Hij tuitte zijn lippen tot een bedenkelijk pruilmondje. Daar zat geen geld in, impliceerde hij. Hoe lang ging ik nog op tante teren? Ik stond met mijn mond vol tanden en voelde me niet begrepen. Ik informeerde naar zijn kalkoen- en braadkippenfokkerij.

Hij zei dat hij een heleboel geld had verdiend omdat hij het anders had aangepakt: terwijl anderen overhaast in de detailhandel waren gegaan, was hij zelfstandig gebleven. Ik wilde hem om advies vragen inzake liefdesaffaires. Ik wilde meer weten over zijn escapades met de zusters van zijn vrouw Ik wilde weten hoe hij over polygamie dacht. Ik zocht naar de juiste woorden om zowel de opwinding als de echte honger naar kennis mee uit te drukken, maar het lukte me niet die te vinden. Al was het een goede afleiding. Zoekend naar een manier om hem vragen over seks te stellen, informeerde ik naar zijn moeder. Hij zei dat hij blij was dat zij voor Opa zorgde. Maar waar bevond Opa zich nu?

Serenity arriveerde: het was duidelijk dat hij het ergste vreesde, alsof er een monster van de bladzijden van zijn lievelingsboek was gesprongen dat hem eerst kwelde door zijn vader te ontvoeren, waarna zijn vrouw en kinderen zouden volgen. Ik had hem heel lang niet gezien, maar het leek alsof het gisteren was geweest. Bijna onmiddellijk vertrokken de twee mannen. Ze reden door de stad op een Kawasaki-motorfiets die oom Kawayida van een vriend had geleend. Hij durfde nog steeds zijn bestelwagen niet te gebruiken, uit vrees dat de bevrijders hem in beslag zouden nemen voor militaire doeleinden.

Ik was dagenlang mijn bewegingsvrijheid kwijt. Ik voelde me als een steen op een rivierbodem: om me heen kolkten de gebeurtenissen. Ik moest op de kinderen passen, want tante had het druk met de bijeenkomsten van de NRB, en naar ik vermoedde ook met de Brigadier. Een losse coalitie van bannelingen ging een provisionele regering vormen voor de verkiezingen. Tante was zeer optimistisch en beweerde dat de NRB een grote rol zou spelen in de coalitie. Ik vroeg haar of ze de politiek in wilde. Ze zei dat ze financiële steun zocht van de NRB, zodat ze voor zichzelf een zaakje kon beginnen. Het was duidelijk dat ze nog steeds aan haar onafhankelijkheid was gehecht. Er gingen echter geruchten dat de coalitie een dekmantel was voor de terugkeer van de voormalige dictator Obote, die de jaren toen Amin aan de macht was in Tanzania had doorgebracht. Tante zei dat de geruchten vals waren: dat Obote nooit terug kon komen. Hij had zijn kans voorbij laten gaan en de bannelingen zouden zijn terugkeer verhinderen. Ik was daar niet helemaal van overtuigd. Tante had geen zin zich in een objectieve analyse van de situatie te storten. Zij geloofde kennelijk dat de Tanzanianen uitsluitend gekomen waren om de Oegandezen te helpen Amin omver te werpen. Maar wie zou er voor de oorlog moeten betalen? Oeganda, natuurlijk. Wie zou voor de afrekening zorgen? Ik moest denken aan het Verdrag van Versailles van 1919, gesloten om te garanderen dat Duitsland schadevergoeding zou betalen. Zou Oeganda een verdrag afsluiten met Tanzania, of zou de terugkeer van Obote de betalingsgarantie vormen? Tante stond niet toe dat haar optimisme de kop in werd gedrukt door dergelijke harteloze speculaties. Ik voelde aan dat de 'addel'-vrouw in haar zich ergerde aan de theorieën van iemand die geen deel had uitgemaakt van de strijd, iemand die nog nooit door folteringen en dood was bedreigd. Ze had vertrouwen in de NRB, en in de Brigadier wiens foto nog steeds onder haar matras verstopt was. Moest ik haar aan haar instincten doen twijfelen? En als ze nou eens iets wist dat ik niet wist? Ik hield me koest. Misschien viel ik haar alleen maar met deze dingen lastig om de verdwijning van Opa te vergeten.

Rond diezelfde tijd kwam het nieuws dat tante Kasawo, die jaren geleden een achtervolging op leven en dood had overleefd, aangevallen was door mannen in uniform – een populair eufemisme voor de beulen van Amin. Ik speculeerde er lustig op los. Het voorval leidde een poosje de aandacht van de zoektocht naar Opa af. De overval had niet lang voor de val van Kampala plaatsgevonden, wat betekende dat Amins mannen haar streek toen al verlaten hadden. Ik had een voorgevoel dat het onze bevrijders waren die haar hadden gemolesteerd. Als Amin erachter zat, zo redeneerde ik, dan hadden ze dat er wel bij gezegd, aangezien Amin weg was en er vrijheid van meningsuiting was. Het eufemisme duidde op de weerzin van het publiek te geloven dat de bevrijders eveneens in staat waren dergelijke dingen te doen, vooral nu de euforie nog hoogtij vierde. Deze keer wist ik echter dat ik spoedig de details te horen zou krijgen. Mijn theorie was al gevormd, het wachten was alleen nog op bevestiging. Ik had al geruchten gehoord over bevrijders die vrouwen 'smeekten' om hen aan hun gerief te laten komen, en ze in sommige gevallen zelfs daartoe hadden gedwongen.

Drieduizendtien dagen van onderdrukking, moord, geheimzinnige verdwijningen, ontvoeringen en buitenissigheden in folterkamers moesten wel uit de kelders van het geheugen barsten, de zonovergoten straten in. De euforie was, net als alle andere drugs, uitgewerkt, en mensen met ontwenningsverschijnselen als razende honger en wraakzucht begonnen te zoeken naar zondebokken. Door de voedseltekorten werd de situatie er niet beter op, en de clichématige radioberichten klonken nu vals.

Door de plotselinge, ongelooflijke afwezigheid van de tiran, en de handige tegenzin van onze bevrijders om hun autoriteit te laten gelden, uit vrees dat ze in verband zouden worden gebracht met de mannen die ze eruit hadden gezet, werd het machtsvacuüm dat in het land was ontstaan geëxploiteerd en de massa op de ergste manier opgestuwd. Plotseling kon iedereen die een beetje lef had inquisiteur, rechter en beul worden. Ver weg in de dorpen waren de huizen van noorderlingen en sommige moslims al in vlammen opgegaan. Het huis van tante Nakatoe en haar man Hadji Ali werd bestormd door een hele meute. Ze werden ervan beticht Amin-supporters te zijn. De belagers riepen hen naar buiten omdat ze anders hun huis in de fik zouden steken en hun koffiebomen om zouden hakken. Hadji Ali ging naar buiten, richtte zich tot de menigte, verklaarde zijn positie en vroeg waarom ze zich tegen hem keerden. Gelukkig zegevierde de stem van de rede. De ouderen in de groep overtuigden de opgewonden standjes dat ze medelijden moesten tonen. Hadji Ali schonk de groep twee geiten. Anderen waren minder fortuinlijk. Hun huizen werden in brand gestoken, hun geiten en kippen afgemaakt. In het dorp rukten de jongelui die rijk waren geworden met smokkelen op naar de barakken en plunderden ze leeg.

Dichter bij huis deed ik mijn ogen open en dacht dat ik droomde. De majestueuze, gulzige weg die de op de vlucht slaande noorderlingen en de beulen van Amin had opgeslokt, wemelde van de mensen

403

die ijskasten, bedden, motoronderdelen, nieuwe en gebruikte banden, roestige en glimmende ijzeren golfplaten, gewone en glas-inloodramen, bankstellen, balen stof, dozen medicijnen, buizen vol laboratoriumkwik, typemachines, zakken rijst, suiker, zout, vettige blikken kook- en stookolie en nog veel meer op hun rug torsten. Mannen met ontbloot bovenlijf duwden auto's en bestelwagens en motorfietsen voort, sommige met lekke banden, die kraakten onder de hoogopgetaste vracht. Er werd op grote schaal geplunderd: de eerste zuiveringsfase.

Hier en daar lagen er mensen, die onder de onrechtmatig verkregen ladingen bezweken waren, aan de kant van de weg. Ze puften, zweetten, lieten winden en smeekten om water. Piekfijn uitgedoste sjacheraars dreven met bolstaande halsaderen handel met potentiële kopers. Ze waren erop gespitst de spullen snel door te verkopen, zodat ze terug konden gaan naar de stad om nog een keer te scoren voordat de bevrijders een stokje voor deze meevaller zouden steken. Bij vruchteloze barricades keken de bevrijders in groepjes of verspreid toe met een cynische grijns, terwijl de bezittingen van de voormalige regering voorbijdruppelden of -stroomden. Er zat een perverse logica achter het plunderen: aangezien de plunderaars het huidige, niet bestaande bewind aanhingen, ontvreemdden ze slechts wat hun toekwam, bezittingen die tevoren gebruikt waren om hen te onderdrukken. Zolang ze bezig waren, bezorgden ze de bevrijders geen overlast; en als je ze liet plunderen kon je zelfs op de meest louche figuren rekenen bij het verraden van de laatste Amin-beulen, die, zoals de bevrijders vreesden, hen nog een steek in de rug zouden kunnen geven.

Het leek of de onruststokers wisten dat dit de laatste keer was dat gewapende soldaten oogluikend zouden toekijken terwijl zij de winkels en kantoren van de voormalige regering leeghaalden. Vandaar dat ze de kans met beide handen aangrepen.

De schokgolven van de bevrijding gingen met vliegende vaart door de stad. Spandoekendragers marcheerden met in de lucht wapperende slogans om hun steun te betuigen aan de coalitieregering die nog komen moest. Ze beschimpten Idi Amin en eisten voedingsmiddelen, eerste levensbehoeften, vrede en democratie. Vlaggendragers met buiken die rammelden van de honger of bedorven geplunderde etenswaar, eisten kapitalisme, gratis onderwijs, betere woningen en de terechtstelling van Amin. Studenten omcirkelden met gebalde vuisten in lange veelkleurige rijen de stad in een kakofonie van hoop, dromen en eisen. Misdadigers slopen rond op zoek naar wat ze in de algehele verwarring ook maar te pakken konden krijgen. Winkeliers bedongen met rood aangelopen ogen en hese stem het onmiddellijk staken van de plunderingen of een compensatie van de regering.

Gebouwen die beschoten waren, lagen somber te smeulen en stootten dikke gifwolken in de oververzadigde atmosfeer. Winkelpuien die door vrachtwagens en tractoren waren geramd stonden te gapen als treurige, geschonden graven. Het plaveisel werd overspoeld door glasscherven, die leken op het blauwgroene water dat in de riolen vloeide en spatte. De route die de meer uit de kluiten gewassen plunderaars hadden genomen werd troosteloos aangeduid door sporen van zout, suiker, kunstmest en olie. Een spookachtige wind die van de doden en stervenden afkwam, deed de lucht wemelen van de rondvliegende papieren, zodat het leek alsof de toeschouwers aangemaand werden door zowel geheime als openbare informatie.

Hier en daar scheidden oude en verse lijken een roodgeel vocht af in goten, stegen en deuropeningen, met starre gezichten en monden gesnoerd door ononthulde geheimen. Ik zag schone wonden veroorzaakt door een heel scherp voorwerp; ik zag losse ledematen afgerukt door bommen, zware voorwerpen en kogels; ik zag hompen vlees en stukken bot en grote bloedvlekken in de vorm van wereldzeeën en werelddelen.

In de genadeloze hitte en de stank van ontbindend vlees, afval en emotie, lukte het me de taxistandplaats te bereiken, het gat waaruit alle oproer leek voort te komen met een apocalyptische wreedheid. Als popcorn werden er kogels afgevuurd door de bevrijders die in de minderheid waren en die trachtten voor het oog nog iets te doen aan de chaos, zonder hun eigen imago of het enorme vertrouwen dat ze bij het volk hadden opgebouwd te schaden. Af en toe ving ik flarden op van het zangerige Swahili waarin zij de gekte trachtten te stoppen.

Ik stond aan de rand van de kom. Ik voelde me overweldigd en vreesde voor mijn veiligheid. De kom leek aan alle kanten te trillen onder de aardbevingen waarvan ik had gedroomd toen ik pas in de stad was komen wonen, en onder de nationale explosies die Opa had voorspeld. Er woei een machtige stank uit de richting van de Owino-markt, vol verrottenis, vergif en waanideeën uit zowel verleden als heden, een stank die nog meer krankzinnigheid en verwarring stichtte. De architecturale miskleunen die het rotte gebit van de skyline vormden, leken schuin weg te zakken en voorover te vallen, als kiezen die obsceen hun bloederige wortels en gaten prijsgaven. De met vuil besmeurde ramen, de met roest gevlekte daken en de met stof bedekte muren op de heuvels leken tot één smeerboel van etterende wonden te versmelten. De vervuilde rivier Nakivoebo leek een stroom afval die van de moskee, de katholieke en protestantse kathedralen, het hoge gerechtshof en de woningen van onttroonde legergeneraals naar beneden gutste.

Ik werd door voorbijgangers de trappen afgeduwd die naar het midden van de kom leidden, waar bijna geen auto's stonden. Er werd daar een openbare zitting gehouden. Twee hele lange, pikzwarte mannen uitgedost met de parafernalia van de Staatsveiligheidsdienst, plateauzolen, bell-bottom broeken en zonnebrillen met spiegelglas, staarden vanachter hun zilveren oogkleppen naar de jury. Iemand graaide een bril van een van de gezichten en maande tot eerbied voor het hof.

'Ik ken jou wel. Jij was bij de geheime dienst. Jij hebt mijn vader opgepakt. Je hebt met je collega's zijn hoofd ingeslagen en hem in het Namanve-bos gegooid. Dat weet je zeker nog wel?' riep een grote vrouw.

'Dood, dood, dood moeten ze,' brulde de menigte geestdriftig.

'Amin is weg. Nu zullen jij en je vriendjes de prijs moeten betalen,' bulderde iemand.

'Betalen, betáááálen,' werd geroepen.

Het vonnis was unaniem. De geheime dienst, met een lange lijst moorden en folteringen op zijn naam, wekte geen gevoelens van genade op, zelfs niet onder de nuchtersten. Het dodelijkste wapen in deze regeringsloze tijd was de beschuldiging van collaboratie met de geheime dienst, of met een andere Aministische veiligheidsinstantie. De twee 'schuldig bevonden' plateauzolen werden snel van het asfalt gelicht, terwijl ze door zware voorwerpen werden getroffen, waarachter de wraakzuchtige kracht zat van drieduizendtien dagen narigheid. Tegen de tijd dat ze tegen de grond sloegen, waren ze al halfdood. De kring sloot zich om hen en het tweetal werd zo platgeslagen als de chapati's die de Indiërs hier hadden geïntroduceerd.

'De zwijnen smeekten niet eens om genade,' zei iemand die langs me heen liep. Toen de spanning vervloog, wurmde ik me naar een andere plek.

Er lagen vertrapte portretten van Amin op straat, gescheurd maar nog herkenbaar. Poppen die hem moesten verbeelden, lagen met afgerukte ledematen te smeulen in prikkelende benzinevuurtjes. In de buurt van de plek waar ik mijn eerste bevalling had bijgewoond, stond een stel mensen te kijken naar de rookpluimen die oprezen uit een stapel brandende autobanden. Ik zag de vage contouren van vier figuren, verschrompeld en verdraaid in de dood. Ze waren betrapt toen ze in een bestelwagen probeerden weg te komen. Ze hadden ontkend trawanten van Amin te zijn geweest, maar bij nader onderzoek was gebleken dat ze striemen van geweerriemen op hun schouders hadden. Bijna onmiddellijk waren ze gesnoerd met autobanden en aangestoken.

Mijn aandacht, en de aandacht van bijna iedereen in de kom, werd getrokken door een brullende megafoon. De man die hem droeg werd gevolgd door een groepje uitgemergelde, haveloze, extatische mannen en vrouwen, zojuist bevrijd uit de folterkamers op Nakasero Hill, vlak achter het Gerechtshof. De skeletten waren aan het dansen en met takken aan het wuiven, terwijl er dunne straaltjes tranen uit hun uitpuilende ogen rolden. Ze maakten een rondje door de kom en werden toegejuicht. Kooplui die onder de indruk waren van hun ontsnapping aan de dood, deelden broodjes, drankjes, of wat ze ook maar hadden uit zonder er geld voor te vragen. Anderen gaven geld voor de terugtocht naar huis. Het grootste deel van het uitgemergelde groepje verkeerde in een staat van versuffing en staarde glazig voor zich uit, alsof ze het allemaal niet konden geloven. Ze liepen alsof ze nog geketend waren en verdoofd door de stank van het braaksel en bloed, de stront en het geweld van de folterkamers en cellen. Nu liepen ze daar met het volle gewicht van de vrijheid op hun schouders, en voor sommigen was dat te veel.

Ik moest ineens aan Opa denken. Waar was hij? Lag hij ergens gewond in een kuil, gebouw of bos, te wachten tot iemand zijn hulpkreten zou horen? Tot dusverre waren zijn zoons er nog niet in geslaagd hem op te sporen, of iemand te vinden die een tip had waar hij zou kunnen zijn. Ze hadden gezocht in lijkenhuizen, ziekenhuizen, tijdelijke vluchtelingenverblijven, militaire barakken en bij familieleden, maar tevergeefs. Ze hadden de afgelopen weken nauwelijks geslapen en wisten niet meer wat ze moesten doen. Tante Lwandeka had haar collega's bij de NRB verzocht Opa op te sporen, maar die hadden nog niets van zich laten horen.

Met de scherpe lucht van brandend rubber in mijn neusgaten, een waanzinnige nieuwsgierigheid in mijn hoofd en de geweerschoten en vreugdekreten in mijn oren, worstelde ik me door de menigte heen. Ik liep langs de verkoolde resten en verminkte beeltenissen in de richting van de kathedralen. Ik ging zoeken in de katholieke kathedraal van Loebaga en zo nodig in de protestantse kathedraal van Namirembe. Het was heet en vochtig en de hitte plakte aan mijn huid als een laag zalf.

Aan de rand van de kom werd een ander tribunaal gehouden. Er werden mensen terechtgesteld met de littekens van een stam op hun gezicht: ruitvormen, verticale sneeën, horizontale kervingen en opgezwollen bulten op voorhoofden, slapen en wangen, die hun afkomst verrieden. Elke persoon met dergelijke tekenen was een potentiële verdachte. Er stonden drie vrouwen met verticale littekens op hun wang in de beklaagdenbank en werden berecht door een stel haveloze jongens, jong genoeg om hun zoons te zijn. De omstan-

ders genoten van deze delegatie van de rechterlijke macht tegenover het uitschot van de maatschappij. Ze hadden de onbewogen
houding van een maffiabaas die toeziet hoe zijn ondergeschikten
wraak nemen.

De jongens, geplaagd door luizen op hun hoofd, platjes in hun
kruis, lijm in hun hersens, hun ogen fonkelend van die zeldzame totale macht die alleen voorkomt in tijden van oorlog, riepen: 'Heksen, heksen.'

'Heksen... verbrand ze, heksen.. rooster ze, heksen... naai
ze...'

De aangeklaagden fronsten en vleiden, prevelden en wauwelden
om een beroep op de emoties te doen, hun uitpuilende ogen rood
aangelopen, hun ronde neusgaten wijd open en hun gezicht vertrokken van een dodelijke schroom, de vreselijke weifeling tussen dee-
moed en minachting, smeekbede en aanmatiging.

Als bevolen door een onfeilbare leider, dreven de armoedige jongelui het drietal in een hoek. Ze scheurden doorweekte lappen kapot, bewerkten keizersneelittekens en zwangerschapsstrepen met
een scheermes en verwoestten alles wat hun handen tegenkwamen.
Er was een geflits van metaal te zien en een gekraak van botten te
horen, en het beestachtige gekreun van een strijd op leven en dood.
Ik bleef niet wachten op het einde.

In de katholieke kathedraal, hoog op de heuvel, als een Golgotha
bedekt met doodshoofden en knekels, wemelde het van de mensen
die geen bestemming hadden, mensen die zowel hoopten op verlossing als op levensmiddelen. Velen waren van verre gekomen, soms
wel vijftig kilometer, op de vlucht geslagen voor de oprukkende
strijdkrachten uit Tanzania en de gefrustreerde troepen van Amin.
Voor deze mensen was de aartsbisschop een held en waren de zonden van de clerus slechts onvermijdelijke vlooien op een anderszins
brave hond. Deze overlevenden hadden noch de maniakale aanblik
van kruisvaarders, noch de tartende gelaatsuitdrukking van martelaars: ze waren bang, onzeker, schuchter. Het leek of ze geloofden
dat er alleen even pauze was in de oorlog en dat die weer op zou

laaien zodra ze thuis waren. Ik doorkruiste het hele terrein op zoek naar Opa en keek zelfs de lijst op het administratiekantoor na. Zonder resultaat. Ik verliet de kathedraal met zijn fallische torens, kookvuurtjes, jankende kinderen en verloren volwassenen en liep in de richting van de protestantse kerk. Het was zoeken naar een naald in een hooiberg. Ik kon me haast nergens meer op concentreren. Het leek of ik net zo versuft was als de uitgemergelde folterslachtoffers die ik in de kom had gezien en zo daas als een gedrogeerde muis. Toen ik weer naar buiten liep trapte ik op iemands kleren die in het gras te drogen lagen en werd achternageroepen door boze stemmen.

Op het hoofdkwartier van de Islamitische Hoge Raad, die ik associeerde met de bekering van dokter Ssali, krioelde het van de moslimvluchtelingen. Iedereen die vergelding vreesde verbleef hier, verscholen achter het machtige schild van het grote bouwwerk. Ik dacht Loesanani onder de ongesluierde vrouwen te ontwaren. Ik liep achter haar aan en floot, ervan overtuigd dat ze het was. Maar het was een onbekende vrouw die zich geschrokken omdraaide. Ik bood mijn verontschuldigingen aan. Ik had moeten bedenken dat Hadji Gimbi, met zijn vakkundige voorgevoelens, zijn gezin had meegenomen naar de plattelandsstreek waar hij nauwelijks bekend was en waarschijnlijk niet in de problemen zou raken. Ik zag hier een heleboel ongeruste gezichten. Deze mensen zaten echt in angst over represailles. Ze hadden gezien wat er gebeurd was met sommige geloofsgenoten die beschuldigd werden van het betonen van solidariteit met Amin. Maar hun leiders straalden de overtuiging uit dat niemand hen in de reusachtige moskee zou durven aanvallen. Toen ik wegliep had ik het overweldigende gevoel dat ik gefaald had: ik had Opa niet kunnen vinden.

De avond begon te vallen. De zon was snel ondergegaan na de opschudding van de dag en de orde was geleidelijk aan weer hersteld.

De stad zag er verlaten uit, aangezien de meeste mensen haastig naar huis waren gegaan vanwege spertijd en om wegversperringen te vermijden en de paar idioten die onder dekking van het donker nog op zoek waren naar slachtoffers. Iedereen wist dat de eerste weken na een oorlog gevaarlijker waren dat de laatste weken van een oorlog, en gedroeg zich dienovereenkomstig.

Ik was uitgeput en dolgedraaid van de mislukkingen van die dag. Ik wilde dat ik het allemaal gedroomd had en dat ik de lijken weer leven in kon blazen en dat Opa me hoorde roepen. Maar evenals het geval was geweest bij Oma, had de werkelijkheid zijn eigen onbuigzame regels, die niet reageerden op de kronkels van zelfs de machtigste hersens. Ik was zo uitgehongerd dat het leek of ik de honger van alle doden voelde en van de mensen ver weg bij wie de oogst mislukt was tijdens de oorlog. Maar ik wist ook wel dat ik het leed van de minstens drieduizendtien dagen van Amins bewind niet op mijn schouders kon nemen. Het viel me zwaar om de balans op te maken: Oma dood, Opa verdwenen, tante Lwandeka bedreigd en gemarteld, tante Kasawo door meerdere soldaten verkracht... Ik was bang dat het hier niet bij zou blijven.

Ik was terechtgekomen aan de ingesnoerde oever van de Nakivoebo-rivier, waarvan ik het smerige water in mijn honger- en dorstroes aanzag voor kristalhelder. Ik liep door in de richting van de Owino-markt en dacht aan mijn fantasieën over Hangslot, aan het werk tussen de blasfemie, de gekte en het vuil. Ik zag aasgieren en maraboes rondhangen op de vuilnisbelten, verzadigd, alsof ze op het punt stonden hun kantoor te verlaten na een geslaagde werkdag. De markt was opgebouwd in twee afdelingen: een met vaste betonnen stallen en een met geïmproviseerde kraampjes waar de koopwaar op de grond lag uitgestald. Het was alsof je door een beroete spookstad liep. Een zijweg die afdaalde van de heuvel waar de kathedralen op stonden, sneed recht door de krottenwijken en deze markt heen. Ik liep eropaf. Er passeerden mensen als haastige spoken. Toen zag ik een vrouw die zich omdraaide en haar neus dichtkneep, maar niet spuugde. Ik wist dat er een lijk in de buurt moest liggen, omdat men nooit spuugde op een dode.

Er lagen in feite vier lijken waar ik aan voorbijgelopen was, in de schaduw van het kantoorgebouwtje van de markt. Het leek of mijn neus door de heftigheid van de doodsstank afgerukt werd. Twee van de lijken lagen op hun rug, één op zijn buik en het vierde lijk was onthoofd. Ik was de enige toeschouwer, want andere mensen liepen er snel langs. De vrouw met de toegeknepen neus was verdwenen. Ik herkende de lijken niet. Ik stond op het punt terug te lopen naar de taxistandplaats, toen mijn oog op de schoen van een van de doden viel. Ik had die schoen vele malen gepoetst en opgedoft met een witte doek. Ik wist precies waar hij gebarsten was en zorgvuldig gerepareerd. Ik bukte om goed te kunnen zien en viel bijna om van de stank. De man die met zijn gezicht naar de grond toe lag was Opa! Mijn blaas liep leeg, maar er zaten maar een paar druppels in. Plotseling had ik geen honger en dorst meer. Ik was verstomd en duizelig, als die keer toen Hangslot me tegen de grond had geslagen na het incident van de rode inktvlek. Waarom hadden Serenity en Kawayida hier niet gezocht? Of hadden ze wel gekeken en hun vader niet herkend?

Verdwaasd wankelde ik naar het huis van tante Lwandeka. Zij ging naar haar collega's van de NRB, haalde een jeep op en bracht het lichaam naar het lijkenhuis om onderzocht te worden. Toen reed ze naar de buitenwijk waar Serenity woonde. De twee broers lagen uitgeput in bed na weer een dag vergeefs gezocht te hebben. Ze waren opgelucht dat er een einde aan de zoektocht gekomen was, maar kwaad dat ze Opa niet eerder ontdekt hadden.

De clan kwam bijeen in opa's huis. De laatste keer dat ze zo massaal samengekomen waren was bij Serenity's bruiloft. Tante Nakatoe was ouder en dikker geworden, maar niet zichtbaar aangetast door haar recente beproevingen. Hadji Ali zag er gedistingeerd uit in zijn witte tuniek en goudgerande moslimkalotje. Baby Soeleiman, het enige kind uit hun echtverbintenis, zat al op de lagere school. Tante Tiida en dokter Ssali konden zich niet over het verlies van hun geliefde Peugeot heen zetten. Onder protest van tante Tiida dat ze een moslimgezin waren en dat ze daardoor vrijgesteld behoorden te zijn van agressie, was de auto door legerofficieren van Amin geconfisqueerd. Op honderdvijftig kilometer afstand van de stad was hij kapotgegaan. De monteur van dokter Ssali had hem in een greppel aan de kant van de weg aangetroffen met een opgebla-

zen motor. Tante Tiida vertelde haar treurige verhaal steeds opnieuw. Voor het eerst in jaren zag ik de vrouw van Kawayida weer.
Ze was groot en majestueus en straalde een weldadige energie uit.
Als haar onderkaak niet zo grof was geweest en ze niet zulke grote
voeten had gehad, was ze de mooiste vrouw geweest die aanwezig
was. Ze was gekomen in hun tweede bestelwagen en was er trots op
dat ze de rouwdragers van dienst kon zijn met haar voertuig. Oom
Kawayida was nu de enige die reed, maar om een of andere reden
had zijn vrouw de sleuteltjes in bewaring, die steeds zoek raakten.
Op een gegeven moment leek iedereen zich bezig te houden met
zoeken naar de sleuteltjes. Oom Kawayida's vrouw had schik in het
spelletje. Zij was steeds degene die ze vond en veinsde dan verbazing.

Opa's stoffelijk overschot arriveerde twee dagen nadat iedereen
bij elkaar was gekomen, vanwege het intensieve werk dat eraan verricht moest worden. Afgezien van mijn verdriet, voelde ik me heel
trots op hem. Hij was een van de weinige mensen die ik kende die
had geleefd naar zijn overtuigingen. Ik was trots omdat hij geslagen
was en gestoken en in zijn been geschoten. Hij had geleefd op een
zelf gekozen slagveld, en was er gesneuveld. Ik associeerde Onafhankelijkheidsdag, de Noodtoestand van 1966 en Amins val met
hem. Voor mij was hij een encyclopedie van onze politieke geschiedenis, en zonder zijn redevoeringen en mijn pogingen die te
begrijpen, zou ik een leeghoofd zijn geweest op het gebied van de
politiek. Hij had zijn politieke ambities nagestreefd en ervoor betaald met het uiteenvallen van zijn gezin. Hij had de nationale explosies voorspeld en was erbij omgekomen. Hij had het leven van
een rebel geleid en zijn meningen vrijelijk uitgesproken, al betekende het dat hij in een gierput werd gedompeld, steekwonden
kreeg toegediend, verrot was geslagen en onder vuur genomen was.
Hij was een eiland van vrijmoedigheid in een zee van conformisme.
Wat anderen allemaal over hem beweerden liet me koud.

Het troosteloze drama van zijn dood werd benadrukt door de ceremonie van het hoofd-scheren. Tante Tiida, de eerste in het dorp
die ooit kippen en eieren had gegeten, maakte van dit banale ritueel

een spektakel. Volgens de traditie moest het hoofd van alle weeskinderen zo kaal als een biljartbal worden geschoren. Tiida zag het
haar van haar broers en haar zuster aan de voet van de barbier tuimelen en besloot in opstand te komen. Toen zij aan de beurt was
keek de oude man met zijn scheermes niet eens op. Hij strekte zijn
arm uit en gebaarde dat ze naar hem toe moest komen.

'Ik houd mijn haar.'

'Wat!'

'U heeft me goed gehoord,' zei ze met aangedikte autoriteit. 'Ik
ga niet om mijn vader rouwen met een kale kop. Als het moet dan
doe ik wel iets over mijn haar heen, of wrijf ik er vuil in, maar ik wil
niet geschoren worden. Papa gaf geen greintje om dergelijke dingen.'

'Vrouw, u houdt de ceremonie op. Kom hier, het is zo gebeurd,'
beval de oude man, die inmiddels omringd was door een schare
supporters.

Serenity en Kawayida hadden rode ogen van verdriet en leken op
het punt te staan te ontploffen. Ze keken hun zuster woedend aan,
en wachtten tot ze van gedachten zou veranderen. Kwade stemmen
verhieven zich. Dokter Saïf Ssali, een man die wist dat zelfs iets tri-
viaals als het verwijderen van een voorhuid op ellende kon uitlopen,
trad naar voren om een uitbarsting te voorkomen. Hij voerde tante
Tiida uit de kring van rouwende familieleden en praatte met haar.
Beteuterd kwam ze terug en bood het hoofd aan het scheermes.

Het nieuws over het incident verspreidde zich snel en diende als
voedsel voor de hongerige roddelmachine die zonder ophouden
doordraaide ter verlichting van de stemming van doem en droef-
heid. Een ander populair onderwerp van gesprek was de plunder-
pret die had plaatsgevonden. Er kwamen verhalen los over jeugdige
inwoners van het dorp die de barakken waren binnengevallen en
zich stapelbedden, tenten, laarzen, koekjes, cornedbeef, ijskasten,
broedmachines en kogels hadden toegeëigend. Nu en dan hoorden
we explosies uit hun deel van het dorp. Doelloze jongeren legden
scherpe patronen op gloeiende kooltjes en juichten als ze ontploften.

Serenity keek me aan met een mengeling van afgunst en kwaadheid toen hij hoorde dat ik de stoffelijke resten van zijn vader had gevonden. Eens te meer had ik zijn positie als eerstgeboren zoon ondermijnd. Hij voelde zich des te vers lagener omdat hij en Kawayida drie keer over de markt waren gelopen op weg naar de kathedralen. Hij snapte niet hoe ze die lijken over het hoofd hadden kunnen zien, want ze hadden vlak aan de weg gelegen. Zijn problemen lieten me echter koud. Ik was erg benieuwd naar zijn eerste kind, de dochter die een jaar ouder was dan ik. Ik verbeeldde me dat ze een flink meisje was, begiftigd met de gratie van tante Tiida, het rustige temperament van haar moeder en de ambitie van Opa. Mijn hoop haar te kunnen zien werd de grond in geslagen toen tante Nakatoe onthulde dat het meisje de begrafenis niet zou bijwonen. Ze nam geen deel aan gelegenheden waarbij Serenity aanwezig was. Het was inmiddels wel duidelijk dat zij niet veel aan Serenity had gehad als vader. Ik vermoedde dat hij haar af en toe financieel had gesteund, bijvoorbeeld als ze ziek was, maar verder niet. Volgens mij had hij geen hekel aan het meisje, maar wist hij gewoon niet wat hij doen moest, wat hij haar kon bieden. Als een man die door wolvinnen was grootgebracht, moet hij hebben aangenomen dat alle vrouwen het vermogen van een wolvin hadden om voor zichzelf te zorgen, een idee dat gestaafd werd door Hangslots onafhankelijkheid en Nakiboeka's zelfvertrouwen.

Kasiko, de moeder van het meisje, had ik al eens ontmoet. Ze was veel knapper dan Hangslot. Vergeleken bij Hangslot had ze de tijd goed doorstaan en zag ze er jong uit voor haar leeftijd. Ik vond haar aardig. Ze had me niet als vijand behandeld, terwijl Hangslot een nakomeling van haar verstootster wel zo zou hebben bejegend. Ik had haar graag leren kennen en haar dochter willen ontmoeten, maar ik wist niet hoe ik dat moest inkleden. Onze familie zat gevangen in verval, de vezels die ons verbonden waren slap geworden door gebrek aan contact, vaag modernisme en de grillen van een onverteerd katholicisme. Als Serenity niet vervreemd was geraakt van deze vrouw, dan had ze misschien iets aan mijn leven kunnen toevoegen. Ze had iets ontvankelijks, iets liefs en zachts, droeg haar nederlaag met gratie en bezat een innerlijke warme kracht die ik graag nader had willen onderzoeken.

De manier waarop Hangslot en Kasiko elkaar vermeden had iets lelijks. Ze zaten mijlen van elkaar vandaan en hielden elkaar nauwlettend in de gaten, als roofvogels. Als Kasiko in een kuil zou vallen dan wist ik zeker dat de ex-non haar er niet uit zou helpen. Als Kasiko Hangslot in een kuil aantrof daarentegen, dan zou ze haar eruit trekken, alleen al om het wraakzuchtige genot dat ze haar gered had. Voor mij waren de twee vrouwen twee kanten van dezelfde medaille: Hangslot hield er strenge principes op na, maar ze was geen goed voorbeeld en zou veel kunnen leren van iemand met een hart, zoals Kasiko. Kasiko kon best iets van Hangslots onafhankelijkheid gebruiken. Dit wist Serenity. Maar het was te laat. Hij wist ook dat de kinderen van Hadji Gimbi betere vrouwelijke voorbeelden hadden, omdat ze de keus hadden tussen verschillende personen, terwijl de schijters alleen de in zichzelf gekeerde Hangslot hadden. 'Ze is nou eenmaal de moeder van mijn kinderen,' hoorde ik Serenity tegen Nakiboeka zeggen.

Nakiboeka was ook aanwezig. Had Serenity zich ooit eerder zo eenzaam gevoeld met zoveel vrouwen om zich heen? Hij onderging de pijnlijk verzwegen kwelling van iemand die acute diarree heeft. Kasiko, Hangslot en Nakiboeka waren net drie steentjes in zijn schoen. Hadji Gimbi zou de drie vrouwen bij elkaar hebben geroepen, of ze er nou zin in hadden of niet. Maar Serenity bevond zich op een evenwichtsbalk en deed zijn best de drie-eenheid te omzeilen, alsof hij had afgesproken ze in het openbaar te negeren of hoopte de roddelpraatjes over het feit dat de tante van zijn vrouw zijn minnares was de kop in te drukken.

Ik was onder de indruk van het charisma en de persoonlijkheid van Nakiboeka. Ze gedroeg zich alsof ze de eerste plaats in Serenity's drie-eenheid innam. Ze schonk geen aandacht aan kwaadsprekers en bewoog zich vrijmoedig onder de rouwklagers. Ze trommelde een kookbrigade bij elkaar, stuurde luie kinderen eropuit om water te halen en zag erop toe dat niemand meer at dan de anderen. Ze was weer teruggevallen in haar rol van bruidstante en zorgde voor zowel de zenuwachtige bruid als de gespannen bruidegom, heette familieleden en bezoekers welkom en verzekerde zich ervan dat alles op rolletjes liep. Achttien jaar geleden was ze voor het eerst naar dit dorp gekomen. Nu was ze terug als overwinnaar, raadpleegde Serenity rechtstreeks wanneer ze iets moest hebben, hielp tante Tiida als het nodig was en bewoog zich met het volmaakte gemak van een vis in het water.

Ik kon niet genoeg krijgen van deze vrouw. Ze had me betoverd. Ik zag wat eigenliefde in haar teweeg had gebracht: ze keek iedereen aan, vriend of vijand, alsof ze op het punt stond een geheim te verklappen of een liefdesgedicht voor te dragen. Ze bezag de rouwklagers vriendelijk en stond klaar om een ronddolende vreemdeling te ontvangen, moedelozen op te monteren, mensen die geen hoop meer hadden met een glimlach gerust te stellen. Ze was zo prachtig dat het zelfs tante Tiida, die behalve haar Peugeot nu ook haar haren kwijt was, irriteerde. Wie denkt ze wel dat ze is? hoorde ik haar tegen tante Nakatoe zeggen. Nakiboeka stak met kop en schouders boven de door verdriet overmande rouwklagers uit, maar dat zou ze ook gedaan hebben in een groep vreugdevolle feestvierders. Deze vrouw had iets kokets, precies de reden waarom haar man haar had geslagen. Vroeger had ze die man doen sidderen van onzekerheid. Ze had hem veel te veel herinnerd aan zijn eigen tekortkomingen door de wereld te laten ruisen van de vrouwenjagers. Nakiboeka wekte de onzekerheden en ongemakken van Serenity niet op, maar had hem er ook niet van af kunnen helpen. Dat was de reden dat hij zich toch gedroeg als een geit met een wesp in zijn oor.

Ik deed mijn best om bij haar uit de buurt te blijven, omdat ik me niet wilde laten gebruiken als boodschappenjongen tussen haar en Hangslot of Serenity of wie dan ook. Ik bleef ook bij Hangslot uit de buurt. Ze zag er zielig uit met haar pruilerige zure-nonnengezicht. Ik drukte me wanneer ik kon en kwam alleen tevoorschijn als er gegeten werd.

Er was een hoop deining geweest over wie waar zou slapen. Oom Kawayida wilde dat Serenity's 'vrouwen' in zijn vrijgezellenhuis zouden overnachten. Nakiboeka en Kasiko namen er hun intrek, en tante Lwandeka voegde zich later bij hen. Hangslot, de officiële echtgenote en moeder van zijn twaalf kinderen, hield haar poot stijf en weigerde het huis te betreden als Nakiboeka of Kasiko er waren. Bijgestaan door Tiida ging Kawayida in onderhandeling met Hangslot, maar dat liep op niets uit. Serenity bleef tactvol uit de buurt. Hangslot won en sliep in het bed waarin ze ontmaagd was. Nakiboeka en Kasiko brachten de nacht, als geallieerden tijdens een loopgravenoorlog, buiten door, alsof ze van plan waren bij het aanbreken van de dag het huis te bestormen.

Ik sliep onder de boom waar Opa en Oma hun middagruzies hadden gemaakt. Ik luisterde naar het gejammer van de loopse honden, het gesnurk van de slapende mensen en de roep van de nachtelijke sluipdieren. Ik dacht aan de nacht toen ik tegen Dorobo, de nachtwaker en stroomsaboteur op het seminarie, was aangelopen. Ik zag hem weer voor me, hoog als een boom, breed als een muur. Pater Gilles Lageau was uit het land vertrokken. Frater Kaanders was gestorven en begraven op het kerkhof van het seminarie. Lwendo was nog bezig zijn roeping als priester te volgen. Maar waar zou Stengel zitten? Ik herinnerde me de twee reukloze, nette lijken die hij ons lang geleden had laten zien. Ik dacht weer aan Opa, in de schaduw van het marktkantoor, en aan de stank. De slijmérige vinger van de misselijkheid porde mijn maag en ik kokhalsde bij de gedachte aan de kogels die hem hadden gedood. Ik kon niet meer slapen. Morgen was de begrafenis. Het graf was gegraven, de laatste spijker lag klaar om in de kist geslagen te worden en het verleden af te sluiten. Ik werd onrustig. Ik wandelde naar het nieuwe gedeelte van het dorp. 'Restaurant', 'hotel' en 'casino' lagen in diepe duisternis gehuld. De jongelingen die scherpe munitie op het vuur gooiden lagen te slapen. De koffiesmokkelbusiness was een natuurlijke dood gestorven na de val van Amin. De plek waar voorheen joyrides, kaartspelletjes en zuippartijtjes werden gehouden was bezaaid met plastic en piepschuim waar de nieuwe matrassen, nieuwe radio's, nieuwe overhemden en andere goederen in waren verpakt die uit de barakken geplunderd waren. Er werd niet meer geplunderd. In plaats daarvan heerste er passiviteit alom. De mensen leken te wachten op orakels over de toekomst van het Oeganda na Amin.

De begrafenis vond vroeg in de middag plaats. Er verschenen twee kotsgele bestelwagens van de Posterijen waar mensen van Serenity's vakbond in zaten. Hadji Gimbi was er, en nog een heleboel mensen die ik niet kende. Het enige wat me bijbleef was het af en aan rijden van die bestelwagens. De rest van de dag speelde zich af in een misselijkmakende film van verflauwende beelden. Ik vroeg me af of ze eindelijk de kogel uit Opa's been hadden verwijderd die hij dertien jaar bij zich had gedragen. Ik wilde hem als een souvenir bewaren. Ik moest denken aan Oma's droom over de buffel en de krokodil. Ik vroeg me af welke plaats ik had in het verleden en in de toekomst.

Het politieke plaatje was geleidelijk aan wat scherper geworden. De grijsharige leider van Tanzania, president Nyerere, trok aan de touwtjes. Er kwam een coalitieregering aan de macht waarin oude zowel als vage nieuwe politieke groeperingen zitting hadden. Vanwege de verborgen machtsstrijd en de tussenkomst van Tanzania gebeurde er niets. Tante was ontevreden over de geringe kansen van haar collega's. Ze was erachter gekomen dat de NRB heel klein was vergeleken bij de reuzen die op het politieke toneel rondscharrelden. De brigadier had een onbetekenende baan gekregen: hij was ingedeeld bij een van de teams verantwoordelijk voor het herstellen van de schade aan de militaire barakken en voor het rekruteren van soldaten. Er werd al over nieuwe verkiezingen gerept. Nyerere's oude vriend Obote mocht zich verkiesbaar stellen. Het was duidelijk dat Tanzania hem kwijt wilde als barneling en hem gebruikte om wat van de oorlogskosten terug te vorderen. In het binnenland waren de verwachtingen laag en nam de desillusie toe. Democratie op oude grond bleek geen rozentuin te worden, en er gingen al geruchten over een ophanden zijnde burgeroorlog. De verhalen die tante van haar collega's hoorde, duidden op een duistere toekomst, aangezien de heimelijke machtsstrijd binnen de regering steeds heftiger werd. Op dit moment onderdrukten de mensen hun twijfels over de toekomst met pogingen om het heden te verbeteren. Terwijl de regering bleef dubben, werden er overal Ouder- en Onderwijsgenootschappen opgericht, die scholen op poten zetten. Het afzetten van een tiran was één ding, het huis aan kant maken een ander, bleek nu. Mijn gemijmer over de politiek verdween naar de achtergrond vanwege de aaneenschakeling van tragedies waardoor mijn familie werd getroffen.

De bevrijders van het vrouwelijke geslacht, die nu toezicht hielden over de meeste wegversperringen, veroorzaakten een sensatie. Ik had ze al zien lopen met hun achterwerk in strakke legerbroeken, hun borsten in groene legerbeha's en hun haar dat onder benauwde petjes uitkroop. Ze waren een rechtstreeks antwoord op de toenemende klachten over de molestaties bij de versperringen die bemand werden door hun collega's van het andere geslacht. De wittebroodsweken van de bevrijders waren voorbij. Er werd dagelijks op aangedrongen om de wegversperringen te verwijderen, aangezien ook de bevrijders waren gevallen voor de verleiding om losgelden te innen. Er waren al plannen in de maak om de Tanzanianen naar huis te sturen. Maar zolang het duurde probeerden die zoveel mogelijk spullen te vergaren die ze in het communistische Tanzania niet konden krijgen. De wegversperringen bleven, omdat er nog steeds mensen met geweren rondliepen, die soms bij roofovervallen werden gebruikt en meestal in beslag werden genomen.

Voor sommigen was het aanstellen van vrouwen bij de versperringen te laat gekomen. Tante Kasawo was een van degenen die gemolesteerd waren. Kasawo woonde in een kleine stad op een strategische plek tussen Masaka en Kampala. Het stadje was na een felle strijd door de bevrijders belegerd en werd gebruikt als basiskamp voor de troepen die naar Kampala oprukten. In het felst van de strijd was er een grote delegatie uit Tanzania gelegerd, om teruggestuurd te worden naar het kamp in Masaka, of doorgestuurd naar het front.

Er heerste strenge discipline onder de soldaten, van een niveau dat in Oeganda niet voorkwam, en de straffen die toegepast werden als de soldaten een overtreding begingen, waren afschrikwekkend.

Vlak na de belegering van het stadje waren twee Tanzaniaanse soldaten doodgeschoten wegens het verkrachten van een zestigjarige vrouw. De inwoners waren getuige van de executie en konden hun ogen niet geloven. Aministische manskrachten zouden geen vinger hebben uitgestoken naar dergelijke verkrachters; misschien zouden die zelfs wel promotie hebben gekregen, om het volk te treiteren. Sedert die tijd waren de inwoners niet bang meer geweest en lieten ze hun deuren open omdat er geen diefstallen of overvallen meer gepleegd werden. Ze leefden drie maanden lang in een soort utopia en hoopten dat de val van Amin hen niet zou treffen.

Voordat de Tanzanianen waren gekomen, was het stadje bezet geweest door Amins manschappen, voor wie iedereen bang was en 's avonds binnenbleef. De vrouwen deden een heleboel lagen kleding over elkaar aan. De mannen liepen rond met hun staart tussen hun benen omdat er soldaten waren die veel stoerder waren dan zij, en die bovendien gewapend waren. Maar nu was het er vredig. 's Ochtends keken de mensen toe bij de legeroefeningen en luisterden ze naar de zwetende, hijgende en zingende soldaten. De middag verliep op kleurrijke wijze terwijl de burgers hun toekomstdromen bespraken en wachtten op nieuws over de voortgang die hun bevrijders boekten. 's Avonds kwamen ze bijeen in groepjes, luisterden naar de Guerrillazender, joelden als Amin uitgescholden werd, zongen mee met de populaire liedjes en discussieerden over het nieuws. Sommige programma's werden vanuit dat stadje uitgezonden: interviews met inwoners over het leven in bevrijd gebied. Sommigen hoorden voor het eerst hun eigen stem over de radio en waren blij met de vrede en de goede verhoudingen tussen de bevrijdingstroepen en de bevolking. Er kwamen eveneens militaire topfiguren op bezoek, zodat men met eigen ogen kon zien hoe de mensen die de toekomst in handen hadden eruitzagen. Het legerpersoneel voerde milde politieke campagnes waarbij de nadruk werd gelegd op zelfhulp-projecten.

Buiten de barakken was alles in orde; binnen begonnen de mannen die toezicht moesten houden op het stadje zich te vervelen. Verveling bracht zelfonderzoek met zich mee. Verdrukte, diep weggestopte demonen staken de kop weer op en begonnen op innerlijke deuren te bonzen. Het gevolg was dat er steeds meer soldaten vonden dat ze best een beetje drank en een beetje seks konden gebruiken om de tijd te verdrijven. Ze zouden per slot van rekening naar het front gestuurd worden, zodat dit misschien hun laatste kans was. En hadden ze hun leven al niet in de waagschaal gesteld voor deze drankproducerende, drankverkopende en drankdrinkende vrouwen? Ze bonsden op de glazen muur die hen scheidde van de malse vrouwen met hun dikke konten voor wie ze helemaal uit Tanzania waren gekomen om ze te bevrijden en te beschermen, maar van wie ze niet konden genieten zonder geslagen, gevangen genomen of zelfs doodgeschoten te worden, zoals met hun twee kameraden was gebeurd.

Het was honderdvijftig dagen geleden dat de zeven broers voor het laatst gesnoept hadden. Toen waren ze nog met hun tienen geweest: drie waren er inmiddels gesneuveld in de strijd tegen Amins manschappen om Masaka. De zeven broers vormden een hechte eenheid en smeedden hun plannen met de zorg en het geduld van een wever. Ze waren familie, en familie was belangrijker dan de achterban. Ze hadden gezworen op hun eigen hoofd dat, als een van hen gepakt zou worden, hij de anderen niet zou verraden. Aanvankelijk verdeelden ze zich in twee groepen van vijf, maar na de dood van hun broers hadden ze zich verenigd. Ze hadden een poosje aangezien hoe sommige stommelingen uit de barak ontsnapten om zich te bezatten en een vrouw te versieren, betrapt werden en geboeid in een cel gegooid of teruggestuurd werden naar Masaka of Tanzania. De zeven broers hadden de executie van het tweetal verkrachters met lede ogen aangezien. Zonde van die jongens! Dat was in feite de vijfde executie geweest sinds het begin van de oorlog. Zij zouden zich niet laten pakken, want ze waren lang niet zo dom en zo onhandig als de mannen van Amin.

De zeven broers waren er jaren geleden al achter gekomen dat kwaliteit en kwantiteit niks met elkaar te maken hadden. Elk jaar hadden ze genoegen genomen met een klein aantal lekkernijen, die zo vullend waren geweest dat ze de magere perioden ruimschoots compenseerden. Terwijl stomme soldaten aan meerdere vrouwen tegelijk dachten, namen zij genoegen met één vrouw, één enkele maaltijd. Haastig verslonden vrouwen kletsten, waarna de mannen opgepakt en gestraft werden. Een vrouw die door zeven broers afgesabbeld werd had er moeite mee de dader aan te wijzen vanwege de manier waarop ze het inkleedden. Ze waren nog nooit gesnapt en het leek onwaarschijnlijk dat dat in deze kleine stad zou gebeuren.

Toen tante Kasawo op een middag haar geluk wilde beproeven op de zwarte markt, liep ze in een goed georganiseerde val. Achter een rijtje gebouwen die onderdak boden aan legerofficieren, werd ze aangehouden door een jongeman met een vriendelijke stem, die gekleed was in een spijkerbroek, een schoon T-shirt en een strohoedje. Hij bood haar rijst van goede kwaliteit aan, bonen en rundvlees tegen een prijsje dat ze niet kon weerstaan.

'Rundvlees uit Amerika! Prachtig rundvlees, madame. Rijst uit Japan, dikke korrels en al voorgewassen zodat het zo de pan in kan! Met korting, madame!'

Kasawo mocht deze innemende jongeman wel, met zijn gave huid, zijn witte tanden en zijn frisse adem. Ze vond het leuk om 'madame' genoemd te worden en het was voor het eerst dat het haar oprecht in de oren klonk. Ze had schik in zijn enthousiasme. Zwarte-markthandelaars mochten van haar best glimlachen en werken voor hun geld, zoals zij zelf ook deed.

'Ik ben niet gekomen om lucht te kopen, jongeman,' zei ze een beetje uit de hoogte, 'laat me de waren zien.'

'Tot uw dienst, madame,' zei hij met een guitig lachje. Hij haalde een paar monsters uit zijn raffiazak. 'Bijt u maar eens in die rijstkorrels. Kijkt u eens naar dat vlees! Een hele stier in één blik geperst. Ik raad u aan het blik voorzichtig open te maken, dan wordt u niet op de hoorns genomen door die Amerikaanse stier!'

Het gevoel voor humor, de kwaliteit van de monsters en de vraagprijs van de man bevielen Kasawo wel. Meer had de jongeman niet hoeven zeggen. Maar, als alle hongerige zielen, kon hij zijn geluk niet op over deze lekkernij die voor hem stond en die hem bijna smeekte om opgeschrokt te worden. De broers waren gewaarschuwd tegen de arrogantie van de Oegandese vrouwen, zodat ze verbijsterd waren er zo snel een te pakken te hebben. Maar Kasawo was niet de eerste vrouw die langs was gekomen. De man had er een paar voorbij laten gaan omdat hij er een slecht voorgevoel bij had gekregen.

'Ik heb vandaag nog niets verkocht, madame. U bent door God gezonden, in antwoord op mijn gebeden,' zei hij met flitsende witte tanden. Kasawo was ook gecharmeerd van zijn roze tandvlees.

Op het eerste gezicht leek hij een uitkomst voor haar. Ze kon tegen een lage prijs inkopen en zodoende met veel winst doorverkopen. Het leek haar een goed idee om deze man als vast contact aan te stellen en de andere handelaars, die altijd de kans zagen te hamsteren en een kunstmatige schaarste te creëren, te omzeilen.

'Laat de rest van de waren maar eens zien,' zei Kasawo quasikortaf, blij met dit buitenkansje.

'Ze liggen daarbinnen,' zei hij, wijzend met een lange mooie vinger.

'Zijn we bang voor legerinvallen?' zei ze met de zelfingenomenheid en medeplichtigheid van een collega.

'Wat u zegt, madame. Die bevrijders betichten ons ervan dat we hun vlees verkopen, maar ze staan er niet bij stil waar we het vandaan halen.' Hij glimlachte en barstte toen in geschater uit.

Voor het eerst in vijftien jaar dacht tante Kasawo aan de zoon die ze onterfd had na zijn vaders poging haar van het leven te beroven. Die zou nu wel een grote kerel zijn. Maar was hij net zo innemend, beleefd en slim als deze jongeman? Ze hoopte eigenlijk van niet. Zijn vader verdiende zo'n zoon niet. Hij verdiende een brutale dwerg. Ze bleef voor het gebouw staan, keek om zich heen of er niemand aankwam en wachtte. De zwarte markt was gebouwd op vertrouwen. En ze vertrouwde deze jongeman beslist! Als ze riskante zakencontacten maakte ging Kasawo af op haar instinct en haar instinct was zuiver. Ze hoorde hem binnen vragen hoeveel kilo ze wenste. Hij toonde haar een zak rijst van vijf kilo en een doos ingeblikt vlees. Ze besloot naar binnen te gaan om erop toe te zien dat hij haar niet belazerde. Als je een zwarte-markthandelaar één vinger gaf dan probeerden ze de hele hand te nemen. Tante Kasawo moest denken aan de parochiepriester uit haar jeugd, die zijn kudde had gewaarschuwd voor de Duivel.

Het ene moment dacht ze erover hem voor te stellen haar vaste leverancier te worden; het volgende moment werd ze overmand in een duisternis als van een grafkelder. Ze werd beentje gelicht, vloog door de lucht en kreeg een zak over haar hoofd getrokken. Terwijl hij haar nog steeds met madame aansprak, verzocht de jongen haar niet te schreeuwen. Ze rukte en schopte en beukte op de slaapzak waar ze haar op hadden neergesmeten. Toen werd er een mes op haar keel gezet. Ze voelde twee extra paar handen, die haar uitkleedden. Dit was een hoogst efficiënte organisatie. Ze ondervroeg zichzelf: hoeveel mannen hebben je verkracht? Twee, drie, vier of meer? Ik weet het niet. Denk na, een schatting, madame. Het leger is tegen alle daden van agressie en we zullen iedereen die u kunt identificeren straffen. Kunt u zeggen wat de man die u hebt gezien aanhad? Hij droeg een hoed en een T-shirt en een spijkerbroek… Nog meer aanwijzigingen? Nee.

Eerst kwamen er een, twee, drie, vier, vijf, zes, zeven driftige papdikke zaadlozingen. Toen kwamen er een, twee, drie, vier, vijf, zes, zeven minder driftige, minder dikke straaltjes. Ten slotte kwamen er een, twee, drie, vier, vijf, zes, zeven aanhoudende, niet erg explosieve, dunne kwakjes. In achtenzestig minuten ononderbroken actie werd een halve liter zaad uitgestort. De baarmoederhals werd meer dan tweeduizenddriehonderd maal geraakt, er werd honderdvijfennegentig keer in haar borsten geknepen en haar clitoris werd slechts een schamele vijfmaal beroerd.

De zeven broers verlieten een voor een het toneel. De lokeend vertrok het eerst om zijn alibi veilig te stellen. De zeven broers bereikten de barakken net op tijd voor het appèl. Het beeld dat door hun hoofd flitste was de bliksemsnelle grensoverschrijding die Amin een paar maanden daarvoor had uitgevoerd in de Kagera Driehoek.

De ironie of perverse logica van de situatie was dat een legerarts Kasawo door het medische gedeelte van haar beproeving heen hielp. Diezelfde dokter vroeg haar ook of ze wist wie het waren geweest, maar ze zei nee. Hij vroeg haar welke taal ze hadden gesproken en ze zei dat ze zich dat niet kon herinneren. Had ze een van hen gezien? Ze kon zich alleen een strohoed herinneren, een wit T-shirt en een spijkerbroek. Hadden ze geld van haar afgepakt? Nee. Ze weigerde nog meer vragen te beantwoorden. Ze had al besloten om de demonen van verkrachting en trauma uit te laten bannen door een beroemd medicijnman en verder geen tijd te verspillen aan gênante onderzoeken. Hoe moest je het hoofd hoog houden in zo'n kleine stad als iedereen wist dat je door zeven soldaten tegelijk was verkracht? Tante Kasawo was niet op haar achterhoofd gevallen. Zoals haar priester vroeger had gezegd: zwijgen is goud.

Veertien dagen na de begrafenis van Opa trok tante Kasawo haar beste kleren aan en deed haar mooiste sieraden om. Ze werd thuis opgehaald door een gele bestelwagen van de Posterijen, bestuurd door Serenity. Ze werd eerst naar Kampala gebracht en vervolgens naar de plaats waar Hangslot de afgelopen twee jaar had gewoond. Ze keek de Tanzaniaanse soldaten aan met een norse glimlach. Ze was blij dat ze terug naar huis werden gestuurd, waar ze hoopte dat ze hun zusters en moeders zouden verkrachten. Het stoorde Kasawo buitengewoon dat ze, na wat de vader van haar zoon haar had aangedaan, opnieuw in handen van slechte kerels was gevallen. Ze had een wraakfantasie waarin ze een paar van haar vroegere soldatenvriendjes tegen een paar bevrijders opstookte en toekeek hoe de paaiende Tanzanianen afgetuigd werden. Ze vroeg zich af waar de soldaten die ze gekend had uit het leger van Amin nu waren. Een van hen had haar geld aangeboden in ruil voor onderdak. Een ander had haar ten huwelijk gevraagd. Weer een ander had de hele nacht gehuild en haar gesmeekt hem naar een van de eilanden in het Victoriameer te smokkelen zodat hij zich daar tot het eind van de oorlog kon verschuilen. Ze had allerlei goederen van het drietal gekocht, die ze tot aan de tijd dat de Tanzanianen het stadje waren binnengevallen, op de zwarte markt had verkocht. Ze vermoedde dat ze ergens verscholen zaten in Noord-Oeganda, in Soedan of misschien wel in Kenia. Het gevoel van onschendbaarheid dat ze aan hun vriendschap had overgehouden deed haar inzien hoe laag ze gezonken was. Ze besefte dat de tijden veranderd waren en dat haar pech met mannen, die ze dacht te hebben overwonnen, haar bleef achtervolgen.

Kasawo was onder de indruk van de bungalow en het stuk land dat haar zuster bezat. Ze had zelf ook altijd zo graag een huisje gehad, om het te kunnen schilderen en inrichten zoals zij het wilde. Ze had enorme bewondering voor het inzicht dat Serenity getoond had door dit stuk land te kopen en de bungalow te bouwen voordat het te laat was. Veel mensen die goed verdiend hadden onder Amin, kwijnden nu weg van armoede, omdat ze zo stom waren geweest te geloven dat Amin eeuwig aan de macht zou blijven en ze geen geld hadden weggelegd. Zij had ook een huis kunnen bouwen met het geld dat ze op de zwarte markt had verdiend, maar ze was het blijven uitstellen tot Amin verjaagd werd. Nu schaamde ze zich dat ze na al die jaren nog steeds hetzelfde huurhuis bewoonde.

Kasawo's oog viel op het plakkaat met Romulus en Remus. Hij leek hier meer betekenis te krijgen. Op tafel stond een plastic fles in de vorm van de Heilige Maagd, compleet met aureool, hart en wolken. Ze benijdde haar zuster de vliegtocht naar Rome, Lourdes, Jeruzalem en al die plaatsen uit de Bijbel. Het meisje dat ze vroeger Nakaza, Nakaze, Nakazi, Nakazo, Nakazoe hadden genoemd! Hangslot was er niet op achteruitgegaan. Tante Kasawo vond dat Hangslot niet alleen geluk had met mannen, maar ook met kinderen en geld.

De orde in huis was net zo streng als in een militair kamp. De binnenplaats was kraakhelder, de kinderen waren gehoorzaam, spraken haar niet tegen en wisten precies wat er van hen verwacht werd. Eén voor één knielden ze voor hun tante van moederskant neer en heetten haar beleefd welkom. Ze maakten rustig hun huiswerk en Kasawo constateerde dat ze goede cijfers haalden, zelfs de domste. Terwijl ze haar zuster gadesloeg bij het zwaaien van de scepter, schoot haar het gesprek te binnen dat ze hadden gevoerd over nakomertjes, jaren geleden, toen Lwandeka ontvoerd was.

Hangslot was een uitzondering; haar tuchtneigingen waren niet in het minst afgezwakt nu zij ouder was. Als haar laatstgeboren kind meer vrijheid had in vergelijking met de eerstgeborene, dan was het niet veel. Hangslot gebruikte de guavekarwats nog steeds met wrede berekening en draaide haar hand er niet voor om een overtreder zonder eten naar bed te sturen.

Aangezien Kasawo zelf de voordelen had genoten van de laksheid van haar ouders en al alcohol dronk op de leeftijd die de oudste schijter nu had, laat thuiskwam en had geweigerd haar met een hete tang steil gemaakte haar te verpesten door er waterkruiken op te vervoeren, keek ze haar ogen uit. Ze had dit soort smeedijzeren discipline al heel lang niet meer meegemaakt en ze vroeg zich af hoe haar zuster het volhield.

Als gast hoefde Kasawo niets te doen, behalve te eten en te slapen. Ze was aangenaam verrast door de kookkunsten van de schijters en als ze hen niet met eigen ogen bananen had zien pellen, in bananenblad zien wikkelen en op het vuur had zien leggen, dan zou ze gedacht hebben dat haar zuster had gekookt. De schijters vlogen op haar wenken en warmden water op voor een bad wanneer ze maar wilde. 's Middags maakte ze korte wandelingen. Er was hier niet geplunderd en de winkels waren open. Ze was in de verleiding om een apotheek binnen te lopen en om een vlug onderzoek door een van de doktoren te vragen. Het was zomaar een inval want ze voelde zich prima en de pijn was allang weer weg. Kasawo ergerde zich aan het zangerige Swahili dat de bevrijders spraken. Het deed haar veel te veel denken aan de lokeend die haar in de val had laten lopen. Ze wou dat ze het gebouw kon opblazen dat de bevrijders in beslag hadden genomen om als hoofdkwartier te gebruiken.

De grootste verandering in haar gedrag sinds haar beproeving was dat ze zich druk maakte om niets en over triviale zaken door bleef zeuren. Als er bijvoorbeeld te veel zout in het eten zat, dan ging ze daar de hele dag over door en bedacht er vergezochte complotten bij die erop gericht waren haar eetlust te bederven, haar uit te drogen en haar maagzweren te bezorgen.

Tante Kasawo begon zo vaak over het waarom-moest-het-mij-

overkomen aspect van de zaak dat de ex-non ervan tegen de muren
vloog. Het resultaat was dat Hangslot haar steeds killer bejegende.
Twee tegenstrijdige karakters botsten op elkaar. Hangslot had God
en haar katholieke stoïcisme op zak. Daar stond tegenover dat Kasawo koppig en woedend was, een vaag idee had van rechtvaardigheid, en geloofde dat een exorcist haar psychologische problemen
kon oplossen. Hangslot hanteerde de methode haar zuster eerst een
halfuur te laten zeuren, om haar dan in de rede te vallen met een on-
behulpzaam: 'Het is de wil van God.' Dit had het effect dat Kasawo
op het laatst de indruk kreeg dat haar zuster vond dat ze haar verdiende loon had gekregen. Hangslot zag de verkrachting als deel
van een goddelijk plan om Kasawo's ziel te redden. Kasawo had het
gevoel dat er weliswaar naar haar geluisterd werd, maar dat ze niet
gehoord werd, en dat haar zuster zich opstelde als een betweterige
dokter die al met een behandeling klaarstond voordat de patiënt zijn
mond had opengedaan. Het idee dat haar zuster haar aanzag voor
een potentiële bekeerling tot het conservatieve katholicisme, maakte haar woedend. Hangslot sprak haar aan op de neerbuigende toon
van een ouderling en daar kon ze wel van gillen. Ze wist nu wel zeker dat Hangslot zichzelf veel beter vond dan haar.

Daar had ze gelijk in. Na haar twaalfde kind had Hangslot het
kleine beetje seks waar ze nog aan had toegegeven afgeschaft met
het gevoel dat ze boven al die mensen stond die zich nog steeds met
duivelssnot lieten besmeuren. Ze sloot zichzelf op in het pantser
van een fanatiek katholicisme en keek vanaf haar voetstuk neer op
iedereen die de vleselijke zonde beging. Stevig geïnstalleerd op
haar puriteinse troon vatte ze het als haar plicht op de zondaars te
veroordelen, in de hoop dat ze zich vast zouden klampen aan de
reddende hand van haar vonnis en persoonlijke voorbeeld, en zich
uit de beerput van hun gedoemde levens zouden optrekken. Terwijl
Kasawo haar beproevingsverhaal vertelde en de details onthulde
van de val waarin ze verstrikt was geraakt, terwijl ze vertelde hoe ze
uit de kelder van het kwaad weggekropen was en halfdood op de
weg had gelegen, voelde Hangslot een verheven vreugde door zich
heen gaan. Aan haar voeten lag een naakte zondares, die uit een

zondige zwijnenstal kroop op weg naar verlossing.

Zuster, waarom blijf je zondigen? Waarom heb je jezelf niet op tijd tot inkeer gedwongen? God is begonnen met het op je pad brengen van je eerste man, Pangaman. Hij had zijn lugubere, kwaadaardige karakter verzacht en jij liet hem zoete woordjes in je naïeve oren fluisteren. Hij heeft je kleine ego opgeblazen en je naar het oneffen pad van opstandigheid en zelfvernietiging gevoerd. Je rebelleerde tegen je ouders. Je dronk alcohol. Je werd onhandelbaar. Je pronkte met de kleren waarmee Pangaman je in zijn netten lokte. Je schepte op over de seksuele zondigheden die je met hem beging. Je gaf jezelf aan hem over. Je aanbad hem en je zakte steeds verder weg. Hij bezoedelde je lichaam met duivelssnot. Hij verblindde je met voorbijgaande pleziertjes. Hij verwekte een onwettig kind bij je. Hij nam bezit van je lichaam en je ziel. Je werd zijn slaaf. Je deed alles wat hij zei dat je moest doen. Tot slot rende je met hem weg naar wat je dacht dat het paradijs zou zijn. Hij verpletterde de bloem van je tienerjaren onder de plichten van vrouw en moeder. Je kwijnde weg onder de ijzeren eisen van een nieuw leven. Je bezweek onder de last van de opvoeding van een kind en het zorgen voor een man die geen zier om je gaf. Je verloor al je allure omdat je hem op zijn wenken moest bedienen en je rook naar zwaar werk, moedermelk en eindeloze zorgen. Hij zei die zoete woordjes niet meer waar je zo'n behoefte aan had. Je was een deel van het ameublement geworden. Op hetzelfde niveau als de geiten en de kippen. Je deed de deur voor hem open en begroette hem met een knieval als hij thuiskwam met dauw in zijn haar en de muffe intimiteit van andere vrouwen op zijn huid. Midden in de nacht warmde je zijn badwater op en verzorgde hem in al zijn behoeftes. Je slikte de klappen die je kreeg als je vroeg waar hij geweest was of hem tegensprak. Je viel in katzwijm als hij zich verwaardigde je aan te raken en je vergaf hem alles als hij je neukte. God bood je een uitweg door hem steeds gemener te maken. Je hebt Zijn aanbod afgeslagen. Je aanbad liever de fallus van Pangaman dan Gods Kruis. Je beefde liever van de bitterzoete hysterie van tijdelijk genot, dan van de eindeloze vreugde van Gods liefde.

Ondanks dit alles heeft God je niet verlaten: Hij heeft je nog een kans gegeven. Hij heeft Pangaman getroffen met een vreselijke ziekte. Hij heeft hem zijn toverkracht afgenomen onder een wolk van chloroform. Hij heeft Pangamans zwakheid laten zien door zijn rottende darmen eruit te laten snijden met een ontleedmes. Hij heeft hem als een koffiezak laten dichtnaaien. Pangaman kwam in het ziekenhuis bij bewustzijn met omfloerste ogen en gasbellen in zijn buik. Je beefde van de plotselinge macht die je had nu die koning van jou er zo slecht aan toe was, op het randje van de dood verkeerde. Plotseling zag je Pangaman voor wat hij was: een kakkerlak die aan de muur is geprikt ten behoeve van de biologieles. Hij lag daar als een rotte kies, ontworteld, bloederig, bezoedeld door de helse pijnen die hij jou had aangedaan. Ja, daar lag hij: gemeen en hulpeloos, een worm kronkelend in een drol. Je zwol op van de macht die je over hem had. Er kwamen wraakgevoelens in je boven die je uit de afgrond van de slaafse gehoorzaamheid en onderdanigheid haalden. Je tong was bevrijd en je praatte aan één stuk door en kreeg de bijnaam Vijf Monden. Thuis had je alleenheerschappij als enige verpleegster. Het leven van Pangaman hing aan je pink. Je hoorde hem om de ondersteek roepen, maar liet hem ijskoud in zijn bed schijten. Je liet het huis trillen van de stank uit zijn vunzige buik. In de keuken schudde je van het lachen terwijl hij zichzelf lag te bevuilen en verging van zijn eigen stank. Je liet er tijd overheen gaan voordat je naar hem toe ging, zodat hij er uitzag en rook en aanvoelde als een berg stront. Het trekken van zijn hechtingen maakte je blij. Je wilde dat ze zouden barsten zodat hij de rest van zijn dagen invalide zou zijn. Wat vond je het fijn zijn slappe benen op te tillen met geveinsde tederheid en de smeerboel met spottende zorgvuldigheid af te vegen, en de orde met een spottende toewijding te herstellen! Je overdreef het, want God zorgde ervoor dat de wond ging zweren, zodat het heel lang duurde voor hij weer beter werd. Nu zijn hegemonie gebroken was, zijn eigendunk verpulverd, hield hij je voor de gek met zijn kinderachtige gesmeek en gekreun.

God hielp hem uit zijn bed te kruipen en zijn panga te pakken. God hielp hem de helse pijn te dragen toen zijn buik bijna leegliep

in zijn bed. Hij verbeet de pijn en verstopte de panga onder zijn bed.
Jij was zo dronken van je pas ontdekte macht dat je niet eens in de
gaten had dat de panga verdwenen was. Weer liet je hem zichzelf
bevuilen. Weer speelde je hetzelfde spelletje en liet hem in zijn eigen stank gaarsmoren. Maar ook toen gaf God je nog een kans: het
bed kraakte toen Pangaman de panga greep en zijn arm uitstak om
je hand af te houwen. Hij miste. Je liep tegen de deur aan en gooide
de teil met water om zodat alles nat werd. In een waas vluchtte je
het erf op en keek blind om je heen in de dodelijke atmosfeer. God
bood je nog een kans: je hoorde het gevaar aankomen door een hor-
tend gehijg. Je zag de met stront bevuilde schim een paar meter achter je. In blinde paniek ging je ervandoor. God was nog niet klaar
met je: met één hand op zijn buik zat Pangaman je achterna in zijn
pyjama, zijn andere hand met de panga geheven, klaar om je arm af
te houwen.

De avond tevoren had het geregend, de paden waren bedekt met
een glibberige modder die mensen onderuithaalde als ze niet goed
uitkeken. Waarom ben je niet uitgegleden en gevallen? Waarom ben
je, met je ene blote voet en je andere in een pantoffel, niet uitgegleden en gevallen? Als je gevallen was, zou je dan weer overeind gekomen zijn? Daar ging je, heuvel op, heuvel af. Sommige mensen
die vroeg op waren zagen het geïntrigeerd en met gemengde gevoelens aan, dachten dat het een van je gebruikelijke melodrama's was.
Heb je nog iemand gezien terwijl je door de mist rende? Nee, de
dood had al je andere zintuigen afgestompt, behalve je overlevingsdrang. Jij met je dikke kont, grote borsten en zware dijen, kreeg
plotseling de poten van een ree, de longen van een buffel en het
doorzettingsvermogen van een olifant. Heb je daar ooit bij stilge-
staan? Of dacht je gewoon dat je voor Olympisch Goud ging? Wie
begeleidde je op je verraderlijke pad door de mist?

Je struikelde en kwijlde en haalde je tenen open aan de stenen op
het pad, je dacht er niet bij na hoe je die kilometer naar de weg
moest afleggen. Waar kwam die auto vandaan op die doodlopende weg die je leven heeft gered? Waar kwamen die vriendelijke
mannen vandaan? Waarom zeiden ze niet tegen jou in je bezwete

nylon nachtjapon dat je naar huis moest gaan? Waarom hebben ze je niet achtergelaten toen ze Pangaman zagen aankomen terwijl jij om hulp vroeg? Moest je niet lachen toen Pangaman viel en zijn kuit openhaalde aan het mes? Voelde je geen blijdschap toen je hem zag bloeden? God had op je schouder geklopt, je verlost, maar heb je Hem een kans gegeven? Nee. Zodra je eroverheen was ben je doorgegaan met andere mannen, zondig als nooit tevoren en heb je Hem totaal vergeten. Je hebt een nieuw leven opgebouwd, Pangamans zoon onterfd, een nieuwe naam aangenomen. Om er zeker van te zijn dat Pangaman je niet zou achtervolgen heb je aangepapt met Amin-soldaten en een kunstmatige muur van veiligheid om je heen opgetrokken. Dat werkte zolang God die muur overeind liet staan. God liet je onaantastbaar rondlopen tussen hele rijen moordenaars, verkrachters en dieven en je voelde je onschendbaar. God gaf je toegang tot goederen en geld en je voelde je wel tien meter lang. Je zag andere vrouwen die doodsbang waren voor Amins beulen. Je vroeg je af waarom ze niet zo wijs waren om ook aan te pappen met de soldaten om zich te beschermen en hen iedereen die ze aanraakte af te laten straffen. God gaf je nog een, kans: hij bespaarde je de smerige poten van Amins beulen, maar verpestte de bevrijding voor je. Hij stuurde de zeven broers op je af. Hij sloeg je met de stok waarvan je dacht dat je er niet buiten kon. Hij dompelde je in hetzelfde water waarvan je dacht dat het van levensbelang was. Hij velde je en liet vreemde mannen in je keel pissen. Als je er nu aan denkt moet je nog kokhalzen. Waarom? Jij hebt zelf in Gods keel gepist en je reet afgeveegd met Zijn plannen voor jou. De verkrachting was het laatste teken, de laatste waarschuwing voor de dood van de eerstgeborene. Er zullen geen sprinkhanen meer komen, geen stormen meer en geen verkrachters meer. Dit is je laatste kans om boete te doen en je tot God te richten.

Gefrustreerd vroeg Kasawo haar zuster wat ze aan Nakiboeka had gedaan.

Een seconde lang vertrok Hangslots gezicht en toen herstelde ze zich. Ze had die hoer in Gods handen aanbevolen. Nakiboeka zou ook nog wel een waarschuwing krijgen en de straf die haar toekwam omdat ze het heilige huwelijk besmeurd had. Iedereen werd uitgebreid gewaarschuwd, Lwandeka ook. Tot aan haar arrestatie had ze geloofd dat ze Babylon was: groot, belangrijk en onaantastbaar. God had Amins beulen op haar afgestuurd om haar uit de luiheid van de zonde te wekken. Als ze weigerde te veranderen, zou God niet aarzelen het weer te doen. Ze had het van het begin af aan geweten: een vrouw die vleselijke gemeenschap had met meer dan één man was een hoer, en hoeren die niet op tijd berouw kregen werden doodgestenigd. Ze had zich niet aan de regels gehouden. Ze was keer op keer in de val gelopen. Ze had in zonde een kind laten verwekken en deed dat nog steeds. De man die haar uit het huis van haar vader had gehaald kon niet met haar trouwen omdat hij een student was en zij maar een boerenwicht. God had haar een kans gegeven om zich tot Hem te wenden. Maar in plaats van die kans aan te grijpen had ze zich alleen maar met andere mannen ingelaten. Ze gelooft dat vrijwilligerswerk voor de Kerk haar zal redden. Ze gelooft dat goede daden haar zondige leven goed zullen maken. Ze probeert de nieuwe wijn van de gratie Gods in de haveloze zakken van haar zondige leven te doen. Ze beledigt God door het stoken van drank, een duivelse vloeistof waar mannen van gaan vechten, hoereren, hun vrouw slaan, op het Kruis spuwen en verantwoordelijkheid schuwen. Ze vergeet dat degene die anderen tot zonde verleidt een veel grotere straf krijgt. De politiek zal haar niet redden. Boetedoening wel, maar ze is veel te gewetenloos om dat in te zien.

Kasawo was nu in tranen. Hangslot rook haar kans op overwinning en greep die.

Je jammert maar door over die verkrachting omdat je een afvallige bent. Je jengelt over Amin die dit deed en dat deed, en dit niet deed en dat wel deed, en dit of dat niet had moeten doen. Een land van jengelaars en jammeraars. Een natie van stomme godslasteraars die janken als God met Zijn grote stok, Idi Amin, gaat zwaaien om slechtheid, ongehoorzaamheid, hebberigheid, zelfzuchtigheid en onzedelijkheid eruit te slaan, in voorbereiding op rechtvaardigheid, deugd en verlossing. Net als jij heeft dit land niet geluisterd naar de stem van de profeten en de waarschuwingen uit de mond van God.

De blanke man, die dacht dat hij God was, kwam en onderwierp het land, bepaalde de wet, legde de mensen zijn manieren van leven op en ging er ontspannen bij zitten om van de vruchten van zijn onrechtvaardigheid te genieten. Hij had Aziatische assistenten om hem te helpen bij het uitmelken van het land. Samen verdeelden ze de melk en honing waarmee God dit land had gezegend. Ze stelden wetten op om zichzelf tegen de wraak van de inwoners te beschermen. De Aziaten namen ook deel aan de wraak en waren blij de blanke man te dienen in een goddeloos partnerschap dat voorbeschikt leek eeuwig te zullen duren. Ze bouwden steeds grotere kastelen. Ze richtten steeds grotere monumenten op. Ze vergaarden steeds dodelijker wapens. Ze schepten op over de bijzonderheid van deze natie: hoe ze hadden geïnvesteerd in pinda's en zakken vol goud hadden geoogst. Ze liepen te koop met hun politieke, economische en sociale macht. Tot God besloot dat het genoeg was geweest. Hij spoorde de voorheen volgzame mensen aan. Hij maakte de zwarte collaborateurs van de blanke man tot vijand. Hij zorgde ervoor dat de Tweede Wereldoorlog dodelijker was dan alle oorlogen ervoor. Hij stuurde er zwarte mannen op af om blanken te doden en ze te vergiftigen met het bloed van uitheemse oorlogen en zelfzuchtige trots. God hakte de blanke man om met zijn eigen zwaard. Hij vermorzelde zijn enorme rijk met Zijn vuist. Blanke mannen begonnen over hun schouder te kijken als ze door de stad reden, als ze hun honden uitlieten, als ze naar hun goddeloze tempels gingen. De blanke man was geen absoluut heerser meer. De blanke man stond niet meer aan de top. De blanke man was verslagen door de woorden van Jezus: Van wie veel heeft zal veel gevraagd worden. Uiteindelijk maakte hij rechtsomkeer en sloop weg als een dief in de nacht.

De Aziaat, gevangen in zijn hebzucht, heeft Gods waarschuwing in de wind geslagen. In 1971 hief God een nieuw zwaard dat flitste van een nieuwe wraak. Een jaar later bloedde, jankte en wentelde de Aziaat zich in diepe treurnis. God nam zijn huis van hem af, zijn zekerheid, zijn gerust gemoed. God stookte zijn voormalige bondgenoot, de blanke man, tegen hem op. Opeens was hij nergens meer welkom. Hij werd van grens naar grens geschopt, als een vieze bal. De zwarte man was blij: Gods oordeel was in zijn voordeel. Maar in plaats van een lesje te leren en zich tot God te wenden, vond de zwarte man alles vanzelfsprekend. Hij nam de buit over die de Aziaat had achtergelaten. Moslims en christenen begonnen, net als voorheen de Aziaat en de blanke man, te eten, te drinken en te hoereren. Kastelen die op zand zijn gebouwd overleven een grote storm nooit. Het huis dat op goddeloosheid was gebouwd, werd door elkaar geschud door interne stormen, en door de wraak van Gods zwaard, Idi Amin, en stortte boven op de bewoners in elkaar. Vanuit de ruïnes schreeuwden de mensen om redding en God hoorde hen. In 1979 werd het zwaard verwijderd. Maar zodra het zwaard niet meer flitste, vielen de mensen terug op hun oude hebbelijkheden. De natie had geen berouw getoond of iets van het verleden geleerd. Kasawo, jij en de natie hebben niets geleerd en hebben geen berouw getoond en zullen opnieuw beproefd worden.

Huil niet, Kasawo; huil niet, natie. God beproeft alleen degenen van wie Hij het meest houdt. Kijk terug en je zult zien dat Sint-Bartholomeüs levend gevild werd, Sint-Laurens levend verbrand, Sint-Johannes in olie gekookt, Sint-Erasmus' buik werd opengereten, en dat de Oegandese martelaars in riet werden gewikkeld en in brand gestoken. Allen waren dierbaren van God, doch Hij heeft hun geen beproevingen bespaard. De mensen van vandaag doen net of ze de eersten en de laatsten zijn die de bittere drinkbeker van Gods beproeving zullen kennen. Waarom kijk jij, Kasawo, en al die andere jammeraars, niet naar het Heilige Land, een land waar ik mijn nederige voet heb neergezet en dat ik met mijn nederige vingers heb aangeraakt? Ik trof het aan in vlammen en liet het achter in vlammen. In Jezus' tijd kreunden en jammerden de stenen onder de voeten van Romeinse soldaten en huiverde de lucht van het dodelijke geflits van Romeinse zwaarden. Vandaag de dag gaan de wegen en zijwegen van het Heilige Land gebukt onder de stalen zolen van modern krijgsvolk. Het Heilige Land was op een heleboel manieren nog steeds een strijdtoneel, zoals het in de geschiedenis altijd is geweest. Had God deze natie meer beproevingen laten ondergaan dan de geboorteplaats van Zijn enige Zoon?

Kasawo, de Here beloont hen die Hem trouw zijn. Hij heeft mij beloond. Hij heeft Zijn glorie aan mij geopenbaard in de Sint-Pieterskerk. Ik voelde de geweldige muren beven van heilige koorts. Bij de wijding zag ik slingers witte duiven omlaagkomen uit het gouden raam achter het altaar en zich om het altaar heen verzamelen. Ik zag de pauselijke beker en de kaarsen smelten en in gouden rivieren samenvloeien aan de voet van het altaar. God heeft me al die wonderen laten zien zodat jij het zou geloven, en berouw zou tonen en het aanbidden van de Duivel zou opgeven. Ik ben je laatste waarschuwing, Kasawo. Er zullen geen stormen, verkrachters of verbale waarschuwingen meer volgen.

'God brengt redding, God laat geen enkel gebed onbeantwoord,' zei Hangslot, en liet haar zuster in de waan dat ze in een soort trance was geraakt.

Kasawo ervoer iets dat leek op walging, medelijden en aarzelende bewondering tegelijk. Haar zuster was zo overtuigd van haar rechtschapenheid dat ze het, ondanks haar scepsis, niet kon afdoen als krankzinnigheid of begoocheling. Ze leek zo in overeenstemming te verkeren met het goddelijke dat ze het contact met het sterfelijke kwijtgeraakt scheen te zijn. Kasawo was niet gekomen om zich te laten bekeren, en haar zusters overtuiging versterkte slechts haar eigen overtuiging dat ze op het juiste pad was. Ze zou altijd een aanbidster van God èn de Duivel blijven. Voor haar werkte die combinatie zoals het katholicisme voor Hangslot werkte. Alle kietelende veertjes van twijfel en schuldgevoel waren verdwenen, dacht ze: begraven aan de voet van Hangslots fanatieke geloof. Ze zou de wereld nooit zwart-wit kunnen zien, zoals haar zuster. De grijze tinten waar ze zich vanaf het begin doorheen geslagen had, kwamen duidelijker dan ooit naar voren. Ze was afgedaald naar de diepten van de hel en was er nu van overtuigd dat het ergste achter de rug was.

Kasawo had de katholieke dogma's altijd abstract en ontoereikend gevonden, iets dat niet op eigen benen kon staan in de realiteit.

Het katholicisme verschafte geen praktische manieren om het kwaad tegen te gaan en de verwerping van hekserij was in essentie te zelfgenoegzaam. Als zakenvrouw kon ze zich niet veroorloven al te zelfgenoegzaam te zijn over het kwaad, omdat vuur met vuur bestreden moest worden in de zakenwereld, waarin het wemelde van de hardste duivelaanbidders en de wreedste hekserijbeoefenaars. In zaken was het toeval een heilig sacrament, waarnaar gezocht werd in de meest grandioze kathedralen en in de vaagste heksenhuizen. Een zakenman of -vrouw overleefde de ingewikkelde psychosen en neurosen door zijn collega's te laten zien dat hij goed beschermd was en dat, als iemand dode vogels of onthoofde salamanders in je marktstal achterliet, je terug zou vechten en het gerichte kwaad teniet zou doen. Het was een psychologisch spelletje. Kasawo raadpleegde toverdokters, brandde mysterieuze kruiden en mummelde toverspreuken. 's Zondags ging ze naar de kerk omdat het goed voor haar imago was, en ook omdat ze het katholicisme niet helemaal kon verwerpen als volksverlakkerij. Ze voelde zich op haar gemak met een been in beide werelden omdat ze zich er diep vanbinnen van bewust was dat God en de Duivel twee kanten van dezelfde medaille waren en zij op veilig wilde spelen.

Er zat ook nog een andere kant aan: in haar wanhoop was Kasawo op bezoek geweest bij de priester van haar parochie vlak nadat ze verkracht was. Ze wilde praten met een neutraal iemand. De goede man had haar aanbevolen de verkrachters aan God over te laten en de zonde maar niet de zondaars te haten. Van dergelijke halfslachtigheid werd ze des te vastberadener om naar een toverdokter te stappen die de mogelijkheden van wraak en reiniging zou taxeren. Kasawo popelde van ongeduld om het achter de rug te hebben, en te vermijden dat ze er jarenlang mee rond zou lopen, zoals ze had gedaan nadat ze was aangevallen door Pangaman. Als ze haar zuster nu aankeek, dan wist ze zeker dat ze, als ze op haar en op haar parochiepriester was afgegaan, uiteindelijk hartstikke gek zou zijn geworden.

Kasawo had het gevoel dat ze geen lucht meer kreeg, alsof het huis van haar zuster een afgesloten doos was. Ze voelde de behoefte om naar buiten te gaan en een wandeling te maken en nooit meer terug te komen. Ze keek op haar horloge. Ze was blij dat ze de volgende ochtend vroeg zou vertrekken.

De Kasawo die twee dagen na haar vernieuwingstherapie bij tante Lwandeka op bezoek kwam, maakte op mij niet de indruk van iemand die door zeven mannen was verkracht. Ze liep over van zelfvertrouwen en energie en praatte haast non-stop. Het was duidelijk dat haar dagen van zelfmedelijden achter de rug waren. Haar pijnlijke ervaring was gewoon de zoveelste hindernis die ze had genomen. Ze praatte veel over de politiek en drukte haar twijfels uit over de nieuwe coalitieregering. Ze zei dat ze heel blij was dat de bevrijders teruggestuurd werden naar Tanzania.

Terwijl ze kletste moest ik steeds denken aan die zeven mannen boven op haar en was ik verbaasd over haar herstellingsvermogen, dat ze er zo snel zo goed overheen was gekomen. Ook bedacht ik dat sommige Afrikaanse vrouwen een Olympische medaille verdienden voor het camoufleren van pijn: het idee van dat plassen, twintig minuten lang, druppel voor druppel, van vrouwen wier vulva als meisje afgesloten was om geslachtsverkeer voor het huwelijk te voorkomen, vervulde me van ontzag. Ik bekeek haar nauwlettend om te zien of ze voor ons maar een toneelstukje opvoerde. Maar tegen het eind van de tweede dag van haar vierdaagse bezoek was ik ervan overtuigd dat ze oprecht was. De Vicaris-generaal had wonderen verricht.

Ik kende de man wel die de Vicaris-generaal werd genoemd. Niemand noemde hem ooit bij zijn echte naam. Hij had de bijnaam 'Vicaris-generaal' gekregen omdat hij een van de zeldzame katholieke toverdokters was: meestal waren het moslims. Ik leerde hem kennen toen ik bij tante Lwandeka in huis was gekomen. In het begin dacht ik dat hij de grote donkere man was die haar met een mes en een 'addel' had bedreigd. Later deed hij nog het meest denken aan een katholieke parochiepriester. Hij bezat een heleboel land. Hij woonde in een groot huis op een heuvel. Hij had een nieuwe auto. Hij kende veel invloedrijke personen. Hij had een grote praktijk en de pompeuze manieren van een verwaarde priester. In het geheim koesterde ik bewondering voor hem omdat hij rechtstreeks de katholieke kerk had uitgedaagd en die erop gewezen had dat, al deden ze al honderd jaar zaken, hun leer in het leven van veel mensen nog veel te wensen overliet.

Als je op Kasawo kon afgaan, dan werden mensen genezen door waar ze in geloofden. De psychologie achter de therapie van de Vicaris was dat degenen die pijn verwachtten, ook een pijnlijke behandeling van hem kregen, en degenen die lieve woordjes, bloedoffers, toverspreuken en omhelzingen verwachtten ook kregen wat ze wilden. Hij had zoveel ervaring dat hij wist welke therapie hij moest toepassen voordat iemand zijn mond opendeed.

Toen Kasawo op het hoofdkwartier van de beroemde man aankwam, voelde ze zich een bijzonder geval en verwachtte ze dat ze onmiddellijk aandacht zou krijgen. Ze vond dat ze een speciale beloning was voor de grote man, omdat ze het dogmatische katholicisme van haar zuster had afgewezen en voor hem had gekozen. Ook dacht ze dat ze die dag waarschijnlijk de enige was die een *gang-rape* had overleefd. Ze dacht ongeveer twaalf mensen te zullen aantreffen die voor haar in de rij stonden. Ze dacht dat ze met de welbespraaktheid van een marktvrouw heel snel aandacht zou kunnen opeisen.

Daardoor was het een schok voor Kasawo om te merken dat ze zichzelf danig overschat had. Toen ze omstreeks tien uur aankwam, trof ze een menigte waarvan de omvang haar deed denken aan de lagere school. Sommigen moesten gearriveerd zijn toen het nog donker was. Het leek haar zelfs waarschijnlijk dat sommigen de nacht wachtend hadden doorgebracht. De lange rij mensen deed haar denken aan de blinden, doven en invaliden die lange afstanden hadden afgelegd om Jezus te zoeken, in de hoop dat hij hen door een wonder zou genezen. Er hing een soort campus-sfeer: er waren een hoofdgebouw, een registratiekantoor, een apotheek, slaapzalen, een kiosk, speelruimtes voor kinderen, waslijnen, waterkranen, rijen toiletten en vanzelfsprekend vele assistenten die de orde handhaafden. Dit was de meest pompeuze en meest georganiseerde toverdokter die Kasawo ooit had meegemaakt. Ze huiverde bij de gedachte dat al deze mensen voor een en dezelfde persoon waren gekomen. Ook voelde ze trots, dat deze man de praktijk had gered uit de handen van vieze oude mannetjes en rimpelige oude vrouwtjes en het rijk der moderniteit had binnengesleept.

Kasawo transpireerde na de kwart kilometer bergopwaarts. Er lekte vet uit haar haren, dat ze uit haar hals en nek veegde met een grote zakdoek. Ze nam de goedgeklede vrouwen op die de aanwezige mannen verre in aantal overtroffen. Het viel haar in dat toverdokters failliet zouden gaan als de vrouwen niet meer naar ze toe zouden gaan.

Het ergerde haar dat er zoveel mensen vóór haar waren. De jengelende kinderen en de arrogante houding van sommige vrouwen irriteerden haar. De door-de-wol-geverfden haalde ze er zo uit vanwege hun onverschilligheid. Degenen die voor het eerst kwamen keken zenuwachtig in het rond om zich ervan te verzekeren dat niemand van buitenaf hen kon zien. Het schuldgevoel dat ze hadden omdat ze daar waren bleek ook uit de manier waarop ze nerveus stonden te schuifelen, hoestten of met hun ogen knipperden, alsof hun lichaam openlijk tegenstribbelde.

Een aantal van deze mensen zou eigenlijk in het ziekenhuis moeten liggen, maar wachtte op toestemming van de grote man, de Vicaris-generaal van het Bisdom van de Duivel. Er werd al ruim honderd jaar westerse geneeskunde toegepast, maar velen hadden meer vertrouwen in medicijnmannen dan in artsen. Kasawo snapte dat wel. Er bestonden een heleboel hebberige artsen die mensen uitmolken zonder ze de waarheid te vertellen. Het was een kwestie van vertrouwen. Zij wist voor zichzelf precies wanneer ze een arts moest raadplegen. Een klein beetje slimheid is nooit weg uiteindelijk, dacht ze zuur.

Uit ervaring wist Kasawo dat de helft van de aanwezige mensen niet was gekomen wegens lichamelijke klachten; ze waren hier op zoek naar geluk, succes, wraak, liefde, macht, gunsten en waarzegging. Er waren vrouwen bij die een liefdesdrankje wilden dat ervoor zou zorgen dat hun echtgenoot meer van hen hield dan van andere vrouwen; en er waren erbij die zochten naar kwade toverkracht om

auto-ongelukken, ziektes of andere rampen bij hun rivalen te veroorzaken. Er waren onvruchtbare vrouwen die wanhopig een baby
wilden, nadat ze elke kerk en elk ziekenhuis om hulp hadden gesmeekt; en vruchtbare vrouwen die nog meer kinderen wilden om
hun positie in het gezin te waarborgen. Er waren krankzinnige mannen en vrouwen, die geplaagd werden door 'stemmen' die hen in-
fluisterden naakt rond te lopen, mensen aan te vallen, in het vuur te
gaan zitten, op daken te klimmen of hardop in zichzelf te praten; en
mannen en vrouwen die iemand krankzinnig wilden maken. Er waren mensen met psychosomatische en psychische aandoeningen; en
anderen met migraine, kanker, opgezwollen benen of gebroken ledematen. Er waren mensen op zoek naar zichzelf, die de magische
aanraking van de grote man nodig hadden om de lagen zelfmisleiding, zelfmedelijden en oude pijn af te pellen voordat ze aan een beter leven konden beginnen. En als laatsten, maar daarom niet min-
sten, degenen die een dierbare hadden verloren aan een ondoor-
dringbaar woud, een grote rivier, een vochtige cel of een massagraf.
Zij wilden de stoffelijke resten vinden om de dolende geesten door
middel van een fatsoenlijke begrafenis tot rust te laten komen en zo
mogelijk de dader te laten boeten.

Kasawo voelde met deze laatste groep mee, want alle moordenaars waren gevlucht of hielden zich schuil en niemand was voor
het gerecht gebracht.

Terwijl Kasawo geduldig al deze mensen zat op te nemen, vroeg
ze zich af of dit geen natie was van makkelijk beet te nemen leeg-
hoofden en ontaarde mythemakers. In elk geval was de Vicaris van
de Duivel een mythemaker, een enigma, maar Kasawo was het niet
eens met haar zusters bewering dat dit een natie van zeurpieten was.
De pijn was echt. Het was gewoon een natie op zoek naar leiderschap. Zij had zelf ook van tijd tot tijd leiding nodig. Ze vroeg zich
af of haar geloof in enigmatische personages als deze man niet een
zoektocht uit heimwee was naar een andere man, een verrijzenis
van de Pangaman van voordat ze bij hem weggelopen was, de
Pangaman die de leiding had overgenomen van elk aspect van haar
leven. De natie, dacht ze, had geen behoefte aan boetedoening,

maar aan het opmaken van de balans. Persoonlijk fantaseerde ze over een goede man waar ze oud mee zou kunnen worden, iemand die voor haar zou zorgen. Ze dacht dat het na haar purificatieritueel gemakkelijker zou zijn om die te vinden.

Kasawo moest een halve dag wachten. Toen zij aan de beurt was en ze door de glimmende houten deur van de spreekkamer liep en opgeslokt werd door de gloednieuwe rode schorsbekleding op het plafond, aan de muur en op de vloer, beefde ze van de zenuwen. Haar binnenste was hol van vermoeidheid. De droge, houtachtige geur van de bekleding maakte haar slaperig. De man voor haar zag er groot en heerszuchtig uit. Zijn enorme ogen, bewaakt door stekelige duizendpootwenkbrauwen maakten haar nog ongeduriger. Zijn wijde, ronde neusgaten deden haar denken dat ze in een dubbele loop keek. De zwoele geur maakte haar bevreesd dat ze bedwelmd zou raken. De sterke persoonlijkheid van deze man deed haar met tegenzin denken aan Pangaman. Deze man was een nieuwe kracht, een bakbeest dat teerde op vieze oude toverdokters en niet zou ophouden voordat hij al hun klanten had ingepikt. Deze man met zijn enorme rijkdom en imponerende persoonlijkheid, dwong onmiddellijk vertrouwen af. Kasawo voelde zich net een discipel van weleer.

'Vertel me het hele verhaal maar.' De woorden vielen uit zijn despotische mond als zware gongslagen waarvan de trillingen werden geaccentueerd door de rode duisternis waarin ze losgelaten werden. Kasawo was dankbaar voor de rode duisternis: ze werd er minder verlegen van. In tegenstelling tot wat ze de parochiepriester had verteld, verminderde ze dit keer het aantal verkrachters niet met vier. Kasawo vertelde de man alles wat ze zich kon herinneren en had zelfs de neiging er nog wat verzinsels aan toe te voegen. Aanvankelijk voelde het vreemd aan jezelf in de duisternis te horen praten, maar ze raakte eraan gewend. Tegen de tijd dat ze bijna klaar was, vloeiden de woorden als vanzelf. In de stilte die volgde verdubbelde haar benauwdheid. Terwijl ze het vonnis van de man afwachtte, klopte haar hart als bezeten. Hij kreunde en snoof en zei ten slotte dat alles goed zou komen. De opluchting die ze voelde was fenomenaal.

Kasawo werd naar de slaapzalen gestuurd, die langgerekte gebouwen bleken te zijn met een- of tweepersoonskamers. Er was een winkeltje waar je zeep kon kopen, scheermesjes, verband, sigaretten, zout, maïsbloem, thee en andere artikelen die je tijdens je verblijf nodig zou kunnen hebben. Achter de kiosk kon je eten krijgen en thee en pap. Kasawo's maag draaide om als ze aan pap dacht. Ze haastte zich naar haar kamer.

Er was een bed met springveren matras, een kast, een waskom en een betonnen vloer waar ze haar voeten op liet rusten terwijl ze zich afvroeg wat dit allemaal zou gaan kosten. De Vicaris was een van die moderne toverdokters die krediet gaven, omdat hun cliënten er niet over peinsden hen te belazeren. Kasawo vond dat de man elke cent verdiende die hij kreeg: ze was hier pas een halve dag, maar voelde zich al een stuk beter. Terwijl ze op bed lag te wachten tot de avond viel, vroeg ze zich af of dit niet een gesticht was waar mensen naartoe kwamen als de lasten van het verleden en het heden te zwaar werden om te dragen. In één vloeiende beweging kwam ze overeind: de gedachte dat haar verkrachting het hersenspinsel zou kunnen zijn van een zieke geest vervulde haar met afschuw. Nee, nee, nee. Dat was het niet, dat was het niet, zei ze hardop. Ze liet zich langzaam weer zakken, blij dat ze niet gek was. Ze dacht aan een jongen die ze die dag had gezien. Hij was aan een touw binnengebracht. Zijn vader had gezegd dat hij bezeten was door geesten. Ze herinnerde zich de nietszeggende uitdrukking in de ogen van de jongen, onpeilbaar en toch oppervlakkig. En zoals hij had gevochten toen ze de touwen losmaakten. Er waren drie mannen aan te pas gekomen om hem vast te houden tot de Vicaris kwam. Ze herinnerde zich dat de Vicaris hem bij de hand had gepakt en een paar woorden tegen hem had gezegd. Ze herinnerde zich hoe hij de jongen had gestreeld en hem mee naar binnen had gevoerd. De macht, de tederheid, het vertrouwen, de vele kanten van de Vicaris hielden Kasawo een hele tijd bezig.

Gehuld in het zwart en met een luipaardstaart in zijn hand, betrad de man Kasawo's kamer. Hij zei dat ze zich moest uitkleden, zich in een zwart laken moest wikkelen en hem moest volgen. Het was na middernacht. Uitgezonderd een lampje hier en daar in de slaapzalen, was het erf in duisternis gehuld. Ze liepen door een bos van bananenbomen, naar een massieve boom die als een diabolische toren van terreur boven hen uitrees. Onder het monster bevond zich een grot, waar drie kommen koud water gereedstonden. Toverspreuken zweefden door de lucht terwijl het koude water uit de drie kommen over Kasawo's huiverende lichaam liep. Er bleven takjes kruiden in haar haren en op haar lichaam plakken.

Weer terug op haar kamer, beval de man haar een mat uit te spreiden, die opgerold tegen de muur stond en daarop te gaan liggen. Kasawo had al in geen twintig jaar meer op de grond gelegen om straf in ontvangst te nemen. Het voelde raar aan. Zeven slagen met een droge bamboestok troffen hun doel. Verward en ineengedoken van de pijn werd ze opnieuw meegevoerd naar de grot. Opnieuw baadde ze. Ze had het ontzettend koud en slaagde er niet in de tranen terug te dringen die haar gebibber begeleidden. De zwarte kleding verleende de man de esoterische dimensie van een eng spook, dat haar tegelijk angst aanjoeg en geruststelde. Een man geboren om macht uit te oefenen. Een man geboren om demonen uit te bannen en vrouwen de baas te zijn.

Op de terugweg was Kasawo er eens te meer van overtuigd dat God en de Duivel een en dezelfde persoon waren. Ze gebruikten zelfs dezelfde methoden om tegenwerking te bestrijden. Vele jaren geleden, toen ze Pangaman pas had leren kennen, had haar moeder haar meegenomen naar de parochiepriester onder het mom dat ze rozenkransen gingen kopen. Kasawo was bang geweest van die blanke man. Ze werd nog banger toen haar moeder hem vertelde dat ze ontucht pleegde met een man, alcohol dronk en onbeschoft was tegen haar vader. Haar moeder had de priester gevraagd de demonen uit te bannen die haar dochter kwelden. De priester was overeind gekomen en had een heleboel Latijnse woorden uitgesproken. De uitdrukking op zijn gezicht was doods. Hij scheen haar en haar moeder niet te zien. Ten slotte had hij er een rietje bij genomen en haar geslagen. Maar zelfs hij kon Pangaman niet uit haar slaan.

De tweede keer had haar moeder haar meegenomen naar de moeder-overste van het plaatselijke klooster. De non luisterde in stilte, met een treurige en angstaanjagende uitdrukking op haar strakke gezicht. Ze keek Kasawo lang aan, waarna ze moeder en dochter verzocht neer te knielen. Ze ging voor in een rozenkrans en een litanie aan de Heilige Maagd. Ze stuurde de moeder weg en vroeg Kasawo achter te blijven. Ze deed de deur op slot en stopte de sleutel in haar zak. Ze deed alle gordijnen dicht en beval haar zich uit te kleden. Houterig ontdeed Kasawo zich van haar kleren. De non zei dat ze op haar rug moest gaan liggen. Ze pakte een leren riem en sloeg haar twaalf keer tussen haar benen. Kasawo schreeuwde het uit. Zo'n pijn had ze nog nooit gevoeld. 'Denk aan de spijkers die door jouw zonden in de wonden van Jezus doordringen en hou je stil,' beval de non. 'Schaam je je dan niet voor de pijn die je de Here aandoet met je gedrag?' De non paste een week lang elke dag dezelfde straf toe. Het werkte niet. Spoedig daarna was Kasawo er met Pangaman vandoor gegaan.

Terug op haar kamer bereikten nog zeven harde bamboeslagen hun doel. De Vicaris gaf haar opdracht om naar bed te gaan. De herhalingen in haar leven stoorden haar, vooral omdat het haar niet lukte er een of andere wijsheid uit te peuren. Haar gedachten stolden niet. Ze spartelden alle kanten op, als kikkervisjes in een moeras. Maar de tranen en alle gebeurtenissen hadden een slaapverwekkend effect.

Laat in de middag werd Kasawo wakker. De rode bakstenen van de woning van de Vicaris keken haar door het raam aan met de verlokkelijkheid van een lieflijk dovend vuur. Ze stond versteld van het lawaai en de drukte op het erf, en vroeg zich af hoe ze erdoorheen had kunnen slapen. Toen de nacht viel als een donkere sluier, ging ze naar de kiosk om eten te kopen. Er waren nachtuiltjes verschenen. Ze dwarrelden duizelig om de gele lampen heen. Ze ging op haar bed zitten eten. Ze spuugde de vleugel van een nachtuil uit en gooide het voedsel weg.

Terwijl Kasawo op de komst van de man wachtte, dacht ze na over de werking van de therapie: ze had hem alles verteld over de gewelddadige aanval en ook heel veel over haar leven. Hij leek de

446

in het oog springende details eruit te hebben gelicht om haar opnieuw de pijn te doen voelen, zodat ze verder kon. Het deed meer
pijn dan ze had verwacht, maar zo werkte het beter, dacht ze. Meer
dan ooit wenste ze dat ze een betere opleiding had gehad, zodat ze
de verschillende draden van haar leven beter zou kunnen samenbin-
den. Ze dacht terug aan de biecht in het biechthokje. Aanvankelijk
had ze echt gedacht dat de blanke man Jezus was. Ze beefde van
heilige angst en durfde geen enkele leugen te vertellen. Maar geleidelijk aan besefte ze dat als die priester werkelijk Jezus van Nazareth was geweest niemand hem iets hoefde te vertellen. Daarna begon ze hem leugentjes te vertellen en details weg te laten. 'Jezus'
slikte alles! Haar angst verdween en ze begon de tabaksadem van de
man te ruiken. Vanaf die tijd zei ze geen boetegebeden meer op. De
Vicaris wist beter. Hij leidde zijn cliënten door de rituelen heen. Hij
is katholiek, dacht Kasawo, dus moet hij zelf ook die priesters voor
de gek hebben gehouden. Je moet kwaad met kwaad bestrijden, had
het schoolhoofd altijd gezegd.

Zijn massieve gestalte vulde de hele deuropening. Hij gebaarde
haar om hem te volgen naar de grot, waar ze weer een lang koud
bad onderging. Ze had van haar leven niet zo gebibberd. Haar tanden klapperden vreselijk toen ze teruglliep naar haar kamer om de
laatste serie slagen in ontvangst te nemen. Hij diende ze toe en rolde haar om. De koude hand van de wind drong zich in haar binnen
en schudde haar lichaam tot op het bot. Ze had het zo koud dat ze
vanbinnen een doffe warmte voelde opzetten. Ze sloot haar ogen en
gaf zich over aan de verdraaide kronkelingen van haar geest. Ze
schrok wakker door het vuur van zijn gepeperde, in rubber gehulde
penetratie, die alle demonen van haar verleden deed herrijzen. Hij
schroeide het strak gespannen vlies van haar verjongde zelf met het
hellevuur van haar ergste pijnen. Hij deed haar denken aan de pro-
fessionele wreedheid van bottenbrekers, die slecht gezette botten
opnieuw braken om de fout te herstellen. Haar geest raasde maar
tussen de verbeten kreten en tranen door terwijl ze zich goed probeerde te houden. Ze dacht aan Pangaman en haar angst voor hem,
zelfs haar liefde voor hem. Ze dacht aan haar vader, aan de pa-

rochiepriester en de non die haar hadden geslagen en aan de soldaten van Amin en aan haar verkrachters. Haar gezicht was nat van de
tranen. Ze schaamde zich dat ze huilde. Hij vroeg of ze huilde. Ze
kon tegen deze ultieme biechtvader niet liegen. Ze gaf toe dat ze
huilde. Hij lachte. Zij voelde zich opgelucht.

Weer terug in de grot beval hij haar een emmer met water te vullen. Hij strooide er kruiden in en zei dat ze hem op haar hoofd moest
dragen. Deze keer liepen ze naar de weg. Ze stopten bij het kruis-
punt. Sidderend stond ze naar de drie zijwegen te kijken. Ze bad dat
er niemand aan zou komen, dat het uitgestorven zou blijven, dood.
Hij beval haar zich uit te kleden en te baden terwijl ze de volgende
woorden uitsprak: 'Ik laat de verkrachtingen van de wereld hier
achter. Ik laat het ongeluk van de wereld hier achter. Ik laat al het
kwaad hier achter. Laat de winden het meenemen naar het einde van
de wereld.' Hij stond op een kleine afstand en ze hoorde hem mompelen. Zwijgend liepen ze terug naar het erf. Ze was blij dat dat gedeelte achter de rug was. Haar lichaam brandde nog maar ze was
kalm. Het kon haar niet schelen als ze nog eens zevenmaal geslagen
zou worden. Ze had een psychische drempel overschreden. Ze voelde zich onoverwinnelijk, onbevreesd, op alles voorbereid.

Bij haar deur deed hij een stap opzij om haar voor te laten gaan.
Hij bleef in de deuropening staan kijken hoe zij beefde met het
zwarte laken strak om haar dampende lichaam heen. Hij leek omkranst te zijn door een priesterlijke afzondering. 'Het is gebeurd,
meisje,' zei hij met zware stem. Hij bleef staan, alsof hij erop
wachtte dat ze hem bedankte. Ze viel op haar knieën en bedankte
hem alsof ze hem niet hoefde te betalen.

De Kasawo die overeind kwam was een vrouw vol nieuw vuur en
een laaiende ijver. Toen ze weer bij ons op bezoek was, domineerde
ze alle gesprekken. Tante Lwandeka leek onder de indruk van haar
aanwezigheid. Kasawo was niet mijn favoriete politieke commen-
tator, maar ik was het met haar eens dat het vertrek van de Tanzanianen goed was voor iedereen. Kasawo zwoer dat de verbannen
dictator Obote weer terug zou komen. Dit stoorde me ontzettend
want dat had ik de hele tijd voor bijna onmogelijk gehouden. Tante

448

Lwandeka was ook niet blij met het nieuws. Haar gevecht tegen
Amin, waarvoor ze veel had opgegeven, leek daardoor nutteloos te
zijn geweest. Ze reageerde boos en zei dat er dan volgens haar een
guerrilla-oorlog zou uitbreken.

'Regeringen zijn ervoor om tegen rebellen te vechten,' zei Kasawo zelfvoldaan. Lang nadat ze vertrokken was bleef ik nog over
haar woorden nadenken.

Binnen enkele maanden waren de wegversperringen verdwenen en
waren de meeste Tanzanianen weer naar huis. Er werd een nieuw
leger samengesteld. Spertijd ging nu om elf uur 's avonds in en
duurde tot vijf uur 's morgens. Er werd veel gespeculeerd over verkiezingen, democratie en ontwikkeling: de Magische Drie-eenheid.

Ik voelde me weer onschendbaar. Ik had de donkere dagen overleefd en was er zonder kleerscheuren afgekomen. Ik zou naar de
universiteit gaan om rechten te studeren. Ik viel de vrouwelijke bevrijders die de laatste wegversperringen bemanden nooit lastig. Zij
leken mij ook niet op te merken. Ik bleef langs ze heen sluipen alsof ik kon toveren. Binnen drie weken zouden ze weg zijn, had ik op
het nieuws gehoord. Om de dag ging ik bij een vriend op bezoek,
een medestudent die alleen woonde. We genoten van onze gesprekken, die voornamelijk gingen over de politiek, over vrouwen en
over macht. Soms nam ik drank mee zodat hij loslippiger werd en
hij praatte alsof het einde van de wereld nabij was. We hadden allebei het gevoel dat we de wereld konden veranderen. We praatten
alsof we in het parlement zaten of in een of ander nationaal forum
en onze woorden wet werden.

Op een avond werd ik aangehouden door een stem die uit een oude fabriek kwam die soms gebruikt werd om onverwacht versperringen op te werpen. Er waren daar, noch in de rest van de buitenwijk, de afgelopen vijf dagen versperringen geweest. Ik bleef stilstaan en zag twee bakstenen in de berm van de weg liggen. Soms
werden er autobanden gebruikt, of oude olietonnen, van alles. Ik
was op mijn hoede: deze mensen konden op dit uur van de dag weinig goeds in de zin hebben. Wat erger was: ik had geen geld of hor-

loge bij me om ze mee om te kopen. Er kwamen drie geüniformeerde vrouwen op me af, een geweer losjes in de hand, de loop omlaag. Aan elk geweer zaten drie magazijnen vastgebonden met elastiek. Deze vrouwen hadden elk negentig kogels bij zich. Vervolgens viel mijn mond open: ik dacht het uit de kluiten gewassen meisje te herkennen aan wie ik ooit voorspeld had dat ze een schepsel zonder ledematen zou baren... Het was wel logisch dat ze bij het leger was gegaan om het risico op zo'n gedrocht te vermijden. Maar wanneer was ze overgelopen naar de guerrilla's? Wanneer had ze me herkend? Had ze me achtervolgd? Hoe lang had ze op dit ogenblik gewacht? Hoeveel mannen had ze in mijn plaats doodgeschoten? Ik kon mijn ogen niet van haar afhouden. Ik wilde er zeker van zijn dat zij het was. Ik probeerde onder haar pet te loeren. Was ze in al die jaren maar zo weinig veranderd?

Ik kreeg weinig kans om mijn onderzoek af te ronden. De Helse Drie-eenheid zag mijn vragende blik voor lonken aan. Maar wie zou er zo onverstandig zijn te lonken naar drie vrouwen die gewapend waren met tweehonderdzeventig hoge-snelheidskogels? Ik werd beticht van oneerbiedigheid, veronachtzaming van militaire procedures, subversieve handelingen en nog een aantal dingen. Een angstig voorgevoel bedwelmde me. Stoedent? Ja. Amin stoedent, hihihiii. Intussen keek ik om me heen of er niet een dronkaard, een of andere voorbijganger, wie dan ook, aankwam die de drie-eenheid door zijn komst zou afleiden. Dit was de vluchtroute die de noorderlingen hadden genomen: hoe kwam het dat hij nu zo uitgestorven was? Ik moest mijn identiteitsbewijs laten zien. Nooit eerder had ik bij een wegversperring mijn identiteitsbewijs hoeven laten zien. Ik legde mijn situatie uit. Ik stelde voor ze mee naar huis te nemen, als ze dat nodig vonden.

'Jij ons laten zien hoe wij werken moeten?' zei een van hen die tot dusverre had gezwegen. Ik draaide me naar haar om. Tegelijkertijd werd ik getroffen door een suizend geluid en een caleidoscoop van helse kleuren. Ik voelde mijn knieën knikken. Ik lag al op de grond, op mijn rug in het grind. Ik had jarenlang niet zo'n klap gekregen. Duizelig keek ik omhoog naar de nachtelijke lucht. Ik kon me bijna niet bewegen. Ik voelde geen pijn, alleen een dof gebons in mijn hoofd. Vanuit mijn positie zagen de vrouwen er heel groot uit. Ik was me er vaag van bewust hoe bang ik was dat ze me zouden verminken met hun geweerkolven.

Ik werd de oude fabriek in gesleurd. Ik probeerde te denken aan mijn eerste dagen op het seminarie en de afruk-sessies midden in de nacht. Ik probeerde te denken aan mijn campagnes tegen pater Mindi en pater Lageau, en hoe ik door de nachtwaker was verrast. Ik dacht aan de twee lijken die Stengel ons had laten zien. Opa had er ook zo bij gelegen, dacht ik, terwijl ik naar die vreselijke geweerlopen en zware laarzen keek. Ik werd enigszins bijgebracht door een aantal klappen in mijn gezicht. Tegelijkertijd rook ik de muffigheid van vuil ondergoed en vuile lichamen. Varkens, dacht ik. Nee. Hyena's. Wanneer waren deze hyena's voor het laatst in bad geweest? Een week, twee weken, een maand geleden? Ik hield het ergste scenario in gedachten om hierdoorheen te komen en niet over hun geslachtsdelen heen te kotsen. Ik bedacht dat deze vrouwen waarschijnlijk wel vaker een man hadden verkracht. Ik wist wel zeker dat die mannen daarover zwegen. Ik zou er ook over zwijgen. Dit was een geheim dat je zelfs op de folterbank nog niet zou prijsgeven. Intussen verzamelde ik enkele onverbiddelijke feiten: het duurde zo'n twintig minuten voordat ik het gebouw uit gesmeten werd. Ze gingen tweehonderdtwintig keer op mijn gezicht zitten. Ze trokken ongeveer veertig keer heel hard aan mijn lul. Twintig keer werden mijn ballen ruw gekneed. Dertig keer werd mijn huid opengehaald. Ik had één zaadlozing. Ik hield er een gebroken neus en een bult op mijn slaap aan over. Twee weken lang had ik last van gekneusde ribben.

Ik bracht die vervloekte nacht bij mijn vriend door. De volgende ochtend vertelde ik tante Lwandeka dat ik door rovers overvallen was. Een natie van zeurpieten? Nee ik zeurde nooit. Het had erger kunnen zijn, hield ik mezelf steeds voor. Wat ironisch dat Kasawo net geweest was! Een paar dagen lang dacht ik dat Kasawo haar ellende op mijn schouders had achtergelaten. Onzin. Het enige patroon dat ik kon onderscheiden was dat ik uiteindelijk mijn steentje had bijgedragen aan de familiestatistiek. Ik was verkracht en mijn folteraarsters waren er ongestraft mee weggekomen.

Een week later werden alle wegversperringen verwijderd.

Binnen een jaar kregen we drie interimregeringen, waarvan de eerste slechts twee maanden aanbleef. De verbannen dictator keerde terug. Hij wierp zich in de verkiezingsstrijd, die hij won. Onder de buitenlandse waarnemers heerste onenigheid of de uitslagen al dan niet doorgestoken kaart waren. De onnozelen op politiek gebied, die geloofden dat de waarnemers bij machte waren de ene politieke berg in zee te zetten en de andere politieke boom te verplaatsen, werden weggevaagd. Amin had bewezen dat dergelijke onnozelheid dodelijk was, en de hoopvollen hadden beter moeten weten. Er brak een guerilla-oorlog uit. De NRB van tante Lwandeka was een van de eerste groepen die zich bij de rebellen aansloten.

Het syndroom van de stormlamp en de nachtuilen was opnieuw begonnen: al dat licht, al die dood.

DEEL ZES

Driehoekige onthullingen

Toen ik voor de eerste keer boven op Makerere University Hill stond, met tegenover mij het Moelago ziekenhuis en op de achtergrond de torens van de twee kathedralen en de moskee, brandde Opa's advocatendroom in mijn binnenste. Ik had het gevoel dat ik heilige grond betrad. Het leek wel of Opa's geest boven deze heuvel zweefde om een nieuwe generatie kennisvergaarders tot het uiterste te jagen. Een zoon op de universiteit was de ultieme toekomstdroom van menige familie. Ik voelde een algemene verwachting uit de grond oprijzen die elke kandidaat de enge poort van het elitaire onderwijs binnenduwde. Het hoofdgebouw van de universiteit, dat een sfeer van hooghartigheid uitademde, suggereerde de bevoorrechte toegang tot een afgeschermde broederschap. Ik voelde dat ik vleugels kreeg, waarmee ik de verheven sferen binnenvloog van de uitverkorenen die grote hoogten gingen bereiken. De jaren tachtig waren aangebroken: de last van de jaren zeventig lag achter ons, zo leek het althans. Het gevoel overheerste dat het ergste achter de rug was en dat iemand met hersens eindelijk zijn armen kon strekken om de vruchten van de toekomst te plukken. Ik liet mijn blik opnieuw over de heuvels gaan. Met ingehouden adem wachtte ik op een teken aangaande mijn toekomst.

De Makerere Universiteit was uit de jaren zeventig tevoorschijn gekomen met de bonte littekens van een overlevende; er had vooruitgang noch uitbreiding plaatsgevonden. De dagen dat het heilig grondgebied was, waren allang voorbij en leefden alleen nog voort in de herinneringen van oud-studenten zoals mijn laconieke literatuurleraar op het seminarie. In zijn hoedanigheid van universiteitshoofd had president Idi Amin zijn best gedaan een stempel op het instituut te drukken. Bij verscheidene gelegenheden was het leger uit-

455

gerukt om rellen op de campus te onderdrukken. Eén rector-magnificus, een Obote-aanhanger, had het niet overleefd. Hij verdween in de nasleep van de mislukte invasie van 1972. Veel docenten waren gevlucht en vanwege de sombere economische vooruitzichten van de jaren tachtig waren ze niet geneigd terug te komen. Degenen die waren aangebleven, hadden een flinke veer moeten laten, zowel in status als salaris: het eerste doordat het onderwijs in de jaren zeventig ondergewaardeerd was, het laatste vanwege de inflatie. Veel docenten hadden tegenwoordig een bijbaantje om rond te kunnen komen. De campus werd bovendien geplaagd door een groot tekort aan leermiddelen. Aan de top was een corruptiecultuur ontstaan: degenen met een politieke aanstelling deden hun best om van alles 'te ritselen', terwijl hun weldoeners de teugels in handen hielden. Maar bij al deze tegenslagen was de ijver van de studenten, die probeerden er het beste van te maken, niet verminderd.

Toen ik me aansloot bij dit instituut van hogere kennis waren er zoveel studenten dat de druk verstikkend was. Studentenwoningen puilden uit en stroomden over in krappe bijgebouwen waarin zes studenten een kamer moesten delen. Zelfs al had je de hoogste eindexamencijfers, dan garandeerde dat nog geen plek op de faculteit van je voorkeur. De competitie was door de jaren heen gestegen tot een moorddadig niveau. Politieke invloed en omkoperij versnelde de boel, maar je moest wel weten bij wie je daarmee terechtkon en zelfs dan was je niet verzekerd van een gunstig resultaat. Evenals de rest van de hoopvollen, kon ik me slechts beroepen op de goden en op de gunsten van het selectiecomité. Beide lieten me in de steek.

Via de radio waren de duizenden die zich hadden ingeschreven opgeroepen naar de campus te gaan en als een zwerm sprinkhanen daalden we op het hoofdgebouw neer om de eindeloze selectielijsten door te nemen. Mijn hart klopte in mijn keel terwijl ik naar de Rechtenlijst staarde. Mijn benen waren verlamd van het idee een historisch precedent te scheppen: de eerste advocaat in de familie te worden! Het mocht niet zo zijn. Mijn naam stond niet op de lijst. Ik tekende beroep aan. Maar ook dat haalde niets uit: er waren veel te veel verklaringen, redenen en technische details aan te voeren om mij uit te sluiten.

Mijn eerste reactie was om het idee van studeren helemaal op te geven. Maar wat moest ik dan doen? Zo hield ik mezelf voor de gek. Ik moest aan mijn intellect blijven schaven. Uiteindelijk werd ik bij de sociale wetenschappen ingedeeld, dat niemandsland tussen de natuur- en de geesteswetenschappen.

Ik was gedoemd om leraar te worden. Net als Serenity! En achterhoedegevechten te houden om een betere baan te krijgen. Ik walgde van mezelf, van het leven, van alles. Eén ding wist ik zeker: ik zou geen toegewijde leerkracht worden. Ik zou een soort kinderoppas worden. Ik zou op een beroerde dagschool terechtkomen met een laissez-faire-beleid. Daar waren er een behoorlijk aantal van in de stad. De regering moedigde de oprichting van middelbare scholen aan om meer leerlingen in staat te stellen in de buurt van hun woonplaats een schoolopleiding te volgen. De dagen dat middelbare scholen voornamelijk kostscholen waren, zoals in mijn tijd het geval was geweest, waren voorbij.

Nu ik mijn prioriteiten had gesteld, concentreerde ik me op mijn inkomen en mijn eigen privé-oorlogen. Ik moest mijn confrontatie met de Helse Drie-eenheid nog verwerken. Als uitwonende universiteitsstudent, die alleen colleges bijwoonde en gebruikmaakte van de bibliotheek, had ik tijd en vrijheid in overvloed. Uiteindelijk was studeren geen zware taak, voor mij niet tenminste. Ik ging zo weinig mogelijk naar de campus. Ik hield me verre van campuspolitiek en ruzies over benauwde woonruimte, slecht eten, boeken en de uitspattingen van de studenten.

Het Tweede Obote-regime wilde niet erg van de grond komen. De partij en zijn partijleider hadden een record gebroken: door na afgezet te zijn via het stemlokaal weer aan de macht te komen. Maar het was een overwinning die bedorven werd door twijfel in verschillende lagen van de bevolking. De twijfelaars sympathiseerden nu met de guerrilla's die de nieuwe regering belaagden. In de tijd dat de guerrilla's in de rimboe onderdoken, was er hongersnood in Noord-

Oeganda. De Wereld Voedsel Organisatie en vrachtwagens van het Rode Kruis trokken via de beroemde weg naar het noorden. Ik zag ze voorbijrijden in bevlagde konvooien. De regering deed haar best het nieuws over de hongersnood te onderdrukken, wat makkelijk gemaakt werd door de guerrilla-activiteiten in het zuiden.

De regering en het leger vierden hoogtij; de guerrilla's en hun aanhangers namen laagtij voor hun rekening. 's Nachts kwamen ze uit hun schuilplaatsen en overvielen legerbarakken, detacheringen en wegversperringen, en af en toe een politiepost. De aanvallen hadden als doel wapens en andere voorraden in beslag te nemen. Soldaten leefden in voortdurende angst voor aanvallen en hinderlagen. Het leger, dat voornamelijk bestond uit mensen uit het noorden en oosten, moest vechten onder vreemde, vijandige omstandigheden. De troepen wachtten dodelijke hinderlagen in onheilspellende dalen, reusachtige moerassen, verlaten heuvels, oneindige grasvlaktes en bedompte bossen en konden slechts met de grootste moeite de oprukkende doelwitten raken. De mathematische doodsvorm, de driehoek, die voor het eerst in 1978 was opgedoken, kwam ons opnieuw kwellen. De onze heette de Loewero Driehoek, enkele honderden vierkante kilometers land ingesloten door de drie meren: het Victoriameer in het zuiden, het Kyogameer in het noorden en het Albertmeer in het uiterste westen. Het middelpunt werd gevormd door een dunbevolkte grasvlakte met enorme papyrusmoerassen, waterlanden en dichte wouden. De Loewero Driehoek had de griezelige eigenschap uit eigen beweging in te krimpen en uit te zetten, doordat de guerrilla's, in de aanval of op de vlucht, van plek naar plek trokken. Dit magische vermogen van de Driehoek werd bevorderd door het feit dat hij enerzijds een gemakkelijke toegang tot Kampala, de zetel van het parlement en de grote legerbarakken vormde, terwijl hij anderzijds een doorgang bood naar zowel Noord- als West-Oeganda. Af en toe strekte de Driehoek zich uit tot op enkele kilometers van het centrum van Kampala, en soms verschrompelde hij tot het natte kerngebied honderden kilometers van de stad verwijderd. Het dorp dat ingesloten was door Mpande Hill en Ndere Hill was een van de vele plaatsjes aan de rand van de beruchte Driehoek. In het begin van hun campagne lieten de guerrilla's het ongemoeid.

Het leger beging enkele fundamentele blunders. De soldaten joegen de bevolking binnen de Driehoek tegen zich in het harnas met hun frustratie over het geringe succes dat ze behaalden. Al spoedig moest de bevolking het ontgelden en werd die beticht van het stiekem onderdak verlenen aan guerrilla's. Sommige van deze mensen waren geen aanhangers van de guerrilla's en zagen hen als een bedreiging, maar aangezien het leger ze geen keus gaf hielden ook zij zich gedeisd, net als de guerrilla-aanhangers. Als de guerrilla's een legerbasis aanvielen, kon je maar beter weggaan, want het leger schoor allen die achterbleven over een kam. De soldaten geloofden nooit wat de burgers zeiden. Op die manier joegen ze mensen in de armen van de guerrilla's en sloot men zich in groten getale aan bij de ontluikende guerrillabeweging. De rest moest zich verplaatsen en een vredig plekje zoeken binnen de Driehoek. Een groot aantal van deze mensen ging naar familieleden in streken buiten de Driehoek en de rest beproefde zijn geluk in de stad waar het nog rustig was.

Het aantal inwoners van ons stadje steeg: elke dag, elke week arriveerden er mensen in een uiteenlopend stadium van vermoeidheid en vermagering, met spullen in vuile tafelkleden, beddenlakens of uit elkaar vallende tassen. Ze gingen gebukt onder de extra last van talloze verhalen over moed, overleving en wreedheid. Het karakter van ons stadje onderging een verandering. De werkeloosheid en de voedselprijzen stegen. De oude fabrieken die door de Aziaten waren achtergelaten en die nu in de zon lagen te rotten, kregen onverwacht een nieuwe bestemming omdat sommige daklozen zich erin verscholen. De prijzen van het onroerend goed stegen en aanvankelijk vatte ik het idee op om hutten te bouwen en die te verhuren. Je kon praktisch alles verhuren. Er verrezen huizen zonder ontwerp of toestemming van de gemeente. Gemeentefunctionarissen maakten loze dreigementen ze te zullen omhalen en kwamen zo aan hun provisie. Landeigenaars huurden mensen in om modderstenen te bakken en wankele gebouwtjes op te richten met een dakbedekking van papyrusriet en kunststof, die al verhuurd waren voordat de deuren en ramen erin zaten. De meeste van deze bouwsels hadden geen toiletfaciliteiten, maar wat hinderde dat.

Rond de tijd dat ik colleges begon te volgen had ik alle verantwoordelijkheid voor tante Lwandeka's stokerij op me genomen, want zij had daar zelf geen tijd meer voor. Ze had haar guerrilla-activiteiten een versnelling hoger gezet. Ze besteedde zoveel tijd en aandacht aan de rebellen dat het me soms voorkwam dat ze elk ogenblik uit de Driehoek konden opduiken om de regering omver te werpen. Aanvankelijk had tante met tegenzin de leiding over de stokerij aan mij overgedragen, omdat ze Hangslot, die nog steeds vanuit de verte gromde als een nukkige vulkaan, niet tegen zich in het harnas wilde jagen. Er gebeurden ongelukken. Distilleerketels ontploften en er sneuvelden arbeiders. De meeste ongelukken kwamen voort uit slordigheid en tante wilde het noodlot niet tarten. Maar ik verzekerde haar dat ik het graag wilde overnemen. Voor mijn gevoel had ik een pact met de dood gesloten. De dood was een monster dat gevangenzat in de Driehoek, waar het zou blijven. De Helse Drie-eenheid had mij bezield met een peilloos lef dat grensde aan de drang tot zelfvernietiging. Dat richtte ik op de brouwerij. De bevolkingsexplosie in onze kleine stad kwam goed uit. Mensen die gebukt gingen onder onnoemelijke narigheid dronken praktisch alles. Er werd bijna nooit geklaagd over slecht uitgevallen brouwsels en een heleboel afnemers verdunden onze drank met water. De Boemboem-Stokerij, zoals ik hem had gedoopt, deed goede zaken.

Het proces van het stoken was zo eenvoudig als wat. Ik kocht zakken van vijftig kilo palmsuiker die ik in een ton met honderd liter water dumpte. Daar gooide ik het gistmiddel bij, dekte het mengsel af en liet het zeven tot tien dagen rusten, af en toe roerend om de ontbinding een handje te helpen. Als de suikeroplossing gereed was hevelde ik hem over naar de distilleerketel, die om ongelukken te vermijden in optimale conditie moest verkeren. Ik draaide het deksel erop en bevestigde er twee kronkelige koperen buisjes aan. Deze maakte ik vast met lange repen rubber zodat er geen stoom kon ontsnappen als het distilleerproces begon. Om ze af te koelen en de condensering te bevorderen werden de koperen buizen ondergedompeld in water. Dan werd de ketel verhit, tot de oplossing aan de kook was en ging verdampen en in de vorm van sterke drank uit de koperen buizen liep.

Als het proces eenmaal op gang was, had je meer dan genoeg tijd om te denken, te praten, te niksen. Het was een tijd vol verleidingen. Je kon twintig minuten weggaan en als je terugkwam het vuur nog zien branden. Juist tijdens die lange pauzes was de kans op een ongeluk het grootst. De schroefdeksels raakten los door de hitte of de koperen buizen raakten verstopt. De meeste ongelukken kwamen voor als een arbeider iets probeerde te herstellen. Ik bracht mijn tijd bij de ketel door met denken over mijn toekomst. In mijn fantasieën roosterde ik de Helse Drie-eenheid levend. Ik mijmerde over de plaatsen uit mijn verleden. Aan het eind van de dag keerde ik gezuiverd weer terug naar huis.

Terwijl de bevolking toenam en de markt zich uitbreidde, besloot ik ook de onderneming te laten groeien. Ik kreeg tante zover dat ze een stukje land pachtte waarop ik een schuur en een waterbassin bouwde. Ik schafte nieuwe ketels en nieuwe koperen buizen aan. Voor de meeste klussen huurde ik goedkope arbeidskrachten in. Het was mijn taak om tijdens het brouwproces toezicht te houden dat er geen drank gestolen werd. Aan het eind van de dag borg ik de ketels en buizen in de schuur op en deed de boel op slot. Ik regelde ook de verkoop.

In die tijd verdiende ik in een dag wat een middelbare-schoolleraar in een maand verdiende. De regering had het salaris van een leraar vastgesteld op twintig Amerikaanse dollar per maand, berekend tegen de staatswisselkoers, die veel lager was dan de zwarte markt of de *kibanda*-koers. Met dat salaris kon je maar voor een week boodschappen doen, wat betekende dat leraren er een baantje bij moesten nemen of een andere manier moesten bedenken om hun inkomen aan te vullen. Op sommige scholen werden de salarissen aangevuld door een Oudervereniging, maar dat was ontoereikend. Toen ik met lesgeven begon kreeg ik ongeveer dertig dollar per maand. Omdat ons bedrijf zo gegroeid was maakte ik een winst van ongeveer duizend dollar per maand.

Ik ging met een aantal verschillende meisjes tegelijk om. Ik gaf de voorkeur aan tieners omdat oudere vrouwen kinderen wilden om je aan zich te binden en daar was ik nog niet aan toe. Het enige waar ik me zorgen over maakte was geslachtsziekten, vooral die mysterieuze nieuwe die de mensen uitmergelde en te midden van plassen groene diarree aan helse koortsen liet bezwijken. De meisjes figureerden even terloops in mijn leven als de verhaaltjes die ze vertelden. Sommigen beweerden dat ze hun hele familie kwijt waren geraakt bij de zuiveringen. Anderen vertelden dat hun familie uiteen was gedreven door de guerrilla's. Weer anderen hadden met eigen ogen gezien hoe hun broers en zusters en ouders werden neergeschoten, of hadden zich in de struiken verscholen terwijl hun familie en vrienden werden afgemaakt. Geplaagd door een soort schuldgevoel geloofde ik ze allemaal, en ik steunde ze omdat ik het me kon veroorloven. Sommigen gebruikten mijn geld om familieleden te helpen met de huur, kleding of voedsel. Sommigen gebruikten het voor de aanschaf van drank en persoonlijke bezittingen. Anderen beweerden dat ze het opstuurden naar familieleden die in de Driehoek zaten opgesloten. Ik genoot van mijn rol als gulle weldoener enerzijds, en verwende minnaar anderzijds.

In de tussentijd escaleerde de toestand in de Loewero Driehoek. De regering deed een heleboel aankopen. De Koreanen, die voor het eerst hun intrede in Serenity's leven hadden gedaan als trapeze-artiesten op zijn stinkende Toshiba, voorzagen het leger van Katjoesja-raketten, waarmee de streken waar de guerrilla's gehuisvest waren, gebombardeerd en met de grond gelijkgemaakt werden. De regering pochte dat het met de rebellen gedaan was en enige tijd werd er inderdaad niets van ze vernomen. Sommige werkloze jongens die van plan waren geweest zich aan te sluiten bij de guerrilla's, bedachten zich. Tante was bang. Ze vertelde me dat de brigadier ziek was. Ik vermoedde dat hij beschoten was. Bewapende Britse helikopters werkten samen met de katjoesja's om de bossen en grasvlaktes te zuiveren. Naderhand werden er infanterietroepen naartoe gestuurd om de verzetshaarden op te ruimen. De tactiek van de verschroeide

aarde was in volle gang. Ik wist niet precies welke delen van de
Driehoek getroffen waren omdat die steeds samentrok en uitzette
als een geboortekanaal.

Honderden strijders, of mensen van wie de regering beweerde dat
het guerrilla's waren, werden naar de stad getransporteerd en in het
openbaar vertoond op het stadsplein: magere, baardige, haveloze
vogelverschrikkers van mensen. Er werd beweerd dat ze door hun
leiders, die zelf naar Europa waren gevlucht, in de steek waren gelaten. Als dit waar was, dan had dat betrekking op een van de kleinere
guerrillagroeperingen; de hoofdgroepering, waar de brigadier deel
van uitmaakte, was nog intact en hield zich ergens binnen de geheimzinnige Driehoek schuil. Het leger verhoogde de druk; de politici waren gelukkig; de bevolking was ongerust.

Rond deze tijd kroop tante tot tweemaal toe door het oog van de
naald. Een man die we kenden als een rebel kwam op klaarlichte
dag naar ons stadje Een regeringsspion verklikte hem en al spoedig
verschenen er mannen in burger. Ineens zag je ze overal opduiken.
De man werd omsingeld in een omheinde bungalow die af en toe gebruikt werd door NRB-rebellen. Hij werd gesommeerd naar buiten te
komen, maar dat weigerde hij. Hij schoot door de voordeur op de
soldaten, doodde er een en verwondde een ander. Het huis werd beschoten met raketten. Tante had slechts enkele minuten tevoren het
huis verlaten met een jerrycan water op haar hoofd.

De tweede keer vond plaats toen het leger de markt omsingelde
om identiteitsbewijzen te controleren. Er bevonden zich drie guerrilla's op de markt: twee mannen en een jongen. De jongen raakte in
paniek omdat hij geen papieren had. Tante zei tegen de bevelheb-
bende officier dat de jongen haar neefje was. De officier vroeg andere mensen op de markt of ze wisten of de jongen haar neef was. Stilte. Toen zei een van de guerrilla's dat het waar was. Toch werd de
jongen apart genomen. De officier wilde weten waarom hij zo mager was. Tante verklaarde dat hij uit de gevarenzone was gevlucht.
'Dan is hij een guerrilla.' Dit ontkende tante ten stelligste, en ze vertelde uitgebreid over de onschuldige mensen die gevangenzaten in
het kruisvuur en honderden kilometers moesten vluchten voordat ze

op een veilige plek waren. Ze zei dat de jongen hier veilig was en dat ze hem zo nodig met haar leven zou beschermen. 'De jongen kan niets meer verdragen.' 'Iedereen kan nog wel wat verdragen,' antwoordde de officier met een glimlach. De hele buurt was op zijn hoede. Veel mensen waren van mening dat tante iedereen in gevaar bracht. Maar de officier wilde het leger niet in een kwaad daglicht stellen. Het waren niet allemaal dwangmoordenaars. Ze konden heel redelijk zijn. Hij gaf de jongen een klapje op zijn wang en zei dat hij moest doorlopen.

Tante was een hele week van streek. Ze had de jongen zelf gere-kruteerd. En het drietal gewaarschuwd dat ze die dag niet naar bui-ten moesten gaan, maar ze hadden haar waarschuwing in de wind geslagen. Ze hadden dringend geld nodig om een partij medicijnen te kunnen transporteren die ze uit een klein ziekenhuis hadden ge-stolen ergens aan de rand van de Driehoek. Tegenwoordig financier-de tante een beperkt aantal guerrilla-activiteiten met geld van de Boemboem-Stokerij. Ik dacht dat ze zich na deze schrik wel even rustig zou houden met haar activiteiten. IJdele hoop. Acht dagen la-ter had ze alweer dienst en gaf ze informatie door en hielp ze guer-rilla's die op weg waren naar Kampala en rekruten op weg naar af-gesproken plaatsen.

Nieuwkomers uit de Driehoek, verdreven door de katjoesja's en de helikopters, stelden mensen gerust dat de guerrilla's nog in leven waren, dat ze zich stil hielden als afleidingstactiek. Maar de rege-ringswoordvoerder bleef verkondigen dat de 'bandieten', zoals hij de guerrilla's noemde, uitgeschakeld waren. Als tegenzet schoten ze ergens in het hart van de Driehoek de helikopter neer waarin zich de bevelhebber van het leger met zijn entourage bevond. Ruim een week later werd het nieuws pas officieel bekendgemaakt. Het leger sloeg op de vlucht en onderging een morele crisis. De guerrilla's na-men een paar katjoesja's in beslag en doodden een aantal van de Ko-reanen die ze bemanden. De overgebleven Koreaanse huurtroepen maakten dat ze wegkwamen. Nu stond het leger er alleen voor. De Britse oefenmeesters namen zelf nooit aan de gevechten deel en het leger moest zijn eigen angst voor het oerwoud, voor de guerrilla's en voor de bevolking overwinnen. Het grootste deel van de militaire uitrusting bleef uit Engeland, België, de Verenigde Staten en Oost-Europa komen, maar het leger had er niet veel voordeel van. Ze bleven op hete kolen zitten naar aanleiding van een reeks vernederende aanvallen op klaarlichte dag.

Ik werd leraar aan het Sam Igat Memorial College in Kampala, een recent gestichte middelbare school die verdeeld was over twee langgerekte gebouwen en een tweeverdiepingenflat. De school was het geesteskind van de geslepen Eerwaarde Igat, een Obote-aanhanger, die zijn politieke vriendjes opstookte om CARE en andere groeperingen zover te krijgen de bouw van de school te financieren. Al die tijd beweerde hij dat hij er een monument mee wilde oprichten ter herinnering aan zijn zoon die op dertigjarige leeftijd was omgekomen tijdens het regime van Amin. Het verhaal ging dat hij tegen zijn politieke vriendjes had gezegd dat zijn zoon gestorven was in dienst van de Oegandese Volkspartij. In elk geval kreeg hij zijn zin. De overheid, die erop gespitst was arme kinderen uit de buitenwijken van de hoofdstad de gelegenheid te geven naar school te gaan, gaf subsidie en haar zegen. Vanwege de gunstige ligging, acht kilometer van het centrum vandaan, kon de school goede leerkrachten en meer dan genoeg leerlingen aantrekken, maar de organisatie was een groot probleem.

Onze Eerwaarde bemoeide zich zoveel mogelijk met de school, om zijn positie als grondlegger en directeur veilig te stellen. Hij stond erop zelf de leerkrachten aan te stellen zodat zij ervoor konden zorgen dat alles volgens zijn ideeën werd uitgevoerd. Heel lang saboteerde hij de oprichting van een Oudervereniging, omdat hij vreesde in zijn macht beknot te zullen worden. Het resultaat was dat de school gehinderd werd door dezelfde man die beweerde dat het zijn levenswerk was. Als een van de leraren of rectoren al te veel invloed kregen, verspreidde de Eerwaarde geruchten dat de desbetreffende docenten ontucht pleegden met de leerlingen, de boel oplichtten of lid waren van een guerrillabende. Aangezien de laatste aantijging gelijkstond aan het doodvonnis, vertrokken veel docenten zonder de gevolgen af te wachten.

Toen ik op de school ging werken, was die in een warrige fase. Ik vond het er prettig. Er was weliswaar geen Oudervereniging om de salarissen te verhogen en een oogje in het zeil te houden, maar dat stoorde me niet. Het salaris was laag: dertig dollar. Dat stoorde me ook niet. Het personeel was verdeeld. Er was net een slappe rector aangesteld die besloten had alles door de vingers te zien. Hij stond toe dat de Eerwaarde de studenten toesprak en hun over zijn zoon en zijn politieke vriendjes vertelde en over wat hij voor de gemeente betekende. Het was interessant te vernemen dat de Eerwaarde uit de parochie was verbannen wegens overspel en het verwekken van kinderen bij de vrouwen van parochianen. Maar de oude man was al vroeg tot de ontdekking gekomen dat schaamte een woord was dat niet in het politieke woordenboek voorkwam. Hij gedroeg zich alsof de aantijgingen berustten op lasterpraat.

De school moest het heel lang zonder bibliotheek doen. De leerkrachten gebruikten hun eigen boeken of leenden ze van andere scholen of van andere begrijpende leraren. De schaarse schoolboeken die er waren werden bewaard in een grote kast. Op een goede dag werd het nieuws verspreid dat we de slechtste tijd hadden gehad, omdat de Amerikaanse en Canadese vrienden van de Eerwaarde de school alle benodigde boeken hadden gestuurd. Er heerste een geweldige opwinding, niet in de laatste plaats bij de leerkrachten, maar die viel in duigen toen er op een ochtend vroeg een vrachtlading waardeloze boeken werd bezorgd: blauwdrukken van computers uit 1940, boeken over de beginselen van de luchtvaart, zoölogie, Grieks, zeevissen en het Amerikaanse leger. De Eerwaarde hield een lange toespraak en was trots op de zware dozen. Hij riep een stel goedgeklede studenten bijeen, die hij aanmaande met hun beste glimlach voor de dag te komen en poseerde met hen voor de dozen. 'Pleepapier,' zeiden de leraren toen ze de boeken zagen. Dat ging als een lopend vuurtje rond. De Eerwaarde werd omgedoopt tot 'de Eerwaarde Pleepapier'. Er zaten ongeveer vierhonderd leerlingen op de school, van wie de meesten het geld niet hadden om de benodigde studieboeken te kopen. Ze voelden zich bedrogen.

Over het algemeen waren de ouders blij dat er een school in de buurt was die zich overdag over hun kroost ontfermde. Wij waren de kinderoppas en we zorgden ervoor dat hun zoons en dochters tijdens de schooluren niets overkwam. De klassen waren overbezet omdat er zoveel mogelijk kinderen werden aangenomen om de enthousiaste, hardwerkende ouders niet te hoeven teleurstellen. Er zaten enkele zeer leergierige jongens en meisjes bij die het op een andere, betere school ver geschopt zouden hebben. Sommigen kwamen uit de Driehoek. Ze deden in het begin erg hun best, maar vervielen uiteindelijk tot laksheid.

De keuze van een assistent-rector sprak altijd boekdelen over een school. De onze was een beëdigd leraar, die al lesgaf op het SIMC, zoals we de school noemden, toen het nog een lagere school was. Nu knapte hij alle vuile karweitjes voor de rector op. Hij opende de school en sloot hem af. Hij zamelde schoolgeld in, handhaafde de orde, ving laatkomers, deed een deel van de boekhouding en betaalde salarissen uit. Hij controleerde borstzakjes om te zien of het embleem van de school er wel goed op zat genaaid en niet met spelden was bevestigd, wat de pubers vaak deden. Hij controleerde de meisjes op make-up, wufte oorbelletjes en verboden kapsels. Hij controleerde ook de handen van de meisjes op nagellak en de opgeplakte klauwen die in de mode waren. Hij was een man die zijn taak serieus nam en zichzelf wilde overtreffen om zijn positie te rechtvaardigen.

De rector, een ontwijkende zeeolifant van een man, besteedde het merendeel van zijn tijd aan het met een rekenliniaal oplossen van theoretische wiskundevraagstukken. Hij had niet veel te doen want zijn assistent runde letterlijk de hele school. Een groot aantal dagen was hij niet aanwezig en gaf hij er de voorkeur aan elders vergaderingen bij te wonen en zijn zaakjes in de stad te regelen. Hij had een truc bedacht om gewoon zijn eigen gang te gaan en tegelijk de Eerwaarde gerust te stellen dat hij geen bedreiging voor hem vormde. Net als de onzichtbare man handelde en verplaatste de rector zich incognito. Soms zat hij op zijn kantoor zonder dat iemand wist dat hij aanwezig was. Vanwege zijn energieke assistent kon hij zich veroorloven laat op school te komen, als alles al reilde en zeilde. Deze ridderlijke houding betrachtte hij ook tegenover de boekhouding van de school. Die was een warboel, althans voor de meeste mensen. Het leek erop dat de wiskundige in hem zoveel mogelijk werk voor zichzelf creëerde om zijn eenzame uren mee te vullen, en dat de zwendelaar in hem zijn sporen probeerde uit te wissen. Allereerst hadden de meeste leraren financiële problemen. Om hier iets aan te doen gingen ze naar de rector, legden hun situatie aan hem voor, en deze besloot vervolgens hoeveel voorschot ze op hun salaris konden krijgen. Hij keerde het geld uit en schreef het bedrag op een velletje papier. Intussen hield de assistent-rector ook een lijst bij, die uiteindelijk op het bureau van de rector terechtkwam. Er was inmiddels zo'n torenhoge stapel van die befaamde stukjes papier dat er veel wegraakten. De enige conclusie die je trekken kon was dat de rector dit onoverzichtelijke systeem hanteerde om zijn eigen grepen uit de kas te verdoezelen, want niets weerhield hem om een goede accountant aan te stellen of een beter systeem in te voeren. Zodoende verzonnen de slimmere leraren altijd een probleem: met hun kinderen, hun vrouw, hun gezondheid, wat dan ook, en namen zoveel mogelijk geld op. Een enkele keer verwees de assistent deze gevallen naar de rector die, aangezien hij een aardige man was, geen reden zag hun iets te ontzeggen, zodat er nog zo'n papiertje aan de stapel werd toegevoegd.

De rector mocht mij wel omdat ik nooit om geld vroeg. Ik vermoedde dat hij ergens een papiertje had waarop stond dat hij me een bepaald bedrag had gegeven en dat hij het geld in zijn eigen zak had gestoken. Als ik naar zijn kantoor ging dan was dat om vrij te vragen, zogenaamd om naar het ziekenhuis te gaan voor mijn hoofdpijnen, die later migraine-aanvallen werden. De rector vond het niet zo erg als een leraar ziekteverlof vroeg, zolang hij maar geen financiële steun verzocht. Dus elke keer wanneer ik iets in de stad te regelen had vroeg ik vrij. En dat kreeg ik altijd. Dit betekende natuurlijk wel dat de leerlingen eronder leden. Maar op onze school werd nooit zoveel rekening gehouden met de leerlingen. Het had geen zin om net te doen alsof dat wel zo was. De meeste leerkrachten gaven uitsluitend les voor het geld. Zolang je maar kwam lesgeven was je niet verplicht om op het schoolterrein te blijven. Soms kwamen er leerkrachten op school die naar de lerarenkamer gingen om thee te drinken en even te praten en dan weer weggingen alsof hun taak erop zat. Het was een vrijgevochten zootje, en er waren ook veel leerlingen die spijbelden, om water te halen en te verkopen of andere dingen te doen waar ze geld mee verdienden om hun schoolgeld te kunnen betalen.

Het oude systeem waarbij schoolopzichters een oogje in het zeil hielden was in de jaren zeventig een pijnlijke dood gestorven, en de regering had het veel te druk met de guerrilla's om zich zorgen te maken over banale zaken als schoolinspectie. De salarissen van de leraren werden drie maanden te laat uitbetaald en om niet onredelijk te zijn zette de overheid het personeel niet onder druk.

Het beste wat ik voor onze jongens en meisjes had kunnen doen was hun seksuele voorlichting geven. Ze waren uiteindelijk aan ons in bewaring gegeven voordat ze de wijde wereld in zouden gaan en een gezin zouden stichten. Maar dat onderwerp was taboe. Ons grootste probleem was niet alcohol of drugs, maar ongewenste zwangerschap. En vreemd genoeg waren de meeste ouders van mening dat voorlichting het alleen maar erger zou maken. De meeste ouders waren ertegen dat hun dochters de pil slikten of het voortplantingsproces op een andere manier belemmerden. Ze raakten gebelgd als iemand hun kleintjes wijzer maakte op dat gebied. Op aandrang van de conservatieve ouders verzette de Eerwaarde zich uit alle macht tegen het verstrekken van 'ketterse informatie' op zijn school. Dat deed zo ongeveer de deur dicht.

Het enige wat de school onder de omstandigheden kon doen was zwangere meisjes van school sturen. Dit had een heleboel te maken met de heersende cultuur van schaamte en geheimhouding. De meeste ouders spraken nooit over seks met hun kinderen. Goede christenen lieten dergelijke zaken voor wat het was. In het verleden was het de gewoonte geweest dat een tante van vaderskant haar neef of nicht apart nam om hem of haar voor te lichten. Maar aangezien de verschillende generaties van een familie tegenwoordig niet meer in één huis woonden, was er een gat geslagen in de traditie. De

meeste jongelui lichtten elkaar in. Af en toe onderschepte ik briefjes
en knipsels uit pornobladen en liefdesbriefjes die van hand tot hand
gingen. Ik moest denken aan Stengel die ons bevaderde en ons
woorden als 'penis' of 'vagina' liet invullen. Ik was niet zo schijnheilig dat ik deed of ik kwaad of gechoqueerd was. Vaak liet ik een
van de leerlingen zo'n briefje voorlezen. Vervolgens vroeg ik of iemand vragen had over seks, zwangerschap, voorbehoedsmiddelen
of abortus. Dan klapten ze ineens dicht. Eén keer werd ik apart genomen door de assistent-rector die mij verzocht de jongelui niet op
rare ideeën te brengen. Ik boog het hoofd maar deed het toch als ik
weer zo'n briefje in handen kreeg.

Op een paar honderd meter afstand van het SIMC stond een islamitische lagere school, in het leven geroepen voor de zonen en dochters
van moslims uit de buurt die te arm waren voor een betere school.
Achter de school stond een kleine bouwvallige moskee waar vrij-
dags de gelovigen baden. De imam, die lesgaf in de Koran, woonde
vlakbij. Als je naar de bedroevende lemen muren keek en het melaatse dak en het kale kiezelerf dat uit de keiharde rots was gehakt,
kon je je indenken dat er uit deze uitgedroogde plek niets dan
kwaads voortsproot. In vergelijking met ons dierbare SIMC, en de katholieke school en kerk op dezelfde heuvelrug, zag het er troosteloos en vervallen uit. Het leek een zandbank die elk moment in een
storm onder kon lopen. Maar in de pauze hoorde je de vreugdekreten van de kinderen en zag je hun roze uniformen wapperen als
vlaggetjes in de wind. Ze speelden en zongen even hard, en leerden
de Koranteksten die de imam op het gehavende schoolbord schreef
op luide toon uit hun hoofd.

Tijdens de les schreed hij van het ene lokaal naar het andere met
zijn stok in de hand en een frons op zijn gezicht, en wee degene die
hij betrapte op iets ongeoorloofds. De niet-gelovige leerkrachten
liepen meestal met een boog om hem heen; niet dat hij hen ook
sloeg, maar omdat hij meer dan de anderen geloofde in beleefdheid
en discipline en nooit in discussie ging. 'Ik ben een man van actie,'
placht hij te zeggen. Als een leerling iets verkeerds had gedaan werd

hij ter plekke afgestraft. Al smeekte hij nog zo om genade, hij kreeg misschien een verminderde straf, maar straf kreeg hij. 'Wat ik onderwijs is karakter, verantwoordelijkheid en daadkrachtigheid,' zei hij altijd voor en na het uitdelen van straf.

Te midden van deze huppelende, touwtje-springende, joelende menigte zag ik Jo Nakabiri voor het eerst. Een vriend, die lesgaf op deze stoffige school om zijn salaris wat te spekken, had me uitgenodigd een keer met hem mee te gaan. Ik stond stil en staarde naar haar. Haar donkere gezicht glom in de zon, alsof ze die ochtend te veel dagcrème op had gedaan. Ik bekeek haar benen en figuur en vond dat ze een zusje of nichtje van Loesanani kon zijn. Ik raakte in grote opwinding van haar wespentaille en stevige achterwerk. Mijn oksels werden klam. Ik werd overvallen door het intrigerende gevoel dat ik haar kende, of haar eerder had gezien. Maar waar?

Toen we aan kwamen lopen stond ze tegen een groepje meisjes te schreeuwen, maar zodra ze ons in de gaten kreeg ging ze zachter praten, alsof we haar ergens op betrapt hadden. Toen zag ik haar ogen: grote boeiende bollen vol bodemloze pret en smart en geheimzinnigheid die ik maar al te graag wilde verkennen. Ze maakte zich uit het kringetje los met de stijve gratie van een vrouw die weet dat er naar haar gekeken wordt, en begroette mijn vriend en toen mij. Ik stond er een poosje voor spek en bonen bij terwijl zij klaagden over de lage salarissen, gefrustreerde plannen, aanstaande vakanties, en nog meer van die dingen. Ze leek niet helemaal op haar gemak, alsof het praten over schoolzaken, de imam en de leerlingen in het bijzijn van een buitenstaander een schending van vertrouwen was of een vorm van zelfbedrog. Ik keek naar haar en dan weer naar mijn vriend, maar eigenlijk wilde ik alleen maar naar haar kijken. Het spookte al door mijn hoofd dat ik genoeg geld had om dit meisje van deze school af te halen en haar een redelijk comfortabel leven te bieden.

Ik wist dat ze hier niet om het geld werkte, maar om het aanzien. Maar wie betaalde haar rekeningen dan? Het salaris dat ze drie maanden te laat in ontvangst nam dekte nauwelijks eentiende van haar maandelijkse uitgaven. Hoogstwaarschijnlijk had ze een man of woonde ze nog bij haar ouders. Als ze een vluchtelinge was, had ze waarschijnlijk een echtgenoot bij de guerrilla's die ergens in de Driehoek de elementen, de katjoesja's, de helikopters en het leger trotseerde. Dat idee bracht me enigszins van mijn stuk. Dergelijke types keerden vaak vol bloeddorst terug, en met een waanzinnige achterdocht dat zijn vrouw bij alle mannen uit de buurt in bed was gesprongen, en dachten er geen twee keer over na voordat ze iemand een kogel door zijn kop joegen. In sommige gevallen vertelde de vrouw er niet bij dat ze getrouwd was; pas als je haar thuisbracht zag je hem razend als de hel, moordlustig als een gewonde buffel, in de deuropening staan. Misschien was haar man op het slagveld gesneuveld en was zij al jong weduwe geworden. Er liepen in die dagen behoorlijk wat geile weduwes rond, sommigen uit de Driehoek, en aangezien ze niets droegen waaraan je dat kon zien, wisten veel mensen niet hoe het zat. Ik had er niets op tegen verkering te hebben met een jonge weduwe, of met een vrouw wier man in de rimboe vocht, als ik maar wist waar ik aan toe was.

Ik besloot bij mijn vriend inlichtingen over haar in te winnen. Daar waren vrienden voor, zelfs al betrof het hun zuster. Dit was geen zuster van hem, maar ze woonden in dezelfde buurt. En hij was me iets verschuldigd omdat ik hem talloze malen uit de financiële puree had gehaald.

Hij vertelde me het kleine beetje wat hij van haar af wist. Ja, ze was twee jaar geleden uit de Driehoek gekomen en woonde bij haar oma. Ze was getrouwd geweest, maar niemand wist waar haar man was, en ook niet of ze kinderen had. Ik had liever gehoord dat haar man gestorven was. Verlaten mannen konden gevaarlijke types zijn: eerst mishandelden ze hun vrouw en zodra die weggelopen was realiseerden ze zich wat ze te kort kwamen en probeerden ze haar terug te krijgen. Als de vrouw weigerde terug te komen waren die mannen vaak verbitterd. Sommigen stuurden afgezanten, of bestookten de vrouwen met hekserij, anderen liepen ze achterna of schreven dreigbrieven. Maar wat was de andere kant van het verhaal? Misschien had dit meisje wel geen manieren, en was ze losbandig en platvloers en was de man het beu geworden. Misschien

was zij er wel op gespitst haar oude leven te herwinnen. In dat geval
zat die man ergens te wachten en liet hij haar nog een poosje gaarstoven in haar zondigheid.

Mijn campagne om Jo te veroveren duurde verscheidene weken.
Ze wees alle pogingen die mijn vriend deed van de hand omdat ze
volgens haar zeggen genoeg had van mannen. Ik geloofde haar niet.
Als het waar was geweest dan zou ze in een klooster hebben gezeten
en zichzelf hebben gegeseld en met haar blote vingers het duivel-
haar uitgetrokken hebben, zoals Hangslot vroeger. Ik schreef haar
brieven, die ze ongelezen terugstuurde. In aanmerking genomen
hoe gemakkelijk het meestal was om meisjes uit de Driehoek te versieren, was haar gedrag ergerlijk. Ik verzocht mijn vriend zijn pogingen te staken, maar daar wilde hij niet van horen. Toen ik de
hoop al had opgegeven, boekte hij succes. Hij had het voor elkaar
gekregen dat ze mij uitnodigde naar een schoolconcert te komen.

Ik zat een bank achter haar naar haar te kijken terwijl zij naar haar
leerlingen luisterde. Ik dacht eraan hoe mijn vriend voor me gepleit
had en gezegd had dat ik een fatsoenlijke man was die het niet verdiende als vuil behandeld te worden. Ze had tegengeworpen dat ze
mij ervan verdacht dat ik een heleboel vriendinnetjes had, wat mijn
vriend heftig had ontkend, want hij wist niets af van mijn meisjes uit
de Driehoek. Hij had Jo verteld dat ik net een verhouding had afgebroken met een ongemanierd meisje en dat het me verdriet deed dat
zij mijn toenadering afwees. Jo had gezegd dat ze niet van plan was
zich te laten misbruiken als opstapje naar een volgende verhouding.
Waarop mijn vriend had gezworen dat ik eerbare bedoelingen had.

Na afloop van het concert moest ze met enkele ouders praten die
benieuwd waren hoe het op school met hun kinderen ging. Ik wachtte. Toen de avond begon te vallen kwam ze naar me toe en we wandelden in de richting van het SIMC, waar we gingen zitten op de veranda van het gebouw. Ze vertelde dat haar vader was gestorven
toen ze nog jong was. Ze was zwanger geworden toen ze zeventien
was en had een dochter, maar ze wilde niet vertellen waar zij was.
Op haar negentiende was ze naar de kweekschool gegaan en had ze
haar onderwijsbevoegdheid gehaald. Toen begon het tumult in de

Driehoek. Haar school moest sluiten en werd later door het leger in beslag genomen. Samen met nog andere mensen uit de streek was ze op de vlucht geslagen toen de guerrilla's met hun acties waren begonnen. Ze legde uit dat ze me niet aan het lijntje had willen houden, maar dat ze alleen geïnteresseerd was in een serieuze verhouding.

Ik vertelde haar over mezelf – over tante Lwandeka, het seminarie, de universiteit, het SIMC, en de Boemboem-Stokerij. Voor we het in de gaten hadden was de nacht gevallen. We liepen naar de hoofdweg en daar namen we afscheid van elkaar. Vanaf die tijd zagen we elkaar geregeld. Ik gaf de andere meisjes de bons, maar bleef er nog een paar financieel steunen.

Soms gingen we op zondag samen naar de mis in de kathedraal. We waren geen van beiden erg vroom, maar soms kwam je er aan informatie over de toestand in het land, vooral over zaken die niet of onvolledig in de krant gemeld werden. De katholieke kerk speelde nog steeds de rol van voornaamste politieke criticus. Daarna lunchten we in een goed restaurant en gingen op een terrasje naar de voorbijgangers en de soldaten zitten kijken. Ze was dol op bier. Na haar vijfde flesje begon ze kinderversjes te zingen en de liedjes die haar leerlingen op de schooluitvoeringen voordroegen. Ik was in mijn sas. Het leek of we allebei op zoek waren naar een verloren tijd, die we onbewust hadden meegemaakt, maar die we weer op wilden halen om te analyseren en vast te houden. Allebei zochten we een anker in deze woelige tijden.

Op dergelijke momenten vervaagde de oorlog tot de vergetelheid van de Driehoek en de schimmen die daar hun leven verkwistten. We vormden een eigen wereldje, waarin we alleen toelieten wie we wilden zien. Ongewenste mensen en herinneringen werd de toegang ontzegd. Aangeschoten van het bier vertelden we elkaar verhaaltjes die verdampten in onze beneveling en achterbleven op de lakens waarop we de liefde bedreven. Het vrijen zelf was een daad van oorlog, een uiting van de spanning die het land overheerste. Door te proberen iets nieuws en moois op te bouwen, gingen we tegen kwade machten en vernietiging in en wierpen we een reddingslijn uit.

Door onszelf tot het uiterste te drijven, verhardden we ons voor de strijd, voor alle beproevingen die nog in het verschiet lagen, en zorgden we ervoor dat we in staat waren de pijnlijkste beproevingen te doorstaan. Beiden voelden we ons weeskinderen, mensen van wie iets dierbaars was afgepakt. Die gemeenschappelijke band joeg ons de zoektocht naar vervulling in.

Terwijl ik steeds dieper wegzakte in het drijfzand van de liefde, vroeg ik me af hoe haar dochter naar buiten was gekomen, want deze vrouw had een hele nauwe opening, nauwer dan ik ooit voor mogelijk had gehouden. Had ze gelogen dat ze een kind had gebaard en getrouwd was geweest? Was ze ook zo'n sprookjesvertelster en was ik haar lichtgelovige slachtoffer? Ik was me er bijna vanaf het begin al van bewust dat ik tijdens het genieten van mijn paradijs tegelijkertijd getuige was van mijn ondergang. Dit was een ervaring die zich nooit zou herhalen, een die onnavolgbaar zou blijken te zijn. Mijn plezier kreeg een knauw van verdriet, mijn geluk werd aangetast door angst. Als ik haar kwijtraakte dan zou ik alleen nog herinneringen over hebben. Ik had de seksuele jackpot gewonnen. Ik genoot van de zoete marteling van haar ondraaglijke spasmen, maar had het gevoel dat het onvermijdelijk was dat ik haar zou verliezen. Ik voelde haar al wegzakken. Zulke fantastische dingen duurden nooit lang. Als dat wel zo was dan werd je er de slaaf van en veranderde je in een schuimbekkende idioot. Ik moest zorgen dat ik haar tot mijn slaaf maakte of dat ik haar opgaf. Aan de ene kant wilde ik haar aan de ketting leggen, haar een halsband om doen, haar bellen omhangen zodat ik altijd zou weten waar ze was. Aan de andere kant wilde ik haar vrijlaten om de wereld in te gaan en anderen in vuur en vlam te zetten, te martelen en gek te maken met de kneuzende macht van haar verborgen schatten. Ik zag al voor me hoe oude mannen kwijlend op haar lagen en een hartaanval kregen. Ik zag al voor me hoe ze jonge mannen krankzinnig maakte zodat ze van hun vrouw of vriendin af gingen en ten slotte alleen en op zwart zaad achterbleven. Ik zag al voor me hoe mannen van hot naar her liepen en zich afvroegen wanneer het mis was gegaan, en waarom ze deze parel er niet van hadden kunnen weerhouden terug te keren naar de bodem van de zee, waar ze vandaan kwam. Ik genoot.

Ik had Jo gemakkelijk kunnen vragen bij me in te trekken. Maar ik speelde liever een martelend spel: ik liet haar gaan, wachtte op haar en heette haar opnieuw welkom met een omhelzing. Ik was mezelf aan het wapenen voor als ik haar kwijt zou zijn en zette een val voor anderen. Als ze wegging, dacht ik dat ze nooit terug zou komen. Als ze terugkwam, met de geuren van school in haar haren en hartstocht in haar aderen, vroeg ik me af of ze ooit weer zou vertrekken. Ik bleef tobben over haar man en hoe hij het verlies van deze vrouw, of dit meisje, of deze geestverschijning, of wat ze dan ook mocht zijn, kon verdragen. Als zijn bed of zijn loopgraaf of zijn valkuil midden in de nacht in een folterbank van wellust veranderde, moest hij vreselijk naar haar verlangen. Zijn verlangen naar haar moest veranderd zijn in een verlangen haar bloed te drinken. Hij moest haar in zijn dromen omhelzen en duizelig en koud van eenzaamheid wakker worden. Ik hoopte dat ik hem nooit tegen zou komen.

Mijn omgang met Jo verschafte me inzicht in hoe andere mensen hun liefdesleven inrichtten. Had Opa niet kunnen leven met de bokkentanden van Kawayida's moeder? Had hij niet moeten accepteren dat Serenity's moeder voor iemand anders was gevallen? Was Serenity niet tegemoet gekomen aan de gemene streken van zijn vrouw? En had Hangslot zich er niet bij neergelegd dat haar man verliefd was op haar tante? Was tante Lwandeka niet verliefd op de mysterieuze brigadier? En had ze niet een foto van hem in de Bijbel onder haar matras verstopt? Bleven zij niet op elkaar vertrouwen, ofschoon ze van elkaar gescheiden waren en ze soms maandenlang niets van elkaar vernamen? En was oom Kawayida niet verliefd op drie zusters tegelijk? Liefdesgeschiedenissen waren nooit perfect; onvolkomenheid hoorde erbij. Ik bereidde me voor op het ergste. In de strijd om mezelf te vinden en te bevrijden, was Jo een schermutseling, niet de beslissende veldslag.

Halverwege het decennium was het duidelijk dat er een impasse in de gevechtshandelingen was gekomen. We zagen legertrucks, onverschillig als verzegelde doodskisten, hun losse-flodder-lading naar de Driehoek vervoeren. We zagen slonzige soldaten die van hun nachtmerrie-campagnes terugkeerden met ogen waarin de dood te lezen stond. We zagen officieren van de geheime dienst, walkie-talkies aan hun riem, ogen bloeddoorlopen van angst, benen stijf van twijfel, die onze stad doorkruisten in een koortsachtige verbijstering. Er gingen geruchten, bevestigd door tante Lwandeka, dat de guerrilla's op het punt stonden zich op de hoofdstad te storten. Een aantal weken later vielen ze een grote kazerne aan in de buurt van de kathedralen. Omdat het leger, ondanks zijn schijnbare waakzaamheid, was verrast, werd er veel schade aangericht. Als vergelding arresteerde het leger door de hele stad mensen, die ondervraagd en gemarteld werden. Zelden haalden ze echte guerrilla's in hun vangnet op.

In die tijd begonnen de hardloopwedstrijden, of 'Olympische Spelen' zoals ze smadelijk werden genoemd. Op werkdagen werd er plotseling een bericht verspreid dat de guerrilla's in de stad waren en dan renden de mensen hun kantoor of winkel uit, naar hun auto, de bushalte of de taxistandplaats. Het pandemonium werd nog eens aangewakkerd door roddelaars die beweerden dat terwijl ze daar stonden al een paar buitenwijken waren belegerd. Eén keer kwam ik in zo'n golf van gekte terecht. Mensen stroomden vanuit de smerige Owino-markt, uit Kikoebo, uit Nakasero Hill, uit alle richtingen de taxistandplaats op en deden die weergalmen met hun geschreeuw en gestamp. Ik kreeg een harde duw in mijn rug en viel bijna omver maar werd gelukkig omhooggetrokken door mensen die achter me liepen. Iedereen maakte dat hij wegkwam. Laatdunkende slangenbezweerders, betrapt in hun weke waardigheid, zagen hun manden door de lucht vliegen en hun reptielen vertrapt worden op het asfalt. Overal lag de handelswaar van de rattengif-verkopers verspreid. Venters renden in het rond met kartonnen dozen op hun hoofd. Bestelwagens maakten ongelooflijke bochten en scheurden door de massa met portieren die bijna uit hun scharnieren werden gerukt. Losse schoenen, gescheurde tassen, overhemd-knopen, geroosterde maïskolven en witte boterhammen bleven liggen terwijl men de onzichtbare vijand ontvluchtte.

De hordes werkloze jongeren die rondhingen bij de bussen en taxi's, hadden het spel gauw door. Ze kwamen naar de binnenstad om tassen te roven en zich naar hartelust te vermaken. Ze stelden zich in groepjes op en stonden te kijken terwijl goedgeklede vrouwen en mannen de heuvel afwaggelden, smakkend en snuivend als herkauwende koeien. Ze concentreerden zich op vrouwen die op de vlucht geslagen waren met hun hoge hakken en beautycases in de hand en hun tong uit hun droge mond.

'Dame,' merkten ze dan op. 'Doet u mee met de sprint of met de marathon?'

'Zij doet de marathon.'

'Hoe lang traint u al voor deze wedstrijd?'

'Elke dag, of een, twee, drie keer per week wippen?'

'Bent u de eerste Oegandese vrouw die de gouden medaille gaat winnen?'

'Hier, pakt u deze handdoek maar, die brengt geluk. Ik vind het niet erg om achter u aan te hollen.'

De spelen begonnen meestal na een vals alarm. In hun achterhoofd wisten de mensen dat ze nergens heen konden, maar ze vonden het beter om in beweging te blijven. Vanuit de Driehoek kon je naar de stad vluchten, in de stad alleen naar je eigen huis. Een paar maanden lang werd er regelmatig alarm geslagen, maar toen iedereen het alarm begon te negeren, hield het even plotseling op als het begonnen was.

De guerrilla's begonnen in die tijd de Loewero Driehoek te verlaten, in de richting van het Albertmeer in West-Oeganda. In de stad werd beweerd dat de rebellen het opgaven en een deal hadden gesloten met de regering. Het leger zelf was in de war: de troepen hadden in de Driehoek alleen spookdorpen aangetroffen, stinkend naar dood en verderf vanwege de luchtaanvallen, de zuiveringsacties en de natuurelementen. Er was niemand meer tegen wie ze konden vechten. De leegte in hun voormalige jachtgebied was het laatste teken dat ze hun greep op de situatie kwijt waren. De griezelige stilte benadrukte het feit dat ze hun 'bandieten' hadden laten ontsnappen naar een plek waar ze hen nauwelijks konden bereiken. Er heerste al verdeeldheid in het leger en het moreel takelde snel af. Veel soldaten waren al maanden niet uitbetaald en waren het plunderen en moorden beu. De gewonde kameraden die op een ziekbed lagen in de wetenschap dat hun afgerukte benen, armen, kaken, oren en ballen ergens in de Driehoek lagen weg te rotten, wreven degenen die zich dichter bij de frontlinie bevonden en degenen die wachtten op uitzending naar het slagveld, met hun neus in de wanhoop van de situatie.

Niet lang daarna begonnen de rebellen de kleine steden in het westen en oosten aan te vallen en te belegeren. Moebende, Hoima, Masaka en Mbarara vielen in hun handen. Het land was nu in tweeën gesplitst: een deel voor de guerrilla's en een deel voor de regering. De guerrilla's stelden een provisionele regering aan. Tante moest het enige tijd zonder anker stellen. Ze begon te tobben en werd heel zwijgzaam, omdat ze haar zorgen in bedwang wilde houden. Ze was bang dat ze de brigadier nooit meer zou zien, want dat er een langdurige confrontatie met regeringstroepen zou volgen leek onvermijdelijk. Ze probeerde opgewekt te doen, maar heimelijk was ze wanhopig. Op een dag zei ze tegen me dat ze naar Masaka ging, diep in het territorium van de guerrilla's. In die tijd kon je nog op en neer reizen. Ze ging zogenaamd op bezoek bij oom Kawayida, maar in feite was ze van plan om de brigadier te zoeken. Ze bleef een week weg. Ik was bang dat ze aan de andere kant in de val zou lopen. De wegversperringen van de regering waren afschuwelijk, maar ze overleefde het en kwam weer thuis. 'Het is heel vredig aan de andere kant. 's Nachts wordt er niet geschoten. Mensen laten hun deuren van het slot. Er is niets te vrezen,' vertelde ze opgewonden. 'Ik ben van plan om weer terug te gaan.'

Ik was geschrokken en kwaad. Ik zei dat ze gek was. Hoe haalde ze het in haar hoofd om op die manier het noodlot te tarten? 'Dat doe ik mijn hele leven al.' En weg was ze. Maar deze keer gaven de guerrilla's haar geen toestemming om terug te gaan. Ze voelden er niets voor dat hun geheimen in handen van de regeringstroepen zouden vallen, vrijwillig of anderszins. Ze verdachten iedereen die kwam en ging, zelfs al betrof het een van hun eigen guerrilla's. Tante zei dat haar kinderen haar nodig hadden, maar zij wierpen tegen dat zij háár nodig hadden om de vrouwen in het bevrijde gebied te organiseren. Maar de brigadier smeedde een plan zodat ze kon ontsnappen. Ze nam een boot en kwam in een haven vlak bij Kampala aan. Ze had koorts, maar was zo opgelucht dat ze weer thuis was dat ze nergens over klaagde, ook niet over de ontberingen onderweg.

Er heerste wanorde binnen het leger. Een pressiegroep bestaande uit legerbevelhebbers wilde met de guerrilla's onderhandelen, om een einde te maken aan de gevechten en om een coalitieregering te vormen. De kleinste guerrillagroepen, die op het scherp van de snede in de Driehoek waren gebleven, traden naar voren en leverden hun wapens in en ondertekenden wat papieren. De groep in het westen, die de helft van het land onder zijn beheer had, bleef zitten waar hij zat. Er vond een heleboel politieke schaduwbokserij plaats, dat bijna geheel aan mij voorbijging omdat ik me bezighield met de Boemboem-Stokerij en Jo. Het geld stroomde nog steeds binnen en ik kon me veroorloven me in mijn coconnetje terug te trekken.

De oorlog die de tweede regering Obote verdreef en de restanten van het leger in Noord-Oeganda en Zuid-Soedan begroef, kwam langs dezelfde weg als de troepen die Idi Amin hadden verjaagd. De guerrilla's volgden de Masaka-route. Ze rukten stap voor stap, dorp voor dorp, naar Kampala op. Bij meerdere gelegenheden probeerde het leger tanks in te zetten om door de oprukkende troepen heen te breken en de bevrijde gebieden opnieuw te bezetten, maar dat mocht niet baten. In het gunstigste geval heroverden ze een gebied voor een paar weken, waarna ze weer verjaagd werden. Ze waren niet meer gemotiveerd. En er was nog nooit een oorlog alleen met wapentuig gewonnen.

De regering, onder druk gezet door machtige legerofficieren, verzocht om onderhandelingen. Er werd een staakt-het-vuren afgekondigd, dat om beurten door het leger en door de rebellen werd geschonden. Intussen sneuvelden er steeds meer burgers in de sporadische gevechten. Het Driehoekssyndroom verspreidde zich. Met ingehouden adem keek de natie toe hoe de onderhandelingen verliepen. Toen er in tante Kasawo's woonplaats gevochten werd, wist iedereen dat het nu of nooit was. De guerrilla's waren Kampala nooit dichter genaderd dan vijfentwintig kilometer. Er volgden weken van onderhandelingen en beschuldigingen over en weer wegens het schenden van het staakt-het-vuren.

Er werd een overeenkomst getekend tussen de regering en de rebellen. Maar binnen enkele weken laaiden de gevechten weer op en op 25 januari 1986 viel Kampala in handen van de guerrilla's. Het was bijna een herhaling van de situatie in 1979, toen de regeringssoldaten naar het noorden en het oosten waren gevlucht en er een nieuw bewind was gekomen. Deze keer werd de stad echter ingenomen door eenheden die bestonden uit kindersoldaten, kleine jongens in uniformen waar ze in verdronken. Het was verbazingwekkend om die eenheden door de stad te zien marcheren, op de hielen van het wijkende leger.

Vooruitlopend op een herhaling van de plunderingen van 1979, kwamen de schurken in groten getale aanzetten. Ze hadden het mis. Er zou op toegezien worden dat er niet geplunderd werd en dat in tegenstelling tot de jaren zeventig, de wet niet overtreden zou worden. Lefgozers werden gewaarschuwd met schoten in de lucht, vlak boven hun hoofd. Degenen die toch hun gang gingen werden neergeknald. Het nieuws dat de guerrilla's het meenden verspreidde zich snel. Voor alle winkels werden schildwachten geplaatst, die de opdracht kregen te schieten als het nodig was. De boodschap drong tot iedereen door, de plunderaars keerden terug naar huis en zeiden dat een bewindswisseling lang niet zo leuk meer was als vroeger.

In het zuiden van het land werd feestgevierd, wat enigszins overschaduwd werd door wat er in de Loewero Driehoek had plaatsgevonden. Er zat een domper op de viering; er werden geen wilde drankfestijnen gehouden waarbij onophoudelijk getrommeld werd. Jo kwam bij me en we brachten de dag pratend door, theoretiserend over wat er zou gaan gebeuren. Wat was er voor ons in de toekomst weggelegd? Zij overwoog terug te keren naar de Driehoek om de

schade op te nemen en te zien wat er uit de ruïnes te redden viel. Ik
vroeg me af of de Boem-boem-Stokerij zou kunnen blijven bestaan.
Tante Lwandeka was uitzinnig van vreugde. Dit keer vertelde ze
me dat ze zich nooit weer met guerrilla's zou inlaten. Ze was blij dat
de overwinning eindelijk gekomen was: ze was het wachten en de
doodsangsten beu. 'Ik ben herboren, jongen, ik heb een nieuw leven
gekregen. Dat overkomt je geen driemaal.'

Met de gebeurtenissen van 1971 en 1979 in mijn geheugen raakte ik
in de ban van de angst: wat zou ik, of liever gezegd, wie zou ik deze
keer verliezen? Jo, tante Lwandeka, of iemand anders? Het idee om
naar de Driehoek te gaan kon ik niet aan: ik wilde niet weten wat er
met het oude dorp was gebeurd. Ik vond dat ik althans voorlopig beter af was als ik het niet wist. Er werd geschat dat er in de Driehoek
tussen de twee- en de vierhonderdduizend mensen gesneuveld waren. Ik had liever dat de doden zichzelf begroeven.

De opmerkelijkste verandering die plaatsvond was op het gebied
van de veiligheid: je kon 's nachts gaan slapen zonder bang te zijn
dat je door rovers, kapers of soldaten vermoord zou worden. Je kon
reizen en laat thuiskomen. De wegversperringen waren streng maar
redelijk; niemand werd bestolen of verkracht. Het volk begon de
nieuwe regering steeds meer te vertrouwen. Eerst had men er alleen
maar naar verlangd vredig te kunnen slapen. Nu kwam men erachter
dat je op een lege maag niet al te best sliep en ook niet als je je zorgen maakte over wat er in de Driehoek met je huis, je familie, je geschiedenis was gebeurd. Degenen die uit de Driehoek naar de stad
waren gekomen, wilden weer terug, degenen die er mensen kenden
wilden die op gaan zoeken. Iedereen maakte een uitstapje naar hun
spooksteden en -dorpen en kwam gedeprimeerd terug. De doden lagen nog op de plek waar ze gesneuveld waren en de huizen die ze
hadden bewoond hadden geen dak, ramen of deuren meer. De alta-
ren van hun goden waren ontheiligd en er gaapte een enorm gat tussen het verleden dat ze hadden gekend en het heden dat ze moesten
accepteren.

De wederopbouw was een onafzienbare taak. De regering beloofde steun aan de rampgebieden, maar die steun bleef uit. De mensen die geld hadden, besloten alvast te beginnen. Ze kochten bouwmaterialen, die ze in gammele bestelwagers naar de Driehoek transporteerden en gingen van start. De meesten wachtten af en verrichtten alleen wat kleine karweitjes zoals de grond bewerken en tuinen opruimen en kwamen dan weer terug.

Ik sponsorde Jo's reisjes naar de Driehoek maar weigerde met haar mee te gaan. Keer op keer kwam ze verdrietig terug. Haar vroegere school was een puinhoop. Ze wilde deelnemen aan de wederopbouw, maar de regering kon de benodigde materialen niet leveren. Ze was erg van streek dat er zoveel vernietigd was. Ze kon het bijna niet vatten en het ook niet van zich afzetten. Ze praatte er aan één stuk door over en gaf de schuld aan de regimes Obote II, Amin, Obote I, met verwijzingen naar het kolonialisme en de plaatselijke vertegenwoordigers ervan, aan alle Oegandezen en alle wapenhandelaars. Ze gaf de schuld aan de haat en de onverschilligheid en de oneerlijkheid die dit alles mogelijk hadden gemaakt, tot ik een punt bereikte dat ik het huis uitrende of tegen haar schreeuwde dat ze moest ophouden. Haar scheldkanonnades hielpen haar bij het verwerken van haar frustraties, maar ik kreeg er de zenuwen van en ze maakten dingen bij me los die ik liever liet zitten waar ze zaten.

Tante wachtte nog steeds op haar beloning. Ze ging vaak naar de stad om de brigadier te ontmoeten die van de guerrillatroepen een officieel leger aan het maken was. Hij had beloofd dat hij haar zou helpen bij het starten van een zaak door haar aan te bevelen bij de bank voor een lening tegen een lage rente. Hij vroeg haar ten huwelijk. Ze zei dat ze bedenktijd wilde; na haar jeugdige fiasco met de veearts had ze nooit weer willen trouwen. Hij gaf haar een ring. Aanvankelijk was ze er verlegen mee en maakten haar vriendinnen er grapjes over, maar ze liet zich niet van de wijs brengen. Ze kreeg de opdracht om een vrouwenvereniging op te richten. Ze begon met clubs en vergaderingen. Ze werkte heel hard en ze was gelukkiger dan ik haar ooit had meegemaakt.

Ik had me al een hele tijd afgevraagd wat er van Lwendo geworden was. Ik ging naar Kampala en informeerde bij de kathedraal of hij nog op het seminarie zat. Hij was er afgestuurd. Wanneer? Omstreeks de tijd dat het land in tweeën gesplitst was. Een maand later reed er een legerjeep voor bij het SIMC met een soldaat die naar mij vroeg, maar ik was er niet. Hij weigerde een boodschap achter te laten. Een week daarna verscheen Lwendo. Hij was gekleed in militair werktenue. Hij was nu tweede luitenant. We omhelsden elkaar. Hij was er via een vroegere schoolgenoot achter gekomen waar ik zat. We hadden elkaar veel te vertellen. De onderliggende vraag was: kwam Lwendo uit nieuwsgierigheid of zat er meer achter? Er zat meer achter. Hij wilde dat ik me bij hem aansloot. In welke hoedanigheid? Als een soort spion, een soort ombudsman. Ik was geschokt. Ik snapte het niet. Ik was van het seminarie af gegaan om aan de dictatuur te ontsnappen en ik was niet van plan me te bemoeien met agenten van het leger of de geheime dienst. Hij verzekerde me dat we voor één individu zouden werken, een hoge piet bij de overheid wiens taak het was corruptie te bestrijden. Ik rook godsdienst, en jawel hoor, de man was een ex-priester. Dat was er de reden van dat hij de leiding had gekregen over de Rehabilitatie en Reconstructie: katholieken hadden nog steeds de reputatie eerlijk te zijn. Maar waar pasten ik en mijn vroegere maatje Lwendo in het geheel? Het leek mij gevaarlijk: hoe zouden de mensen reageren die wij van corruptie gingen beschuldigen? Zouden ze proberen ons om te kopen of zouden ze proberen ons neer te knallen? Ik wees zijn aanbod af. Ik had een uitstekend inkomen. Waarom zou ik mijn hals gaan wagen? Ik veranderde het onderwerp van gesprek. Ik wilde zijn levensverhaal horen.

Lwendo was een weeskind. Hij had zijn ouders nooit gekend. Hij was opgevoed door een liefdevol katholiek echtpaar met een groot gezin, als een van hun eigen kinderen. Pas toen hij op het seminarie zat was hij erachter gekomen dat het niet zijn biologische ouders waren. Maar tegen die tijd hadden zij zijn toekomst al uitgestippeld: hij moest priester worden en behoeftige mensen bijstaan en God terugbetalen voor wat Hij voor hem had gedaan. Lwendo had het altijd een slecht idee gevonden: vanaf zijn jeugd was het zijn droom geweest om bij de luchtmacht te gaan. Zijn weldoeners konden dergelijke onkatholieke ijdelheid niet accepteren. Zijn wangedrag op het seminarie was voortgekomen uit protest tegen de keus die zijn pleegouders voor hem hadden gemaakt en het gevoel dat hij geen uitweg had.

Na mijn vertrek had hij doorgeploeterd. Toen de guerrilla's in actie kwamen, zat hij op het Grootseminarie. Maar daar was de discipline nog veel strenger geweest. Hij had er al gauw genoeg van. Hij begon te spijbelen en min of meer openlijk met meisjes te flirten als hij pastoraal werk deed. Hij sprak in het openbaar priesters tegen. Hij stelde keiharde vragen over het bestaan van God en hield politieke redevoeringen. Om iedereen flink op de kast te jagen, steunde hij de Oegandese Volkspartij en de acties van de regering Obote II in de Loewero Driehoek. Als ze hem vroegen wat hij van het moorden vond, dan citeerde hij de bijbel: 'Alle autoriteit is afkomstig van God.' Hij verwees zijn toehoorders eveneens naar de tijd van de kruistochten, toen de kerk genocide-oorlogen voerde. Veel priesters trokken de conclusie dat hij geen roeping had. Anderen verdedigden hem en zagen zijn houding aan voor puberale rebelsheid die vanzelf over zou gaan. Hij kreeg een waarschuwing dat hij zijn gedrag moest veranderen en zich eerbiedig moest gedragen tegenover de paters en op moest houden met zijn politieke activiteiten. Hij weigerde. Ze lieten hem achtervolgen. Op een avond werd hij betrapt bij het overtreden van de avondklok. Hij werd van het seminarie gestuurd.

Toen had hij twee mogelijkheden: naar huis te reizen via het meer, of in bevrijd gebied te blijven. Naar huis: waar was zijn huis? Zouden zijn pleegouders hem met open armen ontvangen? Zo ja, wat moest hij dan gaan doen in de onrustige stad? Hij had geen baan, geen geld, geen onmiddellijke vooruitzichten. Met het theologische onderwijs dat hij had genoten kon hij alleen maar een bijbaantje als leraar krijgen of de een of andere kerkelijke functie, waar hij niets voor voelde. Bovenal werd uit de verhalen die tot in de bevrijde gebieden over de stad doordrongen, duidelijk dat de wanhopige regeringssoldaten mensen in de nog niet bevrijde gebieden uitroeien als vliegen. Nadat hij de betrekkelijke rust en orde had geproefd die in het bevrijde gebied heersten, was hij niet zo snel geneigd om uit te vinden wat er aan de andere kant lag.

Hij besloot te blijven en zich bij de guerrilla's aan te sluiten. Hij kende toen de ex-priester al, die door iedereen Majoor Padre of gewoon Padre genoemd werd, een prominente persoonlijkheid in de guerrillabeweging. Hij had tot tweemaal toe een bezoek gebracht aan het seminarie om guerrillapropaganda te verkopen aan de priesters en hun seminaristen. Lwendo was de enige seminarist die interesse had getoond in zijn boodschap en de guerrilla's had toegejuicht omdat ze het moorddadige regime bestreden, een door velen als vreemd ervaren ommekeer. De ex-priester had hem een verschoten visitekaartje gegeven, het enige exemplaar dat hij ooit uitreikte, omdat niemand belangstelling toonde. Lwendo, geen schroomvallig type, had het kaartje als talisman gebruikt en tegenover zijn schoolgenoten opgeschept dat hij de enige was met een vooruitziende blik.

'Je bent een kameleon,' zeiden ze, 'met geen enkel gevoel voor loyaliteit of principe.'

'Ik ben een kind van de duisternis,' antwoordde hij, 'ik kan ruiken uit welke hoek de wind waait.' Ze lachten hem uit. Hij brulde guerrilla-slogans op de campus, waardoor hij de laatste priesters die van mening waren dat hij nog puberkuren had van zich vervreemdde. Niet lang daarna had hij gezegd dat hij, als híj guerrilla-leider was, het seminarie zou sluiten en zowel de seminaristen als de priesters het leger in zou sturen voor militaire training. Voordat hij zich bij de guerrilla's aansloot, bracht hij een bezoek aan de Padre om over zijn voornemens te praten. Hij kreeg het groene licht: de Padre had mensen nodig die hij kon vertrouwen en Lwendo, met zijn grote bek, leek een perfect werktuig.

Geplaagd door transportproblemen was Lwendo midden in de nacht op het trainingskamp aangekomen en bijna door de kampwacht neergeschoten. Ze blaften hem toe dat hij zijn handen in de lucht moest steken en namen hem mee naar binnen voor een verhoor. De guerrilla's waren zeer alert op verrassingsaanvallen van de resterende regeringstroepen, en ook op infiltratie van spionnen die zich vermomden als aspirant-strijders. Lwendo had de nacht doorgebracht in een smerig vertrek, bewaakt door twee soldaten, omdat de Padre op dat late uur niet gestoord mocht worden, zelfs niet door mensen die zijn talisman bij zich droegen. Vroeg in de ochtend werd Lwendo verlost. De Padre stond voor hem in en hij werd onmiddellijk bij de training ingedeeld. Na zijn training deed hij waak- en patrouilledienst en zijn eenheid werd tweemaal ingezet om de laatste regeringssoldaten, die struikrover geworden waren, uit hun schuilplaats te verjagen. Nadat ze vier dagen in hinderlaag hadden gelegen, schoten ze er vier dood. Dit bleef niet onopgemerkt. De Padre was blij dat zijn pupil het karwei aankon. In zijn gesprek dikte Lwendo zijn aandeel hierin nogal aan. De Padre waardeerde zijn communicatievermogen, en dat was heel wat anders dan hij gewend was van de meeste Driehoek-veteranen die alleen maar bevelen opvolgden en alleen spraken wanneer hun dat gevraagd werd. 'Toen die schurken begonnen te schieten, dacht ik dat ik er geweest was. Maar toen begon ik terug te schieten, werd ik opgewonden van de klank van mijn eigen geweer en werd alles anders. Het was een fantastisch gevoel. Ik had er wel vijftig neer willen knallen,' had hij tegen de Padre gezegd die hem had verzocht heimelijk aan hem verslag uit te brengen. Even was er een schaduw van twijfel op zijn gezicht gevallen, maar hij zei verder niets over de uitbundige geestdrift van zijn pupil om te doden. Hij kon een goed verhaal wel waarderen.

Toen de guerrilla's oprukten naar Kampala, had Lwendo onderweg ook gevechten meegemaakt, maar in de hoedanigheid van kampwacht, die de ammunitie leverde. De Padre had een goed woordje voor hem gedaan. Dat had al enige frictie en beschuldigingen van voortrekkerij veroorzaakt, maar Lwendo had het voordeel dat hij een hogere schoolopleiding had genoten, terwijl de meeste veteranen, in het bijzonder de kindsoldaten en voormalige boeren uit de Driehoek, hooguit een jaar middelbare school hadden gehad. De beweging had behoefte aan zowel hersenen als spierkracht. Hij was een van de meest ontwikkelde rekruten, en zijn Latijnse uitdrukkingen veroorzaakten een hoop jaloezie.

'Non compos mentis,' zei hij grijnzend van zijn kameraden als ze hem irriteerden. Ze wisten dat hij hen beledigde, maar niet precies hoe. Tot iemand hem een keer van achteren besloop, zijn bajonet op zijn keel zette, hem de stuipen op het lijf joeg en om uitleg vroeg.

Na de oorlog stuurde de Padre hem naar de Driehoek waar hij tegen de terugtrekkende legertroepen op hun vlucht naar het noorden moest vechten. Veel te vechten viel er niet, maar wat hij deed, deed hij goed. Zodoende was hij tot tweede luitenant bevorderd. Nu wilde zijn beschermheer dat hij een oogje hield op de goederen die bestemd waren voor het rampgebied: ijzeren platen, cement, bakstenen, dekens en dergelijke. Door de manier waarop Lwendo als kampwacht met de ammunitie en met andere voorraden was omgesprongen, was de Padre van mening dat hij hem een grotere opdracht kon toevertrouwen.

De economie was een puinhoop na de guerrilla-oorlog, de inflatie was hoog, er was een chronische stagnatie in de productie en de welig tierende zwarte markt maakte de economische planning er niet gemakkelijker op. De vechtjassen die aan het harde leven en de discipline van hun struikroversdagen gewend waren, liepen nu vrij rond, en werden blootgesteld aan de verleidingen van het snel rijk worden. Velen vonden dat ze het hadden verdiend, als beloning omdat ze hun leven in de Driehoek en elders op het spel hadden gezet om het land te bevrijden.

Lwendo verzekerde mij dat hij niet van plan was lang in het leger te blijven. 'Ik heb er een hekel aan opgesloten te zitten in de barak. Ik heb een hekel aan de beperkte vrijheid, de macht van de hogere officieren en al die exercities. Ik wil er bijtijds uit, maar met wat geld op zak. Ik heb grote toekomstplannen.'

'Je bedoelt…'

'Ik ben van plan mijn percentage op te eisen.'

'Hoe staat de Padre daartegenover?'

'Hij is een hoge ome, ik zit onderaan, op de bodem. Hij kan me ontslaan als mijn modus operandi hem niet bevalt.'

'En de afgunst van je collega's, hoe zit het daarmee?'

'Die is er inderdaad, maar dat weerhoudt me er niet van te doen wat ik wil. Hoe sneller ik krijg wat ik wil, des te sneller hou ik ermee op.'

'Ik vind het hele idee nogal riskant. Ik ben geen soldaat. Als er iets misgaat krijg ik de schuld.'

'Laat dat maar aan mij over.'

'Maar ik heb al werk…'

'Waar je twintig, dertig dollar per maand verdient! Kom nou, man. Hoe lang houd je het in dat rotberoep nog uit?'

'Ik ben niet van plan om geslagen en opgesloten te worden omdat ik ervan beschuldigd word jou, Meneer De Bevrijder, te corrumperen.'

'Ik heb je nodig. Vanaf het moment dat ik door de Padre binnengehaald werd wist ik dat jij de juiste persoon was om mee samen te werken. Ik zoek iemand die ik kan vertrouwen, iemand die me geen steek in de rug geeft, om wat voor reden dan ook.'

'En als we gepakt worden?'

'Geheimhouding staat voorop. We gaan niet zomaar in het wilde weg aan de slag, neem dat maar van me aan. Ik ben veranderd. Ik ben systematisch, geduldig, alert. Je hoeft je geen zorgen te maken,' zei hij serieus. 'Denk erover na, en over je toekomst, en kom dan naar me toe. Ik begin niet zonder jou.'

De verleiding was groot: ik rook avontuur en bravoure, een nieuw territorium, het afrekenen met de grotere jongens! De gevaarlijke kant ervan had iets magnetisch, een gevoel de favoriet te verslaan, een gevoel dat ik de drie koppen van de draak die de Helse Drieeenheid in mijn tuin had achtergelaten zou afhakken. Ik was het lesgeven beu en had het gevoel dat ik niet verder kwam in dat beroep. Het vrijbuitersbestaan had dezelfde aantrekkingskracht die een lantaarn had voor een mot op een kille winteravond. Ik snakte ernaar aan de top te komen, niet in een stokerijtje waar iedereen mij baas noemde, maar in de grote wereld. Het vooruitzicht schudde oude seminariespoken wakker: het pesten van de paters Mindi en Lageau. Ik miste de adrenaline. Ik had al jaren niet meer zoiets gedaan. Ik dacht dat Lwendo en ik ons wel konden weren tegen de veiligheids-agenten. Het was een hersenspel en mijn gedachten stonden in lichterlaaie van de beelden, daden, schijnbewegingen, die tot onze overwinning zouden leiden.

Na een week vergat ik het allemaal, of liever gezegd verbande ik het naar mijn achterhoofd om het te laten betijen en wat stof te vergaren voordat ik met herkauwen begon. Was Lwendo echt veranderd? Was hij zijn onhandigheid kwijtgeraakt en had hij meer sluwheid en geduld ontwikkeld? Zou hij naar mij luisteren indien nodig? Hoever was ik bereid te gaan? De meesten onder ons hadden de bandeloosheid, de alles-moet-kunnen-geest van de jaren zeventig overgenomen, en de verleiding om het stompzinnige onpersoonlijke bureaucratische systeem te ondermijnen was groot. De meesten van ons waren kleine goden en staken met kop en schouders boven die sullige regeringsagenten en duffe functionarissen uit, en de aandrang om onze oppermachtigheid te toetsen was onweerstaanbaar.

Tegen tante Lwandeka zei ik niets over Lwendo's voorstel. Ze had me langgeleden gewaarschuwd me niet met soldaten in te laten.

Het verging tante intussen heel goed. Haar vrouwenvereniging breidde zich steeds meer uit. Voor het eerst in jaren voelden vrouwen zich gewaardeerd, begrepen en betrokken. Ze beslechtte hun disputen en legde hun wensen voor aan haar superieuren. Haar verhouding met de brigadier werd steeds hechter.

Elk weekend werd ze door een auto opgehaald en naar Kampala gebracht, waar ze zich bij de brigadier en zijn vrienden voegde en tot diep in de nacht doorzakte. Zodoende leerde ze een behoorlijk aantal topmensen kennen. Ze vroegen haar wat vrouwen werkelijk dachten over de regering, en wat hun verwachtingen waren. Dit verbaasde haar niet, omdat ze wist dat veel van deze mensen omringd waren door jaknikkers en nu en dan graag een openhartige mening hoorden.

Als aasgieren en maraboes daalden het Internationale Monetaire Fonds en de Wereldbank met uitgeslagen klauwen op het karkas van Oeganda neer. Niet dat zij nieuwkomers waren, nee, ze hielden de skyline al jaren in het oog en waren zelfs tijdens het laatste regime ter plekke geweest. Maar nu drongen ze binnen met een dodelijke drijfkracht. Het klimaat was beter. Ze hadden een lijst met voorwaarden zo lang als de Nijl. De regering, die erop gespitst was de inflatie te onderdrukken, productie te stimuleren en de economie met contanten te injecteren, kwam hun tegemoet. Het IMF had aan de staart van de nieuwe regering getrokken. Als men geld wilde krijgen, dan moest men het eigendom van de verbannen Aziaten teruggeven. Dus moesten de Aziaten terugkomen om hun eigendommen op te eisen, na ruim vijftien jaar. Het gonsde van de geruchten in het land, vooral in de hoofdstad.

Om te beginnen werd de gangbare valuta tot onwettig betaalmiddel verklaard en moest omgewisseld worden voor nieuwe valuta. Scholen dienden als wisselkantoren en voor de verandering werd het SIMC eens een keer gebruikt voor iets dat van rechtstreeks belang was voor de gemeenschap. De Eerwaarde deed de ronde en vertelde trots hoe belangrijk zijn school was. 's Ochtends stonden mensen met grote zakken geld in de rij voor een van de gebouwen en overhandigden hun oude geld, dat geteld en omgewisseld werd.

Ik zorgde dat ik niet betrokken werd bij het geldwisselprogramma. Ik had nooit gehouden van de aanblik en geur van de oude valuta, noch was de geur van het nieuwe geld iets om dagenlang je neus in te wrijven. Ik ging alleen naar school om geld van de Boemboem-Stokerij om te wisselen, dat niet op de bank was geweest, en ging toen weer naar huis. De tijd die uitgetrokken was voor het omwisselen verstreek voordat iedereen de gelegenheid had gehad. Men was ongerust dat mensen hun geld kwijt zouden raken bij deze bestrijding van de inflatie. Maar de periode werd met een week verlengd. Voor mensen die gewend waren aan grote hoeveelheden geld was het verschrikkelijk om die kleine bedragen terug te krijgen voor hun miljoenen. De inflatie stond een poosje op nul, maar aangezien de productie niet zo geweldig was, begon hij weer te stijgen.

Twee weken na het omwisselen stond ik in een grote klas les te geven, toen ik door de assistent-rector geroepen werd.

'Er is iemand voor je in mijn kantoor.' Ik dacht dat het Lwendo was, maar het was iemand die gestuurd was door tante Lwandeka.

'Er is een ongeluk gebeurd,' zei de slonzige, treurig kijkende man.

'Wat voor ongeluk?' vroeg ik terwijl ik kippenvel kreeg.

'Dat heeft ze niet gezegd. Ik moest alleen zeggen dat u zo snel mogelijk moet komen.'

Er stond een menigte voor tante's huis, waaronder een paar hele kwade mensen. Het bleek dat een van mijn knechten verbrand was. Gelukkig leefde hij nog. De huid was als een bananenschil van de voorkant van zijn lichaam gepeld, en hij zag er net zo geel uit. De klootzak. Hij had die dag niet mogen stoken. Ik had het werk stopgezet in afwachting van de nieuwe valuta. Maar de schoft had het achter mijn rug om toch gedaan. Hij had het vuur aangemaakt, was in slaap gevallen en had niet in de gaten gehad dat de koperen buizen verstopt waren geraakt. Hij werd gewekt door een enorme ontploffing. De ketel was als een ruimtecapsule de lucht in gevlogen en opengebarsten als een droge tuinboonschil. Dat was zijn redding geweest. Als de ketel op de grond was gebleven zou hij op slag dood zijn geweest. Hij had een deel van de inhoud over zich heen gekregen.

Tante had vervoer geregeld om hem naar het ziekenhuis te brengen en had ook de verantwoordelijkheid voor het ongeluk op zich genomen. Daar was men enigszins van gekalmeerd, maar niet geheel. Ze beloofde de ziektekosten te zullen betalen en te helpen zoveel ze kon. Ze dacht dat het geregeld was. Maar de broer en zwager van het slachtoffer kwamen naar de stokerij, vernielden al het materiaal en staken de opslagschuur in de fik. Ik ging erheen en dacht aan een ander vuur, vijftien jaar eerder. Ter plekke besloot ik me niet meer met de stokerij te bemoeien. Lwendo had gewonnen.

Door het ongeluk begon ik over mijn verhouding met Jo na te denken. Wie was dit meisje? Behalve haar grootmoeder kende ik niemand van haar familie. Op een avond toen we aan het eten waren, zei ik tegen haar dat ik haar moeder wilde ontmoeten. Ze leek niet erg in haar schik met mijn voorstel.

'Als je het serieus met me meent, behoort die vrouw mij te kennen en ik haar.'

'Ik zal erover nadenken.'

'Er valt niets na te denken.'

'Als wat moet ik je dan voorstellen?'

'Als Meneer Moewaabi, middelbare-schooldocent en toekomstig advocaat.'

'Wat?'

Terloops herhaalde ik de naam, met een zelfingenomen glimlach op mijn gezicht. Ik gebruikte de naam Moewaabi nooit. Iedereen noemde me Moegezi, en zelfs bij de regering stond ik als zodanig bekend.

'Dan zou ze vragen uit welke familie je kwam.'

Ik was veel te opgewonden om de gevaarlijke ondertoon in haar stem op te vangen. Ik begon te praten over Opa, het dorp, Serenity... Opeens stopte ze met eten, legde haar hand voor haar mond en sloot haar ogen. Ik dacht dat ze een visgraat in haar keel had.

'*Katonda wange!*' riep ze uit. 'Mijn God!'

'Wat is er?'

'Ik vermoedde aldoor al iets. Nu weet ik het zeker.'

'Wat weet je zeker?' vroeg ik geprikkeld.

'Dat we familie van elkaar zijn. Je bent mijn broer, of halfbroer, zoals de Engelsen zeggen.'

'Hoe kom je erbij?'

'Mijn biologische vader heet Moewaabi en hij komt uit hetzelfde dorp en heeft in Ndere op de lagere school gezeten. Jij bent zijn zoon. Ik zie ineens dat je op hem lijkt. Hij heeft mijn moeder aan de kant gezet om met een katholieke vrouw te trouwen, en daarna heeft hij nauwelijks meer naar mij omgekeken. Dat is de reden waarom ik altijd heb gezegd dat hij dood was. Maar ik weet dat hij in de stad werkt en woont. Ik heb besloten de rest van mijn leven bij hem uit de buurt te blijven.'

Ik kon geen hap meer door mijn keel krijgen. Ik voelde me wegzakken in een enorme kuil vol jankende beesten. Ik keek naar het
meisje met nieuwe ogen. In het bovenste deel van haar gezicht kon
ik tante Tiida herkennen. Ook had ze iets van Kasiko, en heel in de
verte van Oma. Misschien had ik haar wel zo aantrekkelijk gevonden vanwege die familietrekken. Ik was geen keiharde exogame tra-
ditionalist, maar ik had het gevoel dat onze verhouding eronder zou
lijden. Ik stond er niet meer precies hetzelfde tegenover. Die avond
dronken we veel maar zeiden we weinig, en de avonden die volgden
ook. Ik heb haar niet meer aangeraakt. De magische vlam was ge-
doofd.

Op een avond viel het me opeens in dat dit een godgegeven gelegenheid bood om wraak te nemen op Serenity en hem terug te betalen omdat hij me ooit bijna had doodgeslagen. Ik moest naar hem
toe gaan en hem vertellen dat ik iemand had gevonden met wie ik
wilde trouwen, en dan Jo aan hem voorstellen. Ja, dat ging ik doen,
een toneelstukje opvoeren. Ik was doortrokken van treurigheid omdat ik wist dat ik nooit weer zo'n meisje als Jo zou vinden. Ik was al
jaloers op degene met wie ze uiteindelijk zou trouwen.

'Wil je iets voor me doen?'

'Wat dan?'

'Ik wil je aan mijn, ik bedoel onze, vader voorstellen als mijn verloofde.'

'Waarom wil je dat doen?'

'Daar heb ik mijn redenen voor.'

'Je gelooft toch niet dat ik met je ga trouwen, hè?'

'Nee, natuurlijk niet,' zei ik kribbig.

'Wat wil je er dan mee bereiken?'

'Laten we zeggen dat ik nog een appeltje met mijn vader te schillen heb.'

'Wat heb ik daarmee te maken?' Ik kromp ineen van haar direct-
heid; het was alsof ik examen moest doen. Ze deed haar best om in
de toekomst te kijken; ik liet met tegenzin het drijfzand van het heden en verleden varen.

'Jij hebt toch ook nog een appeltje met hem te schillen?'

'Waarom zou ik dat op die manier doen?'

'Ben je dan niet kwaad over de manier waarop hij jou en je moeder heeft behandeld?'

'Natuurlijk wel. Maar ik wil het anders aanpakken.'

'Hoe dan?'

'Door hem te negeren, zoals hij mij heeft genegeerd.'

'Zou je niet willen dat hij door het stof kroop van schaamte?'

'Wat zou ik daar nou aan hebben?'

'Ik zou er veel aan hebben.'

'Je moet je plan opgeven. Je bereikt er niets mee.'

'Hoe wil jij dan wraak nemen?'

'Door met een rijke man te trouwen en een magnifieke bruiloft te hebben, met een autocorso, tien bruidsmeisjes, een hele lange sleep en een traditionele danstroupe en een banket dat dagenlang duurt.'

De truttigheid ervan! Hoe kon een meisje dat zo slecht behandeld was door haar vader zo conventioneel geworden zijn? Door middel van zijn schoonzoon wilde zij Serenity een oog uitsteken. En als Serenity nou geen bal om dergelijke dingen gaf? Als hij het nou eens alleen maar zag als een verspilling van kapitaal? Het klonk allemaal erg oppervlakkig. Zou Serenity niet juist medelijden krijgen met dit meisje omdat een vent die zich dat kon veroorloven alle vrouwen kon krijgen die hij maar wilde en zij dag in dag uit op hem zou zitten wachten?

'Zou je dan deel willen uitmaken van een huishouden met meerdere vrouwen?' Ik moest denken aan Loesanani en vroeg me af of Jo dezelfde opvattingen had. Een soort Hadji Gimbi, met bierbuik en al, die zich aan deze prachtige vrouw vergreep! Ik zag hem al boven op haar voor me, puffend als een stoommachine. Ik zag het al voor me, de moeite die hij zou moeten doen om zijn pik stijf te houden in haar krappe kut. Ik voelde me misselijk en kwaad tegelijk.

'Zolang een man me de vrijheid geeft om te doen en laten wat ik wil, kan het me niet schelen wat hij verder uitspookt.'

Ik voelde me totaal ontredderd. Ik kon alleen nog maar in Lwendo's klauwen vallen. Wat was die Serenity toch een bofkont! Voor de zoveelste keer was hij ontsnapt.

Ik ontmoette Lwendo bij het kantoor van het Ministerie van Wederopbouw aan Kampala Road. Het was er nog steeds rommelig. Er
stonden stoffige archiefkasten, een paar oude meubelstukken, een
afbladderende, overbelaste typemachine en een zwarte telefoon die
met een harde giltoon overging. Hij nam me mee naar het hoofd-
postkantoor en daar gingen we op de stoep zitten praten.

'Je weet niet half hoe opgelucht ik ben,' zei hij. 'De Padre begon
ongeduldig te worden en stond op het punt om iemand anders te nemen. Maar nu kunnen we aan de slag.'

'Wat is de volgende stap?' vroeg ik. 'Ga je me aan hem voorstellen?'

'Nee. Hij hoeft alleen maar je personalia te hebben. Schrijf een
sollicitatiebrief aan het ministerie, dan geef ik die aan hem door.
Laat de rest maar aan mij over.'

'Bij wie moeten we ons melden?'

'Bij een zekere ambtenaar.'

'En wat is onze opdracht?'

'Dubbele controle uitvoeren op de bouwvergunningen, de ligging
van de terreinen en de toepasbaarheid van de materialen. Daarna
moeten we controleren of de goederen inderdaad afgeleverd zijn.
Maak je geen zorgen over de rest, ik draag de verantwoordelijkheid.'

We gingen naar een restaurant in Loewoemstraat en bestelden
matooke en vlees en groenten, die we wegspoelden met bier. Een
goed begin, vond ik. Bij het SIMC kregen we nooit middageten.
Lwendo praatte over zijn huidige vriendin, maar dat interesseerde
me weinig. Ze was verpleegster in het Moelago-ziekenhuis, was ouder dan hij, en ze hadden de gebruikelijke ups en downs.

Na de lunch gingen we naar de winkels en kochten klein-foliopa-
pier. Dit waren de holen van de oude Aziatische uitbaters die het IMF
aan ze terug wilde geven. De uitbuiterij stond op de afbrokkelende
muren geschreven. De pachters, die wisten dat ze op andermans terrein stonden, hadden geen reparaties verricht en de Voogdijraad, gespitst op hun eigen provisie, had niet op onderhoud aangedrongen.
De door roest aangetaste daken, het gebarsten plaveisel en de met

vuil besmeurde ramen completeerden het verval.

Zo'n winkeltje werd gedeeld door ongeveer twintig mensen: elk met zijn eigen kleine ruimte aan de toonbank. Veel handelaars huurden zo'n kleine ruimte om de waren in uit te stallen die ze uit Doebai importeerden, of soms uit Londen, en als er een klant kwam dan namen ze die mee naar achteren, of naar een andere opslagplaats waar hun voorraad lag. Een paar van die lui hadden aardig wat geld verdiend, maar voor de meesten was het een kwestie van improviseren en overleven geweest. Nu stonden de oorspronkelijke eigenaars op het punt terug te keren. Er werd in de stad druk gespeculeerd over wat de handelaars in deze hokjes eraan zouden gaan doen. Hoe gingen de Aziaten het deze keer aanpakken? De vorige keer hadden ze het monopolie genoten, maar nu waren de Afrikanen op hun terrein doorgedrongen. De spanning steeg.

De industriëlen keerden het eerst terug. Het kleine grut, de detailhandelaars en groothandelaars, volgden voorzichtig. Je zag ze in hun nette kostuums of safaripakken rondlopen en om zich heen kijken; ze probeerden verdrongen herinneringen op te halen, vroegen zich af waar ze de oude draad weer konden oppikken. De tweede generatie, die nog kind was geweest in de tijd van de exodus en in Engeland was opgegroeid, scheen minder onder de indruk. Je kon zien hoe hun ouders de toekomstdroom in hun twijfelende harten wanhopig leven probeerden in te blazen.

Als je naar de gebouwen in de stad keek, waarvan sommige door bommen waren verwoest en andere in de zon stonden te vervellen, begon je je af te vragen hoe het mogelijk was dat er zoveel verschillende belangen mee gemoeid waren. Veel zakenlui hadden gehoopt dat de regering de Aziaten buiten de deur zou houden, omdat 'iedereen' aan de guerrilla-oorlog had bijgedragen en kennissen had verloren, maar de regering was meer geïnteresseerd in ontwikkeling op de lange termijn, iets wat in de plannen van de meeste handelaars niet voorkwam.

De eerste weken liepen we de hele stad door en bezochten verschillende plekken die met ons werk te maken hadden. We gingen naar pakhuizen op het industrieterrein om het factuursysteem te bestuderen. We gingen naar de kantoren van Radio Oeganda, waar een van onze sleutelpersonen werkte, en nog naar een heleboel andere plaatsen.

Ik was opgelucht dat Lwendo burgerkleding droeg: een groene broek, een groen overhemd en zwarte schoenen. Hij had geen wapen bij zich en we liepen door de drukke straten als ieder ander. Af en toe reed er een legerjeep voorbij, maar ze hadden geen sirenes en drukten geen andere voertuigen van de weg. De taxi's waren zoals gewoonlijk overbezet en vervoerden nu passagiers naar de Driehoek, waar ze in geen jaren waren geweest.

Onze eerste grote opdracht bestond uit het nakijken van een contingent dekens bestemd voor Nakaseke, een voormalige guerrillaschuilplaats diep in de Driehoek. We namen een bus naar Loewero, ongeveer veertig kilometer van Kampala. Op tien kilometer afstand van de stad zagen we al fruitstalletjes langs de kant van de weg waarop keurige rijen schedels lagen, met daarachter stapels scheenbenen en dijbenen en de rest. Er zaten geen kaken meer aan de doodshoofden en er waren een heleboel bij met gaten erin, veroorzaakt door kogels en hakmessen. Gespoeld door de regen en opgedroogd door de zon was het net speelgoed voor een morbide ritueel. Maar tegen een achtergrond van spookachtige, ontheiligde gebouwen, waar je net tekenen van leven begon te zien, nieuwsgierige gezichten die van achter de puinhopen gluurden naar de passagiers in de bus, was er geen plezier aan te beleven. De bus stopte in elk uitgemergeld dorp waar een of twee mensen uitstapten, die op de puinhopen afliepen, soms met een bundel, soms met lege handen. De zojuist aangekomen persoon liep over paden en wegen die vijf jaar overwoekerd waren door gras, dat ook in sommige lege gebouwen groeide en door daken en deuropeningen, raamkozijnen en ventilatoren heen kroop. Kijkend naar deze personen die op oude, achter het struikgewas verscholen nederzettingen af gingen, vroeg je je af wat ze daar zouden aantreffen: nog meer doodshoofden voor de verzameling op de fruitstallen? Van de kaart geveegde dorpen? Of een paar dingen waar oude herinneringen aan verbonden waren?

In de minder ernstig getroffen gebieden zag je winkels die niet door het leger geschonden waren. Dit waren strategische plekken waar het leger zijn detachementen had gestationeerd om toezicht te houden op het omringende gebied. Deze gebouwen waren aan de plunderaars ontsnapt omdat het leger te snel of te laat vertrokken was. Op dergelijke plekken bevond zich meer volk en was het onkruid hier en daar verwijderd en stonden er naast de stallen met doodshoofden ook kraampjes met verse ananas, papaja's, bananen, suikerriet en aardappelen. De geplaveide weg sneed door het oerwoud, de moerassen en de taro als een reusachtig lemmet. De weg zelf was aan de rand aangevreten door de tanks en legertrucks die er tijdens de guerrillacampagne onophoudelijk gebruik van had gemaakt. Op plekken waar bommen waren ingeslagen zaten enorme kraters in het wegdek. De stilte die in de bus heerste, af en toe onderbroken door een peuter die kuchte of iets aan zijn moeder vroeg, was angstaanjagend. Het versterkte het gevoel dat de doden op korte afstand van de weg lagen te wachten om gevonden en begraven te worden. De weelderigheid van het gras en de grootsheid van de bomen suggereerden dat al dat groen bemest was geweest door het bloed en vlees van degenen die tijdens de strijd gesneuveld waren.

Ik begon er zo langzamerhand van overtuigd te raken dat de nasleep van de oorlog veel erger was dan de gevechten zelf, en dat het veel moeilijker was een vrede te winnen dan een oorlog. De geweren zwegen hier nu en het gejammer van de dode geesten had het overgenomen, afgewisseld met het gezucht van de overlevenden, van wie de meesten niet konden wachten tot ze hun stukje land weer hadden opgeëist. Maar de gaten in de stilte werden geaccentueerd door een gevoel van anticlimax, een gebrek aan richting.

Loewero en Nakaseke waren tweelingstadjes die door de rebellenoorlog en de geschiedenis met elkaar verbonden waren. Om Nakaseke te bereiken moest je Loewero passeren. Aan het begin van de oorlog hadden er duizenden mensen gewoond en had het vruchtbare achterland, bewerkt door tienduizenden, geld en goederen opgeleverd. Loewero, dat het overleefd had, vertoonde de tekenen van een groeiende bevolking; Nakaseke, de onfortuinlijke van de tweeling, moest nog over de verkrachtingen, plunderingen en verwoestingen heen komen. Loewero was een verrassing, want na al die fruitstallen met doodshoofden langs de weg, hadden we verwacht een berg ervan te zullen aantreffen, maar dat was niet zo. Nakaseke daarentegen was de tragedie zelf, want het verrees uit de dichte wouden, moerassen en uitgestrekte graslanden als een martelaar met een aureool. De vluchtelingen die er terugkeerden, zetten noodgebouwen neer of trokken tijdelijk in naburige dorpen in, om daar op steun van de regering te wachten voor de moeizame wederopbouw.

'Wat heb ik toch geboft!' riep Lwendo uit. 'Wat moeten de mensen die in deze drassige gebieden hebben gevochten een ontberingen hebben geleden!'

We waren met een overbelaste oude Toyota met open laadbak uit Loewero gekomen en waren bont en blauw van het gehobbel, maar ik probeerde afstand te bewaren. Ik wenste niet stil te staan bij die ontberingen omdat ik niet wilde nadenken over mijn geboortedorp. Ik beschouwde mezelf als een soort toerist. Ik was uit de stad gekomen om een paar documenten te controleren, waarna ik zo snel mogelijk weer zou vertrekken. De bewindslieden van de mensen die dit stadje weer uit de as probeerden op te graven, waren er de hele oorlog gebleven, maar lieten weinig los over hun ervaringen.

'Wat voorbij is, is voorbij,' zei iemand tegen Lwendo die had geprobeerd wat feiten los te peuteren.

Ze gaven ons een rondleiding door het stadje, lieten ons zien waar de soldaten hadden gebivakkeerd, waar ze hadden gemarteld en waar ze hun wapens hadden opgesteld op de dag dat de plaats voor het laatst werd gebombardeerd.

'We waren net verkeerspolitie die toekijkt en soms het zeer gevaarlijke verkeer regelt,' zei een van de stadsoudsten.

'Wat oneerlijk,' zei Lwendo later. 'De oorlogszone had de Nakaseke Driehoek moeten heten in plaats van de Loewero Driehoek.'

'Sommige mensen boffen nou eenmaal altijd,' antwoordde ik.

Het oorlogsdrama was ten einde gekomen, wat restte was de aangrijpende taak om het voor later onder woorden te brengen. Nu ons werk erop zat konden Lwendo en ik niet wachten tot we weer in

Kampala waren. De doden van Nakaseke zouden elkaar nog iets langer gezelschap moeten houden.

Terwijl ik naar de voorbijrazende dorpen keek aan de weg van Loewero naar Kampala, de doodshoofden opgestapeld op de fruitstallen, de daken met gapende gaten en verscholen geschiedenissen, voelde ik me uitgelaten. Ik hoorde thuis in de stad.

Ik was blij dat onze eerste missie goed verlopen was. Maar toen ik erbij stilstond wat we eraan zouden overhouden, werd ik treurig; mensen die zo hard werkten en zoveel verantwoordelijkheid droegen, verdienden beter. Officieel kregen we honderd dollar per maand, eentiende van wat ik in de stokerij had verdiend. Ik zag al die balen nieuwe dekens, maagdelijk glanzende ijzeren platen, pakhuizen vol cement voor me. Ik realiseerde me dat ik terug was bij af: òf zwart geld verdienen òf lijntrekken.

Ik had er twee dagen voor nodig om over mijn Driehoek-ervaring heen te komen. Toen ik het enige Driehoek-vriendinnetje zag met wie ik van plan was te blijven omgaan, vond ik dat ze haar verhaal enorm geredigeerd had. Waarschijnlijk had ze veel meer dood en verderf meegemaakt dan ze kon zeggen. Ik wilde tot haar hersens doordringen en haar geheim achterhalen. Had Jo me alles verteld? Nee, waarschijnlijk was haar dochtertje in de strijd of tijdens het vluchten omgekomen, was het in een rivier gegooid, geveld door koorts of vertrapt onder op hol geslagen voeten. Het was ook mogelijk dat ze helemaal geen dochter had en zwanger was geraakt in haar fantasie, omdat alle meisjes in haar omgeving gestorven waren. We liepen allemaal met lijken in onze kasten rond en redigeerden de verhalen die we vertelden zorgvuldig, afhankelijk van de toehoorders. We waren ons publiek altijd voor, net als de seminaristen en priesters, en vertelden wat ze wilden horen of wat ons imago de minste schade zou berokkenen of zo mooi mogelijk maakte.

Onze eerste tochten verliepen naar wens: we gingen terug naar Nakaseke en troffen daar de goederen aan die we besteld hadden. De mensen waren er blij mee. Ze feliciteerden ons alsof wij ze uit eigen privé-voorraad hadden geleverd. Sommigen waren al met het oplappen van hun huis begonnen. We werden ontroerd door het geluid van hamers, het gebabbel van de opgewonden bouwvakkers en de flonkerende ogen van de hoopvolle vrouwen. De mensen konden weer gewoon hun gang gaan en op eigen kracht dingen voor zichzelf doen. Over het algemeen heerste er een gevoel dat de doden niet voor niets gesneuveld waren en dat de levenden veel hadden om voor te leven en dat de kinderen weer een toekomst hadden.

Rond de vijfde missie begon het fout te gaan. Eerst reisden we naar Kakiri, een stadje aan de weg naar Hoima, en naar nog een paar andere plaatsen, en beraamden de schade en de benodigdheden. Dat ging goed. En de reis was niet zo vermoeiend. Binnen een paar weken vernamen we dat de goederen afgeleverd waren: balen dekens en vrachtwagens cement. Op het kantoor van Wederopbouw lieten ze ons de papieren zien. Maar in Kakiri en andere plaatsen waren ze karig met hun medewerking. Alles duidde erop dat slechts een deel van de goederen was bezorgd. Ergens in dit zwaargetroffen stadje zat iemand die meer wist, maar zijn mond hield. We moesten terug naar de bron. In Kampala slaagden we erin een duplicaat van de vrachtbrief te krijgen. We gingen naar Radio Oeganda en onze contactpersoon vulde de gaten op. Hij was ons altijd een stapje voor. Ik vroeg me af van welke spionnenbende hij lid was.

We ontdekten dat er een vrachtwagen vol goederen was doorverkocht aan de Kibanda Boys, onze eigen versie van de maffia. Ze waren in het begin van de jaren tachtig met valutaspeculatie begonnen. Inmiddels hadden ze ondernemingen opgezet in Kikuubo, een buurt met Aziatische winkels en pakhuizen tussen het busstation en de Loewoemstraat, en breidden ze hun activiteiten langzaam maar zeker uit.

Kikuubo krioelde van de mensen: handelaars en klanten die elkaar verdrongen in de nauwe straten waar tot de nok toe volgestouwde Tata-vrachtwagens werden uitgeladen. Rijen jonge mannen met ontbloot bovenlijf werden beladen met zakken cement, suiker, zout, rollen stof en golfplaten, die ze naar pakhuizen achter de groezelige winkels droegen. Schijn bedroog: dit was een serieuze bedoening. In plaats van de Aziatische winkels uit te bouwen, had de maffia besloten de oude pakhuizen en garages als winkelpanden in te richten. Dat was goedkoper en, te oordelen naar de bloeiende handel, geen slecht idee geweest. De voorzieningen konden beter: er waren bijna geen toiletten; de handelaars kwamen hier uiteindelijk niet op visite, maar om geld te verdienen.

Ons doelwit was, om een gemeente-term te gebruiken, een illegale onderneming, een garage die tot winkel was omgebouwd. We vroegen naar Oyota en er verscheen een grote dikke vent in een korte broek die op een maïskolf kloof. Lwendo had een pistool bij zich. Het enige wat ik ervan wist was dat het zwaar was en geladen. De man nodigde ons achter in de winkel, een donker hokje waar we een heleboel geld aantroffen: zowel plaatselijke valuta als stapels dollars. Lwendo slikte een paar keer; mijn handen jeukten.

'Wij willen graag een kijkje nemen in uw opslagplaats, meneer,' zei Lwendo.

'Daar heeft niemand toestemming voor.'

'We hebben een bevelschrift tot huiszoeking.'

'Waar zoekt u naar?'

'Dat is onze zaak,' zei Lwendo nonchalant.

'U kunt niet zomaar mijn winkel binnenlopen en mijn voorraad bekijken. Ik kan de veiligheidsdienst bellen, of een van de hoofdmannen die over deze buurt gaat.'

'De wet staat aan onze kant.'

'Wij zijn zelf de wet; wij hebben in de oorlog gevochten; wij hebben mensen verloren,' zei de man spottend. Vooraan in de winkel ging de handel gewoon door. We hoorden dragers die elkaar toeschreeuwden, knarsende voeten, brullende motoren, auto's en vrachtwagens en opgewonden stemmen die de voetgangers waarschuwden dat ze moesten uitkijken. Mensen met bundels papiergeld liepen de winkel in en uit. Ze bestelden grote hoeveelheden artikelen. Iedereen betaalde contant.

'Ik weet wel waar jongens als jullie naar op zoek zijn,' zei de dikke man met kille stem. 'Jullie willen geld, en daar kan ik wel inkomen. Jullie zijn het oerwoud ingegaan om de oude regering ten val

te brengen en nu jullie aan de macht gekomen zijn merken jullie ineens dat een man geld nodig heeft om van zijn overwinning te genieten.'

'Wij zijn hier alleen maar om uw winkel te doorzoeken, meneer.'

'Ik begrijp jullie frustratie wel. Wij zijn handelaars die ogenschijnlijk nog nooit iets voor het land gedaan hebben. We hebben
niet gevochten. We waren daarvoor al rijk, en nu zijn we nog rijker.
En jullie, die honger en dorst hebben geleden en oog in oog met de
dood hebben gestaan, hebben niks. Maar vergeet niet dat wij de oorlog gefinancierd hebben.'

'Laat ons de voorraad zien, meneer,' zei Lwendo, kennelijk niet
onder de indruk van de toespraak.

De man leek alle tijd te hebben, waarschijnlijk verwachtte hij iemand. Hij kwam er niet onderuit. Ten slotte nam hij ons mee naar
zijn pakhuis, dat Lwendo al kende omdat hij een tip had gekregen.
Lwendo wist het kenteken van het voertuig dat de goederen had gebracht en nog een aantal details. Ik voelde de rillingen over mijn rug
lopen terwijl we achter de man aan liepen. Er kon iemand met een
mes in de gangen verscholen zitten, of een van die halfnaakte kerels
kon 'een ongelukje' veroorzaken door een zak cement van vijftig
kilo boven op ons te laten vallen. Het vertrek was tot aan de nok toe
volgestouwd met goederen. Lwendo onderzocht de dekens op een
klein logo. Ze hadden het niet kunnen verwijderen; dat was met de
gebrekkige technologie bijna onmogelijk. Slim genoeg bevonden
de goederen zich helemaal achterin en er moesten een paar werklui
aan te pas komen om balen weg te slepen voordat we erbij konden.
We transpireerden allemaal: de mannen van de inspanning, ik van
de zenuwen en Lwendo van de opwinding. Toen de dikke man realiseerde dat hij erbij was, stuurde hij de anderen weg en deed een
voorstel. Lwendo berekende hoeveel dollar het hem waard was.

'We kunnen u het beste meenemen naar de Loebiribarakken om
die maïs eruit te rammen,' zei Lwendo. 'Zoals u zei: jullie hebben
het al die jaren veel te goed gehad.'

'Nee, nee, alstublieft niet. U moet begrijpen dat ik niet de enige
eigenaar ben.'

'Vertelt u ons dan maar eens van wie u de spullen hebt gekocht.'

Ik had de indruk dat de man, zoals veel handelaars, een paar contacten had binnen de regering of bij het leger, maar dat die weinig invloed hadden. Bovendien voelden de meeste legerofficieren of ambtenaren er weinig voor om bekendheid te krijgen in criminele kringen. De afspraak was altijd: als de goederen eenmaal van de hand waren gedaan, moest iedereen het verder zelf maar bekijken, pech of geen pech. In het verleden zou de man ons met één telefoontje hebben laten oppakken en als criminelen aan de schandpaal laten zetten. Nu was alles anders. Lwendo bedacht hoe de mensen in Kakiri een muur van stilte hadden opgetrokken en kwam tot de conclusie dat de onderzoekingen misschien eeuwig door zouden gaan als hij de man inrekende. Hij vroeg een paar duizend dollar en kreeg het. We hadden een zekere grens overschreden en konden niet meer terug.

Nog nooit had ik me zo kwetsbaar gevoeld als toen we dat gebouw uitliepen. De huid op mijn rug tintelde. Als er iemand tegen me aan liep verwachtte ik het kille lemmet van een mes tussen mijn ribben te zullen krijgen. Omdat het lunchtijd was waren er veel mensen op de been. Er liepen mannen met hete pannen vlees en vis die ze naar de vrouwen brachten die eten verkochten aan handelaars en arbeiders. Als iemand nou eens zo'n kokendhete pan over ons leegkieperde en er met ons geld vandoor ging? Het leek allemaal heel makkelijk in de chaos. Waarom was iemand nog niet op dat idee gekomen? In de Loewoemstraat, met aan de ene kant uitzicht op de taxistandplaats en aan de andere kant op de moskee en het Nakivoebo-stadion, zei Lwendo: 'Hierom heb ik erop aangedrongen met jou samen te werken. Met iemand die je niet honderd procent vertrouwt kun je dergelijke deals niet sluiten. Zie je hoe gemakkelijk het is om iemand te bedriegen?'

Ik lachte en hij gaf me een klap op mijn rug.

'Dit is het begin van het einde van mijn legertijd,' zei hij vrolijk.

'Als ons geluk aanhoudt,' zei ik voorzichtig.

'Dat houdt aan als de pest, maak je geen zorgen.'

Het patroon lag vast: twee van de drie gevallen die we kregen doorgespeeld gaven we aan; de derde keer staken we het geld in onze zak. Wist de Padre wat we deden? Ik ben het nooit te weten gekomen. Maar hij had wel erg naïef moeten zijn om te geloven dat we engelen waren, vooral omdat volgens het officiële regeringsbeleid corruptie aan de top aan het uitsterven was, maar in de lagere regionen nog steeds overal voorkwam. De politieke eskaders – waar Lwendo geen lid van was – die aangesteld waren om politiecorruptie te bestrijden, boekten weinig succes. Er waren er veel die de kant van Lwendo opgingen en hun eigen zakken vulden.

Het kwam niet als een grote verrassing dat er, zodra alles op rolletjes liep, onverwacht veranderingen werden ingevoerd. Bijna al het personeel van het Wederopbouwbureau werd overgeplaatst. Er werden nieuwe mensen aangesteld, en wij behoorden tot de weinigen die mochten blijven.

Onze 'zaken' namen tijdelijk af. We maakten weer van die moeizame reisjes naar obscure plekken achter op gammele lorries en in volgepropte bussen. Een van de ergste tochten voerde naar Moebende, honderd kilometer van de stad vandaan. De eerste veertig kilometer ging over geplaveide wegen, de laatste zestig over wegen die verdwenen als het regende. Op een bepaalde plek was een vrachtwagen geschaard en in de modder vast komen te zitten, terwijl een andere wagen, die hem had willen ontwijken, in het drijfzand langs de weg was beland. De vracht van de tweede wagen werd uitgeladen en op wat er van de weg over was neergezet. We konden er niet door. We probeerden terug te liften naar Mityana, maar er was op dat late uur geen vervoer meer te vinden. We brachten een kille, hongerige nacht in de bus door in afwachting van een sleepwagen.

Deze keer draaide het om een lading staalplaten die spoorloos verdwenen was. Wij vermoedden dat ze verkocht waren in Mityana, dat een snelgroeiend stadje was en allerlei gespuis aantrok. De Padre ergerde zich aan dit geval, want hij kende het gebied goed, had er een aantal jaren als priester gewerkt en had er korte tijd de guerrillabeweging vertegenwoordigd. Hij stond erop dat de zaak grondig uitgezocht zou worden.

We wisten zo langzamerhand wel dat de maffia er waarschijnlijk achter zat. Het aantal maffiaconnecties bij de regering met praktijken als die van Lwendo, nam steeds toe.

We vervolgden onze tocht naar Moebende, waar we inderdaad ontdekten dat de goederen in Mityana verkocht waren. Haastig reden we daarheen terug. Het enge was dat de twee mannen die we aanhielden niet om genade smeekten, noch ons bedreigden. Wat was hun geheim? Was het puur stoïcisme of de wetenschap dat ze ons later wel zouden krijgen?

'Dit staat me helemaal niet aan.' zei ik tegen Lwendo, die de ene sigaret na de andere opstak. Hier zaten we, in dit vreemde stadje, in een klein restaurant dat nog naar verf rook, terwijl er buiten mensen rondliepen die achter ons aan zaten.

'Maak je geen zorgen,' zei hij zelfverzekerd, alsof hij kogelvrij was. 'Niemand kan ons krijgen.'

'Hoe gaan we terug?'

'Met een taxi.' zei hij stoer.

'Waarom gebruiken we geen auto van de regering bij deze missies?'

'Daar zouden we ons mee verraden.'

Ik keek naar buiten: Mityana was een dynamisch stadje. Overal verrees nieuwbouw, het leek één grote bouwput. Mannen met ontbloot bovenlijf klommen steigers op met bakken cement. Cementmolens draaiden onophoudelijk met hun dikke buikjes in de rondte en de stemmen van de aannemers klonken opgewonden en ongeduldig. Vrachtwagens en bussen, overvolle stationcars vol mensen en goederen, reden af en aan. Het stadje werd bestormd door horden winkelklanten uit Moebende en omliggende dorpen. Aan de horizon lag het Wamalameer. De rust van het zilvergrijze wateroppervlak bracht mijn zenuwen niet tot bedaren.

Om hier te komen moest je door reusachtige wouden en over open grasvlaktes heen. Het leger had hier een heleboel manschappen verloren. Zouden wij er heelhuids vandaan komen?

'Kop op, man,' zei Lwendo, 'deze keer kunnen we die klootzakken niet laten lopen. Volgende keer maken we winst.'

'Is het gevaarlijk geld?'

'Daar gaat het toch allemaal om: de uitdaging.'

Om drie uur was alles afgehandeld. We kregen papieren van de politie die de mannen gevangen zou houden tot de fraudesectie hen kwam ophalen, en wij maakten ons op om te vertrekken. We wisten dat er een paar koppen zouden moeten rollen bij de plaatselijke Wederopbouwcomités, en op het bureau in Kampala. We stapten in een taxibusje en begonnen aan de terugreis naar Kampala.

We reden door dichte wouden waar de zon werd geweerd door reusachtige bladergewelven en passeerden gehuchten met fruitstalletjes en vervallen gebouwtjes, waarvan sommige nog niet zo lang geleden door het leger als martelkamer waren gebruikt. We reden de bergen in en langs een steile helling weer omlaag. Halverwege hoorden we een enorme explosie. Het busje sloeg over de kop en rolde om en om tot we in het gras aan de voet van de helling lagen. Ik voelde me lichaamloos. Ik was met mijn hoofd tegen een stoelzitting geklapt en had een snee in mijn linkerarm. Behalve pijn in zijn borstkas en zijn rechterbeen was Lwendo niet gewond. Sommige mensen waren door het rondvliegende glas geraakt en lagen in het gras te kreunen en om hun dierbaren te roepen. Een van hen bleef maar doorzeuren over zijn portemonnee, tot hij erbij neerviel en zijn mond hield. Anderen lagen te woelen, of te bloeden en snurkten licht om te laten merken dat ze nog leefden.

Ik was niet bang. Ik had steeds verwacht dat er iets zou gebeuren en nu dat inderdaad gebeurd was voelde ik me opgelucht. Lwendo en de chauffeur en nog een paar andere overlevenden verleenden eerste hulp. Ik bleef me afvragen of het een ongeluk of een waarschuwing was geweest. Een vrachtwagen die op weg was naar Kampala schoot ons te hulp. Lwendo en ik weigerden naar het ziekenhuis te gaan. We lieten ons in een kleine privé-kliniek nakijken door een dokter die Lwendo kende.

'Het was gewoon een ongeluk. Als ze kwaad in de zin hadden gehad, dan waren we een gemakkelijke prooi.'

'Misschien wilden ze het op een ongeluk laten lijken,' zei ik.

'Welnee, dat was niet nodig.'

Een paar weken hield ik me gedeisd en probeerde ik het ongeluk voor mezelf te verklaren. Waren we beschoten of was er alleen maar een band geklapt? Ik voelde me ineens niet meer zo avontuurlijk. Ik had de mogelijkheid om weer voor tante te gaan werken. Zij had op korte termijn iemand nodig om haar zaken te regelen: ze was van plan om bakolie te gaan maken uit katoenzaad. De bank had haar plannen al goedgekeurd en haar een lening aangeboden.

Na het ongeluk was Lwendo fanatieker dan ooit en eiste nog hogere afkoopsommen. Hij realiseerde zich dat we niet al te lang op deze manier door konden gaan, als we het er tenminste levend af wilden brengen. Ik waardeerde zijn logica. Hebzucht en corruptie konden het heel goed zonder ons stellen. Het was verstandiger om nog één keer toe te slaan en er dan mee op te houden. Wat ook meespeelde, was dat Lwendo's vriendin hem steeds meer onder druk begon te zetten een rustiger leven te gaan leiden. Lwendo was in wezen niets veranderd sinds de tijd van zuster Bizon en zijn vriendin wilde hem zo snel mogelijk aan de ketting leggen. Weliswaar had hij vanwege ons gezwerf tot dusver nog niemand aangeraakt, hoewel er al een aantal vrouwen op de geur van zijn geld was afgekomen. Maar zijn vriendin hield hem in de gaten.

De zaak waarmee we onze laatste slag zouden slaan had te maken met cement en kwam voort uit de ambitieuze regeringsbelofte om alle wegen te repareren en alle rivieren in het rampgebied te overbruggen. Om te beginnen moesten alle bruggen die tijdens de guerrilla-acties vernield waren hersteld worden. Ik moest al mijn moed bijeenrapen voor deze opdracht, omdat ik mijn geboortedorp zou moeten bezoeken, waarvan ik al had vernomen dat het met de grond gelijkgemaakt was.

Tijdens de burgeroorlog hadden de guerrilla's een hinderlaag voor het regeringsleger gelegd, precies op de plek waar de taxichauffeur vast was komen te zitten toen hij Hangslot door de regen en de storm naar het Ndere-ziekenhuis had moeten brengen voor mijn geboorte. Eerst hadden de guerrilla's de dichtstbijzijnde barakken overvallen om de aandacht van de hinderlaag af te leiden. Zuiveringsacties hadden geen guerrilla's opgeleverd, alleen burgers, die niet veel loslieten, zelfs niet als ze gemarteld werden.

Het was in een vroeg stadium al duidelijk geworden dat het leger reageerde door ter plaatse aanwezig te zijn; en zelfs als zij het initiatief leken te nemen, was dat in reactie op eerdere guerrilla-aanvallen. Op vele plaatsen hadden de bombardementen niets uitgehaald. Arrestaties en martelingen hadden geen belangrijke guerrilla's opgeleverd. Het leger begon steeds wanhopiger te worden en had grote behoefte aan een morele opkikker.

Op een dag hadden de guerrilla's legertrucks in de buurt van Mpande Hill beschoten, waarna ze zich in het struikgewas verscholen. Ze deden dit meerdere malen en zonden radioberichten uit waarin zij meldden dat ze een driehoekig stuk land, waarvan elke zijde ongeveer twaalf kilometer lang was, tussen de barakken met dronkelappen en Mpande Hill en de gemeente Ndere hadden veroverd. Het leger, dat dacht dat het cruciale informatie had onderschept, maakte plannen voor een groot offensief om het gebied schoon te vegen.

Op de aangewezen dag stuurde het leger er zes vrachtwagens vol soldaten heen, aangevoerd door een overste, alsmede jeeps voorzien van machinegeweren. Dit was in de katjoesja-tijd. Toen alle voertuigen over een lengte van een kilometer in het moerasgebied waren opgesteld, met Mpande Hill ongenaakbaar op de achtergrond, brak de hel los. De voertuigen aan beide einden gingen als grote vuurballen de lucht in, zodat de rest gevangenzat op de weg; het idee om dicht bij elkaar te blijven, bleek nu catastrofaal te zijn. Raketwerpers bliezen het ene na het andere voertuig op en de soldaten die het overleefden kregen een regen van lood en vuur over zich heen. Het leger verloor op één dag tweehonderdvijftien soldaten op die dodelijke plek en er vielen vele gewonden. Onder de guerrilla's waren er weinig slachtoffers. Zij trokken zich bijtijds terug en vluchtten via het moeras het nabije oerwoud in.

Enkele uren later, terwijl de uitgebrande legertrucks op hun kant op de weg of in het moeras lagen en de dode lichamen in de zon opzwollen of in het water dreven en vastraakten in de papyrusplanten, arriveerden er gewapende helikopters. Op de twee heuvels werden katjoesja-raketwerpers neergezet en toen begon de tegenaanval. Tegen die tijd waren de guerrilla's al gevlucht, niet van plan in gevecht te raken met het beter bewapende leger. Bijna alle inwoners waren het gebied al ontvlucht. De helikopters en de katjoesja's bombardeerden alles: er kwamen bommen neer in het woud, in het water, in het dal, op de huizen, overal. De temperatuur van het water in de moerassen steeg en doodde vissen, kikkers, horzels, muggen en verschroeide het papyrusriet tot het een nare gele kleur had; een kudde nijlpaarden aan het uiterste eind van de rivier voelde zich genoodzaakt te migreren. Als er niet zo slecht gericht was, zou er binnen een straal van tien kilometer geen gebouw meer overeind zijn gebleven.

Enkele dagen later, toen het oerwoud lag te smeulen en de huizen in puin lagen, hield het leger zuiveringsacties om de guerrilla's op te pakken die het bombardement misschien hadden overleefd, maar er niet in waren geslaagd om te vluchten. Een paar oude mannen en vrouwen, die geweigerd hadden weg te gaan, in de hoop dat ze vanwege hun leeftijd gespaard zouden blijven, werden in de beruchte *kandooya*-greep, een driehoekige knoop in de ellebogen, vastgebonden. Ze konden geen informatie verstrekken en werden vermoord. Burgers die tijdens het bombardement gewond waren geraakt werden van de daken gegooid. Alles wat geneukt kon worden werd geneukt en vervolgens vermoord. Het leger plunderde wat er aan deuren, ramen en golfplaten heel was gebleven. Zo werd het dorp van mijn jeugd weggevaagd.

De verwoestingen bereikten een hoogtepunt in de parochie van Ndere. Als de toren niet zo lastig geweest was om te plunderen, hadden ze hem helemaal onttakeld. Maar ze voelden er niets voor om net als de oprichter, wijlen pater Roulet Lule, naar beneden te lazeren en te pletter te slaan op het beton. Ze schoten een aantal raketten op de toren af tot hij knakte en verkreukelde als papier. Ze bliezen het dak van de kerk op en haalden de pastorie en schoolgebouwen leeg. Tijdens de bezettingsweken hadden ze het schoolmeubilair gebruikt om kookvuurtjes van te stoken. Omdat ze van barbecuen hielden, zochten ze naar dieren om te roosteren. Omstreeks deze tijd moet ook het seminarie overvallen en geplunderd zijn en de Duitse herder van pater Lageau het loodje hebben gelegd.

Op wat de laatste dag van de actie zou zijn geweest, vingen ze een priester uit de streek, die zich in het bos verscholen had. Samen met een cathechist werd hij ondersteboven aan de smeulende balken van de pastorie opgehangen. Er druppelden kwijl en hersenen uit hun hoofden tot ze dood waren, waarna de vogels hun ogen uitpikten.

Ernstige bombardementen werden altijd gevolgd door regen. De regen, verzuurd met de wraakzucht van de doden, viel in de aanzwellende moerassen, die overstroomden en de omstreken blank zetten. Huizen werden tot in hun grondvesten ondermijnd en zakten in elkaar. Alle prut werd in kolkende golven van ongetemde woede naar de voet van Mpande Hill gedreven. De hele geschiedenis van het dorp werd weggespoeld, en er ontstonden wadden waarin een man kon verdrinken. Donder en bliksem vernietigden samen met de niet aflatende regens alles wat er nog van het erfgoed over was. Uiteindelijk overwoekerde het tarogras de binnenplaatsen, kerkhoven en ruïnes.

Toen wij eropuit gingen om te kijken of er behoefte was aan aquaducten die de almachtige Mpande-moerassen in banen zouden moeten leiden, bestond het dorp niet meer, was de herinnering eraan een donker slijk dat van de hellingen van beide heuvels lekte. Opa's huis en de familiebegraafplaats waren verdwenen. Evenals Serenity's vrijgezellenhuis, het riante huis van Stefano en de 'restaurants', 'casino's' en 'supermarkten' van het nieuwe dorp. Mijn lievelingsboom stond er ook niet meer, door bommen geveld. Er waren bijna geen mensen meer teruggekomen.

Tante Tiida en tante Nakatoe waren erheen gegaan om nog iets van de haveloze resten te redden als herinnering aan hun geboorteplaats maar, ontsteld door de vergankelijkheid van iets wat zij voor eeuwig hadden aangezien, waren ze teruggevlucht naar de veiligheid van hun eigen huis. Serenity was er ook geweest om met eigen ogen te zien wat de cyclus van geschiedenis en oorlog veroorzaakt had, en wat hij er eventueel nog aan kon doen. Ook hij had zijn handen voor het gezicht geslagen en was weggevlucht: dat zijn wraakzuchtige jeugddroom werkelijkheid was geworden vervulde hem nu met afschuw. Het huis van zijn nachtmerries was verdwenen. Clanlanderijen en hun beheerders waren eveneens verdwenen. Zijn eigen vrijgezellenhuis, met alle herinneringen aan zijn veroveringen, was ook van de aardbodem weggevaagd. Op de terugweg ging hij langs de plek waar de Fiedelaar had gewoond. De fundamenten van het huis waren onzichtbaar en hij kon nauwelijks terugvinden waar zijn kindertoevluchtsoord was geweest. Nu snapte hij waarom het in de stad en de voorsteden wemelde van de mensen die, ondanks de moeilijke omstandigheden, niet ingingen op de oproep van de regering om naar hun geboortestreek terug te keren. Veel van de leden van zijn vakbond vielen in die categorie.

In deze totaal verwoeste streek was het erg gemakkelijk om een paar vrachtwagens met cement bestemd voor de aquaducten te stelen. Het Wederopbouwcomité was zwak, vanwege de uitgedunde bevolking. Het comité telde een groot aantal analfabetische leden en de ereleden verdwaalden in een doolhof van wiskundige berekeningen. Volgens de nota's van het pakhuis waren er tien ladingen cement bezorgd. In feite waren dat er maar vijf. In het Mpandemoeras werden aquaducten gebouwd met veel minder cement dan daarvoor nodig was. De manier waarop de dieven te werk waren gegaan, was volgens het oude patroon, behalve dat het syndicaat veel hebberiger geworden was. Ik was razend en Lwendo kon mijn frustratie best begrijpen. 'Geen greintje genade deze keer,' zei ik tegen hem, 'als we ze te pakken krijgen nemen we ze te grazen.' Aanvankelijk was hij het met me eens, maar hij realiseerde zich dat dit misschien onze laatste kans was. Dat liet hij me niet onmiddellijk weten. Een paar dagen later zei hij: 'Overdrijf niet. Laat je niet door emoties overmannen.'

'Wat bedoel je daarmee? Mijn dorp is van de kaart geveegd. Moet ik dat zomaar pikken?'

'Dat zeg ik niet.'

'Wat zeg je dan wel, verdomme?'

'Dat we hier misschien onze grote slag kunnen slaan. Je weet zelf ook wel dat we hier niet eeuwig mee door kunnen gaan. Dit is waar-

schijnlijk de laatste keer. De vernietiging van het dorp en de verdwijning van al die vrachtwagens is een voorteken. Jij bent het dorp.
Het leeft in jou voort. Het cement wordt toch niet teruggevonden en
de misdadigers zullen er gemakkelijk van afkomen. We kunnen beter inpikken en wegwezen dan het geld laten verbrassen door de een
of andere politieman.'

'Nee, deze keer niet.'

'Ja, deze keer wel.'

Onze contactpersoon bij Radio Oeganda eiste inmiddels een veel
hogere provisie, omdat hij naar zijn zeggen dreigbrieven, dode ratten, onthoofde gekko's en ander afval op zijn stoep had gevonden.
Nadat hij ons verteld had wie we moesten hebben, legde Lwendo
beslag op een jeep en een geweer en we gingen naar de Jinjaweg,
achter het gebouw van Radio Oeganda.

Het huis was een schitterende bungalow, verborgen achter een
hek, met uitzicht op een uitgestrekte golfbaan en Kololo Hill. Onze
schurk was thuis: een kleine, goedgeklede, intelligente man die aan
het begin van de jaren tachtig met geldspeculaties een kapitaal had
verdiend. Het was opvallend hoe gewoontjes deze witte-boorden-
criminelen eruitzagen. Hij had een leraar van het Sam Igat Memorial College kunnen zijn. Hij leek bijna ondervoed, maar hij was eigenaar van pakhuizen in Kikuubo en had zakenrelaties in Londen en
Doebai.

Zonder al te veel tegen te sputteren gaf hij ons wat we wilden. Het
leek bijna al te gemakkelijk.

Nadat we het geld in ontvangst hadden genomen, moesten we ons
een poosje drukken. Intussen nam ik de balans van mijn positie op.
Ik voelde er niet veel voor om weer terug naar het SIMC te gaan, wat
er ook gebeurde. Ik kon me rustig houden en de boekhouding doen
voor tante Lwandeka, terwijl ik me bezon op de toekomst. Ik kon op
reis gaan: waarnaartoe? Naar het buitenland: er vertrokken veel jongeren naar Engeland, Zweden, de Verenigde Staten, Duitsland, om
hun geluk te beproeven in de hoop genoeg geld te kunnen verdienen
om een huis en een auto te kopen. De truc was politiek asiel aan te
vragen, omdat dat de enige manier was om verzekerd te zijn van het

recht om in het Westen te blijven. Ik voelde er weinig voor om me bij die mensen aan te sluiten. De vernederingen van de asielzoekerskampen waren niets voor mij. Misschien kon ik als toerist gaan.

De man die we hadden uitgemolken was geen sufferd. Hij gebruikte hooggeplaatste handlangers om ons te verklikken, en uiteindelijk bereikte het nieuws de Padre. Hij ontbood Lwendo op zijn kantoor en, als een vader tegen zijn dwalende zoon, sprak hij zijn diepe teleurstelling uit. Hij zei dat hij grote plannen met hem had gehad en dat hij niet begreep waarom hij voor de verleiding van oplichterij en corruptie was bezweken. Lwendo, de dwalende zoon, boog het hoofd alsof hij zijn nek aan het zwaard wilde offeren. De Padre, een man van weinig woorden die de verleiding van het geld wel kende, zei dat hij hem niet zou laten opsluiten. In plaats daarvan ging hij hem naar het noorden overplaatsen om daar aan de Wederopbouw mee te werken. Met andere woorden: Lwendo werd uit het paradijs de keiharde werkelijkheid ingezonden. Met zijn ontsnapping al in zijn achterhoofd, aanvaardde Lwendo met hangende schouders zijn straf.

Het was werkelijk het paradijs waar hij uit verbannen werd. In het zuiden was het gemakkelijk om de gevechten in het noorden te vergeten. Al was het waar dat grote delen van het noorden door de nieuwe regering veroverd waren, er vonden nog steeds guerillagevechten plaats. Een harde kern van Obote-strijders wilde nog steeds niet accepteren dat een leger uit het zuiden de macht in het noorden had overgenomen. Ze probeerden de bevolking op te jutten en als ze daar niet in slaagden, vielen ze dorpen aan en terroriseerden ze de inwoners. Goed bekend met het terrein waren ze in staat snel op te rukken, schade aan te richten en te verdwijnen voordat het leger er iets aan kon doen. Het was ironisch dat de zuiderlingen, nadat ze een guerrilla-oorlog tegen een door noorderlingen beheerste regering hadden moeten voeren, nu terechtkwamen in een gelijksoortige hachelijke situatie. En zoals de noorderlingen doodsbang waren geweest in onze oerwouden en moerassen, wisten de zuiderlingen niet wat de stoffige onherbergzame vlaktes zouden opleveren als ze naar de ongrijpbare soldaten zochten. Maar in tegenstelling tot Obote-strijders mochten zij geen burgers martelen. Soldaten die betrapt werden bij verkrachtingen en plunderingen, werden door vuurpelotons neergeschoten, iets waar de mensenrechtenorganisaties tegen tekeergingen. De regering hield echter zijn poot stijf, en als een soldaat een verkrachting beging of daden als de Obote-soldaten in de Loewero Driehoek hadden begaan, bleef de doodsstraf zijn meest waarschijnlijke lot.

Lwendo huiverde als hij de gevaren overwoog van het werk in wat feitelijke een oorlogszone was. Hij had geluk gehad in de guerrilla-oorlog: zou hij geluk blijven hebben in het noorden, een streek die hij niet kende en waar hij doodsbang voor was? Hij was nog wel het bangst voor een hinderlaag. Lwendo had fantasieën dat hij in een wagen van het Ministerie van Wederopbouw over een landmijn zou rijden en de lucht in zou vliegen en zijn armen en benen zou verliezen. Hij werd bijna krankzinnig van het idee de rest van zijn leven invalide te zijn.

Als regeringsvertegenwoordiger zou hij zich moeten uitsloven om aan de mensen tegemoet te komen, want de regering wilde dat de noorderlingen zich achter haar schaarden, om te vermijden dat het zou lijken dat ze te veel overheerste in het zuiden.

Lwendo vertelde me over zijn verbanning en vroeg mijn advies. Volgens mij had hij geen advies nodig. Hij wilde alleen maar zijn stem in de mijne horen weergalmen.

'Heb je gezegd dat je zou gaan?' vroeg ik.

'Een soldaat moet gehoorzamen.'

'Maar je hoeft het niet te doen als je uit het leger gaat.'

'Daar denk ik over na, maar intussen moet ik net doen alsof ik beschikbaar ben om naar het noorden te gaan.'

'Griezelig, hè?' Ik probeerde er een grapje van te maken.

'Ik zou niet bij die jongens willen horen die daar vechten. Het leger behandelt ze extra streng omdat ze bang zijn dat ze wraak nemen op onschuldige burgers. Ik dacht dat ik aan al die vuiligheid ontsnapt was, en nu moet ik van die klootzak linea recta naar de hel!'

Ik schudde treurig mijn hoofd.

'Ik wil dat je iets voor me doet,' zei hij, me recht in de ogen kijkend. Hij had zich een week niet geschoren en zag er onguur uit. Hij gaat me vragen hem te betalen voor al het geld dat we hebben verdiend, dacht ik met walging.

'Ja?' zei ik niet al te vrolijk.

'Ik zou graag willen dat je met me meegaat naar het noorden om de boel te verkennen.'

'Ben je belazerd? Wil je me dood hebben?' De kans dat we met ons voertuig op een landmijn zouden stuiten was enorm. Er werden aanvallen uitgevoerd door voormalige Obote-schurken, die nu wreder waren dan ooit omdat ze verloren hadden en moeilijke tijden doormaakten. In gedachten bestudeerde ik de kaart van Noord-Oeganda. Het was één ding de namen te kennen van de steden en de oogsten die de streek opleverde, maar in werkelijkheid was het terra incognita. Voorbij het Kyogameer en de Nijl leek elke struik vol te zitten met rovers en geharde Obote-strijders. 'Wil je me dood hebben?'

Lwendo schaterde op een vreemde manier. Hij genoot ervan, of hij was bang dat ik hem zou teleurstellen. 'Waarom ben je zo bang voor de dood?'

'Al jaren ben ik aan de dood ontsnapt. Waarom zou ik hem nu in het noorden gaan opzoeken?'

'Dat is een beetje overdreven. Bijna overal in het noorden is het weer rustig, behalve in een paar verzetshaarden. Zoals het hier in de jaren tachtig ook was; het vechten blijft beperkt tot een paar gebieden. Elders is het leven min of meer normaal.' Hij zei dit om zichzelf, niet mij, gerust te stellen. Ik overtuigde mezelf ervan dat ik geen keus had. Ik voelde me niet loyaal; ik was op een vreemde manier in zijn ban. Ik wilde zelf graag een deel van het noorden zien. En de waarheid was dat ik niet bang was voor de dood, alleen voor de pijn die eraan vooraf kon gaan.

Binnen een week waren we onderweg. Ik zei niet tegen tante Lwandeka waar ik naartoe ging. Ze nam aan dat we naar een of ander rampgebied gingen om de schade op te nemen. We reden mee met een wagen van het ministerie die deel uitmaakte van een konvooi met bevoorrading voor het noorden. We hadden een legerescorte van vier jongens van rond de zeventien jaar oud. Ze waren gewapend met AK-47 geweren, die me deden denken aan mijn nachtelijke ontmoeting met de Helse Drie-eenheid. Ik keek naar de gebogen magazijnen, smalle lopen en het glanzende hout, en dacht aan de macht die je had als je zo'n trekker kon overhalen. Veel glamour zat er aan die macht niet, daarvoor was de prijs te hoog. Terwijl ik naar deze jongens keek, die de leeftijd hadden van de leerlingen op het SIMC, vroeg ik me af hoeveel mensen ze gedood hadden, en hoe hun toekomst eruit zou zien. Dachten ze na over de mensen die ze neerschoten? Zouden ze over hen nadenken als ze ouder waren? Wat voor uitwerking zou het op hun leven hebben? Zouden het dwangmatige moordenaars worden? Ze zagen eruit alsof ze een landmijn onschadelijk dachten te kunnen maken door erop te pissen. Wat zou het allemaal voor hen betekenen later? Ik schatte dat ze dertien of jonger moesten zijn geweest toen ze zich bij het leger aansloten. Ze waren opgegroeid in het struikgewas. Hoe zouden ze zich aanpassen aan de kazerne? Ze genoten van de macht die ze hadden. Ik zag ze bluffen. Er was hun van alles beloofd, maar wat zou er gebeuren als die beloftes niet ingelost werden? Ik was banger voor deze kindsoldaten dan voor hun volwassen collega's. De oudere soldaten leken omkoopbaar, zich wat meer bewust van de problemen van het leven: als je ze iets te bieden had kon je onderhandelen. Maar deze jongens leken verslaafd aan bevelen.

Ik dacht aan de tijd toen ik zo oud was als zij toen ze zich bij de guerilla's aansloten, de tijd toen ik zoveel problemen had met Hangslot en Serenity en hun despotisme. Als ik de kans had gehad of als de omstandigheden juist waren geweest om me bij het leger aan te sluiten, dan zou ik vast soldaat zijn geworden. Waar zou ik nu dan zijn geweest? Dan zou ik pas echt een paar lijken in mijn kast hebben gehad. Ik vond dat ik geluk had gehad dat het niet zover gekomen was. Dan had ik misschien bij volmacht een aantal Hangsloten gedood terwijl de echte Hangslot at en ademhaalde en haar schijters opvoedde in de pagode. Misschien zou ik haar bij nader inzien wel doodgemarteld hebben en van elke doorbloede ademtocht genoten hebben. Ach…

In onze wagen werd niet veel gesproken. Lwendo wilde duidelijk afstand bewaren tot de kindsoldaten. Hij zei altijd tegen me dat ik uit de buurt van soldaten moest blijven. 'Het is het niet waard. Als het erop aankomt zal een vriend je neerschieten als hij daartoe bevolen wordt.'

De andere mensen in de wagen gaven er ook de voorkeur aan zich stil te houden. Ze waren net zo bang voor het noorden als wij en trachtten zichzelf ervan te overtuigen dat ze zich die angst alleen maar verbeeldden. We bevonden ons binnen de Loewero Driehoek en snelden over de befaamde Goeloeweg, de vluchtroute van de noorderlingen tijdens de regimes van Amin en Obote I en II. Ik was nog nooit zo ver geweest. Op een vreemde manier was ik opgewonden. Verscheidene keren stopten we om te pissen en bananen, geroosterde maïskolven, zoete aardappelen en vruchtensap te kopen van de venters langs de weg.

Ter hoogte van Masindi, ongeveer in het midden van het land, waar de oude zuidelijke koninkrijken en de noordelijke volkeren met elkaar in contact kwamen in de zeventiende en achttiende eeuw, begon ik het gevoel te krijgen dat we op vreemd grondgebied waren. Ik voelde me als een zuidelijke rebel op de een of andere duistere missie. Tot hier waren onze voorouders rond de eeuwwisseling gekomen om het Britse koloniale bewind te steunen. Nu waren we op weg om te zien of het noorden en het zuiden samen konden leven na alles wat er gebeurd was. Het Lango-district lag maar een vlakte, een rivier verderop. De beroemdste nakomeling, Milton Obote, had asiel gezocht in een vreemd land, ver weg van alle problemen die hij in dit land had veroorzaakt. Bijna dertig jaar geleden had hij dit ruwe gebied verlaten, was als een rasovervaller het zuiden in getrokken en had met zijn manipulerende, op misvattingen, arrogantie en onnozelheid drijvende politieke systeem, de grootste buit binnengehaald: de leiding over het hele land. Nu had hij zijn geweren en laarzen aan de wilgen gehangen en het volk aan zijn eigen lot overgelaten. Ik probeerde te zien wat hij voor de noorderlingen gedaan had. Niet zoveel. Als een geharde misdadiger had hij zich vooral geconcentreerd op het bereiken van zijn eigen doel.

Het alomtegenwoordige zuidelijke groen maakte plaats voor weids, droog land, schaars begroeid met gras en miezerige bomen, met daarboven eindeloze luchten. Het was hier heet en wild en alleen al het kijken naar de droge kale aarde maakte me dorstig. De zon beukte recht uit de hemel neer, zonder dat hij door iets werd gebroken, en concentreerde zijn vuur op het land en de mensen. Het stof werd door de wind opgenomen en door de lucht geblazen in ogenschijnlijk speelse wervelwinden. Dit was een gebied waar je voortdurend voor je eten, je water en je leven moest vechten.

We beleefden enkele angstige ogenblikken toen een van de wagens in ons konvooi een mankement bleek te hebben. Het was niets ernstigs, maar iedereen was nerveus terwijl hij gerepareerd werd, alsof de struikrovers elk moment uit de grond konden oprijzen om ons te overvallen. De kindsoldaten zagen er ineens niet meer zo stoer uit. Ik merkte dat mijn vriend Lwendo kletsnatte oksels kreeg en schichtig om zich heen keek, alsof het krioelde van de vampiers.

Eindelijk arriveerden we in de stad Lira. Het was alsof we uit de lucht waren komen vallen. De stad leek als een paddestoel uit de grond gerezen: volkomen op zichzelf en aan alle kanten open. Het was een stad als alle andere Afrikaanse steden: de schaarse faciliteiten, de geringe hoogte van de gebouwen onder de weidse hemel, de vrolijke wanorde. Hierbij vergeleken was Kampala, met al zijn gebreken, een paradijs. Net als in elke andere oorlogszone, was het leger nadrukkelijk aanwezig en er werd ons gezegd dat we 's nachts niet uit moesten gaan. De soldaten probeerden er ontspannen uit te zien, en hadden hun paranoïde neigingen aan een strakke halsband. Het gevoel van naaktheid en onbeschutheid was overweldigend. Na onze wouden en hoge vegetatie voelde je je hier ten prooi aan allerlei onbekende krachten. Dat gevoel werd versterkt door de aanwezigheid van de ontheemden in de stad. Hun zoekende gezichten en vermoeide trekken deden je realiseren dat het gevaar overal op de loer lag.

Een deel van ons konvooi ging diep het Acholi-district in en had Goeloe als eindbestemming. De volgende ochtend keken we toe hoe het vertrok, blij dat wij achterbleven.

Lwendo was bang voor de plaatselijke bevolking, die hard moest vechten voor zijn bestaan. De ontheemden maakten hem zenuwachtig. Hij was bang dat ze op hem zouden schieten, maar ze hadden geen wapens, zelfs geen speer of panga. Hij was bang dat er zich rebellen onder hen bevonden, die ons misschien aan hun vriendjes zouden verklikken, en dat ze ons zouden komen halen. Soldaten werden duidelijk niet betaald om na te denken; Lwendo's hersens bestookten hem dag en nacht met soldatennachtmerries. De plaatselijke wederopbouwambtenaren spraken Engels en deelden hun informatie over waar hulp nodig was met ons en waren vriendelijk en geruststellend. Ze waren erbij gebaat goede betrekkingen te onderhouden met andere functionarissen, omdat ze alle hulp konden gebruiken. Ik vertrouwde ze wel; Lwendo niet. 's Avonds vertelde hij me over de loopgraven waarin hij had geslapen. 'Alles veranderde in één grote kut waarin we rondzwommen met een brandend vuur tussen onze benen.'

'Wat deden jullie dan?' zei ik nieuwsgierig. Hij was altijd zo zuinig met zijn ervaringen als soldaat.

'Alles neuken wat een rok aanhad,' zei hij en barstte in schaterlachen uit.

'Alles?!'

'Ik kan je wel vertellen dat je dan gek wordt van geilheid,' zei hij, terwijl hij bedachtzaam op zijn onderlip beet. 'Het lelijkste wijf lijkt een godin uit een natte droom. Ik denk dat sommige mensen het dan zelfs met een hond kunnen doen.' We lachten allebei. We sloegen elkaar op de schouders.

'Het zijn flitsen van bewustzijn die gewone burgers nooit zullen begrijpen. Je valt in onderdelen uit elkaar en zet met tussenpozen van een seconde de delen weer in elkaar!'

'Had je daar een speciaal gevoel bij?'

'Ik had het gevoel dat ik in één seconde een retourtje hel had gemaakt. Een tijdreis, of zoiets magisch. Ik voelde me heel wat, heel wat meer dan de gemiddelde burger.'

'En als je dan...'

'O, het vechten verbleekte erbij. Je wachtte, je was bang, en dan brak het ogenblik aan. Het is een soort anticlimax die je wilt herhalen: de verschrikkelijke angst en het vuur in je kruis, en het teleurstellende schieten en treffen van een doelwit. Lichamelijk gesproken is slaan veel bevredigender. Wat mij het helderst is bijgebleven, zijn de kruitdamp en de explosies.'

Aha, wilde ik zeggen. Kon ik hem nu vragen hoeveel mensen hij gedood had? En waar? Hij had in de gaten dat ik hem stiekem opnam en was zich ervan bewust dat ik hem aan het taxeren was, hem iets hoger of iets lager inschaalde, zijn woorden vergeleek met die van anderen wier verhalen ik eerder gehoord had. Hij glimlachte en begon weer te schateren. Ik dacht even dat hij het me uit zichzelf zou zeggen, maar dat was niet het geval en het lukte me niet een manier te vinden om het hem te vragen zonder al te opdringerig te zijn. Ook beschermde ik mezelf. Ik wilde als hij kwaad werd niet naar hem kijken en denken: hij heeft zoveel mensen gedood, hij zou kunnen doorslaan en ook met mij korte metten maken.

De terugtocht was minder griezelig, op een bepaalde manier was het landschap ons vertrouwd geworden. Lwendo had zijn besluit al genomen: hij ging ontslag aanvragen. Hij hoefde alleen maar een legerarts om te kopen en dan zou hij zich om medische redenen uit het leger kunnen laten ontslaan. Hij had een voorgeschiedenis van maagproblemen en aambeien. Het eerste zou op een maagzweer kunnen uitlopen, het laatste op bloedingen waaraan hij geopereerd moest worden.

Sinds het eind van de guerrilla-oorlog heerste er een mysterieuze ziekte waar mensen tot op het bot van vermagerden en in groten getale aan stierven. Te oordelen naar de manier waarop het zich manifesteerde – hoge koorts, uitslag, blaren – leek het op hekserij. Velen gingen naar de Vicaris en andere medicijnmannen voor een diagnose. Het was begonnen in Zuidwest-Oeganda, in het afgelegen Rakai-district, ruim vijftig kilometer van Masaka. De theorie was dat deze hekserij een straf was die uitgedeeld werd door Tanzaniaanse smokkelaars die bedrogen waren door hun Oegandese tegenhangers in de jaren zeventig en tachtig, toen smokkelbendes hoogtij vierden in die moerasachtige streken. En aangezien het in de handel altijd een rotzooi was, en aangezien een betere verklaring ontbrak, geloofden veel mensen in die theorie. Maar hoe zat het dan met al die stervende mensen in de stad?

Niet lang daarna kreeg de ziekte een naam, maar voor ons bleef hij *Slank* heten. Het zette de theorie dat oorlog altijd gevolgd werd door een andere rampspoed in een geheel nieuw licht. Na de Eerste Wereldoorlog had je de Spaanse griep. Dit was onze gemenere, veel koelbloediger versie daarvan. Geleidelijk aan vermaalde het de meest productieve mensen tot stof en belastte het oude mensen met de opvoeding van hun wees geworden kleinkinderen. Het tastte het hart van de maatschappij aan en rekte de strakgespannen familiebanden tot knappens toe uit. Het deed de steden beven van in de kiem gesmoorde ontwikkeling, en de dorpen snikken om de onvervulde mogelijkheden. Het deed de steden kokhalzen van niet te verzachten pijn en de dorpen ineenkrimpen van de stank van groenzwarte diarree.

In het begin waren de meeste *Slank*-slachtoffers vreemden, tot het dichter bij huis toesloeg en het huishouden van oom Kawayida met een apocalyptische heftigheid door een aaneenschakeling van rampspoed werd bezocht. We waren allemaal met stomheid geslagen, vooral ondergetekende, die de man bewonderde om zijn vermogen de banaalste dingen om te toveren tot de prachtige verhalen uit mijn dorpsjaren.

Het deed merkwaardig aan dat zijn beproevingen iets te maken leken te hebben met het vertrek en de terugkeer van de Aziaten: toen zij vertrokken waren was hij rijk geworden, toen ze begonnen terug te komen begon hij kapot te gaan

Oom Kawayida was de eerste van Opa's nakomelingen die een auto had. Hij had altijd al een instinct voor zaken gehad. Als kleine jongen verkocht hij bananen, suikerriet, pannenkoeken en gekookte eieren op school. Als er een bijzondere schooldag was of een voetbal- of atletiekwedstrijd, bracht hij het kookgerei van zijn moeder mee en hielp hij haar bij de bereiding en de verkoop. Zijn klasgenootjes lachten hem uit en zeiden dat hij naar bakvet rook, maar hij lachte het laatst: hij had zakgeld.

Hij was er dus al vroeg bij geweest. Toen Amin aan de macht kwam realiseerde hij zich dat de tijden gingen veranderen. Hij verkocht zijn motor – de adelaar met de blauwe buik –, leende geld van een vriend en vergaarde genoeg om een stuk land in Masaka te kopen. Tegen de tijd dat de Aziatische exodus werkelijkheid werd, keek hij in de stad rond naar de beste mogelijkheden voor een man van zijn capaciteiten.

Hij wist van zichzelf dat hij tot hard werken in staat was, als het maar voor iets was dat zijn hart had. Hij wist dat hij heel hard zou moeten werken, zoals hij gewoon was. Hij was op zoek naar een eenvoudige handel, waarvoor een plaatselijke inbreng, een plaatselijke markt en snelle omzet waren vereist. Hij bekeek de Aziatische winkels, en de paar Afrikaanse, en besloot dat hij geen zin had de hele dag opgesloten te zitten in een benauwd hokje, met een trage handel en zorgen over maandelijkse inkomsten. Bovenal ontbrak het hem aan de bekwaamheid en het soort krediet die hem in staat zouden stellen zijn winkelvoorraad op peil te houden en te concurreren.

Tijdens zijn reizen als meteropnemer had hij de omgeving goed leren kennen. Hij was onder de indruk van de moerassige nederzettingen bij Rakai, in het bijzonder van het stadje Kyotera, dat hij een opgevijzelde uitvoering vond van zijn geboortedorp tussen de twee heuvels. Soms ging hij in het weekend met vrienden naar Kyotera om er wat te drinken en de vrachtwagenchauffeurs gade te slaan die daar stopten op weg naar Tanzania, Rwanda en Zambia. Soms waren ze ook op de terugweg naar Kenia, via Masaka, Kampala, Jinja, Tororo, Malaba en Mombasa aan de kust van de Indische Oceaan. De meeste vrachtwagenchauffeurs waren Somaliërs of Ethiopiërs, magere, taaie mannen die zich niet bewust leken te zijn van afstand of tijd. Het waren net safarimieren die van hot naar haar reisden. Ze overnachtten in Kyotera, kookten en wasten, repareerden er hun voertuigen voordat ze hun grote reizen voortzetten. Goederen, zowel legale als illegale, veranderden over de grenzen van eigenaar, de Oegandezen verkochten ze aan Tanzanianen, en vice versa.

Vanwege de doorgangsroute had oom Kawayida een gevoel dat hij in de geïsoleerde moerassen van Kyotera in contact stond met de grote wereld. In de jaren zeventig en tachtig had hij er meerdere malen aan gedacht om zich daar te vestigen en mee te doen aan de handel over de grens. Je had kans op goud of diamanten uit Zaïre. Je kon handelen in vis of kleding of schoenen of juwelen. Maar in die tijd durfde hij nog niet zo goed voor zichzelf te beginnen.

Op een late namiddag, toen hij op weg was naar huis, hoorde hij kalkoenen kakelen en hun veren uitschudden op een omheind erf. Het viel hem op omdat hij al een poosje over een pluimveebedrijf had nagedacht. Voordat hij zich ging bezighouden met braadkippen, beproefde hij zijn geluk met kalkoenen. Kalkoenen waren de zwaarste en stomste tamme vogels die hij kende. Als je ze los liet lopen, legden ze hun eieren op de onmogelijkste plekken: achter een hek of in heel kort gras, waar geen hen haar eieren zou achterlaten. Kalkoenen wisten niet hoe ze hun eieren of kuikens moesten beschermen. Als je eraan wilde verdienen, moest je ze in hokken opsluiten en zelf voor de eieren en kuikens zorgen.

Tijdens de verkoopgekte toen de Aziaten vertrokken, had oom Kawayida een bestelwagen met open laadbak gekocht, die de wanhopige eigenaar in de fik had willen steken. Kawayida's vrienden lachten hem uit en zeiden dat er maar twee kalkoenen in de laadbak konden. Hij liet ze lachen. Met zijn land als onderpand leende hij geld en huurde een schuur die hij volstouwde met voedsel voordat hij op jacht ging naar kalkoenen.

Toen hij eenmaal zover was, had hij bijna geen geld meer, maar net genoeg reserves om de beesten een jaar in leven te houden. Hij installeerde voederbakken en lampen en de vogels aten dag en nacht door. Als hij op kantoor was, nam zijn vrouw het van hem over. Als hij thuiskwam uit zijn werk maakte hij de voederbakken schoon, woelde het zaagsel om zodat de keutels naar de bodem zakten, voerde de hoenderen en bekeek ze met trots.

Toen de euforie na het vertrek van de Aziaten wat bekoeld was en men om de winkels vocht, verkocht hij kalkoenen aan hotels in de stad. Tegen de tijd dat de meeste handelaars pas begonnen, experimenteerde hij al met groeimiddelen om zwaardere beesten te fokken. Spoedig daarna kreeg hij de eerste vracht braadkippen binnen.

De sceptici waarschuwden hem dat braadkuikens bij bosjes doodgingen, en dat ze moeilijk aan de man te brengen waren. Maar hij wist dat de kuikens meestal doodgingen omdat ze niet goed verzorgd werden en niet op tijd ingeënt. Toen de kuikens kwamen, vroeg hij een jaar verlof en hield dag en nacht toezicht op de donzige beestjes. Een paar ervan stierven aan verstopping, maar hun aantal was te verwaarlozen. Hij scheidde de zwakkelingen van de sterkere en voerde de eerste stuk voor stuk met de hand. Hij druppelde water in hun bekjes. Hij doopte hun snaveltjes in het voer en wachtte geduldig tot ze het inslikten. De jongen die naar bakvet had geroken was een man geworden die naar kuikens rook. Hij zat zo lang naar ze te staren dat hij ze bijna kon zien groeien. Hij vond het prachtig hoe hun veertjes als onkruid uit hun vleugeltjes sproten, en hoe hun pootjes steeds sterker werden en hoe ze steeds meer gingen eten. Bij de eerste verkoop had hij nog vijfennegentig van de honderd kippen, in tegenstelling tot wat men had voorspeld.

Van toen af aan ging het hem voor de wind. Hij breidde zijn kalkoen- en kippenbedrijf uit. De muren trilden van de roep van gefrustreerde kalkoenen die het hek niet over konden om de mensen te belagen die voorbijliepen. De hokken stonken onverdraaglijk naar kippenstront en tijdens de spitsuren weergalmden de balken en golfplaten van het getok van de kippen die met elkaar wedijverden om het voer. Tegen de algemene verwachting in werd de markt voor kip en kalkoen steeds groter, omdat weinig mensen de kans hadden gewaagd om in de kippenbusiness te investeren.

Na vier jaar, toen veel winkeliers zich vastklampten aan halflege planken omdat ze de wisselvalligheden van de detailhandel niet meer konden bijhouden, had hij zijn baan opgegeven en zijn zaak nog verder uitgebreid. Omstreeks deze tijd begonnen de soldaten die gelegerd waren in de naburige kazernes steeds meer geroosterde kip te eten. Hij nam contact op met de hoofdfoerageur van de kazernes, die hem vroeg de consumptiebonnen op te waarderen, zodat de officieren het dubbele genoegen zouden smaken het verschil in hun zak te stoppen en van kwaliteitskippen te genieten. Hij kocht een nieuwe bestelwagen en nam een chauffeur in dienst om de bergen voer op te halen en de hokken vol pluimvee naar de klanten te brengen. Oom zelf bleef in zijn oude wagen rondrijden om nieuwe klanten te werven.

Op het hoogtepunt van zijn voorspoed nam oom Kawayida's vrouw de kans waar haar oude vijandin Hangslot een lesje te leren, en sprak ze tijdens een bezoekje van tante Tiida de beroemd geworden woorden: 'Het is jammer dat ze de hersens niet heeft om jurken van kippenveren te maken. Ze kan ze van ons gratis thuisbezorgd krijgen.'

Oom Kawayida die de streken van zijn vrouw wel kende, protesteerde, en ze antwoordde: 'Laat me nou maar, man. Een hardwerkende vrouw verdient het wel om af en toe wraak te nemen.'

Tante Tiida, die baadde in de glans van haar nieuwe Peugeot, lachte; ze had Hangslot nooit gemogen. Ze kreeg de zenuwen van hooghartige mensen van lage komaf. Bij een andere gelegenheid zei Kawayida's vrouw dat Mbale beter bakstenen van kippenstront kon maken, en oom Kawayida lachte minzaam. Uiteindelijk was ze een Kavoele, en die stonden erom bekend dat ze geen blad voor de mond namen, tegenover vriend noch vijand.

De tochten om voorraden in te slaan en hoenderen te verkopen maakte iets anders bij oom Kawayida los. Hij kreeg de sterke behoefte zich te vermenigvuldigen en voort te planten. Als enig kind voelde hij zich enig in zijn soort en bedreigd met uitsterving. Alsof hij zich erop toelegde zijn gestorven schoonvader te imiteren, zat hij met koortsachtige geobsedeerdheid achter de mooie vrouwen in de stad aan. Voor de bokkentanden van zijn moeder had hij zich altijd geschaamd, en de combinatie van rechte tanden in een knap gezicht zette hem in vuur en vlam. Hij wilde zichzelf vermenigvuldigen met behulp van de mooiste vrouwen, alsof hij alle bokkentanden van de aarde wilde wegvagen. Het eerste waar hij naar keek als hij een vrouw tegenkwam was haar mond. In het begin geilde hij op alle vrouwen met een recht gebit, alsof het godinnen waren.

Toen hij zijn vrouw voor het eerst zag, werd hij overvallen door angst: zo'n mooie vrouw, met zulke knappe zusters, wilde vast niet met hem trouwen omdat zijn moeder bokkentanden had. Hij was verbaasd dat ze er geen enkel punt van maakte. Als ze ruzie hadden, verwachtte hij dat ze erover zou beginnen, maar dat deed ze nooit. Het was het enige onderwerp waar ze haar mond over hield. Wat een opluchting! Daarvoor vergaf hij haar veel. Door de jaren heen had hij zijn angst overwonnen en zich uitsluitend op aantrekkelijke vrouwen gericht. Hij stuurde boodschappenjongens op ze af met cadeaus, zoals beschilderde eieren, grote vogels in veelkleurige kooien, en loftuitingen. Hij nodigde ze uit om naar voetbalwedstrijden te gaan. Hij verwende ze in de hoop dat hij grote gezonde baby's bij hen zou mogen verwekken. Zijn oude bestelwagen zag je nu op een heleboel plaatsen. De vrouwen schaamden zich niet om erin gezien te worden, want ze wisten dat oom opschepte over zijn veroveringen. Ze klaagden nooit over de spijkerbroek, katoenen overhemden en gymschoenen die hij altijd droeg.

Zijn maatjes, die hem altijd naar voetbalwedstrijden vergezelden, traden soms voor hem op als talentenjager. Wat hij leuk vond was ze na de wedstrijd thuis uit te nodigen om wat te drinken en verhalen te vertellen. Iedereen mocht vertellen wat hij wilde. Na verloop van tijd ontwikkelde zich een competitie, omdat iedereen de beste verteller wilde zijn. De stof kwam uit het dagelijks leven en werd hier en daar verdraaid om het spannend te houden. De vrouw van oom Kawayida had een hekel aan zijn maten omdat ze voor hem op vrouwenjacht gingen en zoveel herrie maakten in huis. Omdat ze van haar moeder had geleerd dat je een man nooit in zijn eigen huis mocht vernederen, vond ze dat ze hem niet kon verbieden zijn vrienden uit te nodigen. In plaats daarvan voerde ze een guerrillacampagne door de vreselijkste maaltijden te bereiden van bijna oneetbare kippen die nog naar veren roken en aangebrand waren, en veel te zoute soep waar iedereen diarree van kreeg. Maar de mannen bleven komen omdat hun gastheer dat wilde en ze thuis altijd goed aten. Ze kenden hun rol: ze moesten mijn oom het gevoel geven dat hij succesvol was, omdat het ware succes afgemeten werd aan entourage en gulheid.

Aan de andere kant liet ooms reproductietempo veel te wensen over. Sommigen beweerden dat zijn vrouw hem behekst had. Wat ze over het hoofd zagen, was dat hij wellicht te maken had met wereldwijze vrouwen die de geheimen kenden van het drinken van blauwsel, het innemen van grote doses aspirine of het bewerken van het geboortekanaal met fietsspaken. Ook kon het zijn dat ze experts waren in het afbinden van de baarmoederhals, het slikken van pillen of traditionele anticonceptiekruiden die ze kregen van medicijnmannen als de Vicaris. Oom Kawayida ging dat nooit na, wat dat betreft was hij een eeuwige optimist. Elke keer weer hoopte hij dat het hem gelukt was. Na al zijn inspanningen verwekte hij uiteindelijk maar drie onechte kinderen, alledrie meisjes. Zijn vrouw had hem al vier dochters geschonken. Aanvankelijk weigerde ze de andere kinderen de toegang tot haar huis, maar ze realiseerde zich dat er zowel naar de kinderen als naar de moeders geld gestuurd zou worden. Eveneens realiseerde ze zich dat ze, door de kinderen te erkennen, de buitenechtelijke activiteiten van haar man zou afremmen. Op het laatst zou hij er wel mee ophouden nog meer kinderen bij zich in huis te nemen. Ze hoopte dat ze hem met tact kon veranderen. Daarom vroeg ze oom al zijn kinderen in huis te halen. Twee van hen kwamen; de moeder van het derde meisje weigerde haar dochter op te geven.

Ooms vrouw was met heel veel broertjes en zusjes opgegroeid en het viel haar niet zwaar voor al die meisjes te zorgen. 's Morgens hoorde je haar stem in de kille lucht als ze de meisjes de instructies gaf die ze in haar ouderlijk huis had geleerd. Ze voelde zich een koningin met haar onderdanen. Ze begreep niets van de vrouw die haar meisje niet had willen afstaan. Een enig kind! Wat haar betrof praatte je tegen jezelf als je het woord tot maar één kind richtte. Zielig. Ze besefte wel dat het veel moeilijker zou zijn geweest als er jongens bij waren geweest, die hun vader zouden moeten opvolgen en zijn bezittingen zouden erven omdat zij zelf geen zoon had. Soms huilde ze omdat ze geen zoon had gebaard. Ze was jaloers op haar grootste vijandin, 'de vrouw die haar kinderen sloeg alsof het trommels waren', omdat die had waar zij naar snakte: zonen. Ze kon het niet helpen dat ze zonen idealiseerde in haar dagdromen. Een zoon een pak slaag geven was onvoorstelbaar voor haar. Een zoon moest je verwennen en voorbereiden op het zwaaien van de scepter in zijn eigen huis, later als hij een man was. Maar hoe ze de goden ook smeekte, de zonen meden haar hunkerende schoot.

Op een gegeven moment werd ze verteerd door de angst dat een van haar zusters haar man een zoon zou schenken. Die meiden waren niet te vertrouwen. 's Nachts werd ze badend in het zweet wakker en hoorde ze ergens onder het dak het gehuil van een flink, pasgeboren jongetje. Ze was vooral zeer achterdochtig tegenover haar twee jongste zusters, Naaka en Naaki. Ze voelde er veel voor ze te laten bespioneren, maar ze kende geen betrouwbare spionnen. Ze kon het spioneerwerk het beste zelf doen. Ze nodigde haar twee verdachte zusjes uit om bij haar in te trekken, zodat ze er met een gerust hart van uit kon gaan dat ze onder haar waakzame oog geen ultieme zonde zouden begaan. Een zoon van een buitenstaander was veel aanvaardbaarder; een zoon van Naaka of Naaki zou haar een hartaanval bezorgen. De meisjes, die niet in de gaten hadden waar het om ging, konden hun geluk niet op: wat was hun halfzusje gastvrij en gul!

Onvruchtbare vrouwen, en vrouwen die het geslacht van hun kind willen beïnvloeden, ontvangen een heleboel advies, dat ze soms opvolgen. De vrouw van oom Kawayida had te horen gekregen dat de sleutel waarschijnlijk in een dieet lag. Ze begon te eten met het doel haar lichaam ontvankelijker te maken voor een mannelijke baby. Als ze naar bed ging dacht ze aan eten en als ze opstond dacht ze aan eten. Het gevolg was dat ze begon uit te dijen. Haar lichaam zwol op als de kalkoenen die ze fokten. Haar hoofd werd steeds kleiner en haar benen hadden het zwaar te verduren onder haar nieuwe gewicht. Haar enkels werden dik. Ze begon te hijgen en zwaar te transpireren bij wat ze ook deed, in het bijzonder bij het maken van een jongetje. Ze nam een huishoudster in dienst en werd nog dikker, omdat ze minder te doen had en zoveel bleef eten. Aanvankelijk dachten mensen dat het door haar geld kwam, door de welstand, maar geleidelijk aan realiseerde men zich dat het een ziekte was.

Ze verzocht haar man om een familiehuis te bouwen. Daar kon hij mooi zijn geld in stoppen. Er deden geruchten de ronde dat ontevreden Amins-soldaten samenzwoeren om hem om het leven te brengen voordat het huis afgebouwd was. Na verloop van tijd bleken die geruchten onjuist te zijn. Oom hield de officieren tevreden en zij hielden op hun beurt hun manschappen bij hem uit de buurt.

Toen ze de nieuwe gezinswoning betrokken had, kreeg zijn vrouw een schok te verwerken: de doktoren zeiden dat ze te dik was om nog zwanger te worden. Ze ontvluchtte het huis en bracht veel tijd door bij de kalkoenen, die haar troost boden met hun dunne poten en dikke lijven. In die dagen rook haar slaapkamer niet meer naar liefdesdrankjes en op scherven aardewerk smeulende alruinwortel. Haar plafond verborg geen toverstoffen meer van verpulverde leeuwenbotten in pakketjes van boombast. Ze had het allemaal uitgeprobeerd en het had niet gewerkt. De rook van brandende adelaarsveren en vleugelpennen had haar alleen maar vreselijke hoofdpijn bezorgd. Ze had haar schaamhaar geroosterd op de bodem van een kapotte aarden schaal die ze gebruikte om kruidendrankjes uit te drinken, had het vermalen en vermengd met kippenbouillon, maar het had niet mogen baten. Ze had sinaasappelen op haar maandverband uitgeperst en het lievelingssap van oom erdoorheen gezeefd, maar tevergeefs. Voordat ze het nieuwe huis betrokken had was ze tot de conclusie gekomen dat de vloek erfelijk was – haar overleden vader had dertig meisjes verwekt – en dat het beter was om het erbij te laten. Ze gaf het op.

Ze kreeg een nieuwe angst: de hartkwaal die in haar moeders familie voorkwam. Omstreeks die tijd kreeg oom Kawayida zijn eerste zoon bij Naaka. Ze was weer vertrokken omdat haar dikke zuster haar zo op haar lip zat dat ze er gek van was geworden. Uit wraak was ze verliefd op oom geworden. Ze moest van hem zweren dat ze het geheim zou houden, omdat hij bang was dat zijn vrouw inderdaad een hartaanval zou krijgen als ze hoorde dat hij een zoon had gekregen.

Intussen was Naaki, die achtergebleven was en samen met het gezin het nieuwe huis had betrokken, gecharmeerd geraakt van ooms verhalen en zijn ongedwongen en gulle gedrag. Ze achtervolgde hem met haar ogen door het hele huis. Ze poetste zijn schoenen en rook aan zijn sokken. Ze streek zijn kleren en maakte zijn bed op. Ze maakte hapjes voor hem klaar. Ze bleef om hem heen hangen. Haar ogen raakten omfloerst wanneer hij de kamer binnenkwam. Hij weerstond haar charmes een hele poos en ging zelfs zover dat hij haar aan een van zijn maatjes probeerde te koppelen. Maar het meisje zette door. Ze was vastberaden hem het mooiste cadeau te geven dat ze te bieden had: haar liefde en de belofte van een zoon. Oom gaf zich gewonnen. Ze deden het bij de kalkoenen, toen hij ze hun laatste voer van de dag gaf en ze uit het huis was geslopen om hem te volgen. De geschokte, vrouwenhatende kalkoenhanen krabden het zaagsel en schudden hun veren en gabberden bij het aanzicht en de geur van een vreemde vrouw op hun territorium. Oom en Naaki bedreven ook de liefde in het kippenhok, maar die stomme braadhennen hadden het veel te druk met eten en drinken om zich eraan te storen. Als ooms vrouw haar zuster om een boodschap stuurde, deden ze het in de beruchte oude bestelwagen, en in het huis van een ongetrouwde vriend. Uit angst voor roddelpraatjes gingen ze nooit naar een hotel, maar ze deden het wel in de kleedkamers achter het voetbalveld waar oom, die donateur was, vrij in en uit kon gaan. Oom hield op met het versieren van andere vrouwen. Hij was in de ban van de drie zusters. Hij was gelukkig binnen hun liefdesdriehoek. Het stiekeme en de listen die erbij te pas kwamen spraken hem wel aan. Hij genoot ervan. Hij genoot ervan bij zijn vrouw de ene pet te dragen en bij de twee meisjes een andere. Het ene moment was hij bezorgd over de hartruis van zijn vrouw, het volgende moment was hij aan het spelen, lachen en stoeien met Naaki of met

Naaka en zijn eerste zoon. Lang beschouwde hij zichzelf als de gelukkigste man op aarde.

Toen Naaki ook ochtendziek werd en aan klei begon te knabbelen, maakte ze ruzie met haar zuster en ging ze het huis uit. Het kon ooms vrouw allemaal niets meer schelen. Ze was blij dat haar bedreigend mooie zuster ophoepelde. Het kwam door haar dat ze zich verschrikkelijk voelde als ze in de spiegel keek. Wat was ze opgelucht nu die griet hem smeerde!

In 1979 kwamen de Tanzanianen; ze bombardeerden Masaka bijna helemaal plat, uit wraak wegens Amins acties op hun grondgebied. Oom vreesde voor zijn gezin en maakte zich zorgen vanwege zijn reputatie als zakenrelatie van Amins soldaten. Maar er gebeurde zoveel tegelijk dat niemand de kans kreeg zich uit te leven in triviale ruzies. Hij werd met rust gelaten

Aan het begin van de jaren tachtig brak de guerrilla-oorlog uit, ver weg in de Loewero Driehoek. Al die tijd profiteerde oom Kawayida van het beste uit drie werelden: die van zijn vrouw, die van Naaka en die van Naaki. Hij had weinig te klagen. Zijn handel liep goed, zijn vrouw had zichzelf geaccepteerd, en hij verwekte kinderen bij de twee jonge vrouwen.

Omstreeks 1985 kwamen de guerrilla's in het stadje. Er heerste vrede en veiligheid. Net als de Obote II-soldaten, aan wie hij zijn pluimvee ook had verkocht, vielen ze hem nooit lastig. Hij ging allang niet meer naar Kyotera. Dat dorp was nu in de greep van een botten vermalende nachtmerrie. Mensen stierven aan een geheimzinnige ziekte, de zogenaamde *moeteego*, een ongeneeslijke kwaadaardige epidemie die de macht had hele gezinnen uit te roeien. Hij was blij dat hij niet betrokken was geweest bij de smokkelhandel en dat er geen enkele reden was dat de Tanzanianen hem zouden verdoemen met *moeteego*. *Moeteego* was voor hebzuchtige bedriegers. Smokkelen was altijd al heel riskant en gevaarlijk geweest vanwege de bandietenstreken die het uitlokte. Veel smokkelaars verdienden hun geld met het oplichten of vermoorden van hun tegenhangers. Hij had een schoon geweten.

Toen de eerste groep mensen aan *moeteego* stierf, uitgeteerd door duivelse koortsaanvallen, groene diarree en helse huiduitslag, hadden velen geen medelijden met ze. Boontje komt om zijn loontje. Kawayida werd door zijn vrienden in Kyotera uitgenodigd op begrafenissen van mensen die hij gekend had. Het aantal slachtoffers bleef stijgen. Toen de guerrilla's aan de macht kwamen werden bijna alle mensen in het moerasgebied aan de oever van het Victoriameer, mannen, vrouwen, kinderen, minnaressen en pasgeboren baby's, door *moeteego* geveld.

'Wat die mannen ook gestolen hebben, deze straf is te erg,' vonden zijn vrienden die de dodenlijst bekeken. 'Er moet iets aan gedaan worden.'

'We kunnen het toch niet zomaar toelaten.'

'De regering zou iets moeten doen; Tanzania aanvallen om die verspreiders van *moeteego* aan te pakken.'

Al spoedig nadat de guerrilla's aan de macht waren gekomen ging er een campagne van start tegen wat nu 'Slank' werd genoemd. Het was geen hekserij; het was een nieuwe ziekte die door seksueel contact overgebracht werd en die zich over de hele wereld verspreidde.

'Veilig vrijen,' waarschuwde de radio.

'Geen flikflooierij meer,' zei de omroeper steeds opnieuw. 'Vermijdt vrij seksueel verkeer.'

Voor het stadje waar oom Kawayida zich zo thuis voelde, was het te laat. Elke dag stierven er mensen; er werd in een dorp op verschillende plekken tegelijk ter aarde besteld. De begrafenissen werden snel afgehandeld. De lofredes van vroeger waren voorbij. Het aantal weeskinderen steeg onrustbarend. Ouders begroeven hun zoons en dochters en gingen een sombere oude dag tegemoet.

Niemand was ongeruster dan oom Kawayida. De gestage terugkeer van de Aziaten ging aan hem voorbij. Hij zag ze bij oude gebouwen in groepjes staan kijken. Hij kwam ze tegen in hotellobby's waar hij kippen en kalkoenen verkocht, maar ze maakten geen herinneringen bij hem los. Het hadden net zo goed de doden uit het Rakai-district kunnen zijn in een Aziatische reïncarnatie. De winkeliers die zakendeden op Aziatisch grondgebied, verwoordden hun zorgen en consternatie over de stijgende huurprijzen, maar het drong niet tot hem door. Zijn wereld stond op zijn kop, en hij moest denken aan het motorongeluk dat hij tien jaar geleden had gehad toen hij nog meteropnemer was. Het ene ogenblik reed hij tachtig kilometer per uur, en genoot; het volgende ogenblik rolde hij door het gras. Op dit ogenblik rolde hij ook. Het leek het enige wat hij tegenwoordig deed. Dit keer gebeurde het in slowmotion, van elke wenteling was hij zich akelig bewust, maar stoppen kon hij niet.

Het was allemaal begonnen met het derde kind van Naaki. Het werd te vroeg geboren, was zwak en stierf aan uitdroging. Toen het begraven werd leek het net een pasgeboren konijntje en had het een blauw vlies dat voor huid moest doorgaan. Oom had nog nooit zoiets walgelijks gezien. Toen begon Naaki, die tweeëntwintig was en van wie hij zo intens hield als hij de bokkentanden van zijn moeder had gehaat, steeds donkerder te worden, en zwarte vlekken op haar huid te krijgen. Eerst kreeg ze vlekken op haar dijbenen die ontzettend jeukten en zich over haar benen, borst en rug verspreidden en vervolgens haar armen aantastten. Ze begon hemden met lange mouwen te dragen en lange broeken, en ze krabde zich en smeerde zich in met zalf. Elke verandering die ze onderging, ging oom door merg en been. Zijn gevoelens voor een ander waren nog nooit zo op de proef gesteld. De aandoening dreigde alle pret die ze hadden gehad ongedaan te maken en hun liefde te vergiftigen met twijfel, spijt en angst. Hij keek toe hoe de vrouw zich terugtrok, gegijzeld door haar eigen angsten. Op een wraakzuchtige manier werden ze geplaagd door de herinnering aan hun spelletjes verstoppertje in de schuur bij de gebelgde kalkoenen en pikkende kippen. Naaki nam alle toverdrankjes in die de medicijnmannen voorschreven, maar het mocht niet baten. Ze takelde steeds verder af. Zes maanden later droogde ze geheel uit en stierf ze.

Ooms zwagers vonden dat hun zusters dood Kawayida's schuld was. Ze waren ervan overtuigd dat zijn zaken met Tanzaniaanse klanten oneerlijk waren geweest en dat hij ze bedorven kalkoenen had verkocht en de opbrengst aan hun zuster had gegeven. Ze verspreidden geruchten dat oom Kawayida zijn geld verdiende met smokkelwaar, onder de dekmantel van pluimvee. 'Met pluimvee kun je nooit zo veel verdienen. Hij moet gesjoemeld hebben.' Ze verboden hem de begrafenis bij te wonen. Een van hen bekogelde hem met rotte papaja's en vervloekte hem om wat hij hun zuster had aangedaan.

Maar de rampspoed die de familie van wijlen de oude Kavoele trof was groter dan oom ooit had kunnen verzinnen in zijn onsterfelijke verhalen. Binnen drie jaar bezweken twaalf van de eenentwintig ongetrouwde schoonheden aan *Slank* en men vroeg zich af hoevelen er in het fatale sleepnet van gedoemde copulatie verstrikt waren geraakt. Vier van de tien zoons volgden hun zusters het graf in.

Oom was er kapot van. Hij stond in de schijnwerpers: wanneer zou hij eraan gaan? Had hij berouw? Wie zou er voor zijn kinderen zorgen? Hij stond zijn mannetje tijdens al deze bezoekingen en deed zaken als gewoonlijk. Hij was magerder dan hij ooit geweest was. De demon van zorgelijkheid terroriseerde zijn huis met demonische overgave. Zijn vrouw bezweek eronder. Naaka leefde nog, maar zou zij het dertiende vrouwelijke slachtoffer uit dezelfde familie worden? Zijn vrouw geloofde nu dat zij eveneens besmet was. Wat vond zij het allemaal oneerlijk! Hoe dunner oom werd, des te meer ook zij afslankte. Mensen beweerden dat het nu haar beurt was. 's Avonds als het donker werd namen de demonen het over en slepen haar tong met het vuur van dodelijke snibbigheid. Kawayida had geen rust: de dood staarde hem in het gezicht als hij wakker was; als hij sliep ontfutselden de geesten van de doden en de bijna-doden hem zijn gemoedsrust.

'De kinderen, heb je wel aan onze kinderen gedacht?' tierde zijn vrouw. Zij schold hem uit voor moordenaar, dief, plaaggeest. Hij verdedigde zich niet. Hij bleef Naaki's gezicht en Naaka's schaduw op de muren zien. Om de beurt werd hij in bezit genomen door het geluk dat hij had gekend en het verdriet dat hem nu ten deel viel. Hij was vrij van zelfmedelijden. Hij wist dat hij òf onschuldig was, òf moest boeten voor zijn zonden.

Onder de knagende zorgen begon Naaka ook af te vallen. Als ze naar de kinderen van haar overleden zuster keek, en naar haar eigen kinderen, voelde ze zich levend en dood tegelijk. Ze had te veel respect voor oom om hem de schuld te geven van een rampspoed waardoor zoveel families in het hele land getroffen werden, maar haar starende blik verscheurde zijn hart. Oom zag ertegenop om naar haar toe te gaan, want samen zagen ze eruit als twee skeletten die uit het graf herrezen waren, in komische, veel te grote kleding. Oom zocht zijn toevlucht tot zijn kippenhokken en verzorgde de kuikens als zieke baby's. Zijn vrouw had zijn kinderen tegen hem opgestookt. Hij gaf ze geld, maar kon hun loyaliteit, noch hun gevoelens jegens hem niet kopen. Hij wijdde zich steeds meer aan zijn pluimvee.

Tot mijn grote verbazing gingen er jaren voorbij. Zijn vrouw kreeg haar oorspronkelijke schoonheid terug, zij het in een iets magerder versie. Ik begon te denken dat oom een abnormale geluksvogel was, van een bijzonder sterk ras. Hij was door zorgen verteerd, niet door het virus. En ook Naaka leefde nog! Langzamerhand begon iedereen te beseffen dat het gepieker even erg was als de ziekte zelf. Zelfs de echte slachtoffers bleven langer in leven omdat ze de angstdemonen op afstand hielden. Maar waarom overleefde Naaka het, terwijl Naaki stierf? Hoe verklaarden de medici dat oom er nog was? Was er een andere man bij betrokken? Of hadden sommige mensen een bepaalde weerstand? Ik hoopte van ganser harte dat ikzelf, tante Lwandeka, Lwendo en alle andere mensen die ik kende die speciale gave hadden om de virusplaag te overleven.

Intussen was de fut uit ooms handel gegaan. De soldaten namen geen grote hoeveelheden meer af, omdat ze zelf pluimveefokkerijen begonnen waren. Hij richtte zich op de gewone bevolking en moedigde mensen aan zijn kippen te eten omdat hij de ziekte overleefd had. Sommige mensen vertrouwden hem en anderen verleidde hij met kortingen. Men verzoop zijn kippen in soepketels, verorberde het vocht tot aan de laatste druppel en het laatste bot, en voelde zich opgekikkerd. Er lag een nieuwe markt voor hem open. De mensen zeiden dat zijn gezin door kippensoep gered was, en dat daarom ook zij gered zouden worden. Hij ging gebukt onder het overwerk en zijn longen raakten verstopt met het zaagsel uit de hokken. Hij werkte harder dan ooit tevoren. Het was zijn ambitie om het hele Rakai-district te redden, en Kyotera en Masaka, het hele land. Hij bouwde een nieuw huis voor zijn pluimvee. Hij werkte zo hard dat hij nauwelijks tijd had om een schone overall aan te trekken. De dokter waarschuwde hem dat hij zich aan het doodwerken was. 'Een goede soldaat sneuvelt op het slagveld,' antwoordde hij met een glimlach. Op een middag stortte hij van vermoeidheid neer in een van de hokken. De kippen dromden om hun meester heen om hem te wekken: de voederbakken waren bijna leeg. De vogels bezeerden hun snavel op de houten bodem. Ze krabden en pikten aan hun meester, die bewegingloos bleef liggen. Ze pikten zijn ogen uit en schroeiden zijn huid met hun brandende stront, maar het mocht niet baten. Zijn vrouw miste hem niet meteen. Ze dacht dat hij bij Naaka was om voor zijn kinderen te zorgen, die nog steeds van hem hielden. Later vond ze hem in het hok, half begraven onder de kippenstront. De vogels werden bijna gek van haar gejammer. Ze was een weduwe zonder zoon geworden.

Ik miste hem ontzettend. In zijn ellendigste tijd had ik hem een aantal malen opgezocht. Ik was erg onder de indruk van zijn moed en doorzettingsvermogen.

'Humor is je beste vriend. Die slaapt met je en staat met je op,' zei hij toen ik hem vertelde dat ik versteld stond van zijn vermogen om alles van zich af te schudden.

'Waarom verdedigt u zichzelf niet? Waarom laat u zich zo behandelen door uw schoonfamilie?'

'Ze hebben hun zuster verloren. Ze hebben het recht om kwaad te zijn.'

'Misschien hield ze er wel een andere man op na,' opperde ik heftig.

'Spreek van de doden geen kwaad,' waarschuwde hij. 'Ik hield veel van haar, en ik hou veel van haar zusters. Ik ben een van de uitverkorenen die de ware liefde heeft gevonden bij drie verschillende vrouwen. Ik heb er zeer van genoten. Het leven is zich gewoon aan het vereffenen, jongen.'

'U kunt het weten,' zei ik met tegenzin.

'Jongen, je moet doen wat je wilt in het leven,' zei hij met zijn hand op mijn schouder, 'maar als het ophoudt, dan moet je dat accepteren. En nooit zeuren over de prijs die je hebt betaald.'

Er stonden klanten op hem te wachten. Hij stuurde me weg. Het was de laatste keer dat ik hem zag. Negen maanden later was hij dood.

Kippensoep was bepaald geen remedie voor de virusplaag. Het bewijs daarvoor kwam in de verschrikkelijkste vorm, veel erger dan de kwellingen van oom. Maar eerst kwam er nog een gelukkige tijd.

Lwendo deed wat hij zichzelf beloofd had: hij liet zich uit het leger ontslaan. Hij kocht een legerarts om die een briefje schreef dat hij om gezondheidsredenen uit het leger ontslagen moest worden. We vierden het met een zuippartijtje. Een maand lang zwierven we door de stad en genoten we onze vrijheid. We ontmoetten elkaar in de middag, gingen naar een van onze lievelingsrestaurants aan Kampala Road en aten en dronken en sloegen het gewoel van de stad gade.

'Ik ga een timmermanswerkplaats inrichten en een manager aanstellen om hem te runnen, dan hoef ik er niet voortdurend te zijn,' zei hij. 'Ik moet zien dat ik die terugkerende Aziaten wat geld ontfutsel. Ik heb er behoefte aan iets te doen waar ik mijn hersens bij gebruik.'

'Wat dan?'

'Nou, de mensen die terugkomen hebben lang niet allemaal de vereiste papieren om hun bezittingen weer op te eisen. Het is een chaos bij de instanties. En een heleboel Aziaten durven er niet heen. Ze zijn bang dat ze aangevallen of beroofd of belazerd worden, en daar doe ik mijn voordeel mee. Ze hebben een tussenpersoon nodig die hun documenten in orde maakt. Ik heb de knowhow.'

'Het klinkt alsof het harder werken wordt dan bij de Wederopbouw.'

'Ik kan mijn cliënten zelf uitzoeken,' zei hij zelfingenomen.

'En daarna?'

539

'Kijk eens om je heen man. Heb je die honderden voertuigen gezien van de ontwikkelingshulporganisaties? Het zijn net haaien die
achter de geur van bloed aan zwemmen. Er komen talloze mensen
het land in die niet weten hoe ze een werkvergunning moeten krijgen. Dat kan ik voor ze in orde maken, als ze er tenminste voor willen betalen.'

Als je erover nadacht was het een briljant idee. Nu het vrede was
kwamen er inderdaad talloze buitenlanders het land in: in de tijd van
Amin zag je haast nooit een blank gezicht op straat. Tijdens het
Obote ii-regime begonnen de blanken aarzelend te komen. Nu werden we overspoeld: toeristen met rugzakken, blanke vrouwen in
minirokjes, mannen in korte broeken en laarzen, groepen in touring-
cars, Japanners in driedelige pakken. Het wemelde in de stad van de
charismatische Amerikaanse predikanten, die een opgewonden menigte voorgeprogrammeerde zwijmelaars toespraken. Ze pepten de
show op met spectaculaire wonderen waarbij kreupelen hun kruk-
ken doormidden braken en blinden hun bril vertrapten en doven –
die niets kapot te maken hadden – tekeergingen als waanzinnigen
met mieren in hun reet. Sommige predikers beloofden de virusplaag
teniet te zullen doen met de macht van Jezus, anderen beloofden dat
ze alle aandoeningen van de aarde zouden wegvagen. Voor het eerst
werden er nachtdiensten gehouden waar de Pinkstergemeente en de
Baptisten bijeenkwamen, die onder het waakzaam oog van videoca-
mera's de hele nacht baden en zongen. Ineens moesten de traditionele godsdiensten wedijveren met lekenpriesters in nette pakken die
vol effectbejag sprongen, dansten en over de vloer rolden. Het tijdperk van het tele-evangelisme was aangebroken, en de oude paters,
stijf als artritislijders, maakten zich ongerust omdat ze overrompeld
werden.

Fortuinzoekers, jagers op goud, koper, diamant, rode kwik (ille-
gaal opgegraven uit meteorologische torens), dierhuiden, rinoceros-
hoorns, papegaaien van Sese Eiland, handelaars in inferieure artikelen, dumpers van giftige stoffen, paspoort- en dollarvervalsers, allemaal kwamen ze in de een of andere vermomming het land in.
Afrika werd vertegenwoordigd door de flamboyante Senegalezen,

die zich kleedden in *boubous* met gouddraad en wijde broeken en die enorme horloges om hadden. Ze kochten legale en illegale goederen en wisselden echte en valse dollars in.

Lwendo had gelijk: er viel een hoop geld te verdienen.

Ik speelde geen rol in zijn nieuwe plannen. Naar mijn smaak zouden die tot veel te veel omzwervingen leiden. Ik wist ook dat het een knoeiboel was bij de meeste bureaus en instanties. De archieven verkeerden in een staat van abominabele wanorde. De documenten lagen al jaren opgestapeld als tabaksbladeren op een markt. Elke persoon die eraan te pas kwam, wilde iets hebben voor de moeite. Zo zat het systeem in elkaar. Dat was nog logisch ook, want hun salaris was schandalig laag en iedereen wist dat de Aziaten terug waren gekomen om rijk te worden. Als je niet wilde betalen, zoals sommige Aziaten in het begin, dan kon je wekenlang in je hotel zitten zonder dat er iets gebeurde. Maar als er geld van hand tot hand ging en je deze of gene op een lunch of diner trakteerde, dan werden de stapels stoffige archiefmappen en losse vellen voor het eerst in vijftien jaar van elkaar losgetrokken en kreeg je wat je wilde.

Lwendo kwam met verhalen van zijn avonturen met Aziatische repatrianten. Hij vergezelde ze vaak om hun bezittingen te inspecteren. Sommige Aziaten barstten in tranen uit. Anderen waren kwaad omdat hun huizen in verval waren geraakt. De meesten waren blij omdat ze al wisten hoe ze te werk moesten gaan. Het had wonderen verricht voor degenen die al eerder gearriveerd waren, en het werkte nog steeds: renovatie, huurverhoging en zelfuitzetting. De stad was langzaam zijn gezicht aan het wassen. De oude roestige daken kregen een glanslaagje. De oude piratenverblijven kregen het uiterlijk van gekoesterde schatkisten die schudden van nieuw consumentenleven. Wat meegekomen was in het voetspoor van de bandieten, vertrok via dezelfde route.

Intussen had de brigadier – hij was in feite majoor in het nieuwe leger, maar zijn vrienden spraken hem nog steeds met zijn oude titel aan – tante Lwandeka officieel ten huwelijk gevraagd. Op een avond vroeg ze mij of ik vond dat ze op zijn aanzoek in moest gaan.

Wat dacht ze dat ik zou zeggen? Ik zei dat ze het moest doen als ze dacht dat ze gelukkig zou worden.

'Ik heb al ja gezegd,' zei ze glunderend. Wekenlang werd ons leven op zijn kop gezet. De aanstaande bruiloft nam al onze tijd en energie in beslag. Ik putte mezelf uit met reizen om duizend-en-één dingen te kopen, familieleden en vrienden in te lichten en allerlei zaken te regelen.

Het koken, schoonmaken en kinderen verzorgen werd overgenomen door buurvrouwen. Overal waar je keek zag je mensen eten, drinken, zingen, ruzieën, strijken, met dingen in en uit lopen. We gingen heel laat naar bed en stonden heel vroeg op. Het werd een veel grotere gebeurtenis dan eigenlijk had gemoeten, want er werd besloten dat we tegelijk de bevrijding van de onderdrukkers uit het verleden zouden vieren. In haar vreugde had tante toegestaan dat haar dag een feest voor de hele omgeving zou worden.

Het paar trad in het huwelijk in de kerk van Christus Koning in Kampala. Mbale, Hangslot, Kasawo, Serenity en Tiida waren allemaal aanwezig. Tante was gelukkiger dan ik haar ooit had gezien en glunderde dwars door de lagen tule heen. Door haar make-up en haar geluk zag ze er heel jong uit en haar van nature gladde huid glansde. Ik hoorde tante Kasawo zeggen: 'Wie had dat ooit gedacht!' Haar stem verried haar: er klonk veel te veel afgunst in door. Ze moest ermee leren leven dat zij de enige van de drie zusters was die ongetrouwd bleef. Ze zag Pangaman en zijn opvolgers als vampiers die het leven uit haar hadden gezogen zonder dat ze haar de eer hadden gegund van een officiële ceremonie. In haar fantasieën wees ze aan de lopende band huwelijksaanzoeken af. Maar geen man had zich ooit in de positie geplaatst dat hij door haar afgewezen kon worden. En de man met wie ze op dat moment omging had haar duidelijk gemaakt dat hij er in de verste verten niet aan dacht met haar te trouwen. 'Met het geld dat je aan een bruiloft verspilt zou ik liever een bestelwagen kopen of een huis bouwen,' zei hij altijd. Zijn reactie op Lwandeka's huwelijk was cynisch geweest: 'De regering beweert dat er geen geld is voor de wederopbouw, maar elke zondag treedt er een soldaat in het huwelijk.' Kasawo had het gevoel dat haar liefdesleven één lange weg vol gaten was geweest, met hier en daar een molshoop, maar zonder een enkel werkelijk hoogtepunt. Kasawo's hart bonsde van onvervuld verlangen.

De legervrienden van de brigadier woonden de bruiloft in groten getale bij en het bruidspaar liep door een erepoort van glimmende zwaarden de kerk in. De kerk was vol licht, muziek en de geur van wierook en goedverzorgde lichamen.

Het beste van deze bruiloft was dat de receptie in het Sheraton-hotel werd gehouden. Ik hoefde niets anders te doen dan me te ver-maken. Ik was blij voor tante. Het leek of ze alles bezat: geld, roem, macht, liefde. Ze was als meisje met niets naar de stad verhuisd en ze had op een moeizame manier de top bereikt. Nu hoefde ze maar met haar vingers te knippen en ze kreeg wat ze wilde. Ze was zesen-dertig, een leeftijd waarop de meeste vrouwen niets anders deden dan luiers verschonen, maar zij ging net trouwen. En niet met de eerste de beste. De brigadier was een knappe, fatsoenlijke, invloed-rijke man. Hij deed me denken aan mijn vroegere rector op het se-minarie en ik kon me er niet van weerhouden hem te verdenken van het runnen van de een of andere kleinschalige spionnenorganisatie. Hij was een raadsel voor mij. Ofschoon hij tante lange tijd het hof had gemaakt, had ik hem nooit ontmoet. Aangezien tante altijd bij hem op bezoek ging, zagen we elkaar pas bij de huwelijksvoorberei-dingen. 'Ik heb goede dingen over je gehoord,' zei hij bij twee ver-schillende gelegenheden. Verder was hij een gesloten boek. Ze za-gen er allebei heel gelukkig uit toen ze de taart aansneden. Terwijl ze er stukken van uitdeelden dacht ik aan Jo Nakabiri.

Ze had haar woord gehouden en geweigerd de plechtigheid bij te wonen. Ik voelde me treurig over wat er met ons was gebeurd. Ik fantaseerde erover hoe zij er in tule uit zou zien. Jo en ik wisten nau-welijks meer hoe we met elkaar om moesten gaan. Vreemd genoeg was onze bloedband verzwakt door de wetenschap wie we werkelijk waren. Ik hield niet van haar als zuster; ik had niet het gevoel dat ze mijn zuster was; en mijn status als broer was in ons beider ogen ge-compromitteerd. Ik was haar net zo vreemd als de man die ons verenigde: haar vader. Ze zette zich op het ogenblik in om nog iets van haar school te redden uit de ruïnes van de oorlog. Het laatste wat ik had gehoord was dat de regering de school golfplaat, cement en andere benodigdheden had toegewezen.

Er was een overvloed aan eten op het bruiloftsfeest en ik deed me te goed. Ik dronk veel, gedeeltelijk om mijn gedachten aan Jo te verdringen, gedeeltelijk om het geluk van tante te vieren. Lwendo ging er ook aardig tegenaan. Ik zag dat zijn vriendin hem steelse blikken toewierp, waarschijnlijk zag zij zichzelf al in tule naast hem. Ik betwijfelde dat hij ooit met haar zou trouwen. Tien jaar leeftijdsverschil leek een beetje veel; maar aangezien hun romantische leven me weinig interesseerde, onthield ik me van nadere speculatie.

Om te ontsnappen aan de sfeer van na de bruiloft, ging ik weer door de stad zwerven en kwam zoals vroeger veel op de taxistandplaats. Mijn lievelingsplek werd nu in beslag genomen door venters achter houten kraampjes waarop ze van alles hadden uitgestald: babykleertjes, schoenen, plastic bakjes, goedkope sieraden. Het was er veel drukker dan vroeger, meer bestelwagens, meer reizigers, meer waarzeggers, meer rattengifverkopers, maar minder slangenbezweerders. De slangen en hun bazen waren teruggekeerd naar de uithoeken van de Driehoek waar ze vandaan kwamen.

Ik ging naar de pagode: die was opgeknapt en geverfd in een crèmekleur. Ik dacht aan Loesanani en hoe we net gedaan hadden of we neukten en hoe ik van Hangslot op mijn sodemieter had gekregen. Ik dacht aan alle krankzinnige dingen die zich binnen die vier muren hadden afgespeeld, vooral die Miss Singer-brief, en voelde me blij en treurig tegelijk. Wie hadden hier gewoond voordat Hangslot en Serenity erin getrokken waren? Wat voor soort leven leidden de Aziaten die er nu woonden? Het zag eruit alsof Serenity en Hangslot en hun kroost er nooit hadden gewoond. Hadji Gimbi's huis had hetzelfde lot ondergaan: oude herinneringen waren weggekalkt onder een nieuwe verflaag en glimmende accessoires. De kleine decoratieve draken aan de zonneschermen leken tot leven te zijn gekomen en elk draadje van het verleden te hebben opgepeuzeld. Ik liep door.

Ik hield me bezig met een ander project: het herstellen van de familiebegraafplaats onder de voormalige broodboom waarin ik zoveel uren naar Mpande Hill had zitten turen. Ik kocht cement en huurde iemand in om het karwei uit te voeren. Er waren aquaducten verrezen en de voertuigen konden nu de moerassen doorkruisen zonder erin weg te zakken. Er waren nog meer repatrianten, maar ik kende ze geen van allen. Ze stamden uit het jongere dorpsdeel. Het leven in het dorp was tamelijk saai. De accommodatie was slecht en het voedsel schaars. Veel mensen aten posho en bonen terwijl ze wachtten tot ze hun matooke, zoete aardappelen, cassave en gierst konden oogsten. 's Nachts, als ik ging slapen, voelde ik me afgesneden, drijvend als een stuk hout op een meer. Ik wist dat ik hier voor het laatst was. Zo veel ruïnes, zo weinig leven. Ik had het dorp, zijn geest, elk klein stukje ervan, in me opgenomen en het was mijn taak om het elders weer op te bouwen. Ik was blij toen de graven hersteld waren en de aannemer water over het beton gooide om ze een glans te geven. Het was tijd om te vertrekken.

Ik had intussen vernomen dat Santo, de dorpsgek, omgekomen was bij zuiveringsacties. De bejaarde locier en zijn vrouw waren gesneuveld tijdens hun vlucht naar een veiliger plek. De oude Stefano was gestorven voordat de strijd was losgebroken en de rest van zijn familie was naar Jinja en Kampala verhuisd. De eerste minnaar van tante Tiida had het overleefd, maar zijn vrouw had een kogel door haar hoofd gekregen. Vingers, de me_aatse, die vertrokken was voor de oorlog begon, leefde nog. Er waren een heleboel doden gevallen in het nieuwe dorp, maar daar kende ik niemand van. Wat was er geworden van al die kinderen die Oma en ik ter wereld hadden geholpen, midden in de nacht, onze tenen stotend tegen de stenen op de weg, met de geur van mest in onze neus, en het geschreeuw van de vrouwen in barensnood en van de dolgelukkige jonge moeders in onze oren? Wat was er allemaal van geworden?

Het leven kreeg een andere wending. Er stierven massa's mensen in de stad aan Slank. Tante troostte degenen die dierbaren hadden verloren en woonde begrafenissen bij en organiseerde af en toe transport voor mensen die in hun geboortedorp begraven werden. Op een dag hoorde ik een groepje marktvrouwen over haar praten. Eerst herkenden ze me niet. Toen ze dat wel deden hielden ze plotseling hun mond en deden net of ze het over iemand anders hadden. 'Ze ziet er niet goed uit…' zei een van hen steeds opnieuw, met algemene instemming van haar terneergeslagen toehoorders. Ik wist waar ze het over hadden, maar kon het moeilijk aanvaarden. Een vrouw die nog geen jaar geleden getrouwd was! Ik ging haar opzoeken met een zoemend hoofd. Tot mijn opluchting was ze niet erg veranderd. Haar huid was nog net zo gaaf als vroeger. Ze was niet afgevallen. En ze was in een goede bui. Maar toen ik haar voor de tweede keer opzocht lag ze al een week met koorts in bed.

'Maak je over mij geen zorgen, jongen,' zei ze glimlachend. 'Het gaat wel weer over.'

Had ik zo zorgelijk gekeken? Ze zat op haar bed met een ochtendjas over haar nachtjapon en een kopje in haar hand. Haar bruine knie die erdoorheen stak zag er gezond uit. Ze praatte over haar zakenplannen, de vrouwengroep, haar kinderen. Ze vroeg me op te houden met wat ik deed en haar zakenmanager te worden. Ik moest denken aan de man die door de stookketel was verbrand in de inmiddels opgeheven Boemboem-Stokerij. Hij was weer hersteld en er was niets van zijn bedreigingen terechtgekomen, maar ik voelde er weinig voor om weer met arbeiders te werken. Ik wilde de vrijheid behouden om rond te zwerven. Dankzij het kleine fortuin dat ik had opgespaard, hoefde ik niet te werken. Maar ik wilde tante ook niet teleurstellen. Ze had me in het uur van de nood in huis genomen, moest ik haar nu niet helpen, nu zij mij nodig had? In aanmerking genomen dat ik niet meer bij het SIMC werkte, kon tante maar niet begrijpen waarom ik haar aanbod afsloeg. De waarheid was dat ik bang was met alle verantwoordelijkheid opgezadeld te worden als zij te ziek werd om zich nog met haar zaken te kunnen bemoeien. Maar dat kon ik toch niet tegen haar zeggen?

'We praten er wel over als u weer beter bent.'

'Ik ben al beter, ongen,' zei ze terwijl ze het kopje neerzette. Ze stak haar hand uit naar een map die op haar nachtkastje lag. Gezond of niet, er was een hoop werk te doen. Ze zei altijd dat ze de politiek uit wilde, maar kennelijk zonk ze er steeds dieper in weg. Moest ik haar daaraan herinneren? Ik legde me erbij neer.

Een paar weken later ging ik weer naar haar toe en trof haar in bed aan. Er zat een monsterlijke puist op haar rechterwang, die opgezwollen was tot de omvang van een vuist. Ze zag er misvormd, gekweld en bang uit. Ik kreeg er koude rillingen van. Deze wervelwind van een vrouw leek in grote moeilijkheden te verkeren. Wat vond de brigadier er allemaal van? Ze sprak niet over hem, wat vreemd was. Maar ze was haar hele leven toch al onafhankelijk geweest? Deze keer verliep ons gesprek stroef. Ze zat te peinzen over wat ze mij moest vertellen. Ze praatte over de koorts en de verlamming in haar nek, die weggetrokken was. 'Ik zweet als een jager,' zei ze.

'Bent u naar de dokter geweest?'

'Ja. Hij heeft wat bloedproeven gedaan. Hij heeft gezegd dat ik me niet druk moet maken.'

Even geheimzinnig als hij gekomen was verdween de puist weer; ze werd beter en ging weer aan de slag. Mensen praatten over haar. Ze was een beetje afgevallen, maar ze at goed en kwam weer aan en begon op haar oude slanke zelf te lijken.

De volgende aanval kreeg ze in haar middel: men noemde het 'de ceintuur van de dood'. Tot het midden van haar maagstreek zat haar vel los alsof het verbrand was. De huid barstte en vormde blaren en zere plekken. Het was een van de afschuwelijkste verschijnselen die ik ooit had gezien. Ik kreeg kippenvel als ik ernaar keek en voelde mijn huid optrekken als een kruipende worm. Ze had nog op tijd geholpen kunnen worden, maar ze schaamde zich zo erg voor 'de ceintuur' dat ze zichzelf behandelde met zalf en pillen, in de hoop dat het zou wegtrekken. Dat gebeurde niet. Toen ze besloot naar de dokter te gaan, was het te laat. De dokter kon alleen de zere plekken behandelen. Ze kon bijna niet slapen, en de stof van haar kleding kleefde aan haar wond vast. Het was een hopeloos geval, dat zich nog weken voortsleepte. Deze keer vermagerde ze iets meer. Uiteindelijk knapte ze weer wat op en begon ze weer te werken. Het was net een spel.

De koorts kwam opnieuw in alle heftigheid opzetten. Ze zat onophoudelijk te rillen en te klappertanden. De lakens en de matras waren drijfnat van het zweet. Haar huid leek op een zeef waar al de vloeistof die ze dronk doorheen lekte. Ze vermagerde nog erger. Ze kreeg diarree, die haar rectum verbrandde en niet ophield. Haar urine was een rood en geel mengsel.

'Je moet niet om mij treuren,' zei ze op een dag. 'Zorg goed voor jezelf en je broers.'

Het ging steeds slechter met haar. Ze weigerde om naar het ziekenhuis te gaan. Alle schaamte uit haar verleden kwam terug. Ze was een zondares die terecht gestraft werd voor haar lange opstandigheid en vele misstappen. Ze schaamde zich zo erg dat ze haar eigen spiegelbeeld nauwelijks meer kon verdragen. Ze haatte de last van haar roem en invloed. Als ze zich in haar kamer opsloot, overviel de hele wereld haar. Ze zag dat mensen om haar lachten, medelijden met haar hadden, of volledig onverschillig waren. Alle mensen met wie ze op de markt, in de beweging, in de oorlog had samengewerkt waren aanwezig. Haar broers en zusters weken niet van haar zijde. Als eerste van de familie die met de plaag besmet was geraakt, kon ze de schande niet verdragen.

De brigadier nam haar een poosje mee en nam verpleegsters in dienst om haar te verzorgen, maar ze voelde zich als een vis op het droge; ze wilde weer terug naar haar eigen huis. Op een avond werd ze thuisgebracht en daarna is ze nooit meer buiten geweest. Het huis stonk van het zweet en de dampen van de groenzwarte diarree, omdat ze veel te zwak was om haar spullen te wassen. Tegelijkertijd weigerde ze alle hulp. Als de paar mensen die ze nog wilde zien bij haar langskwamen, spoot ze parfum in de lucht en brandde ze wierook en zei ze, vanachter een gordijn, dat alles prima was. Het vuur in haar darmen en de klauwen in haar huid waren niets vergeleken bij de ziedende hel in haar hoofd. Ze kon het niet meer verdragen naar haar kinderen te kijken: ze voelde dat ze hen voor eeuwig had bedrogen en beschaamd en gebrandmerkt. Ze hoorde hen in het huis voorzichtig met de pannen omgaan, zo stil als ze konden de kraan laten lopen en dan verging ze van smart. Ze maakte geen eten meer voor ze klaar uit angst dat ze ervan zouden walgen of dat het hen zou besmetten. Ze wou dat ze met de pannen smeten en de kopjes braken en de kranen helemaal openzetten en harde muziek draaiden. Ze wou dat ze op haar bed pisten en scheten en in haar schoot kotsten, zoals vroeger. Maar het dak en de ventilatoren rammelden alleen van haar eigen stank. Nu liepen de kinderen op hun tenen alsof er een luipaard achter de kast op de loer lag. Ze werd verteerd door het allesverterende vuur van de spijt. In haar zelfgekozen eenzaamheid wenste ze dat ze conventioneel en kneedbaar genoeg was geweest om op jonge leeftijd te trouwen en dat ze een obscuur leven had geleid en een banale dood was gestorven. Ze sloot haar ogen en wenste dat ze de Maagd Maria was die naar de hemel vloog zonder een spoor op aarde achter te laten. Ze wilde zichzelf hartstochtelijk van de aardbodem wegvagen, uit de annalen van het stadje, uit de hoofden van al degenen die haar kenden. Ze zag haar graf al voor zich, naast het opgeknapte graf van haar ouders, en wou dat ze kon verdwijnen, dwars door het dak heen, om iedereen verstomd achter te laten. Ze werd achtervolgd door het gevoel dat ze iedereen had teleurgesteld. Alle schuldgevoelens die de parochiepriester en haar ouders haar hadden aangepraat, namen bezit van haar en smoorden haar in hun zwavelvuur.

Toen ik haar nog eens opzocht weigerde ze open te doen. Ze had de kinderen al naar hun vaders gestuurd. Ze was vastberaden haar laatste dagen in eenzaamheid door te brengen. Vanachter een gesloten deur en gordijn zei ze dat ik het moest begrijpen. Ze wilde dat ik een bepaald beeld van haar zou houden. 'Jongen, ik ben een skelet uit de duivelse kerkboeken.'

'Het zou mij niet kunnen schelen als u eruitzag als de duivel zelf.'

'Ik heb nog nooit iets goed gedaan,' zei ze droog.

'U heeft talloze mensen geholpen. U heeft gevochten voor vrijheid, voor het algemeen goed. U heeft zichzelf op een heleboel manieren opgeofferd. Wat had u nog meer kunnen doen?'

'Al die dingen doen niet terzake, jongen.'

'Het zijn dingen die er juist wel toe doen. Hoor ik u wel goed, of spreekt er iemand anders?'

'Misschien ben ik wel gek aan het worden, jongen.'

'Ik ga een bijl halen om deze deur mee open te hakken. Ik heb al contact opgenomen met uw beste vriendin, Teopista. Ze wil u persoonlijk helpen. Eerst moeten we met u naar de dokter.'

Ze sputterde tegen; de vrouw kwam uit hetzelfde dorp en beide families waren met elkaar bevriend.

'Nee, ik ga niet naar de dokter. Niet met al die mensen die naar me kijken.'

'Op een goede dag gaan ze allemaal dood, waarom trekt u zich iets van hen aan? We zullen u bedekken en naar de auto brengen.'

Ik moest denken aan de dag van de rode inktvlek en de opluchting die ik had gevoeld dat Hangslot aan het doodbloeden was. Het idee dat tante doodbloedde verlamde me bijna. Waarom gaf zij anderen niet de schuld? Zij geloofde dat ze verantwoordelijk was voor alles. In het aangezicht van deze ellende leek de geschiedenis van de familie van mijn vader, met al die gewelddadige doden, bijna glorieus. Het leek veel betekenisvoller dan deze diabolische, langzame vernietiging van alles wat ooit was. Oog in oog met deze aftakeling van schoonheid, deze verduistering van goede herinneringen, dit vernietigen van kracht en deze ontbinding van waardigheid in een poel van futiel lijden, leek welke andere dood ook beter.

De hele familie was in rep en roer. Hangslot en de rest kwamen met z'n allen aanzetten. Hangslot leek achtervolgd te worden door haar eigen profetie. Ze was er heilig van overtuigd dat God door haar gesproken had, ofschoon ze geschokt was van de lichamelijke aftakeling van haar zuster. Kasawo was ook aangeslagen, maar had meer belangstelling voor wat er van tante's zaak terecht zou komen. Ze vroeg me uit over honderd-en-één dingen. Ze was kennelijk van mening dat ik de bankrekening en de kluis en haar schatkistje geplunderd had. Ik vond het vervelend, maar ik kon me niet meer verweren. Ik boog in de wind. Ik wilde mezelf ontdoen van de hele weerzinwekkende bedoening, maar eerst moest ik me hierdoorheen slaan.

In haar laatste dagen droomde en sprak tante voortdurend over slangen. Ze schreeuwde dan dat haar bed vol slangen zat en dat een dikke slang haar mond in was gekropen en haar ingewanden opvrat. Haar verpleegster streelde haar dan en verzekerde haar dat er in het hele huis geen slang te bekennen was. Het was pijnlijk om aan te zien. De vrouw die ik ooit had begeerd en belaagd en had willen beschermen, was niet meer; er was alleen nog een geraamte over, nauwelijks bedekt met een rubberachtig vel. Haar ogen waren zwevende patrijzeneieren. Haar neus was geslonken, haar lippen strak gespannen als elastiekjes. Haar nek was verdwenen, haar ruggengraat stak aan alle kanten uit. Haar armen en benen waren verdord. Haar knieschijf leek een stuk steen dat gevaarlijk wiebelde op door storm omgewoelde grond. Ze kraamde een boel onzin uit over reptielen, maar als ze bijkwam uit haar delirium vertelde ze met een krakerige piepstem vrolijke verhaaltjes. Ze was een glimlachend skelet geworden! Pratend gebeente! Ik dacht aan de doodshoofden op de fruitstalletjes die ik vlak na de guerrilla-oorlog had gezien. Ze waren door regeringsambtenaren verwijderd, sommige om begraven, sommige om in een historisch museum bewaard te worden. Voor mij leek het of ze allemaal in het huis van tante waren gegooid en dat zij hun erfgoed bevocht met de geforceerde demonische glimlach van een gemartelde levende dode.

Op de laatste dag nam haar vriendin Teopista me apart en verzocht me een priester te halen. Ik weigerde. Wat was het nut daarvan? De vrouw had het vagevuur en de hel hier op aarde al doorstaan. Ze was zo'n beetje een heilige, die het zonder in habijt gehulde gemeenplaatsen kon doen. Maar uiteindelijk gaf ik toe. Intussen arriveerde de brigadier met enkele van zijn familieleden. Hij zag eruit alsof hij zich voor de strijd had aangekleed. De priester bleef niet lang bij haar. In zijn zwarte kleren leek hij op een kraai, of op een gangster die net iemand had geëxecuteerd. Het bundeltje botten dat van tante over was, werd door een hele menigte begraven. De ceremonie en de nasleep waren voor mij een onsamenhangend geheel van troebele beelden. Tante Lwandeka had gelijk gehad: niemand krijgt tot driemaal toe de kans om een nieuw leven te beginnen. Het virus had haar de derde kans ontnomen.

Lwendo schoot me te hulp. 'Je moet ergens heen gaan en op adem komen, man,' drong hij aan. 'Ga naar Engeland of Amerika voor een lange vakantie of zo. Je kunt het je veroorloven.'

'Ik ken daar niemand.'

'Oegandezen zitten overal. Een paar van onze vroegere schoolgenoten zijn er ook heen gegaan, die kun je opzoeken.'

'Nee, ik wil hier blijven.' Behalve dat ik de brigadier had beloofd persoonlijk de zaken van zijn overleden vrouw af te handelen, had hij me ook een baantje aangeboden.

'Je moet gaan. Je bent meer dood dan levend, zo te zien. Je bent zo verstrooid dat ik bang ben dat je een dezer dagen onder een auto zult komen.'

'Ach, je moet niet zo overdrijven.' Maar ik wist dat hij gelijk had.

Vanuit een onverwachte hoek werd mij een uitweg geboden. Action II, een Nederlandse hulporganisatie, was in de problemen geraakt vanwege kinderporno. Een regeringsambtenaar had spraakmakend pornografisch materiaal in het huis van een van de medewerkers aangetroffen, evenals foto's van weeskinderen die naakt in het Victoriameer zwommen. De man die de ontdekking deed concludeerde dat de ontwikkelingswerker een pedofiel was die naar ons land was gekomen om eens goed aan zijn perverse trekken te komen. Hij was van mening dat de hulporganisatie het land uit moest worden gezet. Het hele geval kwam Lwendo ter ore, die een paar invloedrijke mensen kende, en hij begon zich ermee te bemoeien. Er vondèn serieuze onderhandelingen plaats. Er ging geld van hand tot hand, maar het leek erop dat de organisatie ontmanteld zou worden, om een voorbeeld te stellen.

Ten slotte werd het deportatiebevel ongeldig verklaard. Die dag nodigde Lwendo mij uit in de stad. De man die over het geval ging was Stengel. Hij was groot en dik en traag geworden. Hij dronk veel. Hij had zich opgedrongen bij de ambtenarij en had op verschillende afdelingen gewerkt.

'Al in het noorden geweest?' zei ik, omdat ik niet wist waar ik het anders over moest hebben. Er lag een grote leegte tussen ons, en mijn slijmerige plengoffer maakte het er niet makkelijker op.

'Nee, veel te rumoerig,' zei hij laconiek.

'Het valt wel mee. Wij zijn er ongeveer een jaar geleden geweest,' verklaarde Lwendo.

'Dus je hebt met eigen ogen gezien waar ik vandaan kom, hè?' zei Stengel peinzend. Hij had een belangrijke baan en leek gebukt te gaan onder verantwoordelijkheden. Te veel werk, te weinig salaris. Ik wist er alles van. Het beetje smeergeld dat je bij elkaar kon schrapen ging altijd op aan oude schulden en verplichtingen.

'Inderdaad,' antwoordde ik. Ik had hem graag willen herinneren aan de sekslessen die hij ons had gegeven en de erecties waarmee hij de leraressen gechoqueerd had als hij afgerost werd, maar hij zag er te oud uit om daar nog in geïnteresseerd te zijn. De kwelgeest van strenge leraressen excuseerde zich. Zijn secretaris had betekenisvol op zijn bureau getikt.

'Een keiharde schoft,' zei Lwendo toen we het gebouw uit liepen. 'Heeft zo'n beetje de ballen van die Hollandse zakkenwassers leeg geknepen.'

Action II was korte tijd werkzaam geweest in Amsterdam Zuid-Oost, oftewel de Bijlmermeer, een enorm getto aan de rand van die prachtstad. Ze vertelden ons dat er een heleboel illegale immigranten zaten, onder wie een aantal Oegandezen. Ze boden me een paar contactadressen aan. Maar ik had geen belangstelling voor illegale immigratie. Ik wilde op vakantie en weer terugkomen.

'Je kunt daar mensen ontmoeten die je eigen taal spreken,' zei een van de hulpverleners. Hij bood aan mijn reis te organiseren, met inbegrip van de invitatiebrief die je moest hebben om een visum te krijgen. Als tegenprestatie bood ik aan een paar weken voor hen te collecteren. Ik zou gratis onderdak en eten krijgen. Dat was dan afgesproken.

De hulpverleners hielden zich aan hun woord. Iedereen had de anderen nodig: zij wilden dat Lwendo in de buurt bleef, en hadden mij nodig om geld voor ze in te zamelen. Ik werd door hun overkoepelende organisatie uitgenodigd om naar Nederland te komen. Binnen twee maanden zat ik in het vliegtuig naar Amsterdam.

DEEL ZEVEN

Ghettoblaster

O p een vliegtuig stappen was het beste dat ik in jaren gedaan had. Ik reisde eerste klas, een lokaas dat mijn sponsors gebruikten om mijn ego op te vijzelen, zodat ik geld zou inzamelen alsof het lot van het hele Afrikaanse continent ervan afhing. Ik bestudeerde de amberen vloeistof in de vierkante drankfles en wenste dat de drank die ik had gestookt goed genoeg was geweest om te exporteren, in welk geval ik nu als zakenman op weg naar Europa zou zijn. Ik zag er niet erg zakelijk uit in mijn spijkerpak en gymschoenen. Ik was gekleed als een rebel met een duistere missie, wat ik ook was. Ik voelde nu al dat ik al mijn ervaring als rebel nodig zou hebben: ik stond er helemaal alleen voor. Het zou handig geweest zijn als Lwendo meegegaan was, want samen zouden we het er beter afbrengen. Maar hij was achtergebleven om toezicht te houden op zijn timmermanswerkplaats, om te genieten van het vredige leven waarvoor hij gevochten had en om te wachten op de komst van zijn eerste kind.

Die zeven lange uren in de lucht waren als een vagevuur. Ik had het gevoel dat ik als een geest boven mijn bloedende lichaam zweefde en dat ik tussen de harden van de man die ik geweest was en de flauwe contouren van de man die ik wilde worden hing. Het voelde ook als een bevrijding. De despoten, de familie, de oorlogen, alle vroegere vreugdes en smarten, alles viel van me af en ik begroef het achter de gekartelde skyline van het verleden, waar ik het voor eeuwig wilde laten rusten. Ik was gewichtsloos, duizelig van de verbluffende dimensies van mijn nieuwe vrijheid. De drank drong zich mijn lichaam binnen en verhoogde mijn gevoel van gewichtsloosheid en schrikwekkende uitbundigheid. Er stroomden magische krachten door me heen en ik geloofde dat ik tot alles in staat was. Ik sloot mijn ogen en de hele afgelopen kwarteeuw zonk steeds dieper onder me weg. Ik schrapte mezelf uit de annalen ervan, overtuigd dat ik er geen enkele rol in had gespeeld, dat het allemaal in iemands duivelse verbeelding had plaatsgevonden. Voordat ik in slaap viel, droomde ik dat het vliegtuig ontplofte en dat het kleine beetje vage verleden dat ik nog met me meedroeg als stof over de wolken werd uitgestrooid, die het als regen over oceanen en vreemde landen zouden sprenkelen.

De drank raakte uitgewerkt, ik kwam weer bij bewustzijn. Ik nam opnieuw bezit van mijn lichaam en keek door het raampje. De hemel boven Brussel was halfduister, het vliegveld lichtte op als een schip in een storm dat de aandacht op zich vestigde met gekleurde flikkerlichtjes. Mijn nieuwe koninkrijk was gehuld in een sombere mist en een angstaanjagende schoonheid. Het was een tovenaarsgrot, opzichtig verlicht, als duizend kerstbomen die in brand stonden.

De ontelbare zielen die door de aankomsthal drentelden in een slaapwandeltrance, benadrukten het magische van de omgeving. Deze vreemde wereld was een gargantueske tegenstander die ik zou moeten overwinnen als ik gedaan wilde krijgen wat ik van plan was. De immense grootte van die taak maakte mijn tred des te zwaarder. Het koude zweet liep over mijn rug en ik slikte even toen mijn vertrouwde medepassagiers uit het vliegtuig stuk voor stuk door de menigte werden opgeslokt. Ik trachtte een vriendelijk gezicht te bespeuren, in de hoop me nog iets langer vast te kunnen houden aan de uit elkaar rafelende draden van de gezelligheid in het vliegtuig, maar iedereen leek zich in zijn eigen gedachten teruggetrokken te hebben en zich bezig te houden met honderd-en-één dingen. Verblind door het licht liep ik knipperend door de grot om te zien of er cadeautjes aan de kerstbomen bungelden, voortekenen van de redding die ik zocht. Ik ging naar de belastingvrije winkels om naar de horloges, camera's en juwelen te kijken. Beschenen door een fel wit licht dat leek op brandend magnesium, ademden de artikelen de scherpe lucht van agressieve marketing en een korte levensduur uit. Voor één zo'n voorwerp zou ik vijf jaar als leraar hebben moeten

werken. Met mijn staart tussen mijn benen strompelde ik naar de
wachtruimte en ging zitten. Talloze mensen zwierven in een niet-aflatende stroom aan me voorbij, hun klikkende hakken een loflied op
de god van de reizigers.

Het vliegtuig dat ons naar Amsterdam zou brengen was klein. We
stegen op, de dag brak aan en de mist rond het vliegveld werd opgegeten door een kil licht dat honderden auto's, een hele rij wachtende
vliegtuigen en druk luchtvaartpersoneel openbaarde.

De meest gedenkwaardige aanblik die ochtend was het vogel-
vluchtuitzicht op de polders: groene lappen drooggelegd land die op
zorgvuldig getekende landkaarten leken. De grot waarin ik nu belandde, overtrof die van de Brusselse tovenaar. Hij werd getemperd
door een zacht, goudachtig licht en had nog meer tunnels.

Aan de andere kant van het vliegveld, waar ik het gevoel kreeg
vanuit het lauwe binnenste van een leviathan in de koude wateren
van een vervloekte zee gespuugd te worden, stonden twee hulpverleners van Action op me te wachten. De man had kleine groene
ogen, een baardje, een zachte stem en grote onhandige handen. De
vrouw had een paardachtig gezicht met asgrijze ogen, een wipneus-
je en een brede mond. Ze waren erg enthousiast over mijn komst en
over hun goede doel. Een ogenblik dacht ik dat ik in veilige handen
was beland. Ze vroegen hoe mijn reis geweest was, hoe de situatie in
Oeganda was, hoe ik de toekomst van het land zag, of hun collega's
veilig zouden zijn en nog een heleboel andere dingen.

De man hield zijn ogen strak op de weg gericht, zijn mond half-
open en knikte af en toe, maar zei niets. De autozee kabbelde aan
ons voorbij, gebouwen doemden op en snelwegen doken het landschap in en uit. In het kille zonlicht, dat er niet in slaagde de koude
lucht te verwarmen die door je kleren sneed als een mes door boter,
reden we Amsterdam binnen.

Ik werd ondergebracht in een klein hotel tegenover het Centraal
Station, en door mijn raam zag ik duizenden mensen de hoofdin-
gang van het station uit stromen. Ze deden me denken aan de menigte op de taxistandplaats in Kampala. Auto's, trams, bussen en trei-
nen ratelden eindeloos door, een rumoer dat af en toe overstemd

werd door het gebrul van een reuzenmotorfiets. Oude huizen met smalle gezichten en façades als magische driehoeken, stonden als grimmige, achttiende-eeuwse soldaten op wacht langs de grachten.

Mijn euforie duurde slechts tot de volgende ochtend: mijn nieuwe paradijs werd geteisterd door vliegen. En net als dokter Ssali, de man van tante Tiida die door die afschuwelijke beesten was belaagd toen zijn besnijdeniswond nog rauw was, begaf ik me op meerdere fronten in de strijd. De ironie, dat ik na zo'n luxueuze reis letterlijk de strijd met vliegen moest aanbinden en op mijn eerste werkdag figuurlijk de tragedie van een door vliegen geplaagd volk zou moeten uiteenzetten, ontging me niet. Deze wrange anticlimax bezorgde me diarree van de zenuwen. Internationaal bedelen, imago-plundering en necrofiele exploitatie van het ergste soort wachtten op mijn stempel van goedkeuring. Afbeeldingen van kinderen, meer dood dan levend, met vliegen in hun ogen, om hun mond, in hun neusgaten, op hun kleren, lagen voor me klaar. De wrange hulpkreten als demonische aura's boven hun hoofden, ontnamen me elke lust in mijn nieuwe taak. Ik merkte dat ik stond te trillen en ik snakte naar een borrel.

Mijn eerste goede indruk van mijn gastheer sloeg om in zijn tegendeel. De botheid van hun propaganda sprak boekdelen over de organisatie en zijn doelgroep. Ik bevond me tussen een veel koelbloediger soort schurken dan ikzelf was en ik zou alles wat ik wist moeten herzien en aan de kaak moeten stellen. Ik trachtte mezelf in de schoenen van hun zogenaamde donateurs te plaatsen. Als iemand mij met dergelijke foto's zou lastigvallen, vooral van kinderen die lagen te kronkelen als kippen met een darmverstopping, dan had ik ze onmiddellijk gevraagd waarom ze zo lang hadden gewacht met hun hulpverlening. Maar ja, het was een opportunistisch spel dat niet zozeer tot doel had om leed te voorkomen, als wel om de zwerende wonden op te lappen met verbandgaas dat doorzichtig was van de zelfgenoegzame pus waarin het gedrenkt was. Ik had de fout begaan te arriveren in de nadagen van een hulpverleningsgekte die in de jaren tachtig hoogtij had gevierd: toen allerlei organisaties die geld inzamelden de macht hadden over de anonieme hulpeloze mas-

sa's, en alles in het werk stelden om geld los te krijgen uit de schuld-
bewuste onverschilligheid van het rijke Westen. Niet alleen goed-
bedoelende bejaarden waren het doelwit van die hulporganisaties:
de hele goegemeente werd met zieke kinderen onder de stront en
vliegen vermurwd tot het schenken van een dollartje hier en een
dubbeltje daar. De bijtende magnesiumontploffing van het Reaga-
nisme en Thatcherisme hadden de hulpverleningskartels een flinke
opleving gegeven en het feit dat ik me nu bevond in de naglans daarvan, deed mijn ogen en mijn gevoelens geen goed.

De kartels en de haaien van de ontwikkelingshulp-industrie waren te ver gegaan en stonden nu met hun rug tegen de muur. De onverschillige rijken waren superonverschillig en ongevoelig geworden door alle lijken, al het met vliegen overdekte gebedel en het
bombastische beroep op hun wankele edelmoedigheid. Sommige
haaien hadden intussen in de gaten wat ze fout deden en probeerden
een humaan element in hun necrofilie en hun door vliegen om-
zwermde geldklopperij te injecteren. Ik vond dat het de plicht van
mijn gastheer en zijn collega's was recht te zetten wat ze krom hadden gemaakt. Maar ik voelde me op geen enkele manier geneigd of
verplicht ze daarbij een handje te helpen. Stiekem bezorgde het me
een boosaardig genoegen dat ik niet van plan was hun spelletje mee
te spelen. Ze lieten me hun inzamelingsrooster zien, zo volgestouwd
met activiteiten als een blik bonen. Ze hadden mij op hun programma gezet om twintig openbare toespraken te houden en een dozijn
interviews te geven. Ik vond het allemaal fantastisch en bedankte ze
zelfs voor hun inzet uit naam van die gezichtloze massa van hulpelozen. Ik noemde ze Barmhartige Samaritanen, waar ze van bloos-
den; de ironie zal ze niet geheel ontgaan zijn.

Toen ik weer op mijn hotelkamertje was begroef ik mijn hoofd in
het kussen en schreeuwde het uit. Hoe kon iemand van mij verwachten dat ik op straat met tante Lwandeka ging leuren? Het waren niet
de zieke kinderen waardoor ik me gedwongen voelde me terug te
trekken. Het was de foto van een jonge uitgemergelde vrouw met
een lawaaierige bedelboodschap in koeienletters erboven die mij de
wil had ontnomen. Op de foto lag ze op een mat, met haar kadaver-

achtige gezicht omhoog, haar ogen zwemmend in slijmerige gaten, haar knieën en haar stakige benen schokkend bloot: een volmaakt plaatje van een langzame martelende dood. Het bedrag dat dit kadaver zou opbrengen zou druppelsgewijs in Afrika terechtkomen, om vervolgens rechtsomkeer te maken in de vorm van internationale schuldaflossing. Het Afrikaanse continent leek precies op tante in haar laatste dagen: het kleine beetje voedsel dat er van boven inging lekte er van onderen weer uit. Had Lwendo die pedofiele hulpverlener maar keihard aangepakt en had hij al die andere hulpverleningsorganisaties maar een trap in hun kruis na gegeven. Het waren geen kwaadaardige mensen, in elk geval niet vergeleken bij onze vrij rondlopende moordenaars, maar het was slecht gezelschap, gezelschap waarin ik geen dag langer wilde verkeren.

Diezelfde avond nog pakte ik mijn spullen. Ik liep naar een telefooncel vlak bij het hotel en belde een nummer in het getto. Terwijl de telefoon aan de andere kant overging klopte mijn hart in mijn keel. Ik was bezig mezelf te verbannen uit een vijandig paradijs. Terwijl de telefoon overging hoorde ik de vliegen, die op mijn welbespraakte geldinzamelingstoespraken wachtten zoemend van de foto's opstijgen en tegen elkaar opbotsen. Het beeld van de groenblauwe en zwarte vliegen die op kadavers, stront en verrottenis neerstreken, vulde de telefooncel met een morbide stank en maakte me misselijk. Helaas had ik niets achter me gelaten. Ik had het verleden niet in de wolken begraven. Ik had het allemaal met me meegenomen, net als het virus dat tante Lwandeka geveld had. Ik voelde me belegerd, belast, futloos. Ik voelde me belaagd door al die blanke gezichten om me heen, op straat, in de gebouwen tegenover het Centraal Station, in de cafés aan het Damrak, overal. Ik wilde vaste grond onder mijn voeten krijgen en de gruwelijke vliegen achter me laten. Ik betastte het geld in mijn zak. Hoe beroerd zou je je hier voelen als je geen rooie cent had? Of als je het van de straat bij elkaar moest schrapen? Of als je in die helse concentratiekampen moest zitten wachten tot je aanvraag voor politiek asiel afgewezen of aangenomen werd? Terwijl ik hierover stond te peinzen zei iemand aan de andere kant 'Allo?' Ja hoor, het was het platte Loegan-

dees van ons volk. Ik had wel een gat in de lucht kunnen springen en
met mijn kop tegen de telefooncel willen slaan. Klein-Oeganda, een
cocon van Oegandezen in ballingschap, manifesteerde zich pal in
het midden van blank Holland! Dit was wat de Aziaten moesten
hebben gevoeld toen ze terugkwamen en mensen Gujarati of Oer-
doe hoorden spreken in het centrum van Kampala.

   '*Osiibye otya nnyabo?*'

   '*Boeloengi ssebo,*' antwoordde de stem.

   Wat klonk dat fantastisch in de koude avondlucht! En wat een opluchting te merken dat de adressen die ik van Action II had gekregen
echt bestonden! De rest van het gesprek, het uitleggen en informeren waar ik een kamer kon huren, verliep geruime tijd als in een
droom. Ik zag de verhitte gezichten van mijn 'hulpverlenende' gastheren al voor me bij de ontdekking dat ik hem gesmeerd was zonder
ze ook maar enige aanwijzing te hebben gegeven dat ik het verschrikkelijk vond wat ze deden en hoe ze het deden. Lachend stapte
ik uit de telefooncel, met de smaak van wraak als brandende sterke-
drank in mijn mond, en op gevleugelde voeten vanwege het vooruitzicht te gaan logeren bij mensen van mijn eigen volk. De gracht
waar het hotel aan lag glom van de veelkleurige lichtjes die uit de
ramen en straatlantaarns schenen. Het donkere glinsterende water
bewoog en kronkelde als een slang die aan beide uiteinden vastgeprikt is. Ik had de mijne ook vastgeprikt en ik voelde me onoverwinnelijk.

De kaart van het metrospoor dat in het uitgestrekte getto uitgebei-
teld was, zag eruit als de letter Y, of een gebroken rozenkrans waaraan de kralen geregen waren die het getto vormden. Het was zomer
en het aanzicht van de monstrueuze flatgebouwen werd verzacht
door het weelderige groen van straatbeplanting: bloeiende bosjes,
bomen en gras waar zich de weg afboog van het stalen spoor. In de
winter zouden de bomen hier kaal zijn als ontvleesde ledematen,
was de lucht grijs als het alom oprijzende beton. Maar het was dus
zomer en ik werd betoverd door al het groen dat mijn eerste indruk-
ken een kleur gaf. Ik stapte uit de metro met mijn tassen en nam de

omgeving op: de hoge verscholen flatgebouwen, de bomen langs de geplaveide weg en de trottoirs. Het was niet al te erg, in elk geval niet zo erg als het woord getto had doen vermoeden. Er hingen groepjes jongeren rond, met slobberige kleding en sportschoenen aan en baseballpetjes achterstevoren op hun hoofd, bij het metrostation, onder de viaducten en voor de gebouwen, als soldaten die zich bezinnen op een aanval. Ik voelde me opgewonden terwijl ik hen passeerde. Ik bedacht dat dit mijn leerlingen hadden kunnen zijn op het Sam Igat College. Maar leerlingen in wat?

Mijn bestemming lag op een paar honderd meter afstand van het station. Ik liep door met graffiti bekladde galerijen en tunnels die 's nachts dienst zouden blijken te doen als markt voor verdovende middelen, en over een plein waar op woensdag een vlooienmarkt gehouden werd; er was een winkelcentrum, en een politiebureau dat ondergebracht was in lage doosachtige gebouwtjes. De kolossale flats stonden in alfabetische volgorde in grote parken gegroepeerd. De allergrootste waren onderverdeeld in drie of meer vleugels, die in een halve cirkel gebouwd waren. Van nu af aan zou het middelpunt van mijn leven gevormd worden door Blok E, een bakbeest met de naam Eekhoorn.

In 1966, toen Opa in de handen van schurken was gevallen en de noodtoestand op zijn hevigst was, was dit getto, deze Tuin van Eden, aangelegd om de Antillianen en Surinamers uit het koloniale verleden van Nederland in onder te brengen. Hoofdgebouwen en garages werden met elkaar verbonden door overdekte galerijen, er kwam stromend water en er werden doortrek-wc's geïnstalleerd, kortom, de bakbeesten barstten van de moderniteiten. De Tuin was in parken onderverdeeld die aan snelwegen, metrolijnen en bruggen grensden en waarin grote struiken waren geplant die in de lente en zomer in bloei stonden. Hoog boven het struikgewas torenden enorme bomen, die deden denken aan de wouden op het Zuid-Amerikaanse continent, waar de meerderheid van de immigranten vandaan kwam. Op zomeravonden hing de geur van bloemen boven de paden en kon je de laatste vogeltjes horen tsjilpen in voorbereiding op de nacht.

Toen de droom eenmaal was gerealiseerd, liepen de schimmige voormalige kolonialen tussen de bomen vol verboden vruchten en over het gras waarin zich de slang ophield die de droom met zijn gif zou verpesten. Net als God trok de Dromer die de Tuin ontworpen had zich terug en werd de Tuin, in de ware geest van het *prime-time* kapitalisme, overwoekerd door teleurstelling, isolatie en gelegaliseerde misdaad. Op de bureaus van de Dromer lagen stapels rapporten over de woekering van de misdaad, verdovende middelen en werkeloosheid, maar omdat het zich allemaal afspeelde binnen de grenzen van de Tuin, werd er niet veel aan gedaan. Uiteindelijk bleef het zoete water van de bijstand over de vlammenzee heen stromen en bleven de kinderen naar school gaan en keek de politie oogluikend toe. Er was bewegingsvrijheid vanuit de voormalige kolonies naar de Tuin en iedereen kon doen en laten wat hij wilde, zoals het hoort in een democratie. 'We hebben het redelijk in de hand' en 'Het had erger kunnen zijn' waren de motto's die op de muren van het kantoor van de Dromer waren gekalkt. Reken maar.

Toen ik in het getto aankwam zag ik zwarte mannen en vrouwen en kinderen de kolossen van flats in en uit lopen en gewoon de dingen doen die je zoal doet in het leven. Tegen wil en dank moest ik glimlachen. De bedienden in de winkels waren bijna allemaal zwart, Caribisch of Afrikaans, een enkele Aziaat of blanke daargelaten. Mijn nieuwe onderdak had onlangs een nieuwe ivoorkleurige verflaag gekregen, met rode liftkokers aan de zijkant. De galerijen waren lang en vreselijk tochtig en in sommige hoekjes stonk het verschrikkelijk naar pis. Officieel huisden hier achthonderd mensen, maar volgens officieuze tellingen waren het er zeker vijftienhonderd. Niemand wist precies hoeveel mensen hier woonden. Het idee van anonimiteit, de schemerige wettelcosheid en de prikkelende Wild West-sfeer beviel me. Ik voelde me onschendbaar: er konden je hier vervelende dingen overkomen, maar mij niet. Ik had mijn kleren gewassen in het bloed van de bittere oorlogen die ik had meegemaakt en daarom dacht ik dat de milde gewelddadigheid van het getto mij niet zou treffen. Hier zou ik een rustig leventje kunnen leiden, voor niets en niemand verantwoordelijk, en als het me ging vervelen, kon ik altijd weer terug naar Oeganda.

Mijn nieuwe thuis was in een vierkamerflat op de zevende verdieping. Mijn hospita, Keema, was een vrouw van tweeëndertig, die Oeganda en haar schimmelige huwelijk achter zich had gelaten en naar Kenia was gevlucht, vanwaar ze met een toeristenvisum bijna tien jaar geleden hierheen was gekomen. Haar netwerk van oude vrienden had haar geholpen bij het vinden van werk, woonruimte en troost, en toen ze een verblijfsvergunning en een Nederlands paspoort had gekregen, had ze haar drie kinderen opgehaald. Er woonden ongeveer tien mensen in de flat, die kwamen en gingen op ongeregelde tijden. Toen ik erbij kwam, waren er zes vaste bewoners. Ik huurde de kleinste slaapkamer, naast de woonkamer, recht tegenover de badkamer en wc. 's Nachts deed de woonkamer ook dienst als slaapvertrek, voor mensen die tijdelijk onderdak nodig hadden, of net aangekomen waren. of bleven hangen na een feestje. De enige les die mijn hospita kennelijk had geleerd was mensen nooit de deur te wijzen. Het was net een coördinatiecentrum voor migranten op weg naar Engeland, een clubhuis voor Oegandese bannelingen en een feesttent waar verjaardagen, Kerstmis en allerlei obscure festiviteiten werden georganiseerd, omdat hier in het getto, in tegenstelling tot bij haar vrienden die in de blanke buurten woonden, geen enkele geluidslimiet gold. Hier kon je je stereo-installatie of televisie zo hard aanzetten dat de meubelen ervan trilden. Als een buurman zich aan het lawaai stoorde, was het enige wat hij terug kon doen zelf een feest organiseren en ook zoveel lawaai maken als hij maar kon. De politie bemoeide zich er nooit mee. In feite kwam de politie 's nachts zijn doos niet uit. In elke flat waren opzichters aangesteld die hun plaats innamen. En die lieten de bewoners zoveel mogelijk met rust. Als er 's nachts ingebroken werd dan moest je je eigen mannetje staan en kon je slechts hopen dat de opzichter je bijtijds een handje kwam helpen. Als je lastiggevallen werd door een jeugdbende of een doorgedraaide junk, dan moest je maar zien hoe je je eruit redde. Als je achtervolgd of aangevallen werd door een louche figuur, dan moest je jezelf verdedigen. Het gevolg was dat er een heleboel mensen met messen rondliepen.

Keema's huis was zeer populair. Er was voortdurend aanloop. De keuken was vierentwintig uur per dag geopend en het toilet werd non-stop doorgetrokken; de borrelende geluiden die de stortbak maakte deden me denken aan oom Kawayida's kalkoenen. De kinderen gingen naar school, en als ze thuiskwamen deden ze hun huiswerk en gingen ze op straat spelen. Mijn hospita zag ze 's avonds pas weer, want ze werkte in een kas buiten de stad en kwam vaak laat thuis. Dan was ze doodmoe en prikkelbaar en als ze zag dat er een kopje was gebroken of een ander misdrijf had plaatsgevonden, dan barstte ze uit in een bevrijdende woedeaanval. Het merkwaardige was dat het meeste kattenkwaad uitgehaald werd door haar middelste kind, een meisje van tien. Als er iets gebeurd was, dan verdacht Keema haar automatisch. En als ze niet snel genoeg reageerde sloeg Keema haar met een paraplu of met haar blote handen. Haar zoontje, de jongste van het stel, was haar oogappel. Hij was zo eigenwijs als de pest en vond het leuk om scheten te laten als er visite was, maar Keema negeerde het geluid en de stank en bedacht altijd een of ander excuus voor hem. Ik ontwikkelde een speciale voorliefde voor de eeuwige zondebok, een feit dat ze exploiteerde. Als ze zakgeld nodig had kwam ze voor me dansen, heupwiegend als een Amerikaanse *rapper* die ze op de televisie had gezien, en dan gaf ik haar wat geld. Ik was bij lange na niet haar enige slachtoffer. Op feestjes wervelde ze voor de neus van de mannelijke gasten met een flair waar de vrouwen verlegen van werden, tot ze een beloning kreeg. Gek genoeg strafte Keema haar nooit voor deze nogal provocatieve voorstellingen. Ze leek er zelfs op een perverse manier door gecharmeerd te worden.

De eerste weken ging ik vaak de stad in, naar de museums, de Wallen en de andere bezienswaardigheden waar ik over had gehoord en gelezen. Maar toen de nieuwigheid eraf was en ik vertrouwd was geraakt met de gebouwen en geluiden, bleef ik in het getto. Thuis was ik weer in mijn oude rol van kinderoppas teruggevallen. De kinderen vroegen me vaak of ik ze met hun rekensommen kon helpen en dat deed ik dan. Maar ze brachten het grootste deel van hun tijd voor de televisie door, of vochten, maakten ruzie en genoten van hun kindertijd. Ik moest denken aan de schijters van Hangslot en Serenity, en aan de wees geworden kinderen van tante Lwandeka.

Ik kwam in aanraking met allerlei soorten Oegandezen. Sommigen hadden in Zweden, Engeland of Amerika gewoond voordat ze hier terecht waren gekomen, en werden door iedereen de Zweed, of de Engelsman, of de Yankee genoemd omdat ze het voortdurend over die landen hadden. Er waren Oegandezen die gevlucht waren in de tijd van Amins gruwelbewind en inmiddels Nederlands staatsburger waren geworden. Er waren vrouwen die bij hun man waren weggelopen, en vrouwen die uit nood in de prostitutie terechtgekomen waren, vanwege hun illegale status en omdat ze geen beter werk konden vinden. Er waren voormalige beulen van Amin en Obote bij, die hun verleden in de vrieskast hadden gelegd en nu gewoon een gezin hadden, sommigen met een blanke vrouw en halfbloed kinderen. Zij aan zij met mensen die een universitaire opleiding hadden genoten en in hun vak geen werk konden vinden, woonden er kleinschalige criminelen en schoolverlaters. Er waren mensen uit Ghana en Nigeria, die zich voordeden als Oegandezen, althans toen ze hier waren aangekomen en asiel hadden aangevraagd in de jaren zeventig. Er waren ook Oegandezen die zich hadden ingeschreven als Soedanezen, en die de oorlog tussen Noord- en Zuid-Soedan hadden gebruikt omdat volgens het beleid van de Nederlandse regering alleen asielzoekers werden toegelaten uit landen waar de mensenrechten werden geschonden. Deze grote verschillen in achtergrond en ervaring creëerden een sfeer van achterdocht die de algehele vriendschappelijkheid dempte. Men vertelde niet zoveel over zichzelf voordat men wist waar je vandaan kwam of wie je was. Er heerste een gevoel dat de Nederlandse regering overal spionnen had die controleerden wat de Oegandezen zeiden en deden.

Aanvankelijk was het opwindend om die geredigeerde verhalen te horen, vooral over hoe men aan het geld was gekomen voor een paspoort en reisdocumenten, en wat men in Zweden, Engeland en

Amerika had meegemaakt. Maar na week in, week uit dezelfde praatjes van mensen die zich verveelden en bij Keema kwamen om televisie te kijken, naar muziek te luisteren of te roddelen, begon het me de keel uit te hangen. Het waren bijna allemaal economische immigranten, die de dekmantel van politiek asiel hadden gebruikt omdat dat de enige manier was om het land in te komen. Het merendeel had de vernedering ondergaan van de asielzoekerskampen en droeg de littekens van het jarenlange wachten op een officiële status, maar nu bruiste men van veerkracht en optimisme. De meesten verrichtten slavenwerk in de kassen, op boerderijen, in vleesfabrieken en allerlei andere smerige werkplaatsen. Ze kwamen bij Keema met de doffe glans van zwaar werk in hun ogen en de oververmoeidheid in hun afgebeulde ledematen. Ik snapte wel dat ze zo'n geliefkoosd trefpunt vaak bezochten. Geleidelijk aan begreep ik waarom ze mij eerst met argwaan bekeken, want wat hadden ze aan me? Hoe kon ik me redden zonder te werken? Wat had ik hier te zoeken? Wat was mijn geheim? Hoe konden ze mij vertrouwen?

Privacy was een lekkernij die ik slechts met kleine porties genoot. Van heimwee doorspekte conversaties drongen uit de woonkamer tot mijn slaapkamer door, waardoor het onmogelijk was uit te rusten of na te denken als er mensen op bezoek waren. Dan werd ik gedwongen me bij de groep aan te sluiten en de afgestompte gesprekken mee te herkauwen. De feesten waren een marteling. Het huis werd belaagd door dertig of meer personen, die het verstikten met parfum en aftershave en de muren deden beven van hun herrie, muziek, dansen, ruzies en het eindeloze gegorgel van het overwerkte toilet. Het kwam Keema allemaal goed uit; door de week ging ze om zeven uur weg en kwam ze om zeven uur thuis; in het weekend wilde ze feestvieren, om haar vrienden te vermaken en haar contacten te onderhouden, want, zoals ik ontdekte, werd ze ervoor betaald om mensen op te vangen. Alleen al de voorbereidingen voor de feesten duurden een paar dagen, want er moest eten en drinken in huis gehaald worden, de zitkamer en andere vertrekken moesten opgeruimd worden, er moesten kippen gebraden worden en dan heerste er de enerverende sfeer van een kroeg vlak voor openingstijd. Er werd vroeg gegeten, en dan begonnen er mensen binnen te vallen die van drankjes en hapjes en muziek voorzien moesten worden. Soms vochten er twee vrouwen om één man, of twee mannen om één vrouw, waarover dan weer gretig geroddeld werd.

Het getto leek op Oeganda tijdens de guerrillaoorlog: overdag heersten het gezag en de orde, 's nachts de misdadigers en hun handlangers en slachtoffers. Om een idee te krijgen van beide werelden, begon ik 's nachts rond te hangen en de holen van onbelangrijke drugsdealers en -gebruikers te bezoeken. Vanaf acht uur 's avonds kwamen de galerijen en flats en bepaalde stamcafés tot leven. Er dook een klant op, die iets fluisterde, contant geld overhandigde en een plastic pakketje ontving. Sommige klanten op de galerijen konden niet wachten, maakten hun pakketje met hun gezicht naar de muur open en snoven het poeder hun snotterige neusgaten in.

De crackgebruikers hadden hun eigen plekjes, vaak een uitgeleefde woning waar ze hurkten, een vuurtje maakten en hun theelepeltjes opwarmden. Het was een hele ervaring om te zien hoe de gelukzaligheid op een gezicht verscheen als er met bevende vingers aan het pijpje getrokken werd, hoe die gelukzaligheid tot in de vezels doordrong, de botten streelde en er vervolgens weer uittrok. Dan verslapten de gespannen spieren, begon de mond te gapen en kwijlen, de ogen glazig te worden en het lichaam ineen te schrompelen als een lekke ballon. De zielen die door dit vagevuur heen gingen zagen er gekweld uit. Ze leken op slachtoffers van een virusziekte, overgeleverd aan helse koortsaanvallen. Ten slotte gingen ze slaapdronken weer op zoek naar de volgende *fix*. Daar kwamen vaak knipmessen aan te pas. Ik zorgde altijd dat ik weg was voordat ik er een onder mijn neus kreeg.

Onder de viaducten stonden jongelui in slobberkleren, met petten over hun voorhoofd getrokken, op ongeveer een meter afstand van elkaar op klanten te wachten. Ze deden me denken aan krokodillen die in een hinderlaag op hun prooi loerden. En ja hoor, de prooi kwam naar ze toe op zoek naar het poeder van de vervoering. Dit waren gevaarlijke plekken en het ergste wat je kon overkomen was in een of andere vechtpartij of roofoverval belanden. De politie was in geen velden of wegen te bekennen. Hun beleid was te arriveren als het ergste achter de rug was, of als een van de vechtersbazen bewusteloos was of dood. Als je naar de politie ging om te vertellen dat je bedreigd werd, dan kwamen ze pas in actie als de bedreiging ten uitvoer was gebracht. En veel misdadigers werden vlak na hun arrestatie weer op vrije voeten gesteld. Dit soort gevaar, deze onzekerheid, maakten mijn nachtelijke zwerftochten griezelig opwindend.

Het mes was hier het symbool van respect. De jongens in hun slobberpakken hadden er meestal een op zak, gevaarlijke dingen met een lemmet van drie of vier centimeter breed. Ik was veel banger voor messen dan voor kogels. Maar die angsten weerhielden me er niet van er 's nachts op uit te gaan om de junks te zien in buiten werking geraakte liften en onder de trappen, en de vrouwen die mannen pijpten en neukten voor geld, en de mannen en vrouwen die vochten om drugs, geld of niets.

Het wonderlijkste van het getto was dat er elke dag weer mensen verhuisden. Er ging geen dag voorbij of er vertrok of arriveerde iemand. Hongerig naar intellectueel contact ging ik op de reling voor de flat zitten toekijken als er meubelstukken in en uit bestelwagens werden geladen. De roezige junks die ik op zondagochtend onder de viaducten of op de galerijen aantrof in plassen pis, kots en kwijl, leken herrezen en voorzien van nieuwe spieren, en sleepten met zware, krakende tweepersoonsbedden, kasten met glazen deuren en bolstaande koffers. En terwijl ik hen nastaarde leken de spierballen die de meubelstukken de trappen op en af droegen onder mijn ogen te verwelken en werden het weer de daze zombies die snakten naar een shotje.

Geleidelijk aan begon ik me open te stellen voor Afrika in diaspora. Het was moeilijk vanwege de taalbarrière. Bovendien werkte ik niet, ging ik niet naar nachtclubs en gebruikte ik geen verdovende middelen. Ik ging op zoek naar een bibliotheek, waar ik boeken kon lenen en misschien wat mensen ontmoeten, maar die was er niet in deze buurt. Ten slotte verzocht ik de ondeugende dochter van Keema me de beginselen van de Nederlandse taal bij te brengen, in ruil voor gunsten en geld. Ik bouwde een ruw arsenaal op van dagelijkse Nederlandse uitdrukkingen en wachtte mijn kans af. Toen ik op een avond een vrouw tegenkwam die achternagezeten werd door de krokodillen onder het viaduct, was ik blij. Ik reageerde perfect op de situatie. Toen ik haar zag aankomen, zei ik in vlekkeloos Nederlands: 'Sorry dat ik laat ben, schat. Ik had je van het station moeten afhalen, zoals ik beloofd had.' Volgens mij hadden de jongens niet echt kwaad in de zin, want als dat wel zo was geweest dan hadden ze haar al veel eerder kunnen pakken. In plaats daarvan scholden ze haar uit en verzochten haar ze stuk voor stuk te pijpen. Ze was buiten adem en zweette hevig. Het lukte haar bijna niet om snel te reageren en te zeggen: 'Ja, waar bleef je toch?' Maar toen ze het gezegd had stopten de krokodillen, keken ons even aan en draaiden zich langzaam om. Het donker had haar voor verdere vernederingen behoed: de jongens konden mij niet goed zien en wisten dus niet of ik gewapend was. Het was puur toeval dat ik van de situatie gebruik kon maken.

De vrouw bedankte me en nodigde me uit iets bij haar te drinken. Ze heette Eva. Om haar te testen zei ik: 'Sorry, ik moet ergens heen.' Maar ze drong aan en toen wist ik dat ze alleen woonde of een alleenstaande moeder was en geen zin had om alleen naar huis te gaan. Ik zag er tegenop om begroet te worden door twee of drie jengelende koters die de hele avond op hun moeder hadden gewacht. Het was nog een paar honderd meter lopen door een zwak verlicht park, en ik zag haar een beetje radeloos naar de struiken loeren.

Zoals bleek wachtte er niemand op haar. Ze was dertig jaar oud en begon van voren en van achteren al aardig uit te dijen. Ze deed me denken aan mijn tante van moeders kant, Kasawo. Ze was half blank, half zwart, maar zag er blanker uit dan sommige blanken die ik die week had gezien. Ze had een plat gezicht en zijdeachtig pikzwart haar dat ze bedekte met een donkerblonde pruik. Ze trad de wereld met zijn geilaards, plunderaars, krokodillen en vreemdelingen met een kille blik tegemoet, waarmee ze niet altijd haar doel bereikte. Maar achter dit schild ging een leuke, uitnodigende glimlach schuil. Ik vond de bloemengeur die me uit haar flat tegemoet woei heerlijk. Heel iets anders dan de muffe lucht in de flat van Keema.

Eva bezat lijvige meubelen, een enorme stereotoren, een grote verzameling grammofoonplaten en video's en er hingen talloze foto's van haarzelf en haar familie aan de muur. Ik was teleurgesteld dat ik geen boeken aantrof, afgezien van het telefoonboek, de omroepgids en een stapel modebladen. In haar badkamer stikte het van de dag- en nachtcrèmes, parfums, poeders, shampoos, tandenstokers, nagelvijlen en vele andere voorwerpen voor de lichaamsverzorging waarvan ik het gebruik niet kon gissen. Ik was verbijsterd. In Oeganda had je er een winkeltje mee kunnen beginnen. Ik probeerde me voor te stellen hoe ze urenlang haar huid voedde, en het gezicht aanbracht waarmee ze de dagen trotseerde.

Onze eerste ontmoetingen waren ontspannen. We bleven elkaar omzeilen en verscholen ons achter banaliteiten zoals het weer, het leven in het getto, de drugs, de jeugd en de muziek. Het verbaasde haar dat ik uit Oeganda kwam. Ze had gedacht dat ik uit Amerika of Jamaica kwam. Ik vroeg haar of ze wist waar Oeganda lag en toen lachte ze alleen maar. Ik was op mijn hoede. Ik hoorde haar niet uit en probeerde haar niet met informatie te overspoelen. Meestal hadden we het over haar. Ze werkte in een verpleegtehuis in blank Amsterdam, had een zoon, twee zusters en drie broers, die allemaal in het Caribisch gebied woonden. Ze was al vijftien jaar in Nederland en voelde zich er over het algemeen thuis. Haar leven draaide om haar werk, een paar vrienden, onregelmatige bezoekjes aan een club, en verder niets. Ze was nauwelijks geïnteresseerd in wat zich in de rest van de wereld of het land afspeelde. Ik was nogal teleurgesteld. Wat zou ik dan van haar kunnen leren?

Ik probeerde wat meer over mezelf te vertellen: over mijn opvoeding, mijn onderwijservaring, de oorlogen, de Loewero Driehoek, maar ze toonde geen enkele belangstelling en ik gaf het al gauw op. Amerikaanse popmuziek, daar raakte ze opgewonden van, die zette haar in vuur en vlam als een fakkel gedrenkt in petroleum. Ze kon niet ophouden over Gregory Hines, Lionel Richie, James Ingram, Michael Jackson, Prince en Aretha Franklin. Mijn kennis op dat gebied was beperkt, aangewezen als ik was geweest op artikelen in

verjaarde tijdschriften, maar ze verwachtte alleen maar dat ik luisterde. Ik werd bekogeld met details over hun privé-leven. Ik probeerde even over literatuur te beginnen, maar kreeg geen enkele reactie. Alleen van Hollywood kwam ze tot leven. Haar kennis van
Hollywoodfilms en filmsterren was fenomenaal. Ze wist precies
wanneer bepaalde films opgenomen waren, en door wie, en wie erin
meespeelden. Ze wist af van de problemen tijdens het draaien en
welke releases het verdienden een hit te worden en welke het graf in
geprezen waren. Romantische komedies, musicals en avonturenver-
halen waren haar lievelingsfilms. Als ze daarover begon was ik het
liefst weggegaan. Maar ze was nog lang niet uitgepraat. Na de films
begon ze over modeshows. Ik had geen belangstelling voor kleren
en voor wie ze maakte en toonde, maar als ze eenmaal begon was ze
niet meer te houden. In mijn achterhoofd had ik het idee dat ik nog
wel de kans zou krijgen om in het zonnetje te staan en haar te bekogelen met informatie over plaatsen en feiten en boeken die ze niet
kende. Ik zou haar laten sidderen en kronkelen. Maar daar kreeg ik
geen kans voor.

Vanaf het moment dat er drank aan te pas kwam, begon ons gesprek, of liever: haar monoloog, hartstochtelijk te worden. Ik was
erachter gekomen dat ze met drinken was begonnen toen ze met roken was gestopt; behalve dat het haar figuur niet ten goede kwam,
ging ze ervan hijgen en puffen. Met haar volle gewicht stortte ze
zich op het afkraken van mannen.

'Dogs, dogs, dogs,' zei ze met een zwaar Amerikaans accent.

'En wat ben jij dan?'

'Ze liegen je alleen maar voor.'

'En jij trapt erin, en gaat terugliegen,' zei ik opgewonden. Dit was
onze eerste echte dialoog.

'Je komt alleen maar voor je eigen soort op,' zei ze bijna boos.

'Ik hou van een goed gesprek. Monologen doen het beter op het
toneel.'

'Je zou in ieder geval zo aardig kunnen zijn me uit te laten praten.'

De vrouwen met wie ik in Oeganda was omgegaan vonden het

moeilijk om mij op deze manier over hun nederlagen en overwinningen te vertellen. Zij hadden liever dat een man niet alles van hun verleden af wist. Eva kon het niet schelen; zij vond het wel leuk. Ze voelde zich op de een of andere manier bevrijd. Al snel was ze diep in het onderwerp verzonken en vertelde ze met flonkerende ogen over haar ideaal: een kerel van ruim twee meter lang die boven haar uitstak als een lantaarnpaal. Ze wekte de indruk dat ze altijd op zoek was naar zo iemand. Om te beginnen had ze een reusachtig bed gekocht en bevatte haar kast twee enorme nachthemden en een assortiment chique maar hele grote sandalen. Als ik keek naar de posters van popsterren aan haar muren, dan wist ik dat het geen dronkemansgeklets was, maar dat ze het echt meende. Ik prees mezelf gelukkig dat ik niet haar ideale man was. De voorbereidingen die ze had getroffen om haar Prince Charming te ontvangen waren genoeg om een voorzichtiger type zoals ik de indruk te geven dat er wanhoop in het spel was.

In een walm van alcohol nodigde ze me uit het bed met haar te delen. Dat was nogal een verrassing. Waarom wachtte ze niet tot ze me beter kende? Stonden er geen twee meter lange gozers achter de schermen hun kans af te wachten? Het verbaasde me niets dat ik hem bijna niet omhoog kon krijgen. Ik was er niet bij met mijn gedachten. Die werden plotseling in beslag genomen door Jo Nakabiri en ik kon haar niet uitbannen. En in plaats van dat het deze vrouw naast mij veranderde in een natte-droomgodin, of in elk geval in iemand waar ik op kon geilen terwijl ik de klus klaarde, werd ik er alleen maar slapper van. Ik had natuurlijk mijn broek weer kunnen aandoen en vertrekken, maar dan had ik nooit meer terug kunnen komen. Deze vrouw intrigeerde me nog steeds. Ik nam mijn toevlucht tot een marathon-voorspel en likte al het zweet uit haar nek, van haar armen, haar buik en uit al haar zwangerschapsstrepen. Ik zoog alle haren in haar oksels droog en kreeg een dosis parfum binnen waar ik duizelig van werd. Ik maakte haar lekker door haar op een sluwe manier met mijn tong te bespelen. Na een dik halfuur lag ze te kronkelen, te zweten en te hijgen en maakte ik het karwei af. Oudere vrouwen zuigen op een schandelijke manier de energie uit jongere mannen. Hun gecompliceerde, schoorvoetende orgasmen zijn moeilijk te bewerkstelligen en ze protesteren als het werk wordt afgeraffeld. Met deze slopende sessie betaalde ik voor al het eten en drinken dat ze me had gegeven. Terwijl ik mijn eigen middelmatige orgasme uitkreunde, wist ik dat Eva de laatste oudere vrouw was met wie ik me ooit zou inlaten.

Ik sprak regelmatig met haar af, deed boodschappen voor haar, maakte haar huis schoon, zoog haar tapijt en zette haar vuilnis op straat. Dit was niet helemaal mijn bedoeling geweest, maar het was een verademing na het lawaai en de drukte bij Keema. Het lukte me niet haar te interesseren in mijn geboorteland. Oeganda was veel te obscuur om ook maar de geringste belangstelling op te wekken, en Afrika in het algemeen was een doos van Pandora vol gruwelen en schandalen die je het beste gesloten kon laten. Als ik haar probeerde duidelijk te maken dat een land, een continent, uit meer bestond dan de optelsom van zijn bezoekingen, dan wierp ze me de vrouwenbesnijdenis voor de voeten. Ik had een anti-besnijdenisposter zien hangen in een van de Amsterdamse metrostations toen ik aankwam. Eva was een van de gekleurde mensen die zich dodelijk beledigd voelden door die schanddaad uit het werelddeel dat ze beschouwden als de broedplaats van alle schanddaden. Het liefst, vertelde ze me eens, had ze al die posters willen verbranden, samen met alle organisaties die dergelijke schandelijke campagnes voerden. Eva dacht dat de vulva's van alle Afrikaanse vrouwen dichtgenaaid waren en dat heel Afrika, van Egypte tot en met Zuid-Afrika, één pot nat was. 'Jullie zijn vrouwenmartelaars, godverdomme,' zei ze met haar Amerikaanse accent. 'En jij zou het waarschijnlijk veel fijner hebben gevonden als ik ook besneden was.'

'Natuurlijk,' antwoordde ik meteen. Dit was geen vrouw tegen wie ik kon zeggen dat ik niet eens wist hoe een besneden vrouw eruitzag of aanvoelde, en dat ik daar ook niet achter hoefde te komen. Ze had me met het kruis opgezadeld en ik was bereid het te dragen met een glimlach op mijn gezicht. 'Er zijn 29.999.996 besneden vrouwen in Afrika. Als jij en je moeder en zusters daar ook geboren waren, dan waren het er precies dertig miljoen geweest, ha, ha, ha.' Ze schudde van het lachen en we hadden grote lol.

'Al die oorlogen, al die dode baby's, al die achterlijkheid,' zeurde ze op een andere toon. Ze leek op een aftakelende ster uit een slechte soap die verneemt dat haar echtgenoot een verhouding heeft met een veel jongere vrouw.

'Ja, dat en nog veel meer, en toch staan we nog overeind.'

Ze wierp me een hooghartige blik toe. 'Jullie hebben geen televisie, geen MTV, geen CNN. De mensen daar kennen Michael Jackson niet eens.'

'Nee, dat is zo. Ik hoorde pas iets over het bestaan van Michael Jackson in het vliegtuig,' zei ik met een quasi-zielige uitdrukking op mijn gezicht. Ze aaide me over mijn wang! Tot dat ogenblik dacht ik dat ze me door had gehad, dat ze inzag dat ik haar voor de gek hield, maar ik had het mis. Ze meende het.

'Arme stakker!'

'Zeg dat wel,' antwoordde ik, en verbeet mijn aandrang om in lachen uit te barsten. Hoe kwam het dat de popcultuur voor haar zo heilig was geworden? Ze wendde zich tot haar platenverzameling en begon een lange preek af te steken over haar lievelingszangers, bekogelde me met jaartallen waarop bepaalde platen waren uitgekomen, wie de liedjes geschreven had, wie er meespeelden en welke liedjes tophits waren geworden en welke niet maar dat wel hadden moeten worden.

Omdat ik zeker was van mezelf vond ik het vermakelijk om de barbaar te spelen. Maar wat kreeg ik ervoor terug? Populaire muziek en Hollywoodfilms en sterke drank en tampaxtampons en parfum. Niet het alleropwindendste soort buit. Ik dacht bij mezelf dat ik Eva veel duurder zou hebben laten betalen als ze een zuster van pater Lageau was geweest. Maar ik hoefde deze vrouw niets te bewijzen.

Toen begonnen haar woedeaanvallen. Ze kwamen langzaam opzetten, als een wind die steeds krachtiger wordt. En geleidelijk veranderden ze in een storm die bomen ontwortelt, daken losrukt en alles op zijn pad vermorzelt. Ik had dit wel verwacht, maar toen het begon werd ik bijna door de werveling meegesleurd. Het was duidelijk dat haar razernij al enige tijd tegen de kook aan had gehangen. Haar vroegere vrienden hadden het allemaal al eens eerder meegemaakt en konden het niet meer aanzien, en nu was het mijn beurt om haar te helpen haar gepijnigde hoofd te luchten.

Als een regelmatige verschijning in haar huis kreeg ik een volledig verslag van alles wat er op haar werk gebeurde, details van menselijke tekortkomingen, schandalen en tragedies die me blij maakten dat ik nooit iets met ziekenhuizen te maken had. De recente bezuinigingen en het onophoudelijke ontslag van personeel zette iedereen danig onder druk en maakte haar razend. Ze bracht alles mee naar huis: alle urine en stront van de blanke mensen die ze verschoonde, al het vuil dat ze van hen afwaste en al het eten dat ze in haar schoot kwijlden als ze hen door hun valse tanden en bevende kaken probeerde te voeren. Het werd met de dag erger. Als ze thuiskwam, stond ze op knappen en gooide alle sluizen open.

'Ik haat al die klootzakken, ik haat ze allemaal. Ik kan al die bejaarden de nek wel omdraaien en hun zonen en dochters en kleinkinderen erbij. Wat denken ze wel? Dat we hun slaven zijn omdat we voor ze werken? Als ze maar éven denken dat ze moeten pissen dan roepen ze je al, die negentigjarige teven. Dan help je ze met hun smerige kledderluiers, je zet ze op de pot, veegt hun rimpelige kont af, kleedt ze weer aan en dan durven ze nog te klagen dat ze ruw behandeld worden! Ik ben gediplomeerd verpleegster, maar die blanke rotwijven denken dat ik een keukenmeid ben. Kom hier Eva, doe dat Eva. Het ene klotewijf klaagt dat je haar gebit er verkeerd in doet, de andere hufter zeurt dat je zijn schoenveters te strak hebt vastgeknoopt. Het hangt me de keel uit. En dan al die stomme verpleegsters die met hun lege beha's en platte achterwerken wiebelen. Alsof ze er een miljoen mee kunnen verdienen! O, o, wat vinden ze zichzelf bijzonder! Wat is er in godsnaam met die mensen aan de hand? Zien ze dan zelf niet hoe waardeloos ze zijn?'

Aanvankelijk had ik met haar te doen en probeerde ik haar te kalmeren, maar hoe meer ze het over het uiterlijk van andere vrouwen had, des te meer ik geloofde dat ze verteerd werd door onzekerheid. Ik begreep wel dat ze haar beroep vreselijk vond, maar wat kon ik eraan doen. Ik begon steeds meer van haar vertoningen te genieten. Ze waren theatraal en amusant.

Mannen ontsnapten ook niet aan de zweepslagen van haar tong. 'Die smerige kaaskoppen. Ze denken dat de hele wereld van hun is, al hebben ze geen kwartje op zak. Die bejaarden met hun vuile reten kijken je aan alsof je speciaal ingehuurd bent om hun slappe lullen af te zuigen. Ze weten niet half hoe zielig ze eruitzien met hun pannenkoekbillen en verschrompelde piemels. Ze lonken naar je en mummelen tegen je met hun rubberen lippen. Ik haat ze. Ik ben ook blank, blanker dan die lui met hun donkerharige dochters, maar ze behandelen me als een neger uit het oerwoud. Ik ben net zo blank als zij, maar ze weigeren me te beschouwen als een van hen. Ik kom voort uit de wettige vereniging van twee liefhebbende individuen, maar ze geven me het gevoel dat mijn moeder verkracht is. Mijn moeder was tien jaar getrouwd met een Hollandse zak in Paramaribo, en toen is hij in zijn slaap gestorven. Toen mijn moeder naar Nederland kwam en me aan zijn familie voorstelde, gooide iemand een pan water in haar gezicht. Ik heb het ze nooit vergeven.'

Ik was van mening dat ze misschien al die make-up niet nodig zou hebben als ze haar gekleurde afkomst gewoon accepteerde, vooral omdat haar neus tijdens het scheppingsproces nogal breed en plat was uitgevallen, en haar billen flink uitstaken. Ik durfde haar nog niet te vragen of ze al rhinoplastiek of liposuctie had overwogen om van haar overvloedige vet af te komen. Later kwam ik bij toeval te weten dat ze helemaal niet gediplomeerd was; ze had slechts een cursus bejaardenverzorging gevolgd. Eigenlijk had ze zangeres willen worden en miljoenen met haar stem in vervoering willen brengen. Af en toe deed ze Aretha na, met een gierende stem en zwellende halsaderen en uitpuilende ogen, en hield de noten aan met wat haar voorkwam als sensationele ademtechniek. Dan draaide ze door de kamer met een spuitbus in haar hand, en met knikkend hoofd, schokkend lichaam, haar lievelingsdeuntjes playbackend. Ik amuseerde me, zij was in de wolken. Ze zei dat ze voor mannen in bed had gezongen, in het bijzonder voor Richie, aan wie ik nog niet officieel was voorgesteld. Maar ze was ermee opgehouden.

Als ik haar was geweest, dan zou ik het verhaal niet hebben verteld zoals zij dat deed, maar Eva was een moderne vrouw die geen taboes kende. En bovendien was schaamte iets uit het verleden, zeker in dit land waar je elke dag televisiereclames voor maandverband kon zien, met alle details waarom je dit merk wel en dat merk niet moest gebruiken.

'Ik haat al die zwarte Amerikaanse *motherfuckers*,' zei ze in haar nasale Amerikaans. Wat ze eigenlijk bedoelde was dat ze die ene zwarte Amerikaan haatte die haar van alles had voorgespiegeld en haar vervolgens had laten stikken. Maar ik betwijfelde of ze hem haatte, want ze had nog steeds foto's van hem. Ik wist zeker dat ze nog steeds over hem fantaseerde, van hem hield zelfs, en hardnekkig naar een opvolger op zoek was, zij het Amerikaan of Europeaan. Hij was goedgebouwd, had een gespierd lichaam, en was heel licht negroïde. Hij was meer dan twee meter lang. Hij leek als twee druppels water op Lionel Richie en om die illusie te versterken had Eva posters van de zanger naast de foto's van haar voormalige minnaar geplakt. Hij had een charmante glimlach van oor tot oor en de vetste *wet-look*-kuif die ik ooit bij een man had gezien. Naast hem voelde Eva zich als een koningin op de troon.

Ze hadden elkaar ontmoet op een Caribisch eiland waar Richie, die beweerde dat hij een aankomende basketbalster was bij de Houston Rockets, op de loer had gelegen. Zijn beweringen waren geloofwaardig, als je af kon gaan op de foto's waarop hij spectaculaire doelpunten scoorde met uitgestrekte armen alsof hij de maan uit het heelal plukte. Eva was zo verliefd op hem geworden dat ze alle rekeningen betaald had. Richie hoefde maar even te knipogen en dan ging haar portemonnee open. Voor een man die beweerde dat hij in het aankomende seizoen een half miljoen dollar zou verdienen, toonde hij zich weinig bereid om voor wat dan ook te betalen. Toch praatte hij onophoudelijk over een koloniaal huis en een kleurrijke bruiloft met duiven, een live band en een sprookjesachtige huwelijksreis. Eva slikte het met huid en haar. Als voorproefje op die sprookjesachtige bruiloft, voerde hij zijn specialiteit in: orale seks. Eva leerde hoe ze hem moest pijpen en, aangemoedigd door zijn

aanhoudende loftuitingen hoe prachtig ze eruit zou zien in de duur-
ste tule, ging ze nog verder. In het begin kokhalsde en hoestte ze,
maar na verloop van tijd werd ze een expert. Vervolgens onderricht-
te hij haar in de kunst van het kontneuken. Eerst weigerde ze, maar
met zoete woordjes kreeg hij haar zover en uiteindelijk begon ze het
lekker te vinden. Hij deed het zo vaak met haar als hij kon. Hij
noemde haar de Larry Bird, Magic Johnson en Michael Jordan van
de orale seks en de sodomie. Aangezien ze nog nooit een huwelijksaanzoek had gehad, zelfs niet voor de grap van die Surinaamse en
Antilliaanse 'motherfuckers' met wie ze voor het eerst had geneukt,
kon ze deze droomkerel, wiens enige zwakke punt zijn hang naar
orale seks was, niet weerstaan.

Ondanks de eindeloze klysma's en zere kelen van de diepe stoten
van zijn besneden penis, ging ze hem aan haar familie voorstellen,
die terecht onder de indruk was. Het kwam per slot van rekening
niet elke dag voor dat je een aanzoek kreeg van een ontluikende bas-
ketbal-miljonair met dure sieraden om. De enige persoon die bange
vermoedens uitte was Eva's grootvader, die haar verloofde te glad
vond en dacht dat ze te hard van stapel liep. Maar Eva snoerde hem
de mond. Ze had nooit veel om de oude man gegeven. Richie wilde
heel graag kennismaken met Eva's zoon. Hij noemde hem hun
zoon, en zei dat het eerste dat hij hem wilde leren basketbal was en
dat hij hem zou meenemen naar de beste sportscholen van de wereld. Maar de jongen woonde bij zijn vader. Eva vond het prima zo:
ze voelde er niets voor ouder te lijken en zich door haar zoon het
gras voor de voeten te laten wegmaaien. Er werd uitgebreid feestgevierd in de week die het paar bij Eva's familie doorbracht en Richie
vertelde veel over Dallas, waar hij geboren was, en de staat Texas in
het algemeen. 'Alles is heel groot in Texas, een rups is zo groot als
een ratelslang,' zei hij steeds weer en Eva lachte tot ze er pijn in haar
zij van kreeg.

Voordat ze naar Texas konden vertrekken, moest Eva haar zaakjes in Holland regelen. Zij betaalde zijn vliegticket. Haar spaargeld
begon aardig te slinken. Maar wat deed het ertoe? Spoedig zou ze in
het geld zwemmen. Toen hij het getto zag, was hij geschokt dat

'zo'n fantastische vrouw op zo'n walgelijke plek woonde, tussen de drugsdealers en andere parasieten'. Hij verzekerde haar er opnieuw van dat haar armoedige dagen voorbij waren. 'Baby, baby, baby… God heeft ons samengebracht en je kunt je niet voorstellen wat er voor ons in het verschiet ligt. O, baby van me…!' Ze werd nog verliefder: zijn zoetgevooisde baritonstem raakte iets diep vanbinnen en ze kreeg er kippenvel van. Ze gaf niet veel om God, maar vanwege de liefdevolle manier waarop hij Zijn naam gebruikte werd ze steeds doller op hem. Ze hield hem vast bij zijn middel en keek de mensen recht aan als ze door de parken van het getto wandelden. Tegenover mannen straalde ze vrijpostigheid uit, tegenover vrouwen laatdunkendheid.

De sodomie- en pijpsessies bereikten een hoogtepunt. Alles draaide om een sidderende climax. Ze vreeën de hele nacht en sliepen overdag als verpletterde rozen. Als ze wakker werd ging ze broodjes en drankjes voor hem halen. Ze bracht hem ontbijt op bed en wachtte dan angstvallig zijn reactie af. Ze deed ontzettend haar best als ze voor hem kookte. Hij prees haar kunsten hemelhoog en voegde eraan toe dat ze spoedig een kok zou hebben zodat ze al die dingen niet meer zelf hoefde te doen. Terwijl ze hem onder het eten gadesloeg, dacht ze na over hun liefdesleven; ze had van haar leven niet zoveel aan seks gedaan. Ze stond versteld van haar eigen uithoudingsvermogen. Ze vreesde dat ze door zijn macht onverzadigbaar geworden was. Ze had tegenwoordig veelvoudige orgasmen en haar G-plek produceerde overvloedige sappen wanneer die aangesproken werd. Ze liet hem in bed achter en dwong zichzelf haar werk te bellen. Terwijl ze aan de telefoon was, zag ze hem in gedachten uitgestrekt in haar enorme bed en was ze ontzettend trots dat ze hem aan de haak had geslagen. Als ze boodschappen deed vroeg ze zich af of hij thuis zou zijn als ze terugkwam. Ze verbeeldde zich dat er in haar flat brand uitbrak die een eind aan haar droom zou maken. Ze verbeeldde zich dat buiten zinnen geraakte junks haar huis binnenvielen en hem doodsloegen, omdat het hem niet duidelijk werd wat ze wilden. Ze verbeeldde zich dat hij in zijn slaap door koolmonoxide bedwelmd zou raken. Om zichzelf gerust te stellen belde ze dan naar huis en hing ze op zodra hij opnam.

De dag voordat ze naar Houston zouden gaan, veertien dagen nadat ze in Nederland waren aangekomen, kreeg ze de schok van haar leven. Richie was ervandoor en had haar failliet, werkloos en dakloos achtergelaten. Eerst dacht ze dat hij een wandeling aan het maken was om afscheid te nemen van het getto. Maar toen merkte ze dat al zijn spullen verdwenen waren. Ze zocht naar hem, onder het bed en achter de kast. Ze ging van flatgebouw naar flatgebouw om te zien of hij zich niet vergist had en in de war geraakt was door de vreemde namen. Het was zoeken naar een speld in een hooiberg. 'De klootzak heeft me belazerd,' tierde Eva. 'Ik had zijn gore lul eraf moeten bijten en hem in de kachel moeten uitspugen.'

Haar woedeaanvallen mondden uit in braspartijen, grote hoeveelheden appeltaart, eieren, kliekjes, gehaktballen en patat met mayonaise. Ik had het gevoel dat ik niet meer welkom was. Daar had ik gelijk in. Al snel had ze een vervanger. Op een avond belde ik bij haar aan en werd de deur opengedaan door een hele grote, stoere, donkere man die me even deed denken aan de soldaten van Amin. De man zag er gemeen en dreigend uit, precies als Badja Djola in de rol van de moordenaar Slim in de film *A rage in Harlem*. Op norse toon werd mij gezegd dat Eva er niet was en terwijl ik daar stond, vlak voordat de deur in mijn gezicht dicht werd gesmeten, hoorde ik Eva op de achtergrond lachen. Ik vertrok met de vieze lucht van mijn opvolger in mijn neus. Hij stonk te veel naar marihuana en knoflook, vond ik.

Nu ik geen plekje meer had om rustig te zitten, begon ik te zwerven. Keema's huis krioelde van de immigranten die een nieuwe persoonlijkheid zochten en hun vrolijkheid en optimisme benauwden me: al dat geklets over baantjes waar ik thuis nog geen seconde over na zou hebben gedacht. Er waren mensen bij die door de mazen van het net waren gezwommen en nu boekhouder of ambtenaar waren of bij een hulporganisatie werkten, maar de meerderheid werkte zwart en ik walgde van de verhalen die ze mij vertelden, vooral als ze het hadden over hoe schunnig ze door hun baas werden behandeld.

Ik was gefascineerd door een kleine bende die in en om ons flatgebouw opereerde. Ze noemden zich 'Dynamite 666' en voerden af en
toe een roofoverval of verkrachting uit. Ze waren bij de plaatselijke
politie bekend wegens kleine delicten. Bij gelegenheid stalen ze
autoradio's, die ze goedkoop doorverkochten zodat ze dure sportschoenen, drugs en de toegang tot discotheken konden betalen. Ze
woonden allemaal nog bij hun moeders, die het huishouden bestierden met behulp van schreeuwpartijen en bedreigingen, en afranse-
lingen die geen enkele uitwerking hadden. De jongens beschouwden het als een mannelijke plicht nooit te gillen en geen traan te laten als ze door een vrouw werden geslagen, hoe hard het ook
aankwam, en nooit te veranderen, hoe vaak ze ook geslagen werden.
Twee van hen hadden een litteken overgehouden aan een dergelijk
pak slaag, de ene door een ceintuurgesp, de ander door een schemer-
lamp, en beiden waren zeer trots op deze onderscheidingen van
heldhaftigheid. Een van de bendeleden had de dure vergissing begaan een kreet te slaken waar zijn vriendjes bij waren, toen zijn
moeder hem met een pantoffel in het gezicht sloeg. De bende nam
hem apart en hij kreeg twintig stokslagen omdat hij een potentiële
klikspaan was. 'Als zo'n stuk oud vlees van een wijf je aan het huilen kan maken, hoe moet het dan als het er echt op aankomt?' Hij
moest zijn excuses aanbieden en beloven dat hij nooit meer zou janken, anders mocht hij geen lid van Dynamite meer zijn. Van tijd tot
tijd probeerden de vaders van de vier crimineeltjes hun kroost toe te
spreken, maar omdat ze chronische ruzie hadden met hun ex-vrouw,
bleven ze nooit lang rondhangen. Ze lieten het opvoeden van deze
geharde zoons aan hun geharde ex-vrouw over.

De bende had een eigen honk, een stukje parkgrond niet ver van
het flatgebouw, waar ze bijeenkwamen en hun overvallen beraamden, stickies rookten en af en toe iemand het leven zuur maakten.
Als ze geen dienst hadden lieten ze iedereen met rust en zagen ze er
net zo braaf uit als elk ander gehoorzaam kind. Als het weer tijd was
om te werken, veranderden ze totaal en straalden ze de dreiging uit
van mensen die over leven en dood beslissen.

Het beroemdste slachtoffer van de bende was de week daarvoor aangekomen in een reusachtige splinternieuwe Volvo, met een lange, magere chauffeur met kroeshaar. Haar grote dure koffer zat volgeplakt met Lufthansastickers. Ze werd begroet door een groepje Somalische, Ethiopische of Noord-Afrikaanse vrouwen. De bende sloeg het tafereel van een kleine afstand gade. De huid van de vrouw was in tiptop conditie van de kamelenmelk. Haar bronzen teint glom als gepoetst koper en weinig mensen konden geloven dat ze al tegen de zestig liep. Het goede leven had haar ook geen slecht gedaan; ze bewoog zich nog met de gratie van een rivier. Ze droeg een gouden halsketting, een gouden horloge en vier hele dunne gouden armbanden. Te oordelen naar de manier waarop de vrouwen voor haar bogen, was ze een invloedrijk persoon. Ze werd door het flatgebouw opgeslokt en de volgende keer dat ik haar zag was ze omringd door hetzelfde groepje vrouwen, die haar bloedende lichaam beweenden.

De bende had haar ingehaald tussen Eekhoorn en Elixer. Ze was haar dagelijkse avondwandeling aan het maken. Ze was altijd alleen, zonder vriend of lijfwacht, want ze wilde nadenken, ontspannen, mediteren en spirituele kracht opdoen. De jongens hadden haar al meerdere malen achtervolgd, maar ze had steeds geluk gehad omdat er mensen uit de tegenovergestelde richting aankwamen. Onder elkaar zeiden de jongens dat het een heks was die beschermd werd door Arabische demonen.

'Zin om oud vlees te naaien?' zei de leider tegen de jongen die het ooit had uitgeschreeuwd toen hij door zijn moeder was geslagen. De anderen gniffelden.

'Ik heb nog nooit een Arabische geneukt. Ik heb gehoord dat ze scheermesjes in hun kut hebben, zoals wij onder onze tong.' Ze gierden het uit.

'Je bent zo klef als een trut, man. Toe maar, geef haar van katoen,' berispte de leider hem blijmoedig.

'Waarom zou je je zorgen maken om een scheermesje? Je hebt een klein lulletje, dus er valt weinig te vernielen,' plaagde een ander bendelid tot algemene hilariteit.

'Waarom moet ik altijd degene zijn die het met oud vlees doet? Waarom?'

'Omdat je een hond bent die gaat janken als je moeder je aan-raakt.'

'Fuck you.'

'Oké, laat maar. Ik kan je niet dwingen oud vlees te eten als je er geen trek in hebt,' zei de leider, terwijl hij de jongen een klap op zijn rug gaf. 'Pak die oude teef dan haar geld maar af. En haar sieraden ook. Ga voor het goud, jongen, pak haar.' Hij gromde als een pit-bullterriër en gaf de jongen een duwtje in de rug. De rest stond te glimlachen. De vrouw naderde.

'Hé, dame, zin in een nummertje?' zei de jongen, die haar klein-zoon had kunnen zijn, met stotende bekkenbewegingen om haar aandacht te trekken. Ze keek hem aan alsof hij een teek op haar lie-velingskameel was. Op de achtergrond zag ze hoe de andere drie jongens hun kruis beetpakten. Ze stonden tussen een groepje bomen aan de rand van het park. Twintig meter verderop liep een snelweg en je hoorde de auto's in de richting van het centrum rijden. Dertig meter de andere kant op lag een lagere school, die de vrouw zojuist had gepasseerd en om zijn netheid bewonderd. Het had haar op een idee gebracht: om voor de kinderen van haar dorp een lagere school te bouwen. Ze hoorde de kinderen in gedachten al schreeuwen en door de gangen rennen. Als ze de kans kreeg zou ze hem de naam van haar grootmoeder geven. Waarom had ze er niet eerder aan ge-dacht? Ze moest zichzelf het antwoord schuldig blijven. Het was laat op de avond. De lange zomeravonden fascineerden haar nog steeds, omdat het in haar land donker werd zodra de zon onder was. Ze hield van de vervagende roodgetinte wolken.

'Ga uit de weg,' zei ze tegen de jongen met de rustige autoriteit van iemand die gewend is onmiddellijk gehoorzaamd te worden.

'Ik heb je in die Michael Jackson-video gezien, hoe heetie… shit, kom maar voor de dag met je geld.'

'Het was *Black or White*, nee…' riep zijn maatje.

'*Remember the fucking time*, man.'

'Die was het, ja. Je was gekleed als Egyptische koningin, en Ed-die Murphy was de koning en Michael Jackson was je minnaar.'

'Ik weet niet waar je het over hebt. Ga alsjeblieft uit de weg.'

'Geen gesodemieter, wijf. Een week geleden ben je hier aangekomen in een grote nieuwe Volvo, zeker om zaken te doen, misschien wel in drugs. Wij willen daar ook van meeprofiteren. Kom op met je poen.'

'Weet je wat?' zei een van de jongens, 'deze vrouw is de moeder van die teef in de video, die mannequin die Armani heet, nee Imani, die met David Bowie getrouwd is. We weten alles van je af, dame. Geef ons godverdomme geld, daar laten we het vandaag dan bij.'

'Ik ga mijn bodyguards erbij halen,' zei de vrouw heel kalm, zich afvragend waarom de jeugd in Europa zo brutaal was, speciaal tegen vrouwen.

Een van de jongens trok een knipmes. De vrouw glimlachte. Ze was geboren in de Nacht van de Lange Messen en het mes had haar voordat ze geboren werd al uitverkoren. Ze was tweemaal besneden. De eerste maal door een onervaren vrouw die haar schaamlippen niet goed had dichtgenaaid, zodat de wond drie weken later nog open was. Een jaar later, op haar dertiende, was ze opnieuw besneden. De nacht voor haar bruiloft sneed een vrouwelijk familielid het voor meerdere doeleinden geschikte gaatje weer open. Toen haar zoon werd geboren, werd ze verder opengesneden om het hoofdje door te laten. Na de geboorte werd ze weer dichtgenaaid. Na de geboorte van haar dochter kon ze de aandrang om zelf besnijdenissen uit te voeren, niet langer weerstaan. Ze hanteerde messen, scheermessen, panga's, dolken, gebroken glas, alles wat maar een scherp randje had en voelde dan een goddelijke oppermachtigheid door zich heen gaan. Ze was ervan overtuigd dat ze, als het moest, een klein meisje met een kapmes kon besnijden zonder schade aan te richten. Ze was er heel zeker van dat ze het beter zou doen dan de meeste infibulatrices en de meisjes een hoop pijn kon besparen. Als eerste besneed ze haar eigen dochter. Van die tijd af wist iedereen dat ze een natuurtalent was, één op de duizend. Ze was een kunstenares. Geen van haar cliënten kreeg complicaties. Ze bond de resten van de schaamlippen met een doorn vast en een paar weken later zag de wond eruit alsof de operatie door een chirurg was uitgevoerd. De wonden gingen nooit zweren, zelfs na toepassing van een minimum aan kruidenremedies of moderne medicijnen. Het was een paar keer voorgekomen dat ze in een wond spuugde omdat die dreigde te ontsteken en na een paar dagen was er geen pus meer te zien. Haar roem werd als een lopend vuurtje verspreid en kwam ten slotte de leiders van het land ter ore. Ze werd gelanceerd als een raket. Ze werd bestormd door cliënten. Ze werd op de raarste plaatsen uitgenodigd. Ze vloog naar vreemde landen om rijke families te helpen die geëmigreerd waren. Aanvankelijk weigerde ze geld aan te nemen en werd haar erf overspoeld met kamelen en geiten. Toen de dieren haar begonnen tegen te staan, accepteerde ze geld en dat bleef zich opstapelen. Ze leende het uit en gaf het weg aan familie en vrienden, maar hoe meer ze weggaf, des te meer ontving ze.

In het Land van Clitoris- en Schaamlippenloosheid was ze de privé-infibulatrice van de familie van twee regeringsleiders en vele ministers en hoge functionarissen. De afgelegen dorpen bezocht ze per helikopter. Thuis had ze een jeep met vierwielaandrijving waarmee ze door de eindeloze bergketens reed. Als ze niet zoveel van haar werk en cultuur had gehouden, was ze nooit naar het getto gekomen. Maar geld of succes kon de nomade in haar niet onderdrukken. In New York City hield ze jaarlijkse ceremonies; in Londen en andere grote steden in Engeland wachtten ouders haar in de zomer met smart op. Deze tour zou haar naar Amsterdam, Rotterdam en nog enkele andere plaatsen voeren waarvan ze de namen niet kon uitspreken. Op weg hierheen was ze in Frankfurt en Hamburg geweest. Ze had Frankrijk dit jaar buiten haar werkgebied gehouden omdat ze een meningsverschil had met haar contactpersoon, en omdat de Franse autoriteiten tegen het besnijden van kleine meisjes waren. Maar dat stoorde haar niet: de ouders konden hun dochters altijd naar haar toe sturen, of wachten tot volgend jaar. Er bestond geen twijfel dat ze veel geld had, maar niet voor boefjes die naar goedkope luchtjes, drugs en alcohol stonken.

Ze keek op haar horloge en liep door. Door dit te doen beging ze de ultieme zonde: maling te hebben het territorium van een bende. Met een luide vloek die van zijn tong viel als een prop slijm, haalde een van de jongens uit met zijn mes. Er knipoogden lichtjes in de flatgebouwen. Auto's raasden in de verte. Er flitsten nog meer messen die haar sneden en kerfden terwijl ze doorliep. Haar levensmotto was: 'Tot het einde doorvechten.' Ondanks de heftige pijn weigerde ze neer te zijgen of ook maar enige zwakheid te tonen. Als een soort bezwering zei ze het woord 'mes' hardop, om haar gedachten af te leiden van de pijn en zich te concentreren op ontsnappen, maar de jongens dachten dat ze hen uitdaagde om door te gaan met steken.

Het mes had haar nog nooit in de steek gelaten, behalve toen het in handen van een onervaren infibulator terecht was gekomen. Het was altijd zo goed voor haar geweest! Uiteindelijk overhandigde ze haar sieraden en handtas en hielden de jongens op met steken. Ze keken haar na. De jongens gingen terug naar hun honk om zichzelf op te kalefateren en de buit te verdelen.

Iemand had de stervende vrouw, die tien meter van de zij-ingang van de flat was neergevallen, in de gaten gekregen en sloeg alarm. Mensen dromden samen. Nachtwakers kwamen aanzetten, gevolgd door een paar van de vrouwen die haar bij aankomst begroet hadden. Ik kwam er laat bij en trof het slachtoffer door een muur van mensen omringd aan. Het bloed stroomde om de voeten van de menigte heen en siepelde weg in het zomerse gebladerte aan de rand van het gazon. Ik volgde het bloedspoor, dat me naar het honk van de bende voerde. De jongens waren verdwenen. Ik was bang. Als de jongens nou eens door de politie opgepakt werden en zij zouden denken dat ik ze had aangegeven? En als ze een pistool hadden? Was ik wel veilig? Ik moest aldoor denken aan de kindsoldaten die Obote's manschappen hadden verdreven, in het bijzonder de jongens die ons vergezeld hadden op onze reis naar het noorden. Ze hadden dezelfde leeftijd en dit viertal zag er net zo meedogenloos uit.

De jongens werden niet opgepakt, zelfs niet voor een routineverhoor, maar dat wist ik toen nog niet. Vanaf die tijd begon ik over mijn schouder te kijken als het donker was en vermeed ik het struikgewas en de bosjes. Ik bleef uit de buurt van de viaducten en andere spookhoeken. Wekenlang bleef ik op mijn kamer en verdiepte ik me in de Nederlandse taal.

Maar ik kon niet eeuwig binnen blijven zitten. De Wallen trokken me aan als een dodelijke stormlamp, zoals ze al die duizenden voor mij aangetrokken hadden. Ik voegde me bij de pelgrims naar het altaar van de seksindustrie. Alleen al de opbrengst van de video's en tijdschriften was genoeg om de hele Loewero Driehoek weer op te bouwen. Er waren hokjes waarin je films en live seksshows kon bekijken, die beheerd werden door goed verzorgde pooiers met leren schoenen en pakken aan. Ik negeerde die en sloot me aan bij de zondvloed in de richting van de kooien waarin de vrouwen hun waar zowel uitstalden als verkochten. Er was een eindeloze reeks van die kooien en ze deden me denken aan een slavenmarkt, waar mannen met hun vingers de kutten onderzochten en vrouwen de geslachtsdelen van de mannen beoordeelden om te zien of ze goed genoeg geschapen waren om een koopje te sluiten.

Mijn koopje kostte me zestig dollar, twee maanden salaris op het SIMC. Ik voelde een steek van berouw toen ik het bedrag overhandigde aan een Zuid-Amerikaanse nachtvlinder die helemaal uit de Dominicaanse Republiek was komen vliegen om ervaring op te doen in het hoerenkwartier. Dat kleine eiland was de grootste leverancier van hoeren aan Holland en een aantal omringende landen. Behalve uit Dominica waren er vrouwen uit Colombia, Thailand, Oost-Europa, Spanje. Ook waren er enkele Afrikaanse hoeren en een paar Nederlandse. Deze botsing der werelddelen verloor alle ironie wanneer je een kat in de zak kocht, zoals bij mij het geval was. Als ze me ergens aan deed denken, dan was dat de hypnotiserende beddenplank van de despoten, en opnieuw moest ik betalen omdat ik op de buitenkant gevallen was. Opgesloten in haar duf-rood verlichte kooi met een 'kom maar hier'-uitdrukking op haar aangename gezicht, had mijn hoertje er voortreffelijk uitgezien. Ze had een van de zusters van oom Kawayida kunnen zijn, of een van die in 1972 door de Aziaten achtergelaten halfbloed kinderen. Dit gemengde bloed en de wenteling van de continenten bij het geritsel van dollars deed mij duizelen. Ik dacht dat ik me in iets bijzonders stortte, in het epicentrum van de een of andere culturele of historische, of zelfs metafysische wervelwind. Ik volgde haar naar haar hokje.

Haar hele leven was in dat kamertje gepropt. In een van de hoeken stond een grote leren tas met stickers van luchtvaartmaatschappijen erop. Onder het aanrecht zag ik een of andere Zuid-Amerikaanse beschermengel van het geld of van de prostitutie. Aan de voet van het beeldje een bord vol met kwartjes. Ik onderdrukte de neiging om in ruil voor een stijve pik iets aan deze godin te offeren. In plaats van een bidet was er een kleine plastic bak, net zo'n blauwe als we in de pagode hadden gehad. Een paar passen van het bakje, de schrijn en de tas stond een kleine tafel met drie opzichtig opgestelde foto's: de hoererende moeder geflankeerd door een mulattenjongen en dito meisje. Ik ging bijna over mijn nek van de implicaties. Hier had je de schimmen van kinderen die duizenden kilometers ver weg woonden, en hun moeder gezelschap hielden terwijl ze haar lichaam dag en nacht verkocht om ze kleren te kunnen sturen, hun schoolgeld en ziektekosten te kunnen betalen. Om de zoveel tijd ontving oma een brief uit Holland, met misschien wat geld erin, en stuurde op haar beurt nieuws van de kinderen op. Het gehoereer met de foto's erbij vond ik smeriger dan wat ook. Ik had de neiging de hoer te wurgen en de foto's in het vuur te gooien. Ik wilde uit deze kooi weg, maar deze hoer had de truc al bij zoveel mannen uitgehaald dat ik het zonde vond om twee maanden salaris weg te gooien. Ik kleedde me uit met de woede van pater Lageau op de dag van zijn apenpreek. De hoer keek toe als een gehoorzame misdienaar die een priester uitlegt waar hij zijn gewaden op moet hangen. Ik bleef naar de kinderen kijken en stelde me voor hoe ze op mammie wachtten, die stinkend naar de goedkope parfum, glijmiddel en oud sperma met cadeautjes uit Europa terug zou keren. Het meisje op de foto was mooi en ik kon me voorstellen dat ze door een talentenjager zou worden opgemerkt, nagekeken op keizersnedelittekens en vervolgens een baantje aangeboden zou krijgen als danseres in een nachtclub, waarna ze ten slotte net als haar moeder in de prostitutie terecht zou komen. Al was ik geobsedeerd door de kinderen, ik raakte niet van streek, want het was eenvoudig de culminatie van een reeks treurige voorvallen.

In mijn dorp dat door de oorlog van de kaart was geveegd zouden mannen mijn hoer een 'emmer' hebben genoemd. De rek was er helemaal uit. Het was pure oplichterij. Ze was als een broodvrucht die je deed watertanden, maar die melig bleek te zijn als je hem opensneed. Als voormalige vroedvrouwassistent wist ik wat er gebeurd was: na de geboorte van de kinderen die mij zo meewarig van hun foto aankeken, had de vrouw gewoon de moeite niet genomen zich te laten hechten, waarschijnlijk om haar toestand nog even uit te kunnen buiten. Aangezien er geen vakbond voor hoerenlopers bestond, kon ik nergens een klacht indienen. Ik stond gewoon op, wierp het condoom weg en kleedde me aan.

Ik had mijn lesje geleerd: prostitutie was een handel waarvan de verpakking beter was dan de inhoud en afgezet worden hoorde erbij. Wat me meer irriteerde was dat de blanke mannen die ik uit deze kooien zag komen een bevredigde uitdrukking op hun gezicht hadden, alsof ze hun geld goed hadden besteed. Wat was hun geheim? Misschien school hun geheim in het kunnen onderscheiden tussen 'emmers' en heilzame hoeren, of waren ze zwaargeschapen als een zebra, of kwamen ze aan hun trekken met sodomie. Maar toen herinnerde ik me de Helse Drie-eenheid en waarom ik daarover gezwegen had. Het zou kunnen dat die blanke mannen ook afgezet werden, maar zich te zeer schaamden om het toe te geven. Gepikeerd verliet ik het pand en keerde pas na twee maanden weer terug naar de Wallen. Ik wilde zekerheid hebben. Ik probeerde een hoer uit die de zon op haar hoofd leek te dragen en wier gezicht de albasten teint had van de Maagd Maria. Gebruikten deze vrouwen te veel glijmiddel? Nee. Het kwam door die verdomde dildo's, stekelige plastic cactussen waar ze op gingen zitten tijdens hun spieroefeningen in deze rood verlichte woestijn. Ik had er genoeg van, en besloot deze vleesmarkt maar aan de blanke mannen over te laten. Die deden het er al jaren mee.

Het nieuws van de ondergang van de despoten bereikte me in het

getto tijdens de kille zilveren winterdagen. Er heerste een strenge
kou en het lukte de oude kachel natwelijks Keema's ruime huis
warm te krijgen. We wikkelden ons in dikke kleding en zaten het uit.
Ik dacht dat de despoten eens een strenge winter hadden moeten
meemaken. Wat mij betreft hadden ze vast mogen raken in de
sneeuw op kilometers afstand van het dichtstbijzijnde dorp.

Hangslot en Serenity waren mensen van de jaren zeventig die in
de jaren tachtig, met alle oorlogen en verschillende regeringen, totaal de kluts kwijt raakten. Ze realiseerden zich dat de kanker niet
alleen bij Amin zat en toen ze gedwongen werden het ruimer te zien,
voelden ze hun optimisme verflauwen. Het idee van een sterke man
die ervoor zou zorgen dat het dak niet van het huis woei, trok Hangslot wel aan. Deed de Paus dat eigenlijk ook niet? Maar na het vertrek van Amin en het toenemende moorden, het gekibbel in de coalitie en uiteindelijk het aantreden van een zwak, moordlustig tweede
Obote-bewind, vielen de despoten ten prooi aan pessimisme en onverschilligheid.

Tijdens het dieptepunt van zijn wanhoop formuleerde Serenity
het enige politieke standpunt dat hij ooit heeft ingenomen. Hij zei
dat Oeganda een land was van afgronden, een abyssale zone waarin
je geen stap kon zetten zonder te pletter te vallen, en dat de historici
een fout hadden gemaakt: Abessinië was niet het oude Ethiopië,
maar het moderne Oeganda. Opgezweept door periodieke buien van
optimisme, nam hij deze verklaring steeds opnieuw door, op zoek
naar een manier om het beter te zeggen, zodat de politici hem zouden kunnen gebruiken, want hij was van mening dat de tijd rijp was
om 'Oeganda' om te dopen tot 'Abessinië': land van afgronden.

Serenity was doodsbenauwd dat zijn misstappen aan het licht
zouden komen, alsof hij een van de massamoordenaars en martelaars was die samen met Amin en Obote hun hielen hadden gelicht.
Hij verspilde uren met in de verte staren, met bedenken hoe hij zijn
sporen kon uitwissen, wat hij tegen het arrestatieteam kon zeggen
en wat hij moest ontkennen. Hij dacht eraan zijn belevenissen op te
schrijven in een verhaal, dat zich afspeelde in het legendarische land
van Abessinië, waarin hij de namen van de personages zou verande-

ren, maar hij schrok van het idee terug toen hij bedacht dat een of andere slimme speurneus het zou kunnen uitzoeken en hem dwingen een bekentenis af te leggen over de fraude die ten grondslag lag aan zijn verhaal. De andere reden waarom hij weigerde een verslag te schrijven van zijn misdaden, was dat zijn beginregels niet konden tippen aan de toon, het ritme en de kracht van die van de romans die hij op zijn plank had staan. Het idee dat hij voor schut zou staan bij lezers die goed op de hoogte waren, kon hij niet verdragen.

Serenity praatte er herhaaldelijk met Nakiboeka over dat hij bang was voor de toekomst. Dit was tijdens de felste dagen van de rebellenoorlog, toen er in de regeringspropaganda beweerd werd dat de guerrilla's een stelletje fanatieke communistische maniakken waren die eropuit waren mensen te doden, hun land af te pakken en alles te nationaliseren. De boodschap klonk bekend en aangezien hij werd verspreid door handige regeringsagenten, niet door soldaten, leek het allemaal zeer plausibel. In de jaren zestig had de kerk deel uitgemaakt van de anti-communistencampagne en was zover gegaan te zeggen dat de communisten geregeld iemands vrouw nationaliseerden, samen met andere bezittingen, en dat ze in een heilige oorlog bestreden moesten worden. Tijdens het dieptepunt van zijn wanhoop schaarde Serenity zich een poosje achter de anti-guerrillapropaganda: de oorlog leidde nergens toe, mensen sneuvelden bij bosjes, en hij was van mening dat onderhandelen de beste manier was om uit het drijfzand te komen. Op een gegeven moment kon het hem niets meer schelen: beide partijen waren mensen aan het afslachten en de toestand zag er zeer grimmig uit. Hij wou alleen maar dat de gevechten zouden ophouden. En toen er geruchten gingen dat de guerrilla's verloren hadden, was hij blij. Maar vervolgens hoorde hij dat ze zich alleen maar verplaatst hadden naar West-Oeganda, dat ze steden belegerden en het land in tweeën hadden gedeeld. Toen gaf hij het op; hij was zich ervan bewust dat hij niet meer begreep hoe het in elkaar zat. Hij luisterde niet meer naar het nieuws of de geruchten. Hij nam ontslag uit de vakbond en verdween van het toneel. Hij volgde de raad van Hadji Gimbi op en kocht vee. Hij nam een herder in dienst die het vee verzorgde en het was Hangslots taak de man in de gaten te houden en erop toe te zien dat hij hen niet beroofde of de melk verdunde of de beesten niet genoeg te eten of te drinken gaf.

In het weekend wisselden Hadji Gimbi en Serenity informatie uit over hun vee. Ze praatten niet meer over de politiek. Hadji Gimbi had de politiek vaarwel gezegd omdat hij de huidige spelleiders niet vertrouwde. Hij keek de kat uit de boom. Serenity gaf niet veel om de dieren, vooral niet omdat ze 's nachts uitbraken en andermans gewassen opvraten, zodat hij boetes moest betalen en zijn excuses aanbieden aan woedende buren. Maar hij wist dat het een goede investering was.

Hadji Gimbi had zijn baan bij de bank opgezegd en zich teruggetrokken in het dorp waar hij woonde. Wat hij het meest vreesde, was in verband gebracht te worden met Amins beruchte veiligheidsdienst, omdat hij daar vrienden bij had gehad. Hadji was tot de slotsom gekomen dat hij zich als moslim het beste in een dorp kon verstoppen, ver van het gewoel en de verleidingen van de stad vandaan. Het nieuwe guerrillabewind was streng en hij wilde zich helemaal verwijderen van een plek waar hij misschien met de vinger nagewezen zou worden. Er deden verhalen de ronde over anticorruptie-eenheden. Er werd beweerd dat ze fraude en omkoperij opspoorden, maar er werd niet bij gezegd hoeveel jaar ze teruggingen bij hun onderzoek, noch wat ze met de daders zouden doen. Er kwam niet veel terecht van die eenheden, maar ze joegen mensen met een verdacht verleden, zoals Hadji Gimbi, de stuipen op het lijf. Tezamen keken de twee mannen toe hoe de terugkeer van de Aziaten verliep. Hadji en Serenity stonden er versteld van hoe de geschiedenis geschreven werd, uitgewist werd en zich herschreef. Beide mannen waren vervreemd van wat er in de stad gebeurde. Het leek wel alsof de stad ingenomen werd door de troepen van voor de bevrijding. Het was pijnlijk om stil te staan bij het feit dat alles zich in een cirkel afspeelde. In elk geval had Hadji Gimbi zorgen van persoonlijke aard: hij had er moeite mee zijn gezin bij elkaar te houden. Loesanani, nog steeds zijn lievelingsvrouw, was tot tweemaal toe weggelopen. Hij was bang dat ze de volgende keer niet meer terug zou komen. De verhuizing van de stad naar het platteland was haar niet bevallen en ze was stiekem bezig een woning voor zichzelf te zoeken in de stad.

De verdwijning van zijn geboortedorp en het wegspoelen van de huizen in het moeras was bij Serenity hard aangekomen. Op de dag dat hij naar zijn vaders huis terugkeerde en zag dat het niet meer bestond, was hij zijn evenwicht kwijtgeraakt. Hij had het gevoel dat hem iets vitaals ontnomen was. Hij voelde zich wankel, alsof hij nog maar één been had. Zolang zijn vaders huis er nog had gestaan, zodat hij het naar hartelust kon haten, was alles in orde geweest; nu het er niet meer was vond hij de verdwijning van het verleden, en de moorden, de plunderingen en de bombardementen verschrikkelijk. Hij werd steeds depressiever en Nakiboeka deed haar best om hem op te vrolijken. Hij maakte zich zorgen om zichzelf en om Hangslot: de modder die altijd al aan zijn voeten had gezogen in moeilijke ogenblikken, maakte hem duizelig en hij was nu bang dat hij een been of allebei zijn benen kwijt zou raken – net als zijn oom die het zijne in Birma had achtergelaten tijdens de Tweede Wereldoorlog. De herinneringen aan het wassen van de zachte stomp van de man vervulde hem met afschuw. De man was er op een dag vandoor gegaan zonder iemand te vertellen waarnaartoe, en was nooit teruggekeerd. Serenity vreesde dat hem hetzelfde lot ten deel zou vallen. Zijn oom had ooit tegen hem gezegd dat zij een speciale band hadden, zonder daar verder iets over uit de doeken te doen. Wat het nog griezeliger maakte was dat het de eerste en de laatste woorden waren die iemand hem na zijn terugkeer uit de oorlog had horen zeggen. Serenity had er nooit met iemand over gesproken. Hij had nachtmerries gekregen sinds de man was verdwenen, maar die waren na enige tijd opgehouden. Nu, na zoveel jaren, begonnen ze weer en verstoorden zijn slaap met ijzingwekkende beelden. Hij zag hoe zijn oom tegen een overmacht van blanken vocht en ze afmaakte. Hij zag hoe zijn oom gillende en bloedende kameraden hielp. Hij zag hoe zijn oom aan stukken geschoten werd. Hij zag hem liggen, alsof hij dood was, en dan plotseling weer overeind komen en zijn maatjes roepen. Hij zag zijn oom gekleed voor een bruiloft zonder

596

bruid, en dan zag hij hem vervagen in een dikke mist. Hij zag zijn oom tegen hem glimlachen en hem bedanken voor het wassen van wat er van zijn geamputeerde been over was, en daarna zag hij hem het door wormen aangetaste been aan de stomp vastmaken en er vrolijk op weglopen. De man verscheen steeds in een andere gedaante aan hem en hij kon maar niet begrijpen waarom hij door hem achtervolgd werd. Nakiboeka bleef hem verzekeren dat het kwam omdat hij van hem hield, maar dat hielp niet. Hij voelde zich afschuwelijk als hij wakker werd en soms bleef hij de hele dag in zo'n stemming.

Hangslot ging gebukt onder de zware last van een venijnige, voortijdig ingezette menopauze. De vreselijke bloedingen die langgeleden mijn dromen hadden verstoord toen ze mij verscheen als Jezus aan het kruis, waren een vast gegeven in haar leven geworden. Ze ondermijnden haar krachten, zodat ze bijna altijd doodmoe was. Ze klaagde niet over het kruis dat ze moest dragen, maar het leek elke week zwaarder te worden. Haar grootste angst was dat ze dood zou bloeden en dat een van haar eigen jongens haar zou vinden in een plas bloed. Het idee dat haar zoons haar op die manier zouden zien kon ze niet verdragen. Ze had voorzorgsmaatregelen genomen door hen te verbieden ooit haar slaapkamer in te komen, die nu van haar alleen was, aangezien zij en Serenity apart sliepen. 's Avonds waste ze haar kleren en hing ze te drogen in haar kamer. Ze was nog steeds opperbevelhebber in huis, maar op de een of andere manier had ze het gevoel dat de dagen van haar bewind geteld waren. Het was maar een instinctief gevoel, maar het deed haar voortdurend aan de toekomst denken. Ze was blij dat ze al haar kinderen met succes had grootgebracht en ze naar school had kunnen sturen. Ze wist dat ze de rest aan God kon overlaten.

De politieke ontwikkelingen in het land lieten Hangslot koud: het volk van God zou het altijd overleven. Ze was gelukkig met de keuzes die ze in het leven had gemaakt en dacht dat ze, als ze opnieuw zou moeten beginnen, alles precies hetzelfde zou doen. De ogenblikken van opluchting die ze genoot als ze geen pijn had, gaven haar een voorproefje van hoe ze dacht dat het in de hemel zou zijn; ze beleefde die met de intensiteit van een martelaar die op het punt staat voor zijn geloof te sterven. De avonden vond ze het fijnst: dan ging ze naar buiten, naar de koeien in de kraal en snoof ze de geur van koeienstront op en keek ze naar de herkauwende beesten die met hun lange staart de vliegen van zich afhielden. Dan onderzocht ze hun buik en uiers op teken. Ze gaf de herder opdracht een hoop stront te brengen en aan te steken met hete kooltjes, zogenaamd om de vliegen op een afstand te houden, maar eigenlijk voor haar eigen plezier. De witte geurige rook deed haar denken aan de wierook in de kerk, de scherpe geur van de heilige mis. Ze stond dan aan de rand van de kraal als een standbeeld en wachtte tot de wind de rook wegblies. Ze haalde diep adem en voelde zich weer tot leven komen, van top tot teen in vuur en vlam, als een bliksemschicht die de hemel met de aarde verbond. Dergelijke momenten voelde ze zich het middelpunt van het heelal dat de dingen op zijn plaats hield.

Kort na mijn vertrek naar Nederland had Hangslot besloten er even tussenuit te gaan, voor het eerst sinds ze getrouwd was. Ze verlangde naar de sereniteit van haar ouderlijk huis en van de troost van de parochiekerk uit haar jeugd. Haar broer Mbale was geschokt toen hij zag hoe slecht Hangslot eraan toe was. In haar ogen stond een bodemloze uitdrukking van heilige smart, iets wat hij alleen op de gezichten van Italiaanse madonna's had gezien. Het deed hem denken aan de dagen na haar verbanning uit het klooster. Was ze teruggekomen om zich in haar ouderlijk huis op te sluiten en te vasten tot ze erbij neerviel, in een laatste aanval van godsdienstwaanzin? Het huis was inmiddels niet meer in gebruik, het ijzeren dak was verweerd, en Mbale moest een stel dorpelingen bij elkaar ronselen om het bewoonbaar te maken. Hij stuurde een van zijn dochters om haar tante te verzorgen, want Hangslot weigerde bij hem in te trekken.

Elke ochtend werd Hangslot vroeg wakker, ging vier kilometer te voet naar de kerk, woonde de mis bij en ontving de heilige communie. Ze nam de weg achter het huis die door de heuvels liep, waar ze als klein meisje in maart en november sprinkhanen had gezocht. De glooiende hellingen, die soms in ochtendnevel gehuld waren, deden

598

haar denken aan Golgotha en aan de passie van Jezus. Ze werd heel kalm als ze terugdacht aan Jeruzalem en de plekken waar Jezus had gewandeld, waar zij ook had gewandeld. De dauw op haar benen en het gras onder haar voeten en de natte mist in haar gezicht deden haar goed. Ze had dan helemaal geen pijn, al was de geheime aandoening op zijn hoogtepunt; alleen vrede, sereniteit, de wens om daar eeuwig te blijven. Dan voelde ze een nieuwe kracht door zich heen stromen en kon ze niet begrijpen waarom mensen dachten dat ze ongelukkig was. Ze voelde een onbeschrijflijke tevredenheid vanbinnen. En toen Mbale haar waarschuwde dat ze beter niet de verwilderde weg door de heuvels kon nemen, glimlachte ze alleen maar uit de hoogte, en gaf hij het op. Ook liet hij na een chaperonne mee te sturen, of iemand die haar op de fiets kon brengen.

Mbale was niet de enige die vond dat Hangslot veranderd was. Mensen in het dorp maakten er een toespeling op dat ze zo laconiek was geworden, dat ze er zo oud uitzag, dat ze overkwam als een waanzinnig geworden oude non. Tegenwoordig hoorde ze vaak muziek of stemmen in haar hoofd. Mensen zagen haar dan omhoogkijken alsof ze een roofvogel natuurde, en vroegen zich af wat zich in haar hoofd afspeelde. 'Ze is gek,' zeiden ze bij zichzelf. Hangslot zweeg over de muziek en de stemmen. Serenity had allang gemerkt dat er iets mis was met Hangslots hoofd, maar ze weigerde hem te vertellen wat er aan de hand was. Ook vertelde ze Mbale en de andere dorpelingen niet wat ze allemaal hoorde. Na verloop van tijd liet iedereen haar met rust, want uiteindelijk bekogelde ze geen mensen met stenen en at ze geen vlinders of uitwerpselen. Het was een duldbaar soort geestelijke gestoordheid.

Het volume en de toonhoogte van de muziek waren langzamerhand toegenomen, zodat Hangslot het gevoel had dat ze in het oog van een wervelwind gevangen zat of in een drukke conferentie waarbij iedereen tegelijk sprak, op maximale geluidssterkte. Als de muziek en de stemmen wegstierven, zei ze een rozenkransje en deed ze het huishouden.

Intussen was Mbale naar Kasawo gestapt om te horen wat zij van haar zuster vond. Kasawo, met wie het goed ging in haar stadje en die haar zuster een hele tijd niet had gezien, ging haar opzoeken in hun ouderlijk huis. Ze keek niet erg op van Hangslots uiterlijk of gedrag. Ze vond dat haar zuster altijd al zo geweest was: opgesloten in haar eigen wereld. Ze overheerste het gesprek, want Hangslot was niet in een praterige bui en leek op een vreemde manier afwezig. Kasawo zorgde ervoor dat ze niet begon over hun andere zuster, wijlen tante Lwandeka, en andere slachtoffers van de epidemie. Ze praatte uitsluitend over het goede leven dat ze leidde. Het ging goed met haar zaak, ze had een man en haar ogen waren volhardend op de toekomst gericht. Vlak voordat ze de volgende ochtend vertrok, nodigde ze haar zuster uit voor een bezoekje. Hangslot ging naar de mis en had totaal niet begrepen waar haar zuster over aan het wauwelen was geweest. Ze glimlachte droog, bijna gemeen, en haar ogen flonkerden toen ze Kasawo's dikke lijf in de mist zag verdwijnen in de richting van de grote weg om de bus te pakken. Ze wenste dat ze haar had kunnen dwingen met haar mee te gaan naar de mis. Wat zou ze haar graag de dampende heuvels opgesleurd hebben en omlaag door de dauwige dalen, met halsbrekende snelheid, en haar gebroken zondige lichaam op de stoep van de kerk van hun jeugd hebben gesmeten! Wat zou ze trots geweest zijn haar te hebben gebroken en haar aan de Here op een schotel op te kunnen dienen en haar luidkeelse smeekbeden om vergiffenis aan te kunnen horen! Maar Kasawo was weer op de terugweg naar haar goddeloze leven en waarschijnlijk zou ze uitkomen waar Lwandeka was uitgekomen: in verdoemenis! Verdoemenis, verdoemenis, verdoemenis... Geobsedeerd door de enige zuster die ze nog had, verdwaalde Hangslot voor het eerst in de heuvels en kwam in de parochie aan toen de mis bijna ten einde was.

Op de dag van haar dood ging Hangslot, met haar vroeggrijze haren als een ragebol in de wind, op onderzoek uit waarom het orkest in haar hoofd zo tekeerging. Ze hoorde voortdurend een geknars en gescheur en gehamer en gebons en gerinkel. Op de achtergrond van deze kakofonie klonk iets dat leek op het smartelijke gekrijs uit een martelkamer in vol bedrijf. In een slecht humeur verliet ze haar kamer. Toen ze het erf op liep en naar het woud in de verte keek, werden haar benen slap van heilige vrees. Voor haar bevond zich het altaar van de Sint-Pieterskerk, waarboven duiven zweefden voordat ze in een verblindend witte boog uit het zicht verdwenen. Er waren zoveel duiven dat de hele hemel wit zag.

In den beginne was er een sprinkhanenplaag geweest, en later, na de bedevaart, een storm. Nu was er het wonder van de hemelse duiven, die waren gekomen om het kwaad uit het oerwoud en het dorp te verjagen. De muziek zwol aan tot de geluidssterkte van een orkaan die takken brak, ijzeren daken losrukte en bomen in tweeën spleet. Het was eenzelfde storm als die na Mbales bedevaart. Ineens hoorde ze het onverdraaglijke geruis van miljoenen sprinkhanen. Vervolgens vulde de lucht zich met de vioolklanken van vallende duiven.

Het liep tegen tien uur in de ochtend. Een lief, tandeloos zonnetje, goud voor het oog en weldadig voor de huid, scheen en flirtte met de zintuigen. De boeren waren al voorovergebogen op hun land bezig en hun schoffels bewogen op en neer in een gestadig ritme. Ze waren aan het werk in de shamba, vlak bij het pad. Hangslot zag ze wel, maar zij konden haar niet zien. Nu en dan bereikte haar de stem van een baby die vlak bij de werkers op een bosje bananenbladeren lag onder een doek, en rees in haar het beeld op van haar dozijn nakomelingen. De boeren hadden het druk met het land bewerken in voorbereiding op de aanplant van bonen, maïs, cassave, aardappelen, tomaten en bladgroenten. De kinderen hielpen hun ouders in de tuin of zaten al op school.

Hangslot bevond zich alleen op het pad. Ze sloeg een zijpad in dat naar het oerwoud en de vallende duiven voerde. Versuft dook ze het manshoge tarogras in. Ze bewoog zich eerbiedig, als iemand die heilige grond nadert. De taro maakte plaats voor korter gras met hier en daar een bosje parapluvormige bomen. Het woud was slechts enkele meters van haar af, het heilige spektakel verleidelijk binnen haar bereik. Haar borstkas gloeide van een gevoel dat ze niet alleen was. Afgeleid door zilverreigers had ze de reusachtige buffel niet gezien die de reigers deed opschrikken elke keer wanneer hij de mieren, die zijn neus en kop belaagden en zijn hersens kietelden, van zich af probeerde te schudden. De buffel was aangenaam verrast dat hij haar op zijn pad tegenkwam. Enkele dagen tevoren was hij door jagers aangeschoten die hem in hun onervarenheid niet hadden kunnen bijhouden om hem af te maken. Razend van ingehouden woede en opgekikkerd door de ontdekking van een zielsvriendin, stormde de buffel vanonder de lage boom waar hij zich schuilhield op Hangslot af.

Met het grootste gemak nam hij haar op de horens, gooide haar in de lucht en ze maakte een duikeling als de Koreaanse trapeze-artiesten die ze jaren geleden had gezien op de Toshiba die na twee uur zo begon te stinken. Het struikgewas op de grond duizelde haar met ongelooflijke snelheid tegemoet. Lallend viel ze met haar schouders op de reusachtige horens, haar benen in de lucht als Sint-Petrus aan het kruis. De buffel stoof weg door de zingende, jammerende, jankende bosjes met een vlucht reigers in zijn kielzog. Ze drongen diep het woud binnen terwijl het kreupelhout haar met zijn klauwen bewerkte. Het loof zag zo groen, de lucht geurde zo zwoel, haar lichaam voelde zo licht als de vleugel van een jeugdige engel. Ze was terug in de wolken, op weg naar Rome en het Heilige Land.

Ze belandden op een open plek in het oerwoud, waar het donker was vanwege de muur van reuzenbomen die de zon aan het oog onttrok. De buffel gooide haar weer in de lucht en ze kwam in het dauwnatte gras terecht. De buffel rende naar het ene eind van de open plek en vandaar met enorme snelheid naar het andere eind. De muffige lucht trilde van zijn hoefslag en de dreun van zijn adem. Alles: de hemel, de bomen, het struikgewas, de grond, leek te beven en te schudden onder deze geweldpleging. Na drieënzestig spurten zakte de buffel in elkaar op de nietige overblijfselen van zijn metgezellin en begon loom met zijn enorme buik te woelen. Zevenmaal schuurde en wreef hij over de grond. Na de laatste poging overeind te komen viel hij zwaar neer: er was niets meer om de grond in te wrijven. Boven op zijn zielsverwante stortte hij van uitputting en hartstilstand in elkaar. De novemberregens, waar de boeren met smart op gewacht hadden, begonnen diezelfde dag nog en wisten de hoefsporen uit in hoosbuien die ook bijna alle nieuwe aanplant wegspoelden. Na de regens kwamen de sprinkhanen en kwam de hele omgeving in beweging om deze vliegende lekkernij te vangen.

Het meisje dat Hangslot in het huishouden hielp kwam uit school thuis en zag dat haar tante verdwenen was. Ze besefte meteen dat er iets niet in de haak was. De open haard was koud. Het eten dat ze op de vuurvaste stenen voor haar tante had achtergelaten was koud. Was haar tante er ergens bij neergevallen? Was ze de weg kwijtgeraakt in de heuvels? Was ze naar de bron gegaan en weggespoeld? Ze miste haar nu al. Ze was gewend geraakt aan de strenge, maar oprechte hebbelijkheden van de oudere vrouw. Haar strengheid verschilde niet veel van die van haar vader, behalve dat de vrouw had geprobeerd toenadering te zoeken. Ze had iets treurigs en aardigs. Haar vastberadenheid had iets vreemds en indrukwekkends. Voor een jong meisje was de totale autonomie van de vrouw verbijsterend. De vrouw leek een onbegrensde capaciteit tot reflectie, meditatie en gebed te hebben, of wat ze dan ook deed in die lange periodes van ononderbroken zwijgzaamheid, wanneer ze geheel van de wereld afgesloten leek te zijn. Op het eerste gezicht had ze haar niet erg gemogen, maar ze was haar mettertijd aardiger gaan vinden. Met tranen in haar ogen rende het meisje naar haar vaders huis om hem in te lichten over de afwezigheid van haar tante. Ze hoopte haar daar aan te zullen treffen, pratend of luisterend naar haar vader, of misschien uitrustend van vermoeidheid. Ze wenste vurig dat ze er zou zijn. Ze smeekte God dat ze haar daar zou aantreffen.

Mbale nam het nieuws in ontvangst met een strak gezicht. De enige aanduiding van emotie was zijn mond die lichtelijk openviel en de rimpels die op zijn voorhoofd verschenen. Hij deed de ronde door het dorp om te informeren naar zijn zuster. De laatste plek waar hij belandde was de kerk, waar niemand haar die dag had gezien. Hij liep terug naar het dorp door de bergen, waar het nog nagalmde van de sprinkhanenjagers. Niemand kon zich herinneren haar gezien te hebben, die dag of welke andere dag dan ook. Een heleboel mensen dachten dat ze al een poosje geleden naar haar eigen dorp terug was gegaan. Mbale organiseerde een zoektocht op grote schaal, maar het kwam bij niemand op om in het oerwoud te gaan zoeken. Ze zochten in putten en bij andere waterplaatsen en in greppels, om zeker te weten dat ze niet ergens om hulp lag te roepen.

Intussen vernam Serenity het nieuws. Hij arriveerde midden in de stortvloed en zag eruit als een kuikentje dat uit een olieplas was gevist. Geplaagd door zijn mislukking bij het vinden van zijn vader in 1979, leed hij onder een mammoetgebrek aan zelfvertrouwen. Zijn hoofd vulde zich met herinneringen aan zijn eenbenige oom. Waren alle dromen over die man hierop uitgelopen? Was het zijn vrouw, en niet hij, die het lot van de manke man moest delen? Tijdelijk voelde hij zich opgelucht. Toen dacht hij aan zijn kinderen en besloot alles op alles te zetten om zijn vrouw op te sporen. Ze moest zich ergens in dit dorp bevinden. Hij zag haar voor zich in de dagen voor hun huwelijk. Hij dacht aan hun eerste ontmoeting. Hij dacht aan de bruiloft en de voorbereidingen en de grote dag zelf. De vrouw moest gevonden worden. Hij huiverde van de overweldigende taak. Hij was zich ervan bewust dat een persoon die haar hele leven nog nooit verdwaald was alleen door een wonder opgespoord kon worden. Nakiboeka sloot zich bij de opsporingspartij aan, maar kon geen nieuw inzicht verschaffen. De avonden waren het zwaarst. Uitgeput en doorweekt zaten ze met sombere gezichten bij het vuur, niet zoals bij een dodenwake, want haar lichaam was nog niet gevonden, en ook niet zoals bij een vreugdevuur, omdat er nog zoveel onzekerheid in de lucht hing. De dagen verstreken en gingen over in weken met de gekwelde traagheid van een oude stoommachine. Toen de somberheid op zijn hoogst was, stelde iemand voor het oerwoud te doorzoeken. Iedereen was er heftig op tegen. Daar kon ze niet zijn. Maar de volgende dag begonnen ze het woud uit te kammen.

Ze hadden geen enkel aanknopingspunt. De draadjes die in het struikgewas en aan de doorns waren blijven hangen tijdens Hangslots buffelrit, waren weggespoeld. De geheimzinnige bomenrijen deden Serenity beven. De duisternis en de nattigheid en de mysteries van het woud deden Serenity wensen dat hij terug kon gaan. Hij voelde zich als iemand die zijn eigen dood tegemoet loopt, iemand die op het punt staat verzwolgen te worden door poelen kokende modder na geplet te zijn door de reusachtige bomen.

Nakiboeka legde een hand op zijn schouder en ze sjokten voort. Op de open plek aangekomen stond iedereen verbijsterd stil bij het aanzicht van de slierten maden en zwermen vliegen die uit de reusachtige buffel stroomden. Er waren holtes ontstaan in zijn romp, zijn ribbenkast leek op een uitgeholde berghelling. De jagers vertelden hoe ze hem gewond hadden achtergelaten, maar niemand bracht het in verband met Hangslot. Om te beginnen ging Hangslot nooit het bos in. Een aantal mensen was van mening dat dit een andere buffel was, omdat die ene zeven kilometer verderop met een speer doorboord was. Ze redeneerden dat, als de gewonde buffel uit wraakzucht mensen had willen aanvallen, hij daartoe genoeg gelegenheid had gehad op de dichter bevolkte plek waar hij gewond was geraakt. De meeste mensen die bij de zoektocht aanwezig waren wilden meteen weer teruggaan naar het dorp. Ze zagen het nut er niet van in om in het wilde weg door te gaan in een deel van het woud waarvan het bekend was dat er grote vallen stonden om wilde beesten in te strikken. Maar Mbale en Nakiboeka drongen erop aan tot het einde van het woud te gaan en gaven iedereen de opdracht naar stukken kleding te zoeken. Het was een onpopulaire beslissing. Het liep uit op een afmattende tocht, die oplossingen noch bewijsstukken opleverde. Geen draadje stof werd er gevonden. Grommend ondernamen ze de terugtocht. Op de open plek waren de jagers manmoedig het reuzenkarkas aan het wegslepen. De maden kropen langs hun benen en armen en de vliegen knetterden en zoemden door de lucht. Serenity had het gevoel dat hij een gat in zijn hoofd kreeg van de weeë stank. Op dat punt beval hij de jagers met slepen op te houden. Zijn vrouw kon zich beslist niet onder die vuiligheid bevinden. Niet zijn Hangslot Niet zijn Maagd. Hij ontmoedigde de mensen die over de grond kropen op zoek naar de geringste aanduiding van een hoefafdruk.

Er werden verschillende theorieën ontwikkeld. Sommigen zeiden dat Hangslot door een verdwaalde luipaard was opgepeuzeld en dat haar afgekloven botten ergens aan een gespleten boom moesten hangen. Sommigen zeiden dat een kudde trotse leeuwen haar met huid en haar had verslonden en een meute hyena's haar botten tussen hun machtige kaken hadden vermalen. Sommigen beweerden dat de rivier aan de andere kant van het dorp haar meegevoerd had. Sommigen zeiden dat ze in een geheimzinnige kuil was gevallen. Iemand opperde zelfs dat ze ten hemel was gevaren.

Thuis nam Serenity's depressie toe omdat hij er niet in geslaagd was zijn vrouw te vinden. Hij raakte geobsedeerd door water. Hij dacht terug aan de Tiber in Rome, waar Romulus en Remus hadden gewoond. Hij praatte onophoudelijk over water en watermassa's. Van alle theorieën die de ronde deden geloofde hij er nog het meest in dat Hangslot door een rivier verzwolgen was. In een hoek gedreven door de obsessie van haar minnaar, moedigde Nakiboeka Serenity aan regelmatig de oevers van het Victoriameer te bezoeken. Ze begonnen er elk weekend heen te gaan en bezochten bepaalde visplaatsen waar ze keken naar de kanovaarders die hun netten uitwierpen. Ze zaten dan naar de golven en de wind te luisteren, terwijl ze zongen en huilden. Het feit dat Nakiboeka de tante was van zijn vrouw hielp hem bij het oproepen van haar beeld. Serenity begon na te denken over de Maagd Maria.

In zijn jeugd had hij die aanbeden en haar gevraagd hem te bemoederen, lang voordat hij zijn eigen maagd had gevonden, zijn Hangslot. Om de pijn te kunnen verdragen verenigde hij de twee maagden en hij begon steeds meer te geloven dat zijn eigen maagd via het meer bij hem terug zou komen. Zij was de krokodil waar zijn overleden tante het over had gehad. Zij zou uit de diepten van het meer opduiken om zijn hartzeer te sussen. Serenity begon geplaagd te worden door godsdienstdemonen, die hij bijna zijn hele leven weerstand had geboden; ze kwelden zijn geest, verstoorden zijn dromen en verwezen op een geniepige manier naar de wonderbaarlijke wijze waarop hij het geld bijeen had gekregen om de bedevaart te bekostigen, zodat ze zichzelf hadden kunnen bewijzen. Nakiboeka zag hem in gedachten verdiept, zijn ziel op de golven de horizon afspeurend naar de maagd, en ze was blij dat ze bij hem was. Hij las geen boeken meer. Het lange wachten op Godot was uitgelopen op een teleurstelling. De gaten die nog niet gedicht waren konden niet meer opgelapt worden door buitenlandse fictie. Serenity's wereld was nu beperkt tot het huis, de koeien, de weg en de pelgrimstochten naar het meer.

Hadji Gimbi trachtte hem op te monteren, maar Serenity zei niet veel meer. Hij was weer terug in die zwijgzame dagen toen de geheimzinnige vrouw hem weggeduwd had en hem van zijn geobsedeerdheid door grote vrouwen had genezen. Af en toe zag hij de terugkerende Aziaten: die waren nu schimmen voor hem, wezens van een andere planeet. Hij was niet meer bang voor ze en haatte ze niet meer; ze bestonden gewoon niet meer voor hem. Nakiboeka was de enige persoon die op de een of andere manier nog tot hem kon doordringen. Ze had haar intrek genomen in Hangslots droomhuis. Ze zorgde voor de paar schijters die nog niet op kostschool zaten. Meerdere malen moest ze van Serenity zweren dat zij hen zou verzorgen als waren het haar eigen kinderen. Dat deed ze ook, en het kon haar niet schelen of de schijters een hekel aan haar hadden of niet. Ze zouden gewoon aan haar moeten wennen. Serenity ging nu om de dag naar het meer. Nakiboeka kon niet altijd met hem mee omdat ze huishoudelijke plichten had. Hij vond dat niet erg. Hij wist dat zijn vrouw zich uitsluitend aan hem zou openbaren als hij alleen was. Hun hereniging zou beslist iets zijn tussen hen tweeën en hij geloofde er vast in dat elke excursie in zijn eentje de laatste kon zijn.

Op een middag realiseerde hij zich dat hij de weg kwijt was. Hij begon door de papyrusbiezen te ploeteren, in de richting van een visplaats aan de overkant van het meer. Hij liep steeds dieper het moeras in en bladeren zo scherp als een zaag sneden in zijn benen. Bloedzuigers sprongen uit het water op, beten zich aan hem vast en lieten pas weer los als ze zich aan zijn bloed te goed hadden gedaan. Op een gegeven moment gleed hij van een glibberig rotsblok af het ondiepe water in. Naar gelang hij zijn bestemming naderde leek die steeds verder weg te liggen. Zijn kleren waren doorweekt en zijn schoenen stonden vol water. De modder zoog aan zijn voeten. Sprinkhanen knaagden aan zijn maag en ingewanden. De zon ging onder en balanceerde hachelijk op de horizon; de vurige bal leek op het punt te staan in het meer te zakken en te doven.

Algauw werd Serenity's aandacht opgeëist door een stuk drijvend hout, nee, een drijvend onbewoond eiland, gekarteld, geribbeld, groots in zijn préhistorische oudheid. Hij was terug in Rome bij Romulus en Remus en de wolvin. Waren die kartelrandjes niet de uitstekende tepels van de wolvinnen door wie hij in het huis van zijn vader was grootgebracht? Plotseling vermenigvuldigden de scherpe randjes zich alsof er een heleboel wolvinnen op hun rug dreven, hun opstaande tepels uitdagend in de lucht. Hij kon zijn ogen haast niet van het bizarre tafereel afhouden. Een enorme flits of golf omspoelde hem en maakte alles troebel, zuilen van water rezen op en vielen over hem heen.

De kolossale krokodil had hem ingehaald. Hij was pas onlangs op dit terrein gaan pronken omdat een groepje kleinere mannetjes had geprobeerd hem eruit te werken, in een coup die hij in de kiem had weten te smoren. Nu nam hij er de tijd voor de oevers af te kammen en wanneer hij maar kon een kano omver te gooien, om zich ervan te verzekeren dat hij de enige bewindvoerder was in dit gebied. Hij had inmiddels al een maand niet meer behoorlijk gegeten. Deze prooi werd een van de vijftig grotere hapjes die hij dit jaar zou verorberen. Niet gek voor iemand van achtenvijftig jaar oud, zeven meter lang en vele honderden kilo's zwaar. Hij opende zijn kolossale kaken en Serenity zag roze en rode caleidoscopen tussen de bruisende golven door. Een ogenblik lang zag hij alleen maar schuim en kolkend water. Terwijl hij tussen de kaken van de kolossale krokodil verdween flitsten er drie laatste beelden door Serenity's hoofd: een wegrottende buffel vol gaten waar slierten maden en zwermen vliegen uitkwamen; zijn minnares van oudsher, de tante van zijn vermiste vrouw, en de geheimzinnige vrouw die hem als kind had genezen van zijn bezetenheid van grote vrouwen. In dat laatste ogenblik wist hij ineens waar de botten van zijn vrouw lagen. Maar aangezien de oude kunst van de doden om met de levenden te communiceren door middel van dromen al lang geleden uit de familie was gebannen door het katholicisme, westerse gewoonten en door verachtelijke verwaarlozing verliet Serenity's inzicht de buik van de krokodil niet, zelfs niet toen die tien jaar later overleed.

Hadji Gimbi en Nakiboeka dachten dat hij verdronken was en gaven vissers de opdracht naar zijn lichaam te zoeken en de politie te waarschuwen zodra ze het gevonden hadden. Maar Serenity's graf zou ook het graf van een onbekende soldaat worden. Zijn lichaam werd nooit gevonden en Hadji Gimbi en Nakiboeka bleven het tot aan hun respectievelijke dood oneens over hoe Serenity aan zijn einde was gekomen.

Het huren en kopen van paspoorten was heel gewoon in het getto; een afgeleide van het feit dat de mensen steeds een nieuwe identiteit moesten aannemen om zich te kunnen handhaven. Als toeschouwer intrigeerde deze sport me zeer. Het verschilde niet veel van de manier waarop Lwendo en ik de mensen hadden afgeperst die materialen voor de wederopbouw stalen. Het was een slimme manier om een stompzinnig, corrupt, onpersoonlijk systeem als een regering te ondermijnen. Er zat een element van oppermachtigheid aan de vervalsers. Ze zagen er iets beter uit dan de mensen die maar wat aanrotzooiden in het getto. In elk geval stonden ze ver boven de drugsdealers die het leven van de mensen vervuilden. Ze stonden een treetje hoger dan de uitsluitend aan hun eigen hachje denkende politiemannen in hun doosgebouwtje. Het waren tovenaars die de sleutel hadden tot de deuren die normaal gesloten bleven voor arme mensen die om wat voor reden dan ook uit hun land gevlucht waren. Zij hadden hun eigen wetten en vormden een mini-regering die de macht had de grote regering te verdringen zonder ervoor gestraft te worden. Als alle regeringen waren ze op hun hoede en in staat tot geweld over te gaan om hun belangen te beschermen. Als ik in de metro zat keek ik naar de uitdrukkingloze gezichten van de passagiers en vroeg ik me af wie hun aanwezigheid hier te danken hadden aan deze *underground*-regering. De Nederlandse politie deed geen steekproeven met paspoorten, zoals in naburige landen het geval was, maar deed invallen op de hun bekende plekken waar vaak illegalen werkten. Dit was alleen maar koren op de molen van de vervalsers: zo kwamen ze op het idee paspoorten te verhuren aan mensen die zich niet konden veroorloven er een te kopen.

Na de verdwijning van de despoten begon het me te dagen dat ik vroeger of later een beslissing zou moeten nemen over wat ik met mijn leven wilde. Ik had nog een paar duizend dollar, die ik kon besteden aan een zuinig bestaan, of die ik ergens in kon investeren. Ik koos voor de laatste mogelijkheid, liet alle voorzichtigheid varen en nam contact op met een man die in Europese paspoorten handelde. Hij was betrouwbaar, maar zo duur als de pest. Hij stond algemeen bekend onder de naam Kippenstront, omdat hij tegen de mensen die klaagden over zijn hoge prijzen altijd zei dat je van kippenstront geen kippensoep kon maken. Hij klopte zichzelf op de borst omdat hij een kwaliteitsproduct afleverde, in tegenstelling tot degenen die goedkope, maar slecht nagebootste documenten verkochten, waardoor een heleboel mensen last met de politie kregen. Om een begin te maken met mijn integratie in de Nederlandse gemeenschap, had ik een goed paspoort nodig. Ik zat er al aan te denken een baantje te zoeken, zodat ik de taal kon oefenen en een beetje geld kon verdienen terwijl ik me bezon op wat ik verder zou gaan doen. Kippenstront bood me de keus tussen een Brits, Amerikaans, Spaans of Portugees paspoort! Na een paar maanden in het land had ik me middels de macht van het geld gekwalificeerd om westerling te worden! In het begin wist ik niet wat me overkwam, maar geleidelijk aan werd ik me ervan bewust dat het echt stond te gebeuren. De grootmachten die het Afrikaanse continent onder zichzelf hadden verdeeld op de Berlijnse Conferentie van 1884, hadden dat gedaan zonder er één voet aan wal te zetten. Ikzelf was helemaal naar Europa gereisd, had alles zelf betaald en stond nu op het punt een staatsburgerschap te kopen. Ik realiseerde me wel dat wat ik op het punt stond te doen niet het buitengewoonste was dat er in de afgelopen eeuw was gebeurd. Ik voegde me gewoon bij de mieren in de ondergrondse wereld die de economie mede overeind hield. Ik had nog wel een paar vragen aan de man die me papieren zou bezorgen: zou ik bestaan in de archieven van een bepaald land? Uiteraard: hij gebruikte bestaande gegevens voor de paspoorten. Wat moest ik doen als de politie om een geboortebewijs vroeg? Hij zei dat hij me er met gemak eentje kon leveren. Eerst moest ik kiezen welke nationaliteit ik wilde. Ik koos voor de Britse.

Na veertien dagen was mijn nieuwe identiteit klaar. Toen ik hem op ging halen deed Kippenstront een kleine proef. Hij overhandigde mij twee paspoorten en vroeg of ik kon zeggen welke hij gemaakt had. Ik kon het verschil niet zien. Ik betaalde hem ruim duizend dollar voor paspoort en geboortebewijs. De adrenaline stroomde door me heen toen ik het boekje in mijn zak stak. Ik was herboren: mijn nieuwe naam was John Kato. Deze achternaam kwam in Oeganda veel voor als naam voor de laatstgeborene van een mannelijke tweeling. Ergens in Engeland liep een tweelingmier met dezelfde naam rond, zich niet bewust van zijn tweelingbroer die worstelde met de zompigheid van de Nederlandse polders.

Om mijn nieuwe macht als staatsburger van het oppermachtige Westen te toetsen, ging ik naar een van de gemeentelijke begraafplaatsen om te vragen of ze een baantje voor me hadden. Mijn zenuwen speelden me parten, maar ik beriep mezelf op mijn acteertalent. Ik maskeerde mijn gespannenheid met een ernstige, geestdriftige uitdrukking. Het werd tijd dat ik mijn eigen raadsman speelde. De begraafplaats lag aan de rand van de stad, en was een besloten plek met hoge dunne bomen, geplaveide wandelwegen, kortgeknipte gazons en keurige graven, gerangschikt in rechthoekige perken. Het was heel schoon en rustig hier tussen de doden. Ik liep langs de graven en stond versteld van de variëteit aan stenen, de teksten die erop stonden, de belettering, de kleine bloemperkjes en de serene atmosfeer die er hing. Er waren kranen en groene gieters om de planten en bloemen mee te besproeien. Ik had een plek gevonden waar ik kon ontspannen en nadenken. De onderhandelingen werden in het Engels gevoerd. Ze konden wel een schoonmaker en tuinman gebruiken. Had ik interesse? Het salaris was laag, maar het was genoeg voor mijn behoeften. Ik had mijn eerste proef doorstaan.

Ik werkte met de fanatieke inzet van iemand die zojuist op vrije voeten is gesteld. Ik was eropuit door iemand opgemerkt te worden, een connectie te maken die me tot grotere dingen zou leiden. Zou ik ze in het ootje kunnen nemen zoals ik hun landgenoot pater Kaanders in het ootje had genomen? Ik sloeg een groot aantal begrafenissen gade: hele rustige, hele fatsoenlijke, hele nette aangelegenheden, geen gejammer dat door merg en been ging, geen maaiende armen, geen uittrekken van haren of knarsen van tanden. In het zwart gekleed kwamen de nabestaanden bijeen in de aula, dan zei iemand een paar woordjes over de overledene, werden er een paar muziekstukjes gedraaid, en vervolgens liepen ze zwijgend achter de kist aan die door begrafenisondernemers in zwarte pakken over het kerkhof naar het graf gedragen werd. Op de een of andere manier wist ik dat mijn redding ergens onder de rouwende nabestaanden te vinden was. Nadat de kist in het graf omlaaggezakt was, liepen de mensen keurig in de rij, sommigen fluisterend, de meesten stil, terug naar de aula, waar ze een kop koffie met een koekje kregen alvorens hun levens voort te zetten. Het was heel moeilijk om met de rouwenden in contact te komen, zelfs met degenen die alleen kwamen om de bloemen te verzorgen op het graf van hun dierbare. Hoe dichter ik deze wereld naderde, des te verder leek hij van me af te liggen.

Toen ik een paar maanden gewerkt had, kwam ik erachter dat je het best betaald werd voor het opgraven van de lang geleden overleden, lang vergeten mensen wier huurperiode was vervallen, en wier resten verbrand of herbegraven moesten worden op speciaal daarvoor aangewezen plekken. Het tuinieren beviel me niet erg; in vergelijking met Mbales afbeulende werk en het harde leven van zijn kinderen kwam het mij bespottelijk voor. Opgraving was een tamelijk walgelijke klus, maar het maakte iets in mij los. Ik was ontzettend nieuwsgierig hoe dode mensen eruitzagen als ze tien jaar of langer onder de grond hadden gelegen. Het was vuil, zwaar werk, vaak zwaarder dan wat de vriendjes van Keema allemaal deden, maar van het zwoegen sliep ik elke nacht als een geplette roos.

Toen ik voor de eerste keer een dode aan de oppervlakte bracht, voelde ik een vreemde stoot energie door me heen gaan, een vage openbaring. Aanvankelijk ging ik de graven eerbiedig te lijf, maar mettertijd leerde ik het roekeloze genoegen van de gevorderde sloper kennen. Zoals het stijgen sommige mensen duizelig maakt, zo voelde ik me steeds meer met de grond verbonden naarmate ik dieper groef, als een rots. De graven openden zich als een schatkist onder een piratenbijl. Het legaat werd letterlijk ontaard, vreemd, treurig, moeilijk te vatten. De skeletten, de doodshoofden, de verteerde kleding, de halfvergane haren deden me aan de Loewero Driehoek denken en de nasleep van de oorlog, en aan mensen die zo volledig met de aarde waren versmolten dat er op het laatst alleen nog maar gebeente was overgebleven. Soms vond ik ringen, kapotte schoenen of halskettingen, voorwerpen die in hun tijd kostbaar waren geweest, herinneringen hadden vertegenwoordigd, smaken, gewoonten, dingen die voorbij waren. Deze werden bovenop de resten van hun eigenaar gelegd en gingen mee de verbrandingsoven in. Het verbranden van deze stoffelijke overschotten, deze aandenkens aan vroegere levens, raakte iets vanbinnen dat brandde als magnesium en duidde op de onschatbare rol van het geheugen in het bewaren van het verleden.

Ik wist niets van deze mensen af, maar de confrontatie met hun duistere verleden, voor altijd afgesloten door de mist van de tijd, maakte iets in me los. Uit het vuil van stinkende of niet-stinkende afbrokkelende stukjes en beetjes leek iets eervols te rijzen, iets dat verwant was aan iemand die herrijst om oude verhalen te vertellen waarvan iedereen dacht dat hij ze mee het graf in had genomen. Ik werkte niet meer met doden: door hen bracht ik degenen van wie ik dacht dat ik ze voor eeuwig kwijt was weer tot leven. Ik was weer terug in de dagen toen ik in de bibliotheek van het seminarie werkte. De graven waren mijn boekenplanken vol ondergestofte geheimen. De verhalen begonnen los te komen, door mijn hoofd te spoken, en ik begon me af te vragen wat ik ermee moest doen. De inzet waarmee ik werkte verblufte zowel mijn collega's als mijn baas. Ze dachten waarschijnlijk dat ik morbide was en op een vreemde manier op de doden teerde. De geesten van de doden leken mij te vervullen van onvermoeibaarheid. Ik werkte harder dan mijn stoerdere collega's en joeg ze op tot ze transpireerden als lange-afstandslopers. De meesten zeurden eindeloos over het zware smerige werk. Ik deed niet mee met hun geklaag; ik was met iets bijzonders bezig. In gedachten reconstrueerde ik het leven, de dood en de begrafenis van onze slachtoffers. Voor sommigen creëerde ik een glorierijk verleden; voor anderen jammerlijke jaren waarbij de dood, na alle rampspoed, sleur en smart, een bevrijding was geweest. Voor sommigen schetste ik een grijs leven dat goed noch slecht was, glorierijk noch duister, pijnlijk noch vreugdevol.

Intussen begonnen er ook dingen te gebeuren op andere fronten. Terwijl ik hier werkte ontmoette ik de vrouw, de geest die uit een van de oude graven leek te verrijzen, en die mijn leven wat meer opzweepte. De kracht van de oorspronkelijke vonk deed me vermoeden dat er iets dodelijks zat aan de ontmoeting. Het was een druilerige dag en we hadden geen opgravingen gedaan en slechts één begrafenis. Ik was wat langer gebleven en had aangeboden om de tuingieters te verzorgen om nog rustig wat na te kunnen denken. Ik trof haar knielend aan bij een van de nieuwe graven, een eenzame figuur die erop gespitst leek wie er dan ook onder de grafsteen lag weer tot leven te wekken. Haar lichaam beefde van het snikken. De meeste blanke vrouwen stonden erbij als een buffel die in het drijfzand vastzat en beweenden hun dierbaren met de berekende omhaal van een priester tijdens de hoogmis. Maar zij deed het tegenovergestelde en een ogenblik lang moest ik aan Hangslot denken die, nadat ze uit het klooster was verbannen, de vloer in Mbales huis met haar nagels te lijf ging. Terwijl ik naderde viel mijn oog op de grafsteen: de overledene was vierenveertig jaar geworden – de huidige gemiddelde levensverwachting in Serenity's Abessinië. Haar vriend, dacht ik onbehaaglijk. Ja: het oudere-man-jongere-vrouw-scenario. Ik werd ineens door angst overmand dat mijn vondst tegen de vijftig liep en dat het scenario andersom was geweest. Bij elke stap die ik zette blies de bos donker haar die haar gezicht verborg in de geurige wind. Ik was haar nu heel dicht genaderd. Ik bleef op een meter afstand staan en wachtte tot ze zich zou omdraaien. Dat deed ze niet. Ik kuchte, maakte een lichte buiging en vroeg of ik water voor haar plantjes kon halen. Nog steeds had ik haar gezicht niet gezien. Met een trage, geïrriteerde beweging draaide ze haar hoofd om. Ze was aardig gebruind en dat gaf haar gezicht diepte en stevigheid en tekende het scherp af tegen de bos haar en haar jurk en de omgeving.

Zo te zien waren we ongeveer van dezelfde leeftijd, en ik merkte dat ik hard slikte. Hoe kon zo iemand niet getrouwd of niet verloofd zijn? Ze had vier ringen om haar vingers, vingers die nog nooit met de hardheid van een schoffel of de innemende gladheid van een vijzel in aanraking waren gekomen. Hoe zou ik tot deze verwende persoon, die waarschijnlijk een ijl, nasaal en benepen stemmetje had, door kunnen dringen? Het enige souvenir dat ik aan het grafdelven had overgehouden was een gouden trouwring en nu ik naar haar ringen keek, kreeg ik de neiging mijn trofee in de vuilnisbak te gooien. Voor deze mensen leek alles een speletje te zijn. Zomaar vier ringen tegelijk!

Ik had mezelf er bijna van overtuigd dat dit de geest van Hangslot was, teruggekomen om me voor de laatste keer te pijnigen, toen ze begon te spreken. De minachting en de verwarring die op mijn gezicht stonden in dat korte ogenblik, deden haar geloven dat ik met haar meerouwde of op de een of andere manier met haar meeleefde. Dat was niet zo. Jazeker, ik mocht water halen voor haar planten. De toon waarop ze het zei was niet al te laatdunkend of uit de hoogte. Het kon geïnterpreteerd worden als vaag vriendelijk of onverschillig. Vanzelfsprekend was ik types tegengekomen die alleen maar glimlachten omdat ze doodsbang voor je waren. Zij daarentegen had zichzelf onder controle. Haar make-up was over haar gezicht uitgelopen in bochten kronkelig als die van een bospad, maar wat eronder lag was op z'n zachtst gezegd aantrekkelijk. Mijn mengsel van gebroken Nederlands en goed Engels werkte. Nu ze een toehoorder had ontspande haar mond en vloeide haar verdriet met de lenigheid van een slang die zijn huid afwerpt. Halverwege de vloedgolf bedacht ik dat het waarschijnlijk de gebruikelijke opluchtende bekentenis was aan een vreemde. Ik verzamelde echter een paar flintertjes informatie: ze had de betovering van iemand die altijd door mannen verlaten wordt. Haar vader en twee van haar broers waren aan kanker overleden. Wij bevonden ons aan het graf van het meest recente slachtoffer: een van haar broers. Het deed me huiveren tot aan mijn kruin, maar ik was niet geïntimideerd. Als de ziekte in haar lichaam rondwaarde, zoals de pest het lichaam van tante

Lwandeka had gesloopt: wat kon mij het schelen zolang het niet besmettelijk was? Door de dood was ik hier terechtgekomen, dus kon die mij net zo goed ook weer meenemen. Ik trachtte me in te leven in wat zij moest voelen: al die doden, al die angsten. De winden van de dood verbonden ons met elkaar met een angstaanjagende intensiteit. Binnen een paar weken gingen we met elkaar. Ik werd uit het getto en het lawaai van Keema's flat geplukt en kwam terecht in een ruim appartement aan de rand van de grote stad. Aan de voorkant keek je uit over een deel van de stad, een stel daken en torenspitsen en schoorstenen. In de mistige verte voelde ik het getto roepen, terug naar Klein-Oeganda. Maar heel diep vanbinnen wist ik dat ik, nu ik het zo ver gebracht had, nooit meer terug zou gaan. En ik had me er toch al nooit thuis gevoeld.

Ik werd letterlijk het eigendom van Magdelein de Meer: ik was de eerste persoon van wie ze echt het gevoel had dat hij bij haar hoorde. Een aantal blanke mannen had de revue gepasseerd in haar leven en die vervaagden allemaal naar de achtergrond, als spoken. Ik denk dat de meesten door de kanker in haar familie waren afgeschrikt, vooral degenen die kinderen hadden willen hebben. Ik was een fantasie, een droom die, indien zorgvuldig op ijs gezet, bewaard kon worden en aan haar verwachtingen kon voldoen. Aanvankelijk genoot ik van mijn rol en verbreedde mijn horizon onder een nieuwe hemel. Op een bepaalde manier vond ik de verhouding een overwinning, daarna een wraak: wraak op de despoten, op Lageau, op de blanke wereld, op de zwarte wereld en zo voort. Maar door de dagelijkse gewoonheid van twee mensen die probeerden samen te leven begon het bij me te dagen dat er geen sprake was van wraak of overwinning, maar dat het gewoon een hoofdstuk van het leven was, een psychologische barrière die ik had doorbroken, waar ik aan gekrabd had als aan die glimmende beddenplank waaronder een gewoon stuk hout bleek te zitten.

Magdelein had een ondergeschikt baantje bij een bank in de buurt, maar ze gaf geld uit als iemand die op geleende tijd leeft. Ze stak me in prachtige kleren waar ik me onbehaaglijk in voelde en pronkte met me. Ik heb nooit van formele kleding gehouden, stijve pakken en stugge leren schoenen, en nu moest ik die aantrekken als we naar een feestje gingen. Waar andere mensen gekleed waren in vrijetijdskleding, werd ik omgetoverd tot een tropische vis in een aquarium. Men sloeg mij gade in plaats van andersom. Ik voelde me vaak als een lijk tijdens de requiemmis: gekleed voor mijn eigen uitvaart. Haar bedoelingen waren goed en ze was nogal idealistisch. Voor mij deed ze wat ze voor geen blanke man zou doen, veronderstelde ik. Ik hoefde mijn vieze geld niet uit te geven, behalve aan cadeautjes en aan taallessen. Ze kookte en maakte het huis schoon, waarbij het laatste haar beter afging dan het eerste. Ik denk dat ze wedijverde met legendarische zwarte vrouwen, onzichtbare spoken die haar haar droom zouden kunnen ontfutselen door mijn liefde te verwerven via mijn maag. Sluw liet ik Eva uit mijn verhaal weg. Terwijl ik naar haar keek als ze schoonmaakte en kookte, bedacht ik dat Eva mij dat allemaal zelf had laten doen. Het ironische van de situatie deed me gieren van het lachen als ik in bad zat. Magdelein had een goed plan: me te bemoederen en te verwennen tot ik me gedwongen zou voelen om bij haar te blijven. De mentaliteit van een bankier: een investering op lange termijn. Heimelijk had ik pret om twee van mijn blanke collega's; naar het scheen deden hun vrouwen niets aan het huishouden.

Er waren nog meer dingen waar ik pret om had. Voordat ik bij haar introk hadden we ons moeten laten inschrijven bij het plaatselijke politiebureau. Ik toonde mijn Britse paspoort en geboortebewijs. Alles verliep vlot. Ze vroeg me uit en ik zei tegen haar dat ik in Engeland geboren was voordat mijn ouders naar Oeganda waren geëmigreerd toen het nog een tuin der lusten was. Ze slikte het verhaal en ik voelde mijn borst opzwellen als de eerste de beste sprookjesverteller. Ik vertelde haar dat Serenity een hoge post bekleede bij het energiebedrijf en dat Hangslot onderwijzeres was (op stang gejaagd door Stengel die een stijve pik had gekregen nadat ze hem met de karwats had afgerost). Tot Serenity op een dag door Amins mannen was opgepikt, opgesloten en uit zijn baan gezet. Uiteindelijk was hij terechtgekomen bij een instrumentmaker bij wie hij tot aan zijn dood had gewerkt. Magdelein was heel nieuwsgierig en ik zorgde ervoor dat ik mijn fabeltjes simpel hield zodat ik niet in een door mijzelf gegraven kuil zou vallen. Ik realiseerde me dat zij op een goeie dag misschien mijn land zou willen bezoeken, maar omdat dat nog heel ver weg lag, stoorde het me niet. Ik was niet opzettelijk tegen haar gaan liegen; het liep gewoon een beetje uit de hand toen ik eenmaal begon te vertellen. Haar nieuwsgierigheid boorde bronnen van verbeelding in mijn hoofd aan en de verzinsels begonnen vanzelf te vloeien.

Ze begon te suggereren dat ik met werken moest ophouden. Waarschijnlijk vond ze de omstandigheden waaronder we elkaar hadden ontmoet vervelend. Ook was er een kans dat een andere kwetsbare rouwdraagster mij van haar zou afpakken. Maar in wezen was het 't idee dat ik overdag vervallen graven en 's nachts haar kist met geheimen openbrak, waardoor haar zelfbeeld in de war raakte. Het bracht de dood veel te dichtbij.

Wat mezelf betrof, ik kreeg het gevoel dat ze het touw om mijn nek steeds strakker aantrok, zodat ik geheel van haar afhankelijk zou worden. Aan de andere kant vond ik het werk prettig, vooral omdat ik het uit eigen vrije wil deed. Geen twee graven waren hetzelfde; elk bevatte zijn eigen geheimen. Het vuur van de verbrandingsoven deed me denken aan mijn stokersdagen en de branden die in Serenity's Abessinië hadden gewoed. Het vuur had iets spiritueels, het was een distilleerproces dat de essentie van mijn verleden losweekte. Ik voelde me op mijn gemak in mijn werk en zag geen enkele reden om het op te geven. Er zat ook een andere kant aan. Als ze me er eens uitgooide? Ik had geen zin me te laten verrassen zodat ik naar het getto terug moest. Ik weerstond alle pogingen me mijn onafhankelijkheid te laten afpakken. Het irriteerde me vooral mateloos als ze erover begon tijdens het smeulende vuur van een goede neukpartij. Ik had mijn besluitvorming of geestelijke vermogens nog nooit door seks laten afstompen; nu zou ik er ook niet van op mijn kop gaan staan. Ik vond tederheid als een vorm van omkoperij altijd bijzonder afstotelijk, omdat het me deed denken aan Hangslot, die had getracht bekentenissen uit te lokken door middel van slijmerige psalmen.

618

Geleidelijk aan was mijn ego ook uit de kast aan het komen. Na verloop van tijd kwamen er kieren in de omheining die we om ons heen hadden opgetrokken. Ik begon me te verzetten tegen het dragen van pakken. Op feestjes begon ik me te verzetten tegen het moeten opkomen voor het hele Afrikaanse continent, of heel Oeganda, of het hele zwarte ras. Ik weigerde me uit te geven voor ambassadeur, eeuwige uitlegger van de wreedheden van Amin of Obote of het regime van een andere tiran, alsof ik er gedeeltelijk schuldig aan was. Ik moest verklaringen afleggen over droogteperiodes en hongertijden, over de wreedheden van het Internationale Monetaire Fonds en de Wereldbank en andere schurken, met een glimlach op mijn gezicht. Was ik per slot van rekening niet binnengehaald door blanke mensen op al die feestjes? Als ik samen met haar op straat liep begonnen de steelse blikken van bepaalde oudere vrouwen, die impliceerden dat ze wel wisten hoe de vork in de steel zat, op mijn zenuwen te werken. Ik raakte gepikeerd over de kille blikken van blanke mannen, vooral de oudere mannen die een stoffig maar lelieblank verleden hadden.

De zomers waren het ergst: de hele blanke wereld benauwde me. Vaak was ik de enige neger in het hotel, aan het strand, in het park. Op onverwachte plekken begon ik de geest van de Helse Drie-eenheid te ontwaren, met handig verborgen geweren onder hun kleren. Ik begon Lageau te ontwaren achter de toonbank van hotels, in restaurants, aan het strand, zijn apenpreek afstekend met dunne apenlippen. Het sluwe gif van het verleden vermengde zich met het heden en bedierf het voor me. Ik walgde van de seksuele kant van het racisme: er waren vrouwen die, als ze ons samen zagen, reageerden alsof ik ze allemaal tegelijk begeerde en bijna niet kon wachten tot ik hun kleren van hun lijf had gerukt en ze in het openbaar had verkracht. Hierdoor werd mijn gedachtegang verpest en mijn stemming verzuurd, want de meeste vrouwen waren onaantrekkelijk, te mager, te pips, te dik, te plat of te oud naar mijn smaak. Misschien bestonden er mannen die vreselijk op hen geilden, maar daartoe behoorde ik niet. Ik dacht voornamelijk over boeken na en hoe moeilijk het was om de kern van het verleden op schrift te stellen. Maar plotseling verbeeldde ik me dan dat ik Lwendo was, gewapend met een machinegeweer en een vrijbrief om zonder scrupules te doden. Ik besefte dat de lijkkist van onze verhouding wijd open stond. Ik was niet van plan mijn geestelijke gezondheid op offeren voor een blanke vrouw, of voor wie dan ook, als het erop aankwam.

De blanke wereld maakte inbreuk op onze avonden. In het begin hadden we de liefde bedreven met het vuur van een sissende hartstocht. We wurgden en verbrandden demonen uit het verleden met de overgave van een jeugdige energie. Het viel me in dat we misschien lang en gelukkig zouden leven onder een stolp waarin de liefde een vergeefs door stormen belaagde boom was. Maar in het echt was de liefde een zwak plantje, dat door de zon werd geteisterd en door de regen weggespoeld. Onze seksgrafiek vertoonde een daling. Ik lag in bed te denken aan Stengels naaktfoto's met bruine schaamlippen en dan werd ik misselijk van afkeer. Ik was al snel zo ver gekomen dat ik me er rekenschap van moest geven dat wij niet een front vormden tegenover de wereld.

In mijn verleden had ik soms het onderspit gedolven tegen grotere vijanden, en dat had me geleerd discreet te zijn, sluw, ontwijkend, eenzelvig. De wetenschap dat de vijand heel terloops kon toeslaan, door middel van een blik of een negatief gebaar, ontmoedigde me. De meeste van mijn vijanden waren lichamelijk en geestelijk veel kleiner dan ik. Het was niet leuk om tegen ze te vechten en ik kon ze niet in een hinderlaag lokken. De man die de machtige Lageau had geveld voelde zich machteloos. De waarheid was dat ik me prima voelde als ik alleen uitging; maar als we samen waren was het een hel. Ik vond het verschrikkelijk dat ik zo opviel naast Magdelein. Ik vond het verschrikkelijk dat ik niet op een vredige manier de wereld kon ontdekken en er steeds weer opnieuw over kon dromen. Evenals Serenity was ik me ervan bewust dat ik verslagen was; wat er nog aan mankeerde was er een einde aan te kunnen maken. Net als oom Kawayida was ik niet van plan om erover te kibbelen.

Als een gek stortte ik me op de Nederlandse taallessen. Met dezelfde inzet wierp ik me op de daaropvolgende scholingscursus. Ik was een van de weinige negers die een goed baantje kregen. Ik miste de ontluisterende heropgravingen wel, maar ik moest het verder zien te schoppen. Ik kreeg een baan bij een groot weekblad. Ik was geen journalist, maar ik bevond me op een plek waar woorden tot wapens omgesmeed werden. Langzaamaan scherpte ik de mijne aan.

Er was een heleboel dat ik niet aan Magdelein vertelde, bijvoorbeeld de nare ervaringen die ik in de stad had. Ik kwam thuis en hield me rustig, tevreden dat ik mijn eigen strijd kon strijden. Later kwam ik tot de ontdekking dat ze een dagboek bijhield, waarin ze het bijna uitsluitend over mij had. Op een dag keek ik erin en kreeg ik de neiging het in de kachel te gooien. Ik leefde van dag tot dag en de handelingen van gisteren hadden blijkbaar niets te maken met wat ik de volgende dag deed. Het leven was een ontdekkingsreis en karakter was een variabele die van links naar rechts schommelde op zoek naar een perfecte manier om de dag door te komen. Voor Magdelein was karakter iets onveranderlijks, het leven een balans die streng in de gaten gehouden moest worden. Ik realiseerde me dat een relatie tussen een kieskeurige bankierster en een vrije geest met vrijbuitersneigingen een reis vol gevaren was. Wat dit betrof gaf ik de voorkeur aan Eva met al haar egomaniakale trekjes. Met het koude zweet op mijn rug las ik: Jay – zo noemde ze mij – is veranderd... Jay humeurig... Jay nog in ons geïnteresseerd?... Jay dronk melk in zijn thee... Jay praatte tien minuten lang met iemand uit het getto. Ik verstond er niets van want het ging in zijn eigen taal, het Loegandees. Jay heeft me al een hele poos niet aangeraakt... Wordt hij aangetrokken door een oude vlam in het getto?... Heb een das van honderdvijftig gulden voor Jay gekocht. Hij waardeert het niet. Zei dat het geldverspilling was...

We kregen ruzie. Ze beschuldigde me ervan dat ik niet genoeg aandacht aan haar besteedde. Ik beschuldigde haar ervan dat ze me als een spion in de gaten hield. Ze zei dat ze weigerde zich de les te laten lezen door bekrompen mensen en drong erop aan vaker uit te gaan, handen vast te houden, in het openbaar te zoenen, om ze een klap in het gezicht te geven. Ik weigerde. Reclameborden-intimiteit lag me niet en zou me nooit liggen. Ze trok mijn motieven in twijfel. Ik zei dat ik de druk beu was. Ze zei dat ze zou winnen. Ik zei dat ik niets voelde voor een Pyrrusoverwinning. Ze rende het huis uit en kwam terug met een pakje sigaretten. Ze stak er een op en rookte onhandig. Ik zei dat ik niet van sigarettenrook hield en dat het slecht was voor haar gezondheid en haar adem. Ze zei dat ze vrij was om te doen en laten wat ze wilde. Dat was ik met haar eens. Het kwaad was geschied. De tranen konden de kloof niet overbruggen. Ik was vastberaden om weg te gaan en mezelf te zijn. Zij was vastberaden mij te veranderen en zichzelf te blijven. Het kon niet goed gaan.

Ik vertrok op een prachtige lente-ochtend. Zij zag eruit als een jong hondje dat in een bord pap was gevallen. Ik zag eruit als een muiter die van een schip was gegooid.

Ik liep terug naar het Centraal Station, ging op straat zitten met mijn tassen aan mijn voeten en sloeg de menigte gade. De zon scheen, duiven fladderden in de rondte, drie jongens speelden een paar rockdeuntjes op hun haveloze instrumenten. Ik sloeg de maat met mijn linkervoet. Halfontblote jongens keken met me mee, reizigers stroomden voorbij, trams ratelden. Er stroomden mensen van alle soorten en rassen de stad in, als mieren naar een voorbestemd doel. Terwijl ik zat te kijken begon het me te duizelen. De mensen leken op hun kop te lopen, de doden uit het graf te herrijzen, de levenden nieuwe graven in te duiken. Overal beweging en omkering: de indringers werden binnengedrongen, de verdelers raakten verdeeld, de overvallers werden overvallen. De vermenging en verscheidenheid van volkeren was verdwazend. De bestemmingen en vertrekpunten in nevelen gehuld. Ik klampte me aan de glooiende stoep vast om niet te gaan braken of het braaksel van anderen over me heen te krijgen. Ik had een steen gevonden om mijn hoofd op neer te vlijen, een betoverde heuveltop van zwerfkeien uit alle hoeken van de wereld. Ik was weer in mijn element: toekijkend, plannen makend, wachtend op het juiste moment om toe te slaan. Abessinië speelde door mijn hoofd en ook mijn nieuwe steunpunt op deze steile heuveltop. Het was voor Abessijnen altijd al een herculesarbeid geweest om een voet tussen de deur te krijgen, maar als ze eenmaal binnen waren kreeg je ze niet meer weg. Ik was binnen.

VERANTWOORDING

Elk boek leunt op vele andere boeken, het mijne niet uitgezonderd. *Uganda Now* van Holger Bernt en Michael Twaddle (London, 1988) en *Lust to Kill. The Rise and Fall of Idi Amin* van Joseph Kamau en Andrew Cohen (London, 1979) hielpen me de chaotische gebeurtenissen te herinneren, te ordenen en in te passen, die ik en veel van mijn bekenden hebben meegemaakt tijdens de turbulente jaren voor en na de val van Amin. Deel vijf en zes zijn er het resultaat van. Voor de passages over de Aziaten in mijn verhaal heb ik dankbaar gebruikgemaakt van Mahmood Mamdani's *From Citizen to Refugee* (London, 1973).

M.I.

LIJST VAN AFRIKAANSE WOORDEN

boesoeti – kledingstuk voor vrouwen in centraal Oeganda
boubou – wijd kledingstuk voor mannen in West-Afrika
kandooya – manier van martelen, waarbij iemands armen met de
ellebogen strak tegen elkaar op zijn rug worden gebonden
Katondo mange! – Mijn God!
Kibanda Boys – onderwereldfiguren uit Kampala; maffia
mamba – gifslang
matooke – kookbanaan
moeko – zwager
moeteego – aids
mpanama – waterbreuk
mtoeba – Afrikaanse boomsoort
nagana – tropische veeziekte
panga – groot kapmes
posho – brood van maismeel
shamba – plantage

Osiibye otya, nnyabo? – Hoe gaat het met u, mevrouw?
Boeloengi ssebo – Uitstekend meneer